« PAVILLONS »
*Collection dirigée
par Maggie Doyle et Jean-Claude Zylberstein*

DU MÊME AUTEUR

chez le même éditeur

La Vie avant l'homme, 1981
La Servante écarlate, 1987;
«Bibliothèque Pavillons», 2005
Œil de chat, 1990;
«Pavillons Poche», 2011
La Voleuse d'hommes, 1994
Mort en lisière, 1996;
«Pavillons Poche», 2009
Captive, 1998
Le Tueur aveugle, 2002
Le Dernier Homme, 2005
Faire surface, «Pavillons Poche», 2007
La Femme comestible, «Pavillons Poche», 2008
Le Fiasco du Labrador, 2009

MARGARET ATWOOD

LE TEMPS DU DÉLUGE

traduit de l'anglais (Canada)
par Jean-Daniel Brèque

ROBERT LAFFONT

Titre original : THE YEAR OF THE FLOOD
© O.W. Toad, 2009
Traduction française : Éditions Robert Laffont, S.A., Paris, 2012

ISBN 978-2-221-11587-9
(édition originale : ISBN 978-0-7710-0844-3 McClelland & Stewart Ltd,, Toronto)

À Graeme et Jess

Le Jardin

Qui donc cultive le Jardin,
Le Jardin jadis si vert ?

C'était le plus beau Jardin
Que l'on n'ait jamais vu !

Là les Créatures de Dieu
Nageaient, volaient, jouaient,

Mais les avides Exploiteurs
Toutes les ont tuées.

Et les Arbres qui fleurissaient,
Et leurs fruits sains nous donnaient,

Furent par vagues ensablés,
Racines, ramées et feuillées.

Et les Eaux étincelantes
En boue et vase transformées,

Et des Oiseaux aux plumes vives
Le chœur allègre a cessé.

Ô Jardin, ô mon Jardin,
Pour toujours je te pleurerai

Jusqu'au jour où les Jardiniers
Ta vie auront restaurée.

Extrait du *Livre de cantiques des Jardiniers de Dieu*

Année du Déluge

1

Toby

An 25, Année du Déluge

Tôt le matin, Toby monte sur le toit pour regarder le soleil se lever. Un manche à balai lui sert de balancier : l'ascenseur a cessé de fonctionner il y a quelque temps et l'escalier de service ruisselle d'humidité, alors si elle glisse et tombe, personne ne viendra la ramasser.

Dès la première chaleur, la brume monte de l'étendue d'arbres qui la sépare de la ville en ruine. Il y a dans l'air une légère odeur de brûlé, caramel, goudron et barbecue rance, et la puanteur graisseuse d'un dépotoir incendié puis arrosé par la pluie. Au loin, les tours abandonnées sont pareilles aux coraux d'un antique récif : délavées, décolorées, vidées de toute vie.

Mais la vie est toujours là. Des oiseaux pépient ; sûrement des moineaux. Leurs petites voix résonnent haut et clair, tels des ongles sur une vitre ; la rumeur de la circulation n'est plus là pour les étouffer. Remarquent-ils ce calme, cette absence de moteurs ? Et, si oui, sont-ils plus heureux ? Toby n'en a aucune idée. Contrairement à certains autres Jardiniers – les plus exaltés, ou les plus défoncés –, elle n'a jamais entretenu l'illusion de pouvoir parler aux oiseaux.

Le soleil se fait plus brillant à l'est, rougeoyant la gaze bleu-gris qui signale l'océan dans le lointain. Les vautours nichant sur les poteaux électriques déploient leurs ailes pour les sécher, qui s'ouvrent tels des parapluies noirs. L'un d'eux s'envole, puis un autre, et ils montent en spirale sur les courants ascendants. S'ils fondent vers le sol, cela signifie qu'ils ont repéré une charogne.

Les vautours sont nos amis, enseignaient les Jardiniers. *Ils puri-*
fient la terre. Ce sont les Anges noirs nécessaires, appointés par
Dieu pour hâter la dissolution des corps. Imaginez comme il serait
horrible de ne pas avoir de morts !
    Est-ce que je crois toujours cela ? se demande Toby.
    Tout est si différent vu de près.

    Sur le toit, on trouve quelques bacs, où les plantes poussent à foi-
son, et aussi quelques bancs en similibois. Il y avait jadis un auvent
pour abriter les clientes à l'heure des cocktails, mais le vent l'a
emporté. Toby s'assied sur un banc pour examiner les alentours. Elle
attrape ses jumelles et scrute le paysage de gauche à droite. L'allée,
avec ses bordures de lumiroses, aussi hirsutes que des brosses à cheveux usagées, dont le halo pourpre s'estompe sous l'effet du jour
naissant. L'entrée ouest, tapissée d'un dermosolaire rose évoquant
l'adobe, le fatras d'épaves rouillées au-dehors.
    Les massifs de fleurs, envahis de bardanes et de laiterons, au-dessus
desquels volettent des kudzillons aquatiques. Les fontaines, dont les
bassins en coquille Saint-Jacques débordent d'eau stagnante. Le parking, où traînent une voiturette de golf rose et deux minibus du Balnéo
NouvoMoi, frappés du logo en œillade. Plus loin, il y a un autre minibus, encastré dans un arbre : on y voyait naguère un bras pendant à la
fenêtre, mais il a disparu à présent.
    Sur les vastes pelouses ont poussé de hautes herbes. On distingue
des talus de formes irrégulières sous les asclépiades, les vergerettes
et les oseilles des prés, avec çà et là un bout de tissu ou un éclat d'os.
C'est à cet endroit que sont tombés les gens qui couraient ou titu-
baient sur la pelouse. Toby les a vus depuis le toit, tapie derrière un
bac à fleurs, mais cela n'a pas duré très longtemps. Certains d'entre
eux ont appelé à l'aide, comme s'ils la savaient présente. Mais comment aurait-elle pu les aider ?
    La piscine est recouverte d'un voile moucheté d'algues. Elle abrite
déjà des grenouilles. Hérons, aigrettes et paonigrettes les traquent
dans le petit bain. Pendant un temps, Toby s'est efforcée de repêcher
les animaux noyés là par inadvertance. Les lapins verts lumineux, les
rats, les rasconses, à la queue rayée et au masque de bandit. Mais,
désormais, elle les laisse tranquilles. Peut-être engendreront-ils des
poissons. Quand la piscine ressemblera à un marécage.
    Envisage-t-elle de manger ces futurs poissons théoriques ? Sûre-
ment pas.
    Pas encore.

Elle se tourne vers la sombre enceinte d'arbres, de lianes, de fougères et d'épais fourrés, la scrute avec ses jumelles. C'est de là que peut venir le danger. Mais quel type de danger ? Elle ne peut l'imaginer.

Avec la nuit viennent les bruits habituels : les lointains aboiements des chiens, les couinements des souris, les stridulations liquides des grillons, le coassement occasionnel d'une grenouille. Et le sang qui bat à ses oreilles : *katouch, katouch, katouch.* Comme un lourd balai remuant des feuilles mortes.

« Va dormir », dit-elle à voix haute.

Mais elle ne dort pas très bien depuis qu'elle est toute seule dans cet immeuble. Parfois, elle entend des voix : des voix humaines qui l'appellent, pleines de souffrance. Ou alors les voix des soignantes qui travaillaient ici avant et des clientes inquiètes qui venaient chercher du repos et une nouvelle jeunesse. Barbotages dans la piscine, promenades sur les pelouses. Toutes ces voix roses, apaisées et apaisantes.

Ou encore les voix des Jardiniers, leurs murmures ou leurs chants ; ou des enfants riant tous ensemble, en haut du Jardin d'Édenfalaise. Adam Premier, Nuala et Burt. La vieille Pilar, entourée de ses abeilles. Et Zeb. Si l'un d'eux est encore en vie, c'est sûrement Zeb : d'un jour à l'autre il va apparaître sur la route ou surgir d'entre les arbres.

Mais il doit être mort à présent. Il vaut mieux le croire. Éviter les vains espoirs.

Cependant, il reste forcément quelqu'un ; elle ne peut pas être toute seule sur la planète. Il y a forcément d'autres personnes. Mais... amis ou ennemis ? Si elle voit quelqu'un, comment le savoir ?

Elle est parée. Les portes sont verrouillées, les fenêtres condamnées. Mais ce genre de barrière ne garantit rien : la plus petite brèche invite à l'invasion.

Même lorsqu'elle dort, elle reste à l'écoute, comme les animaux : une altération dans les rythmes de la nuit, un bruit inconnu, un silence s'ouvrant comme une fêlure dans la roche.

Quand les petits animaux cessent de chanter, disait Adam Premier, c'est parce qu'ils ont peur. Tu dois écouter le son de leur peur.

2

Ren

An 25, Année du Déluge

Prenez garde aux mots. Méfiez-vous de ce que vous écrivez. Ne laissez pas de traces.

C'est ce que nous enseignaient les Jardiniers, quand je vivais enfant parmi eux. Ils nous apprenaient à compter sur notre mémoire car on ne peut se fier à rien de ce qui est écrit. L'Esprit voyage d'une bouche à l'autre et non d'une chose à l'autre : un livre peut finir brûlé, le papier s'effriter, les ordinateurs être détruits. Seul l'Esprit vit éternellement, et l'Esprit n'est pas une chose.

Quant à l'écriture, elle est dangereuse, disaient les Adam et les Ève, parce qu'elle permet à l'ennemi de vous retrouver, de vous traquer et d'user de vos mots pour vous condamner.

Mais à présent que le Déluge des Airs nous a balayés, je ne risque plus rien à écrire, car ceux qui auraient usé de mes mots pour me nuire sont probablement morts. Je peux donc écrire tout ce que je veux.

Ce que j'écris, à l'aide d'un crayon de maquillage, sur le mur à côté du miroir, c'est mon nom, *Ren*. Je l'ai écrit plusieurs fois. *Renrenren*, comme une chanson. On risque d'oublier qui on est si on reste seul trop longtemps. C'est Amanda qui me l'a dit.

Je ne vois rien par la fenêtre, c'est de la brique de verre. Je ne peux pas sortir, la porte est fermée de l'extérieur. Mais j'ai encore de l'air et de l'eau, tant que les batteries solaires fonctionneront. J'ai encore de quoi manger.

J'ai de la chance. Oui, de la chance. Veinarde, me disait toujours Amanda. C'est vrai. Primo, j'ai eu de la veine d'être en train de bosser ici, à Zécailles, quand le Déluge a frappé. Secundo, j'ai eu plus de veine encore d'être cloîtrée dans la Zone Poisse, car ça m'a permis d'être à l'abri. Ma Biopeau Bodygant étanche s'était déchirée – un client énervé qui m'avait mordue en dépit de mes paillettes vertes – et j'attendais les résultats des tests. Ce n'était pas une morsure affectant les muqueuses, avec risques de sécrétions, puisqu'elle se situait au niveau du coude, donc je n'étais pas trop inquiète. Mais, à Zécailles, on ne laissait rien au hasard. La boîte avait une réputation à défendre : les salopes les plus propres de la ville, c'était nous.

Queuezécailles prenait soin de nous, sérieux, à condition qu'on soit vraiment bonnes. Une nourriture plus que correcte, un médecin en cas de besoin et des pourboires somptueux, vu que les pontes des Corps venaient souvent nous voir. Question d'image, disait Mordis : le sordide, c'est bon pour les affaires, car en l'absence d'épices – des pratiques douteuses ou prohibées, une pincée d'interdit –, qu'est-ce qui aurait distingué notre marque du tout-venant que le client trouvait déjà chez lui, crème faciale et petites culottes blanches ?

Mordis croyait au franc-parler. Il était dans la partie depuis son plus jeune âge et, quand les autorités avaient interdit les proxos et le racolage – pour des raisons tenant à la santé publique et à la sécurité des femmes, disait-on – et tout regroupé sous l'égide de SexMart, la gestion étant assurée par le CorpsSeCorps, fort de son expérience, il avait sauté le pas.

« L'essentiel, c'est de connaître des gens, disait-il. Et d'en savoir long sur eux. »

Puis il vous gratifiait d'un sourire et d'une tape sur le cul – une tape amicale, rien de plus, car il ne nous forçait jamais la main. Il avait de l'éthique.

C'était un type sec comme une trique, au crâne rasé et aux yeux noirs, vifs, perçants, pareils à des têtes de fourmi, qui nous accordait une vie facile tant que tout restait cool. Mais il nous défendait si les clients devenaient violents.

« Personne ne fait du mal à mes filles », disait-il.

Pour lui, c'était une question d'honneur.

Par ailleurs, il n'aimait pas le gaspillage : nous représentions pour lui un bien précieux, disait-il. La crème de la crème. Après la mainmise de SexMart sur le business, tous ceux qui avaient été rejetés par le système avaient sombré dans l'illégalité mais aussi dans le pathétique. Quelques vieux débris ravagés par la maladie, qui allaient parfois jusqu'à mendier dans la rue. Personne ne les approchait, sauf à avoir totalement perdu l'esprit. Les filles de Zécailles les qualifiaient de «déchets toxiques». Nous n'aurions pas dû être aussi méchantes ; nous aurions dû leur montrer de la compassion. Mais la compassion, ça s'apprend, et nous étions toutes jeunes.

Le soir où le Déluge des Airs est survenu, donc, j'attendais les résultats de mes tests : nous restions parfois enfermées durant des semaines dans la Zone Poisse, pour éviter tout risque de contagion. On nous servait les repas *via* un sas sécurisé, et nous disposions d'un minifrigo avec des snacks, et l'eau était filtrée, à l'arrivée comme à l'évacuation. Nous avions tout ce qu'il nous fallait, mais nous finissions toujours par nous ennuyer. On pouvait pratiquer la gym sur les machines, et c'est ce que j'ai fait car une trapéziste a toujours besoin de s'entraîner.

On pouvait regarder la télé, ou alors des vieux films, écouter de la musique, téléphoner. Ou encore visiter les autres pièces de Zécailles sur l'interphone vidéo. Parfois, quand on bossait à l'horizontale, on lançait un clin d'œil à la caméra à l'adresse de celle qui était coincée dans la Zone Poisse. Nous savions toutes où était planquée la caméra, parmi les plumes ou les écailles ornant le plafond. Zécailles, c'était une grande famille, et même quand on était dans la Zone, Mordis appréciait qu'on fasse semblant de participer.

Je me sentais tellement en sécurité auprès de Mordis. Si j'avais des ennuis, je le savais, je n'aurais qu'à aller le voir. Je n'ai connu que quelques personnes comme ça dans ma vie. Amanda, la plupart du temps. Zeb, parfois. Et Toby. C'est difficile à croire, pour Toby – elle était si dure, si sèche –, mais quand on est en train de se noyer, on ne peut pas s'accrocher à quelque chose de mou. Ce qu'il faut, c'est du solide.

Journée de la Création

Journée de la Création

An 5

De la Création et de la Nomenclature des Animaux.
Prononcé par Adam Premier

Chers Amis, chères Créatures, chers Mammifères, mes Frères et mes Sœurs :

Le Jour de la Création, il y a cinq ans, ce Jardin de toiture d'Éden-falaise était une désolation fumante cernée par des taudis urbains purulents et des antres de perversité ; aujourd'hui, il s'est épanoui comme une rose.

En recouvrant de verdure des toitures dénudées, nous accomplissons notre modeste part dans la rédemption de la Divine Création, l'arrachant à la stérilité et à la déréliction qui règnent autour de nous, ce qui nous permet en outre de disposer d'une nourriture vierge de toute pollution. Certains qualifieraient nos efforts de futiles, mais si tous suivaient notre exemple, quels bénéfices en tirerait notre Planète bien-aimée ! Une lourde tâche nous attend encore, mais n'ayez crainte, mes Amis : nous avancerons sans fléchir.

Consacrons-nous à présent à la Dévotion annuelle qui marque la Journée de la Création.

La Parole humaine de Dieu traite de la Création en des termes compréhensibles aux hommes de jadis. Il n'y est question ni de gènes ni de galaxies, car ces mots auraient plongé nos ancêtres dans la confusion. Mais devons-nous considérer comme scientifiquement fondé le récit selon lequel le monde a été créé en six jours, en faisant fi de toutes les données observables ? Dieu ne peut être confiné à l'étroitesse des interprétations littérale et matérialiste, pas plus que Sa mesure n'est une mesure humaine, car Ses jours sont des éons et ce qui nous apparaît comme un millier d'ères ne dure pour Lui qu'une soirée. Contrairement à d'autres religions, nous n'avons jamais cru qu'il nous incombait de mentir aux enfants en matière de géologie.

Rappelez-vous les premières phrases de la Parole humaine de Dieu : la Terre est vide et vague, et Dieu donne forme à la Lumière par Sa voix. C'est l'instant que la Science appelle le « Big Bang », comme s'il s'agissait d'une orgie de sexe. Mais les deux comptes rendus s'accordent sur l'essentiel : d'abord les Ténèbres puis, en un instant, la Lumière. La Création se poursuit cependant, car de nouvelles étoiles ne se forment-elles pas à tout instant ? Les Jours de Dieu ne sont pas consécutifs, mes Amis ; ils se déroulent de façon concomitante, le premier et le troisième, le quatrième et le sixième. Comme il nous est dit : « Tu envoies ton souffle, ils sont créés, Tu renouvelles la face de la Terre[1]. »

Il nous est dit que le cinquième jour de la Création divine, des eaux surgirent des Créatures et que, le sixième jour, la Terre fut peuplée d'Animaux, de Plantes et d'Arbres ; et tous furent bénis et incités à se multiplier ; et enfin fut créé Adam – c'est-à-dire l'Humanité. Selon la Science, c'est dans ce même ordre que les espèces sont apparues sur la Planète, l'Homme venant en dernier. Ou plus ou moins dans ce même ordre. À peu de chose près.

Que se passe-t-il ensuite ? Dieu amène les Animaux devant l'Homme « pour voir comment celui-ci les appellerait ». Mais pourquoi Dieu ne connaissait-Il pas à l'avance les noms qu'Adam leur choisirait ? La réponse est forcément celle-ci : Dieu avait accordé à Adam son libre arbitre et, en conséquence, Adam était en mesure de faire des choses que Dieu Lui-même ne pouvait prévoir. Pensez-y la prochaine fois que vous serez tentés de manger de la viande ou d'acquérir des richesses matérielles ! Même Dieu ne sait pas toujours ce que vous allez décider de faire !

Dieu avait dû rassembler les Animaux en s'adressant directement à eux, mais quel langage a-t-Il employé ? Ce n'était pas de l'hébreu, mes Amis. Ce n'était ni du latin ni du grec, et pas davantage de l'anglais, du français, de l'espagnol, de l'arabe ou du chinois. Non : Il

---

1. Psaume 104, 30. Traduction : Bible de Jérusalem, comme toutes les citations figurant dans ce livre. (N.d.T.)

appela chaque Animal dans son propre langage. Au Renne Il parla renne, à l'Araignée araignée ; à l'Éléphant il parla éléphant, à la Puce puce, au Mille-Pattes mille-pattes et à la Fourmi fourmi. Il en a sûrement été ainsi.

Quant à Adam, les Noms des Animaux furent les premiers mots qu'il prononça – l'avènement du langage humain. En cet instant cosmique, Adam revendique son âme d'Humain. Nommer – nous l'espérons –, c'est accueillir ; attirer autrui vers soi. Imaginons Adam prononçant les Noms des Animaux dans la tendresse et dans la joie, comme pour leur dire : *Te voilà, mon cher ! Bienvenue !* Le premier acte d'Adam envers les Animaux fut donc un acte d'amour et de fraternité, car l'Homme avant de déchoir n'était pas un carnivore. Les Animaux le savaient et ne s'enfuirent pas. Ainsi en a-t-il été, sans doute, en ce Jour à jamais unique : un rassemblement pacifique au cours duquel toutes les entités vivantes de la Terre furent étreintes par l'Homme.

Nous avons beaucoup perdu, Mortels et Mammifères, mes Sœurs et mes Frères ! Nous avons beaucoup détruit, de notre propre volonté ! Nous devons restaurer tant de choses, avant tout en nous-mêmes !

Le temps de la Nomenclature n'est pas fini, mes Amis. À Ses yeux, peut-être ne sommes-nous encore qu'au sixième jour. En guise de Méditation, imaginez-vous enchâssés dans ce moment d'innocence. Tendez la main vers ces êtres si doux qui vous regardent avec tant de confiance – une confiance que n'ont pas encore violée le goût du sang, la gloutonnerie, la fierté et le mépris.

Prononcez leurs Noms.

Chantons.

Lorsque Adam de la vie

Lorsque Adam de la vie reçut le premier souffle
Dans ce lieu d'or et de bonté,
Vivant en paix avec les Bêtes et les Oiseaux,
Et voyant Dieu face à face,

L'Esprit de l'Homme lui vint par la parole
Et Nomma chère chacune des Créatures ;
Dieu les appela dans la Fraternité
Et toutes vinrent sans crainte.

Toutes jouaient, chantaient et volaient,
De chaque mouvement louaient
La grande Création de Dieu
Qui ces premiers jours emplissait.

De nos jours si flétri, si anémié,
Le puissant germe de la Création...
Car l'Homme a trahi la Fraternité
Par le meurtre, l'envie, l'avidité.

Ô chères Créatures qui ici souffrez,
Comment pouvons-nous l'Amour restaurer ?
Nous vous nommerons au fond de notre Cœur
Et vous appellerons à nouveau Amis.

Extrait du *Livre de cantiques des Jardiniers de Dieu*

3

Toby. Jour du Podocarpe

An 25

Le jour se lève. La nuit se casse. Toby retourne ce mot dans son esprit : casser, cassant, cassé. Qu'est-ce qui se casse en cet instant ? La nuit, mais comment ? Le soleil, cassé en deux par l'horizon et perdant sa lumière comme un œuf perd son jaune ?

Elle lève ses jumelles. Les arbres semblent toujours aussi innocents ; mais elle a l'impression que quelqu'un l'épie – comme si le dernier des rochers, la dernière des souches, la sentaient et lui voulaient du mal.

L'isolement produit de tels effets. Elle s'est entraînée à les affronter lors des Veilles et des Retraites des Jardiniers de Dieu. Le triangle orange flottant dans l'air, les grillons parlants, les colonnes de végétaux mouvants, les yeux dans les feuilles. Mais comment distinguer de telles illusions de la réalité ?

Le soleil est à présent haut dans le ciel – plus petit, plus chaud. Toby descend du toit, s'enveloppe dans son têtaupieds rose saupoudré de Désinsect et se coiffe de son chapeau de paille rose à larges bords. Puis elle ouvre la porte de devant et va s'occuper du jardin. C'est là qu'on faisait pousser les végétaux bio pour le BalnéoCafé : garnitures, légumes exotiques, tisanes. Un filet est tendu au-dessus des massifs pour repousser les oiseaux, une clôture grillagée pour décourager les lapins verts, les rasconses et les malchatons vivant dans le Parc. Ceux-ci n'étaient guère nombreux avant le Déluge, mais ils se sont depuis multipliés à une vitesse folle.

Elle compte sur ce jardin : ses réserves de nourriture commencent à s'amenuiser. Au fil des ans, elle a amassé un stock qu'elle jugeait suffisant pour une urgence de ce type, mais elle a sous-estimé ses besoins et sera bientôt à court de sojacisses et de sojardines. Heureusement, le jardin lui donne toute satisfaction : les petitpoilets font des cosses, les bananaricots sont en fleur, les buissons de poly-baies sont constellés de graines de toutes les formes et de toutes les tailles. Elle cueille des épinards, chasse les scarabées d'un vert iri-descent qui en infestent les feuilles, les écrase. Puis, sans le moindre remords, elle leur creuse une petite sépulture et, d'une prière, libère leur âme et implore leur pardon. Bien que personne ne puisse la voir, elle a peine à s'affranchir de cette habitude bien ancrée.

Elle déplace quelques limaces et escargots, arrache quelques mau-vaises herbes, sans toutefois toucher aux pourpiers : elle les cueillera plus tard pour les cuire à la vapeur. Sur les délicates fanes des carottes, elle repère deux chenilles de kudzillon d'un bleu vif. Quoique génétiquement conçu pour contrôler la prolifération du kudzu, cet insecte semble préférer les légumes. Faisant preuve de l'humour potache typique des premiers temps du transgénisme, leur concepteur a pourvu ces chenilles d'une face de bébé, avec de grands yeux et un doux sourire, de sorte qu'on répugne à les exterminer. Elle les arrache aux fanes, sans que leurs mandibules ne cessent de s'agiter sous leur masque débile, soulève un coin de grillage et les jette au loin. Elles reviendront, ça ne fait pas de doute.

En regagnant le bâtiment, elle trouve au bord de l'allée une queue de chien – de setter irlandais, apparemment –, avec des bardanes et des brindilles emmêlées dans ses poils. C'est sûrement l'œuvre d'un vautour : ils sont toujours en train de larguer des trucs. Elle s'efforce de ne pas penser à ce qu'ils laissaient choir durant les semaines qui ont suivi le Déluge. Le pire, c'étaient les doigts.

Les siens sont de plus en plus épais – aussi raides, aussi sales que des racines. Elle a passé trop de temps à creuser la terre.

4

Toby. Fête de saint Bashir Alouse

An 25

Elle se baigne tôt le matin, avant que le soleil ne soit trop chaud. Elle conserve sur le toit plusieurs seaux et cuvettes, pour collecter l'eau de l'orage quotidien : le Balnéo dispose de son propre puits, mais comme le transfo solaire est en panne, les pompes ne servent plus à rien. C'est aussi sur le toit qu'elle lave son linge, l'étendant ensuite sur les bancs pour le faire sécher. L'eau sale se substitue à la chasse d'eau hors service.

Elle se frotte avec du savon – il lui en reste des quantités, uniquement de couleur rose – et se rince avec une éponge. Mon corps rétrécit, songe-t-elle. Je me rétracte, je me flétris. Bientôt, je serai réduite à un bout de peau. Mais elle a toujours été maigre – *Oh! Tobiatha*, lui disaient les clientes, *si seulement j'avais votre silhouette !*

Elle se sèche, enfile un peignoir rose. Celui-ci porte le nom de *Mélodie*. Il est inutile de s'identifier à présent qu'il n'y a plus personne pour lire les étiquettes, aussi a-t-elle pris l'habitude de porter les peignoirs des autres : *Anita, Quintana, Ren, Carmel, Symphonie*. Ces filles étaient si gaies, si optimistes. Non, pas Ren : Ren était triste. Mais elle était partie avant les autres.

Elles étaient toutes parties quand les ennuis avaient commencé. Elles étaient rentrées chez elles pour retrouver leurs familles, pensant que l'amour pouvait les sauver.

« Allez-y, je refermerai derrière vous », leur avait dit Toby.

Et c'est ce qu'elle avait fait, mais elle s'était barricadée.

Elle essore ses longs cheveux noirs, les tord pour former un chignon mouillé. Il faut vraiment qu'elle les coupe. Ils sont trop épais et trop chauds. Et ils sentent le mouton.

Alors qu'elle s'affaire à les sécher, elle entend un bruit bizarre. Avec un luxe de précautions, elle s'approche de la rambarde. Trois énormes cochons fouinent autour de la piscine – deux truies et un mâle. La lumière matinale fait briller leurs rondeurs gris-rose; ils luisent comme des catcheurs. Ils semblent trop gros, trop bulbeux pour être normaux. Elle en a déjà aperçu de semblables dans le pré, mais jamais ils ne se sont autant approchés. Sans doute se sont-ils échappés de quelque ferme expérimentale.

Ils sont regroupés devant le petit bain, qu'ils contemplent d'un air pensif, le groin frémissant. Peut-être reniflent-ils le rasconse mort flottant à la surface des eaux vaseuses. Vont-ils tenter de le récupérer? Ils échangent quelques grognements puis reculent : même pour eux, cette dépouille est trop putride. Un dernier reniflement, puis ils trottinent jusqu'au coin du bâtiment.

Toby avance le long de la rambarde pour ne pas les perdre de vue. Ils ont trouvé la clôture du jardin et contemplent celui-ci. Puis l'un d'eux se met à creuser. Ils vont passer sous le grillage.

«Fichez le camp d'ici!» leur hurle Toby.

Ils lèvent les yeux vers elle, décident de l'ignorer.

Elle dévale les marches quatre à quatre en s'efforçant de ne pas glisser. Idiote! Elle devrait garder le fusil sur elle tout le temps. Elle le saisit sur la table de chevet, regagne le toit en courant. Elle place l'une des bêtes en ligne de mire – le mâle, qui lui présente son flanc et offre la meilleure cible – puis elle hésite. Ce sont des Créatures de Dieu. Ne tuez jamais sans une bonne raison, disait Adam Premier.

«Je vous préviens!» hurle-t-elle.

Aussi étonnant que cela paraisse, ils semblent la comprendre. Sans doute ont-ils déjà vu des armes – un aérodésintégreur, un étourdisseur. Ils poussent un couinement alarmé et s'enfuient en courant.

Ils ont parcouru le quart de la distance les séparant du pré quand elle se dit qu'ils vont forcément revenir. Ils creuseront un tunnel durant la nuit et, en un rien de temps, ils auront ravagé son jardin, puis c'en sera fini de son stock de nourriture. Elle est donc obligée de les abattre, c'est de la légitime défense. Elle tire, rate sa cible, tire de nouveau. Le cochon s'effondre. Les deux truies continuent de courir. C'est seulement parvenues à la lisière de la forêt qu'elles font halte pour se retourner. Enfin elles se fondent dans les buissons avant de disparaître.

Toby a les mains qui tremblent. Tu as effacé une vie, se dit-elle. Tu as agi avec précipitation, sous le coup de la colère. Tu devrais te sentir coupable. Mais elle se voit sortir avec un couteau de cuisine pour se découper un jambon. Elle a prononcé les Vœux végans en rejoignant les Jardiniers, mais la perspective d'un sandwich au bacon lui apparaît très tentante. Toutefois elle lui résiste : les protéines animales, en dernier recours seulement.

Elle murmure l'excuse standard du Jardinier, mais elle ne regrette rien. Ou alors pas grand-chose.

Elle a besoin de s'entraîner au tir. Rater le mâle, s'y reprendre à deux fois pour l'abattre, laisser échapper les truies... c'était bien maladroit.

Ces dernières semaines, elle a trop négligé le fusil. Elle se jure de l'emporter partout avec elle – même quand elle se baignera sur le toit, même quand elle ira aux toilettes. Même dans le jardin – en particulier dans le jardin. Les cochons sont malins, ils ne l'oublieront pas, ils ne lui pardonneront pas. Doit-elle fermer la porte quand elle sort ? Et si elle devait retourner en courant dans le bâtiment du Balnéo ? Avec la porte ouverte, quelqu'un risque d'entrer en douce quand elle sera occupée à jardiner et de lui tendre un piège à l'intérieur.

Il faut penser à tous les cas de figure. *Un Ararat sans mur, ce n'est pas un Ararat*, chantaient les enfants des Jardiniers. *Un mur qui n'est pas défendable ne vaut pas la peine d'être bâti.* Les Jardiniers adoraient instruire à coups de rengaines.

5

Toby s'était mise à la recherche du fusil quelques jours après qu'on eut signalé les premiers cas. La veille au soir, les soignantes étaient parties du Balnéo, y abandonnant leurs peignoirs roses.

Cette pandémie n'avait rien d'ordinaire : quelques centaines de milliers de morts ne suffiraient pas à la contenir, pour l'oblitérer ensuite à coups de Javel et de bio-outils. C'était le Déluge des Airs, évoqué si souvent par les Jardiniers. Tous les indices concordaient : il se déplaçait par la voie des airs, comme à tire-d'aile, à l'instar du feu il ravageait les villes, répandait sur son passage la terreur, le massacre et les foules porteuses de germes. Les lumières s'éteignaient partout et les infos se montraient peu disertes : les systèmes tombaient en panne à mesure que mouraient leurs gardiens. Cela ressemblait à un effondrement global, et c'était pour cette raison qu'elle avait besoin du fusil. La détention d'armes était illégale et, huit jours plus tôt, elle se serait exposée à une lourde condamnation, mais la loi n'était plus un problème à présent.

Le périple s'annonçait dangereux. Elle devrait gagner à pied sa vieille plèbezone – les transports avaient cessé de fonctionner – et retrouver la grotesque maisonnette à demi-niveaux qui avait brièvement appartenu à ses parents. Puis il lui faudrait déterrer le fusil enfoui à proximité, en espérant que personne ne la surprendrait.

Pas de problème pour ce qui était de marcher : elle s'était maintenue en forme. Le danger, ce serait plutôt les mauvaises rencontres. À en croire les rares infos qui lui parvenaient encore *via* le téléphone, il y avait des émeutes un peu partout.

Elle quitta le Balnéo au crépuscule après avoir pris soin de fermer la porte à clé. Elle traversa les vastes pelouses pour se diriger vers l'entrée nord en empruntant le sentier forestier, là où les clientes aimaient à se promener à l'ombre : elle y serait moins visible. Quelques lumilampes en dessinaient encore le tracé. Elle ne vit personne, hormis un lapin vert qui disparut dans un buisson et un malchaton qui, en passant devant elle, la fixa de ses yeux luisants.

Le portail était entrouvert. Elle se glissa prudemment dans l'entrebâillement, s'attendant à être arrêtée. Puis elle entra dans le Parc du Patrimoine. Les gens se pressaient, seuls ou en groupes, tentaient de fuir la ville avec l'espoir de trouver refuge à la campagne après avoir traversé l'étendue de la plèbezone. Elle entendit un homme tousser, un enfant pleurer. Elle faillit trébucher sur un malade tombé à terre.

Lorsqu'elle atteignit la lisière du Parc, il faisait déjà nuit. Elle se déplaça d'un arbre à l'autre, veillant à rester dans l'ombre. Le boulevard était envahi de voitures, de camions, de vélosolaires et d'autobus, dont les chauffeurs hurlaient et klaxonnaient. On avait renversé et incendié plusieurs véhicules. Dans les boutiques, les pillards s'activaient. Elle ne vit aucun homme du CorpsSeCorps dans les parages. Sans doute ses membres avaient-ils été les premiers à déserter, à foncer vers les forteresses de leur Corporation pour sauver leur peau et à y introduire – Toby l'espérait bien – le virus meurtrier.

Quelque part résonnèrent des coups de feu. On creusait donc déjà dans les arrière-cours, se dit Toby : elle ne serait pas la seule à détenir un fusil.

Plus loin dans la rue, on avait dressé une barricade avec des voitures. Des sentinelles y étaient postées, mais de quoi étaient-elles armées ? À première vue, de tuyaux métalliques. Les fuyards leur criaient dessus, leur lançaient des pierres et des briques : ils voulaient passer, ils voulaient quitter la ville. Et ces sentinelles, que voulaient-elles ? Piller, sans nul doute. Voler, violer et autres vaines activités.

Quand monteront les Eaux venues des Airs, disait Adam Premier, les gens tenteront d'échapper à la noyade. Ils s'accrocheront au moindre brin de paille. Veillez à ne pas être ce brin, mes Amis, car si on s'accroche à vous, si on ne fait que vous toucher, vous aussi vous vous noierez.

Toby s'écarta de la barricade – elle allait devoir la contourner. Prenant soin de rester dans l'ombre, elle avança à croupetons le long des buissons qui bordaient le Parc. Elle déboucha sur la placette où les Jardiniers tenaient jadis leur marché, et où se trouvait une maison en bauge appréciée des enfants. Elle se cacha derrière, dans l'attente d'une diversion. Peu après, on entendit le bruit d'une explosion et, profitant de ce que toutes les têtes se tournaient vers sa source, elle traversa la placette d'un pas mesuré. Mieux vaut ne pas courir, lui avait enseigné Zeb : si tu cours, tu apparais comme une proie.

Les rues latérales étaient noires de monde ; elle bifurqua pour les éviter. Elle portait des gants de chirurgien, un gilet pare-balles en soie provenant d'un gène chimérique araignée/chèvre, prélevé un an plus tôt dans l'arsenal du Balnéo, et un masque filtrant en forme de cône noir. Dans l'appentis, elle avait trouvé une pelle et un pied-de-biche, deux armes meurtrières pour qui en usait sans faillir avec adresse. Sa poche contenait un flacon de Laque totale NouvoMoi, une arme redoutable si l'on visait les yeux. Zeb lui avait appris beaucoup de choses durant ses cours de Limitation des pertes en guérilla urbaine ; à ses yeux, la première perte à limiter, c'était la vôtre.

Elle mit le cap à l'ouest, traversa le quartier huppé des Fougères puis celui de Grosse-Boîte, avec ses maisonnettes mal fichues, emprunta les rues les plus étroites, mal éclairées et quasi désertes. Plusieurs personnes la croisèrent, concentrées sur leur propre sort. Deux adolescents firent mine de l'agresser, mais elle chancela, appela à l'aide d'une voix chevrotante, et ils filèrent à toutes jambes.

Aux environs de minuit, après s'être égarée deux ou trois fois – les rues de Grosse-Boîte se ressemblaient toutes –, elle arriva devant l'ancienne maison de ses parents. Les lumières étaient éteintes, la porte du garage ouverte, la baie vitrée fracassée, d'où elle conclut qu'il n'y avait personne. Soit les occupants actuels étaient morts, soit ils avaient fui. Même chose pour la maison mitoyenne, parfaitement identique, dans la cour de laquelle le fusil était enfoui.

Elle resta un moment immobile, s'ordonna de se détendre, écouta le sang qui résonnait dans son crâne : *katouch, katouch, katouch*. Soit le fusil était toujours là, soit il n'y était plus. Dans le premier cas, elle serait armée. Dans le second, elle reviendrait à son point de départ. Pas de quoi paniquer.

Elle ouvrit le portail des voisins, aussi discrète qu'une voleuse. La pénombre, pas un mouvement. Le parfum des fleurs nocturnes : lis et nicotiana. Additionné des effluves d'un feu brûlant à quelques rues de distance : elle en distinguait la lueur. Un kudzillon lui effleura le visage.

Elle inséra le pied-de-biche entre deux dalles du patio, fit levier, agrippa une première dalle, la souleva. Puis une deuxième. Et une troisième. Ensuite, elle prit la pelle et creusa.

Un battement de cœur, puis un autre.

Il était toujours là.

Ne pleure pas, s'ordonna-t-elle. Découpe le plastique, récupère le fusil et les munitions, et fiche le camp.

Il lui fallut trois jours pour regagner le Balnéo, tout en prenant soin d'éviter les émeutes les plus violentes. Il y avait des traces de pas sur les marches du perron, mais on n'avait pas forcé la porte.

6

Ce fusil est une arme primitive – un Ruger 44/99 Deerfield. Il appartenait à son père. C'est lui qui lui a appris à tirer quand elle avait douze ans, en un temps qui évoque aujourd'hui des vacances hallucinées en technicolor. Vise le centre du corps, lui disait-il. La tête, c'est une perte de temps. Il parlait des animaux, rien de plus, du moins l'affirmait-il.

Ils vivaient dans un coin de campagne, avant que l'expansion urbaine ne l'ait dévoré. Leur maison blanche était entourée par quatre hectares de forêt, peuplés d'écureuils et des premiers lapins verts. On n'y trouvait pas de rasconses; c'était avant leur invention. Il y avait beaucoup de cerfs, qui ravageaient le jardin potager de sa mère. Toby en avait tué deux ou trois et aidé son père à les dépecer; jamais elle n'a oublié l'odeur, ni le frémissement des viscères luisants. Leur viande avait donné des ragoûts, leurs os des soupes. Mais, le plus souvent, Toby et son père ne tiraient que des boîtes de conserve, plus des rats au dépôt d'ordures – il y en avait encore un. Elle s'entraînait intensément, ce qui plaisait beaucoup à son père.

« Joli coup, ma pote », appréciait-il.

Aurait-il préféré un fils? Peut-être. À l'en croire, tout le monde devait savoir tirer. Le credo de sa génération, c'était qu'il suffisait de tirer sur quelqu'un pour régler tous ses problèmes.

Puis le CorpSeCorps avait interdit les armes à feu, dans l'intérêt de la sécurité publique, se réservant l'usage exclusif des nouveaux aéro-désintégreurs, et les gens s'étaient officiellement retrouvés désarmés. Son père avait enterré fusil et munitions sous une pile de poteaux usés, non sans avoir indiqué l'emplacement à Toby au cas où elle en aurait besoin un jour. Le CorpSeCorps n'aurait eu aucun mal à découvrir la cachette avec ses détecteurs de métaux – il avait lancé des opérations de recherche, racontait-on –, mais il ne pouvait fouiller partout et son père n'avait pas une réputation d'agité. Il vendait des climatiseurs. Du menu fretin.

Puis un promoteur avait souhaité acheter sa propriété. La proposition était tentante, mais le père de Toby refusa de vendre. Il aimait bien ce coin, disait-il. C'était aussi le cas de sa mère, qui tenait la boutique franchisée SentéGénic à la galerie marchande la plus proche. Ils repoussèrent une deuxième proposition, puis une troisième.

«Nous allons vous cerner», les avertit le promoteur.

Le père de Toby lui répondit que ça lui était égal; désormais, c'était pour lui une question de principe.

Il pensait que le monde n'avait pas changé durant les cinquante dernières années. Il n'aurait pas dû être aussi buté. À cette époque, le CorpSeCorps s'affairait déjà à consolider sa puissance. Il s'agissait à l'origine d'une entreprise de sécurité au service des Corporations, qui avait pris le relais des forces de police locales paralysées par les restrictions budgétaires, ce dont les gens s'étaient accommodés au début, vu que les Corporations payaient, mais le CorpSeCorps lançait désormais des tentacules un peu partout. Le père de Toby aurait dû s'incliner.

Il avait commencé par perdre son emploi chez le fabricant de climatiseurs, s'était mis à vendre des fenêtres isolantes, mais son salaire avait diminué, puis la mère de Toby avait été frappée d'une étrange maladie. Elle n'y comprenait rien, car elle avait toujours pris soin de sa santé : elle faisait de l'exercice, mangeait plein de légumes, prenait chaque jour une dose de compléments Vitalvitamines surpuissants de SentéGénic. Les opérateurs franchisés bénéficiaient tous d'une réduction sur ces produits – ils avaient même droit à un paquet personnalisé, comme les gros pontes de l'entreprise.

Elle augmenta ses doses mais, malgré cela, s'affaiblit, perdit du poids et se mit à divaguer : on aurait dit que son corps se retournait contre elle. Les médecins se montraient incapables d'avancer un diagnostic, bien qu'elle eût subi quantité d'examens dans les cliniques de SentéGénic; comme elle utilisait fidèlement leurs produits, son cas était particulièrement intéressant. La corporation affecta à son traitement certains de ses médecins salariés. Mais la facture était importante, même si l'on tenait compte de la remise consentie aux membres de la Famille des franchisés de SentéGénic; en outre, comme l'affection était inconnue, la modeste assurance sociale de ses parents refusa de financer le traitement. Et pour avoir droit à la couverture maladie universelle, il fallait être totalement sans ressources.

De toute façon, personne ne souhaitait être soigné dans un hôpital public, songea Toby. Tout ce qu'on y faisait, c'était vous ausculter, vous refiler de nouveaux microbes et vous renvoyer chez vous.

Le père de Toby souscrivit une seconde hypothèque et consacra tous ses revenus aux médecins, aux médicaments, aux infirmières à domicile et aux hôpitaux. Mais sa mère continua de dépérir.

Alors son père fut contraint de vendre la maison, pour un prix bien moins élevé que celui initialement proposé. Dès le lendemain de la signature de l'acte, les bulldozers la rasaient. Il acheta une autre maison, une minuscule baraque à demi-niveaux dans un nouveau quartier – qu'on avait baptisé Grosse-Boîte parce qu'il était flanqué d'une flottille d'hypermarchés. Il avait récupéré son fusil sous la pile de poteaux, l'avait introduit en douce dans la nouvelle maison puis enseveli sous les dalles du patio, dans la petite arrière-cour stérile.

Puis il avait perdu son emploi de vendeur de fenêtres isolantes, car il avait pris trop de congés pour s'occuper de sa femme malade. Il avait dû vendre son autosolaire. Puis les meubles avaient disparu, l'un après l'autre, sans que le père de Toby en eût tiré grand-chose. Les gens le sentent quand tu es désespéré, lui disait-il. Et ils en profitent.

Cette conversation s'était déroulée au téléphone car, en dépit du manque de moyens de sa famille, Toby était entrée à la fac. L'école Martha-Graham lui avait accordé une maigre bourse, qu'elle complétait grâce à un boulot de serveuse à la cafétéria du campus. Elle aurait voulu rentrer à la maison pour aider à soigner sa mère, qui était sortie de l'hôpital et dormait sur le sofa du rez-de-chaussée, incapable qu'elle était de monter les marches, mais son père lui dit que non, qu'elle devait rester à la fac, qu'il n'y avait plus rien à faire.

En fin de compte, il dut mettre en vente l'horrible maisonnette de Grosse-Boîte. L'écriteau ornait la pelouse le jour où Toby revint pour les funérailles de sa mère. Son père n'était plus qu'une épave ; l'humiliation, la souffrance et l'échec l'avaient dévoré à petit feu, ne laissant presque rien subsister de lui.

La cérémonie fut aussi brève que sinistre. Après, Toby resta aux côtés de son père dans la cuisine vidée de ses meubles. Ils burent ensemble un pack de bières, deux canettes pour elle, quatre pour lui. Puis, dès que Toby se fut couchée, son père se rendit au garage désormais vide, cala le canon du Ruger dans sa bouche et pressa la détente.

Toby entendit la détonation. Elle comprit tout de suite. Elle avait vu le fusil planqué derrière la porte de la cuisine : il l'avait sans doute déterré pour une bonne raison, mais elle s'était interdit d'imaginer laquelle.

Elle ne pouvait affronter ce qu'il y avait au garage. Allongée dans son lit, elle réfléchit à l'avenir. Que faire ? Si elle appelait un représentant de l'autorité – ne serait-ce qu'un médecin ou des ambulanciers –, il identifierait une blessure par balle, exigerait qu'elle restitue le fusil, et elle serait considérée comme la fille d'un criminel – du détenteur d'une arme prohibée. Et ce ne serait qu'un moindre mal. Peut-être l'accuserait-on de meurtre.

Après ce qui lui sembla des heures, elle s'obligea à bouger. Une fois au garage, elle s'efforça de ne pas regarder de trop près. Elle enveloppa les restes de son père dans une couverture puis dans d'épais sacs poubelle en plastique, qu'elle ferma avec de l'adhésif extrafort, et l'enterra sous les dalles du patio. Elle en avait la nausée, mais il aurait sûrement compris sa décision. C'était un homme pratique, quoique sentimental : des outils dans le garage, des roses pour les anniversaires. S'il avait été dénué de tout sentiment, il aurait présenté un formulaire de divorce à sa mère sur son lit d'hôpital, comme le faisaient quantité d'hommes quand leur épouse était frappée d'une maladie trop grave et trop coûteuse. Il aurait jeté sa mère à la rue. Il serait resté solvable. Au lieu de quoi il avait dépensé tout leur fric.

Toby n'était pas du genre religieux : c'était de famille. Si ses parents fréquentaient l'église du coin, c'était pour faire comme les voisins, parce que c'était bon pour les affaires, mais, un jour, son père lui avait dit – dans l'intimité, et après deux ou trois verres – qu'il y avait trop d'escrocs en chaire et trop de naïfs sur les prie-Dieu. Toutefois, Toby avait murmuré une brève prière au-dessus de la sépulture improvisée : *De la terre à la terre.* Puis elle avait comblé avec du sable les interstices entre les dalles.

Ensuite, elle avait emballé le fusil dans du plastique et l'avait enterré dans le patio de la maison voisine, qui semblait déserte : fenêtres obscures, pas de voiture dans l'allée. Peut-être l'avait-on saisie. Elle avait couru le risque de commettre une violation de domicile, car si le corps de son père se décomposait, si on l'exhumait après l'avoir repéré, et si elle avait enfoui le fusil à ses côtés, alors celui-ci serait confisqué et elle tenait à le conserver.

«On ne sait jamais, on peut en avoir besoin», disait son père, et il avait raison : on ne sait jamais.

Il est possible qu'un voisin l'ait vue en train de creuser dans le noir, mais elle ne pensait pas qu'il parlerait. Ce serait attirer l'attention sur son propre jardin, qui faisait peut-être office de cache d'armes, lui aussi.

Elle nettoya le garage au jet pour en faire disparaître le sang puis se doucha. Ensuite, elle se recoucha. Allongée dans le noir, elle aurait voulu pouvoir pleurer, mais elle ne ressentait qu'une chose : le froid. Et pourtant, il ne faisait pas froid.

Elle ne pouvait vendre la maison sans en endosser tacitement la propriété, ce qui signifierait reconnaître la mort de son père et s'attirer un tombereau d'emmerdes. Où était le cadavre ? lui demanderait-on. Comment était-il mort ? Donc, le matin venu, après un petit déjeuner frugal, elle mit les couverts dans le lave-vaisselle et quitta la maison. Sans même emporter de valise. Qu'aurait-elle pu y mettre ?

Selon toute probabilité, le CorpSeCorps ne prendrait pas la peine de la rechercher. Ça ne leur aurait rien apporté : de toute façon, c'était une banque de la Corporation qui récupérerait la maison. Si quelqu'un se souciait de sa disparition, son école, par exemple – où était-elle passée ? était-elle malade ? avait-elle eu un accident ? –, le CorpSeCorps ferait courir le bruit qu'on l'avait vue pour la dernière fois avec un proxo en quête de chair fraîche, ce qui n'avait rien d'étonnant vu sa situation : une jeune femme souffrant de graves ennuis financiers, sans parents connus, sans économies, sans rien à quoi se raccrocher. Les gens secoueraient la tête : c'est une honte, mais que faire ? Au moins a-t-elle une source de revenus, à savoir son jeune cul, elle ne mourra pas de faim, pas besoin de se sentir coupable. Dès qu'une action risquait d'être coûteuse, le CorpSeCorps lui préférait toujours la rumeur. La première loi qui vaille, c'est la loi du marché.

Quant à son père, tout le monde supposerait qu'il avait changé de nom et disparu dans une des plèbezones les plus misérables pour éviter de payer les funérailles de sa mère, vu qu'il ne lui restait plus un sou. Ce genre de chose arrivait tous les jours.

7

La période qui suivit fut pénible pour Toby. Bien qu'elle eût enterré les preuves et réussi à disparaître, il demeurait possible que le CorpSeCorps la retrouve afin de lui faire payer les dettes de son père. Elle n'avait certes aucune fortune personnelle, mais on racontait que les femmes dans sa situation étaient soumises à la prostitution forcée. Tant qu'à gagner sa vie à l'horizontale, autant profiter des bénéfices.

Elle avait brûlé ses papiers et ne possédait pas assez d'argent pour s'en offrir de nouveaux – même pas un jeu bon marché, sans infusion ADN ni changement de couleur de peau –, si bien que tout emploi licite lui était interdit : les Corporations exerçaient un contrôle quasi absolu sur le marché du travail. Mais si on descendait assez profond – dans des milieux où les identités disparaissaient et tous les CV étaient faux –, le CorpSeCorps finissait par s'en laver les mains.

Elle loua un studio – son boulot de serveuse lui avait permis d'économiser suffisamment de blé. Un logis individuel, ce qui préservait ses maigres biens de la convoitise d'une colocataire douteuse. Il était situé au dernier étage d'un immeuble vétuste et branlant, dans l'une des plèbezones les plus malfamées – Les Arpents de saules, que ses habitants avaient rebaptisée Le Lagon puant, car toute la merde semblait y converger. Elle partageait une salle de bains avec six immigrés clandestins thaïlandais extrêmement discrets. À en croire la rumeur, le CorpSeCorps avait décidé qu'il était trop coûteux d'expulser les sans-papiers et préférait appliquer la même méthode que les éleveurs en présence d'une épizootie : abattre les bêtes malades, les enterrer et la fermer.

L'étage inférieur était occupé par l'atelier de Fourtive, une boutique de confection spécialisée dans les espèces menacées. On y vendait des costumes de Halloween pour tromper les activistes de la libération des animaux, tout en traitant les peaux dans l'arrière-boutique. Mais l'odeur se répandait *via* le système d'aération et Toby avait beau entasser des coussins sur les grilles, son studio puait la graisse et les produits chimiques. Parfois, on entendait aussi des hurlements et des gémissements – ils étaient obligés de tuer les bêtes sur place, car les clients n'aimaient pas qu'on leur fît passer une chèvre pour un oryx, ni un loup pour un glouton. Ils tenaient à l'authenticité de leur frime.

Une fois écorchées, les carcasses étaient revendues à une chaîne de restaurants baptisée «Le Grand Bleu». On y servait de la viande de bœuf, d'agneau, de buffle et de gibier garantie vierge de toute infection – et qui pouvait donc être mangée bleue. Mais dans les salons privés – réservés aux membres du club, protégés par des videurs –, le client pouvait savourer des espèces en voie de disparition. On y réalisait des profits colossaux : une bouteille de vin d'os de tigre coûtait autant qu'une rivière de diamants.

En théorie, ce commerce était totalement illégal – et frappé d'amendes salées –, cependant il rapportait très gros. Tous les habitants du quartier étaient au courant, mais ils avaient d'autres soucis, et à qui auraient-ils pu se confier ? Ils y trouvaient tous leur compte, et le CorpSeCorps prélevait son pourcentage sur chacun d'eux.

Toby trouva un boulot de peluche-sandwich : le salaire était minable, mais on ne vous demandait pas vos papiers. Elle endossait une tenue d'animal à fourrure genre dessin animé, s'accrochait une pub autour du cou et se baladait dans les galeries marchandes haut de gamme et les rues commerçantes. Mais elle transpirait sous sa pelisse bidon et son champ visuel était limité. Les premiers temps, elle fut agressée à trois reprises par des fétichistes qui la plaquèrent au sol, firent pivoter sa tête factice afin de l'aveugler et se frottèrent à sa fourrure en faisant des bruits bizarres, parmi lesquels les miaulements étaient les moins incongrus. Ce n'était pas un viol à proprement parler – ils n'avaient pas touché sa chair –, mais ça lui fila les jetons. Et puis elle avait les boules de s'habiller en ours, en tigre, en lion et autres espèces en voie d'extinction, celles-là même qu'on exploitait juste en dessous de chez elle. Elle laissa donc tomber.

Elle gagna ensuite un paquet de fric en vendant ses cheveux. La franchise ToisondOr n'avait pas encore cassé le marché – cela viendrait quelques années plus tard – et on trouvait encore des tondeurs pas regardants qui payaient gros. Elle portait les cheveux longs à l'époque et, en dépit de leur couleur châtain – c'était le blond qui avait toujours la cote, évidemment –, elle en avait tiré un prix correct.

Une fois ces revenus dépensés, elle avait vendu ses ovules au marché noir. Une jeune femme pouvait se faire pas mal de blé en refilant ses ovules à un jeune couple qui n'avait pas les moyens de corrompre un fonctionnaire ou qu'on avait jugé si impropre à la procréation que personne n'était disposé à lui vendre un permis. Cependant elle avait dû se limiter à deux transactions de ce type à cause d'une seringue contaminée. À cette époque, les trafiquants remboursaient le traitement en cas de pépin, mais il lui avait fallu un mois pour se remettre. Lors de sa troisième tentative, on lui avait dit que des complications étaient survenues : non seulement elle ne pourrait pas vendre de troisième ovule mais, en outre – dommage collatéral –, jamais elle ne pourrait avoir d'enfant.

Jusque-là, Toby ignorait qu'elle pût désirer avoir un enfant. Du temps de Martha-Graham, elle avait un petit copain qui parlait souvent de mariage et de famille – Stan, il s'appelait –, mais elle alléguait qu'ils étaient trop jeunes et trop pauvres pour y penser. Elle suivait des cours de Guérison holistique – Lotions et Potions, comme disaient les étudiants – et Stan étudiait la Problématique et la Planification créative à quadruple entrée, où il se débrouillait comme un chef. Sa famille n'était pas riche, sans quoi il n'aurait pas échoué dans une école de troisième ordre comme Martha-Graham, mais il était ambitieux et comptait bien faire son trou. Lors de leurs soirées les plus paisibles, Toby lui confiait ses projets dans le domaine des extraits de tisanes et préparations florales et, ensuite, ils se livraient à des ébats saccadés et parfumés à la médecine par les plantes, ponctués par une bonne douche et une dégustation de pop-corn, sans adjonction de sel ni de graisse.

Mais après que sa famille eut été effacée, Toby savait qu'elle ne pouvait plus se permettre Stan. Elle savait aussi que ses jours à la fac étaient comptés. Elle ne répondit pas à ses textos pleins de reproches, car cela n'en valait pas la peine : ce qu'elle avait cherché, c'était une union entre deux salaires égaux, et elle n'était plus dans la course. Mieux valait en faire son deuil sans tarder, se dit-elle.

Sauf que, de toute évidence, elle avait vraiment désiré des enfants, car, lorsqu'on lui apprit qu'elle avait été stérilisée par accident, elle sentit une lumière s'éteindre dans son cœur.

En apprenant la nouvelle, elle avait claqué le fric que lui avaient rapporté ses ovules pour se payer une sortie de réalité à coups de diverses drogues. Mais les réveils vaseux en compagnie d'inconnus avaient vite perdu leur charme, d'autant que lesdits inconnus avaient tendance à lui chouraver son fric. Arrivée au quatrième ou au cinquième, elle avait compris qu'elle devait faire un choix : désirait-elle vivre ou bien mourir ? Si elle optait pour la mort, il existait des méthodes plus rapides. Si elle optait pour la vie, elle devait changer d'existence.

Grâce à une de ses aventures sans lendemain – ce qui se rapprochait le plus d'un bon Samaritain dans Le Lagon puant –, elle trouva du boulot dans un plèbegang. On ne lui demandait ni ses papiers ni un CV : si elle ne donnait pas satisfaction, on lui trancherait les doigts. Point.

Toby bossait désormais dans un resto de la chaîne SecretBurgers. Le secret des SecretBurgers, c'était que nul ne savait quel type de protéine animale entrait dans leur composition : les caissières portaient une casquette et un tee-shirt frappés du slogan *SecretBurgers! Parce que tout le monde adore les secrets!* Elle était payée au lance-pierre mais avait droit à deux SecretBurgers par jour. Après avoir rejoint les Jardiniers et prononcé les Vœux végans, Toby avait effacé le souvenir de chaque SecretBurger avalé ; mais, ainsi que le disait Adam Premier, la faim est l'un des moteurs les plus puissants de la conscience. Les hachoirs n'étaient pas efficaces à cent pour cent ; on retrouvait parfois dans la viande des poils de chat ou une queue de souris. Et n'avait-on pas une fois signalé un ongle humain ?

C'était possible. Les plèbegangsters graissaient la patte aux gars du CorpSeCorps pour qu'ils ferment les yeux. En échange, le CorpSeCorps leur déléguait kidnappings et assassinats, afin de tenir les producteurs de cannabis, les distilleurs de crack et les dealers des rues, sans parler des prostituées, leur spécialité. Ils bossaient aussi dans le trafic d'organes, recyclant les rebuts dans la fabrication de SecretBurgers. C'était du moins ce que prétendaient les rumeurs les plus échevelées. Quand les SecretBurgers prospéraient, les cadavres se faisaient rares dans les terrains vagues.

Si la télé diffusait un prétendu reportage choc, le CorpSeCorps annonçait une prétendue enquête. Au bout d'un certain temps, l'affaire était classée et on n'en parlait plus. Le Corps était soucieux de son image auprès des nostalgiques des idéaux d'antan : c'étaient les défenseurs de la paix civile, les garants de la sécurité publique, les gardiens des rues et des quartiers. Blague à part, la majorité des gens préférait encore le CorpSeCorps à l'anarchie généralisée. Y compris Toby.

L'année précédente, SecretBurgers était pourtant allé trop loin. Le CorpSeCorps avait fermé tous les restos de la chaîne à la suite de l'arrestation d'un opérateur de hachoir chaussé des pompes d'un gros ponte porté disparu après être allé s'encanailler dans Le Lagon puant. Pendant un temps, les chats de gouttière avaient soufflé un peu. Mais, au bout de quelques mois, les grills s'étaient remis à grésiller, car il était hors de question de renoncer à une activité où l'approvisionnement posait aussi peu de problèmes.

8

Toby fut ravie d'apprendre qu'elle était embauchée par SecretBurgers : ainsi elle ne mourrait pas de faim et pourrait payer son loyer. Avant de découvrir qu'il y avait un hic.

Le hic, c'était le gérant. Son nom était Blanco mais, quand il avait le dos tourné, les employées l'appelaient Gros Lard. Rebecca Eckler, qui avait les mêmes horaires que Toby, ne tarda pas à la mettre au parfum.

« Surtout, ne te fais pas repérer, lui dit-elle. Peut-être que t'auras pas d'emmerdes – en ce moment, il se tape Dora, et il se contente d'une nana à la fois, sans compter que t'es pas trop dodue et qu'il préfère les beaux culs. Mais s'il te convoque dans son bureau, fais gaffe. Il est sacrément jaloux. Capable de te réduire en pièces.

— Et toi ? demanda Toby. Il t'a convoquée dans son bureau ?

— Non, Dieu merci, et je crache par terre. À ses yeux je suis trop noire et trop moche, et en plus il préfère les petits minous aux vieilles gouttières. Peut-être que tu devrais attraper quelques rides, mon chou. Et te casser quelques dents.

— Tu n'es pas moche », rétorqua Toby.

Rebecca était en fait d'une beauté remarquable avec sa peau basanée, ses cheveux roux et son nez busqué.

« Moche de caractère, je veux dire. On n'embête pas les Juiblacks, et deux fois plutôt qu'une. Il sait que je pourrais lui envoyer les Poissons-Noirs, et ils ne rigolent pas. Sans compter les Isaïstes du Loup. Et ça, c'est trop risqué ! »

Toby ne pouvait compter sur de tels renforts. Elle se faisait discrète quand Blanco était dans les parages. Son histoire lui était connue. Selon Rebecca, il avait été videur chez Zécailles, le club le plus classe du Lagon. Un videur, ça se respecte ; ils se baladent en costard noir et lunettes noires, l'air suave mais dur à cuire, avec une nuée de nanas autour d'eux. Mais Blanco avait déconné grave, racontait Rebecca. Il s'était farci une fille de Zécailles – pas une temporaire sans papiers, elles se faisaient baiser tout le temps, mais une des filles les plus réputées, une trapéziste vedette. Comme on ne peut pas se permettre de garder un mec pareil – quelqu'un qui tape dans la marchandise parce qu'il ne peut pas se retenir –, on l'avait viré. Heureusement pour lui, il avait des copains au CorpSeCorps, sans quoi il aurait fini dans un conteneur de carborduruile, avec quelques organes en moins. On s'était contenté de le muter au SecretBurgers du Lagon puant. Dure était la chute et il l'avait mauvaise – pourquoi devait-il souffrir à cause d'une traînée ? –, si bien qu'il détestait son boulot. Mais il considérait les serveuses comme des avantages en nature. Il avait deux potes, des anciens videurs comme lui, qui lui servaient de gardes du corps et finissaient les reliefs de ses sauteries. À condition qu'il en reste.

Blanco arborait toujours un physique de videur – costaud et large d'épaules –, mais il avait sacrément grossi : l'abus de bière, disait Rebecca. Comme tout videur qui se respecte, il portait une queue de cheval, qui compensait sa calvitie naissante, et tout un jeu de tatouages sur les bras : des serpents enlaçant ses muscles, des bracelets de crânes autour des poignets, des veines et des artères d'écorché sur le dos des deux mains. Autour de son cou était tatouée une chaîne avec un fermoir en forme de cœur, qui disparaissait dans la toison de son torse, bien visible dans l'échancrure de sa chemise. À en croire la rumeur, cette chaîne lui descendait dans le dos et emprisonnait une femme suspendue par les pieds qui avait la tête dans son cul.

Toby surveilla l'évolution de Dora, qui la relayait en cuisine quand elle quittait son service. D'abord dodue et optimiste, elle s'étiola au fil des semaines : les hématomes fleurissaient sur ses bras blancs avant de s'estomper doucement.

«Elle voudrait bien s'enfuir, murmura Rebecca, mais elle a trop peur. Peut-être que tu devrais te faire rare. Il commence à te reluquer.

— Ça va», répondit Toby.

En fait, ça n'allait pas du tout – elle était morte de trouille. Mais où serait-elle allée ? Elle ne pouvait se passer de son salaire. Pas un sou dans son bas de laine.

Le lendemain, Rebecca l'attira dans un coin.

«Dora est morte, dit-elle. Elle a tenté de s'enfuir. Je viens juste de l'apprendre. On l'a trouvée dans un terrain vague, la nuque brisée, des entailles partout. Massacrée par un cinglé, qu'ils disent.

— Et c'est lui qui a fait le coup ? demanda Toby.

— Évidemment, ricana Rebecca. Il s'en vante, le con. »

Ce même jour à midi, Blanco convoqua Toby dans son bureau. Il lui avait envoyé ses deux potes, qui la serrèrent de près au cas où elle aurait idée de s'échapper. Dans la rue, toutes les têtes se retournaient sur leur passage. Toby avait l'impression de marcher vers le peloton d'exécution. Pourquoi n'avait-elle pas fui tant que c'était possible ?

On accédait au bureau par une porte crasseuse planquée derrière un conteneur de carborduruile. C'était une pièce minuscule, meublée d'une table, d'un meuble de classement et d'un sofa au cuir fatigué. Blanco s'extirpa en souriant de son fauteuil pivotant.

«Toi, le sac d'os, t'as droit à une promotion, lança-t-il. Dis merci. »

Toby avait à peine la force de chuchoter : c'était comme si on l'étranglait.

«Tu vois ce cœur ? reprit Blanco en montrant son tatouage. Ça veut dire que je t'aime. Et maintenant, tu m'aimes aussi. Pigé ? »

Toby réussit à acquiescer.

«Petite futée. Viens ici. Ôte-moi ma chemise. »

Le tatouage ornant son dos était exactement tel que Rebecca l'avait décrit : une femme nue, solidement enchaînée, dont la tête était invisible. Ses longs cheveux flottaient comme une oriflamme.

Blanco lui passa ses mains d'écorché autour de la gorge.

«Si tu me contraries, je te casse en deux comme une brindille », assura-t-il.

9

Depuis que sa famille s'était éteinte de si triste façon, et depuis qu'elle-même n'avait plus d'existence officielle, Toby s'était efforcée de ne plus penser à sa vie d'avant. Elle l'avait congelée, enchâssée dans la glace. Désormais, elle aurait bien voulu retourner dans le passé – même avec ses mauvais côtés, même avec ses épreuves –, tant le présent lui était une torture. Elle tenta bien de visualiser ses parents tels qu'ils étaient jadis, veillant sur elle comme des esprits gardiens, mais elle ne voyait que du brouillard.

Cela faisait moins de quinze jours qu'elle était la chère et tendre de Blanco, mais ça semblait durer depuis des années. À l'en croire, une femme dotée d'un cul malingre comme le sien devait s'estimer heureuse qu'un homme ait envie d'y tremper sa trique. Et si ça ne lui plaisait pas, il la refilerait à Zécailles comme travailleuse temporaire, c'est-à-dire en sursis. Qu'elle remercie donc sa bonne étoile. Mieux, qu'elle le remercie, lui : il exigeait un merci après chaque dégradation. Toutefois, il ne lui demandait pas d'y prendre du plaisir : sa soumission lui suffisait.

Et sa charge de travail à SecretBurgers restait la même. C'était toujours lors de la pause repas qu'il commandait une gâterie – une gâterie qui se prolongeait une demi-heure, et du coup elle n'avait pas le temps de manger.

La faim et la fatigue l'usaient un peu plus chaque jour. Elle avait autant de bleus que naguère la pauvre Dora. Le désespoir la gagnait : elle voyait où tout cela la menait, et ça ressemblait à un tunnel de ténèbres. Bientôt, il l'aurait pressée comme un citron.

Pire, Rebecca était partie et nul ne savait où. Rejoindre une sorte de secte, murmurait-on dans le quartier. Blanco n'en avait rien à cirer, car Rebecca ne faisait pas partie de son harem. Il eut tôt fait de lui trouver une remplaçante en cuisine.

Ce matin-là, alors que Toby était de service à la caisse, une étrange procession s'avança dans la rue. À en juger par les écriteaux et les cantiques, ce devait être une secte, mais jamais elle n'en avait entendu parler avant ce jour.

Il y avait pas mal de mouvements religieux bizarres qui écumaient le Lagon en quête d'âmes tourmentées. Si les Fruits reconnus, les Pétrobaptistes et autres sectes de riches ne se montraient jamais par ici, on voyait parfois débarquer une fanfare de l'Armée du Salut, dont les musiciens presque séniles ployaient sous le poids de leurs instruments. Des groupes de Frères soufis au cœur pur enturbannés faisaient parfois un passage éclair, ou alors c'étaient des Vénérables, tout de noir vêtus, ou encore des Hare Krishna en robe jaune safran, dont les chants et les clochettes attiraient quolibets et fruits pourris. Les Isaïstes du Loup et les Isaïstes du Lion prêchaient au coin des rues, se livrant à des batailles rangées quand ils venaient à se croiser : ils étaient en désaccord à propos de l'avènement du Royaume de la Paix, les uns disant que c'était le loup qui demeurerait auprès de l'agneau et les autres le lion. À chaque escarmouche, des bandes de plèberats – les Tex-Mex basanés, les Cotonneux blancs, les Fusiatiques jaunes et les Poissons-Noirs – fondaient sur les blessés, puis fouillaient leurs robes en quête d'objets précieux ou, faute de mieux, de portables.

Comme la procession se rapprochait, Toby put la détailler à loisir. Le meneur portait une barbe et un caftan qu'on aurait dit assemblé et cousu par des elfes défoncés au hash. Derrière lui venait un groupe d'enfants – de toutes les tailles et de toutes les couleurs, mais tous vêtus de noir – qui brandissaient des ardoises portant divers slogans : *Les Jardiniers de Dieu cultivent le Jardin de Dieu! Ne mangez pas la Mort! Les Animaux, c'est nous!* Ils ressemblaient à des angelots en guenilles, ou à des clochards nains. C'étaient eux qui chantaient. À présent, ils en étaient au refrain : *Pas de viande! Pas de viande! Pas de viande!* Toby avait entendu parler de cette secte : on racontait qu'elle occupait un jardin sur le toit d'un immeuble. Une parcelle de boue à moitié sèche, quelques œillets d'Inde fanés, de pathétiques plants de haricots cuisant sous le soleil impitoyable.

Le cortège fit halte devant la vitrine de SecretBurgers. Déjà la foule se rassemblait, prête à railler.

«Mes Amis», commença le Gourou en se tournant vers elle.

Son prêche allait être bref, songea Toby, car les Lagoneurs refuseraient de le tolérer.

« Mes chers Amis. Je m'appelle Adam Premier. Naguère, j'étais moi aussi un carnivore athée et matérialiste. Comme vous, je croyais que l'Homme était la mesure de toute chose.

— Ferme ta gueule, écolo de mes deux ! » hurla quelqu'un.

Adam Premier fit la sourde oreille.

« En fait, mes chers Amis, je croyais que la mesure était la mesure de toute chose ! Oui – j'étais un scientifique. J'étudiais les épidémies, je comptais les animaux malades et mourants, et les gens aussi, comme des boules sur un boulier. Je croyais que seuls les nombres pourraient me fournir une description de la Réalité. Mais...

— Fous le camp, tête de nœud !

— Mais un jour, alors que je me trouvais à cet endroit précis, en train de dévorer – oui ! – de dévorer un SecretBurger, et de savourer son jus, j'ai vu une Lumière éblouissante. J'ai entendu une Voix claironnante. Et cette voix disait...

— Elle disait : "Va te faire enculer !"

— Elle disait : "Épargne ces Créatures qui sont tes Frères et tes Sœurs ! Ne mange rien qui ait un visage ! Ne tue pas ta propre Âme !" Et ensuite... »

Toby sentit que la foule était sur le point d'exploser. Ce pauvre type allait finir piétiné sur le trottoir, et ses petits Jardiniers avec lui.

« Allez-vous-en ! » s'écria-t-elle.

Adam Premier la gratifia d'un sourire aimable et d'une petite révérence.

« Mon enfant, sais-tu exactement ce que tu vends ? Enfin, jamais tu ne mangerais tes propres parents...

— Si, à condition que j'aie assez faim. Partez, je vous en prie !

— Je vois que tu as connu des jours difficiles, mon enfant. Tu t'es fabriqué une coque dure et calleuse. Mais ce n'est pas là ton moi véritable. Cette coque dure abrite, je le sais, un cœur tendre et une Âme aimante... »

Cette histoire de coque, ce n'était pas faux ; elle s'était endurcie, elle le savait. Mais c'était sa seule armure ; sans cette protection, elle ne serait plus que de la chair à pâté.

« Ce connard t'emmerde ? » demanda Blanco.

Comme à son habitude, il était apparu derrière elle sans prévenir. Il lui posa une main sur la taille et elle la vit sans même devoir baisser les yeux : ses veines, ses artères. Sa chair à vif.

« Ça ira, dit Toby. Il est inoffensif. »

Adam Premier ne faisait pas mine de dégager. Il reprit comme si personne ne l'avait interrompu :

«Tu souhaites faire le bien en ce monde, mon enfant...

— Je ne suis pas votre enfant», rétorqua Toby.

Elle n'était plus l'enfant de personne, comme elle le savait trop bien.

«Nous sommes tous les enfants les uns des autres, répondit Adam Premier avec un regard triste.

— Tire-toi, lui dit Blanco. Avant que je ne te casse la gueule !

— Je vous en prie, allez-vous-en ou ils vont vous blesser», insista Toby. Cet homme ignorait la peur. Elle baissa la voix et cracha : «Fichez le camp ! Tout de suite !

— C'est toi qui vas être blessée, dit Adam Premier. Chaque jour, tu vends la chair mutilée des Créatures aimées de Dieu, c'est cela qui te blesse. Rejoins-nous, ma chère – nous sommes tes amis, nous avons une place pour toi.

— Ôte tes sales pattes de mon employée, espèce de pervers ! hurla Blanco.

— Est-ce que je te dérange, mon enfant ? s'enquit Adam Premier sans prêter attention à Blanco. Je ne t'ai pas touchée... »

Blanco jaillit de derrière le stand et plongea, mais Adam Premier semblait avoir l'habitude des agressions : il fit un pas de côté et Blanco se vautra dans le groupe d'enfants qui chantaient, en faisant tomber plusieurs avant de se retrouver lui aussi sur le pavé. Un ado de la bande des Cotonneux lui cassa aussitôt une bouteille sur le crâne – Blanco n'était pas très apprécié dans le quartier – et il s'effondra, le front ouvert d'une entaille d'où le sang jaillissait déjà.

Toby sortit du stand en courant. Sa première impulsion fut d'aider Blanco à se relever, car elle savait que ce serait sa fête si elle ne faisait rien. Un groupe de Poissons-Noirs s'en prenaient à lui et des Fusiatiques entreprenaient de délacer ses souliers. La foule ondoyait autour de lui, mais voilà qu'il tentait de se redresser. Où étaient passés ses gardes du corps ? Aux abonnés absents.

Toby était emplie d'une curieuse exaltation. Alors elle décocha à Blanco un coup de pied dans la tête. Sans même réfléchir. Un large sourire aux lèvres, elle sentit son pied lui cogner la boîte crânienne : on aurait dit une pierre enveloppée dans du linge. Aussitôt, elle comprit son erreur. Comment pouvait-elle être aussi stupide ?

«Viens, ma chère, dit Adam Premier en la prenant par le coude. Cela vaut mieux ainsi. De toute façon, tu as perdu ton boulot. »

Les deux affreux étaient de retour et s'attaquaient aux plèberats.

Quoique encore étourdi, Blanco avait les yeux ouverts et fixés sur Toby. Il avait senti son coup de pied ; plus grave : elle l'avait humilié en public. Il avait perdu la face. D'une minute à l'autre, il allait se relever et la pulvériser.

« Salope ! croassa-t-il. Je vais te trancher les seins ! »

Toby se retrouva soudain au centre d'une nuée d'enfants. Deux d'entre eux la prirent par la main et les autres formèrent autour d'elle une haie d'honneur.

« Vite, vite ! » hurlèrent-ils en l'entraînant dans la rue.

Un rugissement se fit entendre derrière elle :

« Reviens ici, pétasse !

— Vite, par là », dit le plus grand des garçons.

Adam Premier fermant la marche, ils dévalèrent les rues du Lagon puant. On aurait dit un défilé : tout le monde les regardait passer. Déjà bien paniquée, Toby se sentit prise de vertige, comme plongée dans l'irréel.

Les passants se faisaient moins nombreux, les odeurs moins écœurantes, les boutiques condamnées devenaient plus rares.

« Dépêchons », lança Adam Premier.

Ils s'engagèrent dans une ruelle, effectuèrent plusieurs virages rapprochés, et les cris cessèrent dans leurs dos.

Ils arrivèrent devant un bloc en brique rouge d'allure moderne. Sa façade portait une première enseigne où il était écrit PACHINKO et une seconde, plus petite, où on lisait MASSAGES STARDUST, Ier ÉTAGE, POUR TOUS LES GOÛTS, RHINOPLASTIE EN OPTION. Les enfants en firent le tour pour grimper à l'escalier d'incendie et Toby les suivit. Elle était essoufflée mais ils restaient quant à eux vifs comme des singes. Une fois qu'ils furent arrivés sur le toit, l'un d'eux lança « Bienvenue dans notre Jardin » et la serra entre ses bras, et elle se sentit enveloppée dans l'odeur douce et âcre de la crasse enfantine.

Pour autant qu'elle s'en souvienne, jamais Toby n'avait été étreinte par un enfant. Pour eux, ce devait être une formalité, comme si elle n'était qu'une tante éloignée, mais pour elle c'était une sensation indéfinissable : douceur, velours, intimité. Comme d'être reniflée par des lapins. Mais des lapins martiens. Néanmoins, elle trouvait cela touchant – de façon impersonnelle cependant, affectueuse sans être sexuelle. Comme, ces derniers temps, les mains de Blanco étaient les seules à l'avoir touchée, cela expliquait sans doute cette étrangeté, du moins en partie.

Il y avait aussi des adultes qui lui tendaient la main – les femmes en robe informe, les hommes en salopette –, et, soudain, Rebecca.

« Tu as réussi, ma chérie, lui dit-elle. C'est moi qui leur ai parlé de toi ! Je savais qu'ils te feraient sortir de là ! »

Le Jardin ne ressemblait en rien à celui qu'avait imaginé Toby à partir des rumeurs qui lui étaient parvenues. Ce n'était pas une parcelle de boue séchée parsemée de légumes minables – bien au contraire. Elle le parcourut du regard, émerveillée : il était splendide, regorgeait de plantes et de fleurs dont elle ignorait jusqu'aux noms. Partout voletaient des papillons multicolores ; tout près, des abeilles bourdonnaient doucement. Chaque pétale, chaque feuille était vibrant de vie, semblait conscient de sa présence. L'atmosphère du Jardin elle-même était différente.

Elle se surprit à pleurer de soulagement et de gratitude. C'était comme si la main d'un géant bienveillant l'avait ramassée pour l'envelopper et la protéger. Plus tard, elle entendrait souvent Adam Premier évoquer « le moment où on est enveloppé de la Lumière de la Création divine », et c'était la sensation qu'elle éprouvait sans encore la connaître.

« Je suis ravi que tu aies pris cette décision, ma chère », lui dit Adam Premier.

Mais Toby ne pensait pas avoir pris une quelconque décision. Autre chose l'avait fait pour elle. En dépit de tout ce qui lui arriva par la suite, jamais elle ne devait oublier ce moment.

Le premier soir se déroula une modeste célébration en l'honneur de l'avènement de Toby. On ouvrit un peu pompeusement un bocal de verre contenant des grains pourpres – ses premières baies de sureau confites – ainsi qu'un pot de miel, qui semblait aussi précieux que le Saint Graal.

Adam Premier se fendit d'un petit discours sur les secours providentiels. On évoqua le tison tiré du feu et la brebis égarée – elle en avait déjà entendu parler au catéchisme – ainsi que d'autres exemples, moins connus : les escargots relocalisés, la poire arrachée par le vent. Ensuite ils mangèrent une sorte de tarte aux lentilles et un plat baptisé Méli-mélo de champignons à la mode Pilar, suivis de pain au soja tartiné de miel et de baies pourpres.

Une fois son exaltation retombée, Toby se sentit étourdie et mal à l'aise. Comment était-elle arrivée ici, en ce lieu improbable et quelque peu troublant ? Que faisait-elle parmi ces gens amicaux quoique bizarres, avec leur religion de cinglés et leurs dents – pour l'instant – purpurines ?

10

Les premières semaines que Toby passa chez les Jardiniers ne furent guère rassurantes. Adam Premier ne lui donna aucune instruction : il se contenta de l'observer, ce dont elle conclut qu'elle était en phase de mise à l'épreuve. Elle chercha à s'intégrer, à aider ceux qui en avaient besoin, mais elle était totalement inapte aux travaux de routine. Elle était même incapable de recoudre les vêtements, comme le lui demanda Ève Neuf – Nuala –, et, après qu'elle eut arrosé de son sang une salade qu'elle essayait de couper, Rebecca la pria de ne plus toucher à un couteau à légumes.

« Si je veux préparer des betteraves, j'irai cueillir des betteraves », railla-t-elle.

Burt – Adam Treize, le responsable du potager – la dissuada de désherber après qu'elle eut arraché des artichauts par erreur. Mais elle pouvait nettoyer les biolettes violettes. Une corvée toute simple qui ne demandait aucune formation. Si bien qu'on la lui confia.

Adam Premier était conscient de ses efforts.

« Les biolettes, ce n'est pas trop pénible, hein ? lui lança-t-il un jour. Après tout, nous sommes strictement végétariens. »

Toby se demanda ce qu'il voulait dire, puis elle comprit : l'odeur était moins écœurante. Bouse de vache plutôt que crotte de chien.

Il lui fallut quelque temps pour maîtriser la hiérarchie des Jardiniers. Ils étaient tous égaux sur le plan spirituel, affirmait Adam Premier, mais sur le plan matériel, c'était une autre histoire : les Adam et les Ève étaient supérieurs aux autres, bien que leur numéro indiquât leur spécialité plutôt que leur rang. De bien des façons cette communauté ressemblait à un monastère, songea-t-elle. Le chapitre d'un côté, les frères lais de l'autre. Et les sœurs laies, bien sûr. Sauf que la chasteté n'était pas imposée.

Comme elle avait accepté l'hospitalité des Jardiniers, sous un prétexte fallacieux par-dessus le marché – elle ne s'était pas vraiment convertie à leur foi –, elle se sentait obligée de travailler dur pour compenser. Outre le nettoyage des biolettes violettes, elle s'imposa d'autres tâches. Elle rapportait du terreau sur le toit en empruntant l'escalier d'incendie – les Jardiniers en possédaient un stock provenant de terrains vagues et de sites de construction abandonnés –, pour le mélanger ensuite au compost et aux résidus des biolettes violettes. Elle faisait fondre les restes de savon, décantait et étiquetait le vinaigre. Elle préparait les vers en vue du Troc de produits naturels de l'Arbre de vie, elle nettoyait les tapis roulants Cours et Maigris, elle balayait le dortoir du dernier étage, où les célibataires de la communauté dormaient sur des futons fourrés de paille et d'herbe sèche.

Après plusieurs mois de ce régime, Adam Premier lui suggéra de déployer ses autres talents.

« Quels autres talents ? répliqua Toby.

— Tu n'as pas étudié la Guérison holistique à Martha-Graham ?

— Si. »

Il était inutile de lui demander comment il l'avait appris. Adam Premier savait des choses.

Elle entreprit donc de préparer des crèmes et des lotions à base d'herbes. Le couteau ne lui était d'aucune utilité ou presque, et elle avait assez de force pour manier le pilon et le mortier. Peu après, Adam Premier l'encouragea à partager ses talents avec les enfants, et elle ajouta plusieurs cours quotidiens à son emploi du temps.

Elle avait fini par s'habituer aux robes sombres et informes que portaient les femmes.

« Tu dois laisser pousser tes cheveux, lui dit Nuala. Te débarrasser de ce look scalpée. Toutes les Jardinières ont les cheveux longs. »

Lorsque Toby lui demanda pour quelle raison, on lui fit comprendre que c'était l'esthétique préférée de Dieu. Ce genre d'affirmation sentencieuse commençait à lui peser, d'autant plus que c'étaient surtout les femmes qui en usaient.

De temps en temps, elle songeait à déserter. En partie parce qu'elle était régulièrement saisie d'un honteux appétit de protéines animales.

« Tu n'as jamais envie de te taper un SecretBurger ? » s'enquit-elle auprès de Rebecca.

Celle-ci venait du même monde qu'elle : on pouvait sans l'offusquer discuter de ce genre de sujet.

« Si, je l'avoue, répondit Rebecca. Ça me prend de temps à autre. Ils doivent mettre quelque chose dedans. Un produit entraînant l'assuétude. »

La nourriture était assez agréable – Rebecca exploitait au mieux leurs ressources limitées – mais très peu variée. Par ailleurs, les prières étaient barbantes et la théologie confuse – pourquoi pinailler sur le mode de vie de chacun si l'on est persuadé que nous sommes tous condamnés à disparaître ? Les Jardiniers croyaient dur comme fer à une catastrophe imminente, sans toutefois avancer des preuves de leurs assertions. Peut-être lisaient-ils dans les entrailles des oiseaux.

Bientôt surviendrait une hécatombe qui ravagerait l'humanité, coupable de perversité et de surpopulation, mais les Jardiniers en seraient exemptés : ils comptaient bien flotter sur ce Déluge des Airs, grâce aux réserves de nourriture qu'ils accumulaient dans des cachettes baptisées Ararats. Quant aux embarcations qui leur permettraient de survivre, il s'agissait ni plus ni moins d'eux-mêmes, chacun devenant une Arche abritant ses Animaux intérieurs, ou à tout le moins leurs noms. Ainsi pourraient-ils ensuite faire refleurir la Terre. Ou quelque chose comme ça.

Toby demanda à Rebecca si elle croyait vraiment à ces prophéties apocalyptiques, mais cette dernière éluda la question.

« Ce sont de braves gens, se contenta-t-elle de répondre. Ce qui doit arriver arrivera, alors moi je dis : *Détends-toi.* »

Et elle donna à Toby un beignet de soja au miel.

Braves gens ou pas, Toby ne se voyait pas rester très longtemps parmi ces évadés de la réalité. Mais elle ne pouvait pas s'en aller comme ça. Ce serait faire preuve d'ingratitude : après tout, ils lui avaient sauvé la vie. Elle s'imaginait donc profiter de la nuit pour filer en douce par l'escalier d'incendie, laissant derrière elle le dortoir, les salons de massage et le hall de pachinkos, courant dans les rues puis gagnant une ville du nord et se faire embarquer dans une autosolaire. Pas question de prendre l'avion : non seulement c'était trop cher, mais en outre le CorpSeCorps surveillait de près les aéroports. Et le train lui était également interdit, bien qu'elle eût pu se le payer – on contrôlait l'identité des passagers au guichet, et elle n'en avait aucune.

En plus de ça, Blanco devait toujours être à sa recherche dans la plèbezone – aidé et soutenu par les deux affreux. Aucune femme ne lui avait jamais échappé, comme il aimait à s'en vanter. Tôt ou tard, il la retrouverait et la ferait payer. Ce coup de pied allait lui coûter cher. Pour effacer son ardoise, il faudrait un viol collectif en public ou bien sa tête sur un poteau.

Se pouvait-il qu'il ignore où elle se trouvait ? Non : les plèberats avaient dû l'apprendre, habitués qu'ils étaient à collecter les rumeurs, et lui refiler le tuyau moyennant finances. Elle évitait soigneusement la rue, mais qu'est-ce qui empêcherait Blanco de venir la cueillir sur le toit ? Elle finit par se confier à Adam Premier. Il connaissait Blanco et savait de quoi il était capable – après tout, il l'avait vu à l'œuvre.

« Je ne veux pas mettre les Jardiniers en danger, lui dit Toby.

— Ma chère, dit Adam Premier, tu es en sécurité avec nous. Du moins jusqu'à un certain point. » Blanco était un plèbegangster du Lagon puant, expliqua-t-il, alors qu'ils se trouvaient dans la Fosse d'égout. « À chaque quartier son gang. Chacun reste sur son territoire, sauf en cas de guerre ouverte. Puis c'est le CorpSeCorps qui contrôle ces gangs et, d'après nos informations, il nous a classés comme intouchables.

— Pourquoi aurait-il pris cette peine ?

— Son image souffrirait s'il s'attaquait à une organisation se réclamant de Dieu. Les Corporations ne l'accepteraient pas, vu l'influence que les Pétrobaptistes et les Fruits reconnus exercent sur elles. Elles prétendent respecter l'Esprit et faire preuve de tolérance envers les autres religions, à condition que celles-ci ne fassent pas tout sauter : elles sont en effet hostiles aux atteintes à la propriété privée.

— Elles ne nous aiment sûrement pas, pourtant.

— Bien sûr que non. Elles nous considèrent comme des fanatiques cinglés souffrant d'extrémisme alimentaire, de carence vestimentaire et d'aversion au shopping. Mais nous ne possédons rien qu'elles puissent convoiter, de sorte que nous échappons à la qualification de terroristes. Dors tranquille, Toby. Il y a des anges qui veillent sur toi. »

Des anges bien curieux, songea Toby. Tous n'étaient pas des anges de lumière. Mais elle dormit mieux sur son matelas d'herbes bruissantes.

Fête d'Adam
et de Tous les Primates

Fête d'Adam et de Tous les Primates

An 10

De la méthodologie divine dans la Création de l'Homme.
Prononcé par Adam Premier

Chers Frères et Sœurs Jardiniers de cette Terre qui est le Jardin de Dieu :

Quelle joie de vous voir tous assemblés ici, dans notre splendide Jardin de toiture d'Édenfalaise ! J'ai grandement apprécié l'excellent Arbre des Créatures que nos Enfants ont créé à partir des objets en plastique qu'ils avaient collectés – exemple parfait d'une bonne utilisation de matériaux maléfiques ! – et il me tarde d'ouvrir notre Repas de la Fraternité, au cours duquel nous dégusterons la délicieuse tarte aux navets de Rebecca, cuisinée à partir des navets engrangés lors de la récolte de l'année dernière, sans parler du Méli-mélo de champignons à la mode Pilar, l'œuvre de notre chère Ève Six. Nous célébrerons également l'accession de Toby au grade d'institutrice titulaire. Par son travail et son dévouement, Toby nous a montré que chacun pouvait surmonter de pénibles expériences et des obstacles intérieurs une fois qu'il avait vu la lumière de la Vérité. Nous sommes très fiers de toi, Toby.

En cette Fête d'Adam et de Tous les Primates, nous affirmons notre ascendance primate – ce qui nous a valu les foudres de tous ceux qui, dans leur arrogance, persistent à nier la théorie de l'évolution. Mais nous affirmons aussi l'intervention divine par laquelle nous avons été créés tels que nous sommes, et cela enrage ces stu-

59

pides scientifiques qui proclament en leur for intérieur : «Dieu n'existe pas.» Ils prétendent prouver l'inexistence de Dieu parce qu'ils ne peuvent Le mettre dans une éprouvette afin de Le peser et de Le mesurer. Mais Dieu est pur Esprit; comment peut-on dire que l'impossibilité de mesurer l'incommensurable est une preuve de son inexistence? Dieu est bel et bien le Néant, le Rien à partir duquel et par lequel existent toutes choses matérielles; car si le Néant n'était pas, l'existence serait tellement encombrée de matérialité que nulle chose ne pourrait se distinguer des autres. La seule existence de choses distinctes prouve que Dieu est Néant.

Où étaient ces crétins de scientifiques lorsque Dieu a jeté les fondations de la Terre en interposant Son Esprit entre deux agrégats de matière, donnant ainsi naissance aux formes? Où étaient-ils durant «le concert joyeux des étoiles du matin[1]»? Mais, au fond de notre cœur, nous devons leur pardonner, car il ne nous appartient pas en ce jour de réprimander mais de contempler notre condition terrestre en toute humilité.

Dieu aurait pu créer l'Homme à partir du Verbe, mais Il n'a pas employé cette méthode. Il aurait également pu le façonner à partir de la poussière de la Terre, ce que dans un sens Il a fait, car qu'est-ce que la «poussière» sinon les atomes et les molécules, les briques dont sont bâties toutes les entités matérielles? En outre, Il nous a créés grâce à ce processus long et complexe qu'on appelle la Sélection naturelle et sexuelle, qui n'est autre que Sa façon, fort ingénieuse, d'instiller l'humilité chez l'Homme. Il nous a «abaissés au-dessous des Anges[2]», mais hormis cela – et la Science en témoigne – nous sommes étroitement apparentés à nos Frères les Primates, ce que les plus arrogants en ce monde trouvent fort désagréable et préjudiciable à leur estime de soi. Nos appétits, nos désirs, nos émotions incontrôlables – autant de traits primates! À la suite de notre Chute, qui nous a valu d'être chassés du Jardin originel, nous avons cessé de réaliser en toute innocence ces impulsions et comportements pour en prendre conscience et en éprouver de la honte; de là découlent notre tristesse, notre angoisse, nos doutes et notre rage contre Dieu.

Certes, nous avons été bénis – tout comme les autres Animaux –, incités à croître et à nous multiplier, et à emplir la Terre. Mais, hélas! cette mission s'accomplit souvent par des moyens humiliants, agressifs et douloureux. Pas étonnant que nous soyons dès la naissance en

---

1. Job 38.7. *(N.d.T.)*
2. Hébreux, 2.7. *(N.d.T.)*

proie à la honte et à la disgrâce! Pourquoi ne nous a-t-Il pas créés Esprits purs comme Lui? Pourquoi nous a-t-Il imposé un corps de matière périssable, de matière si semblable à celle du Singe? Telle est l'antique lamentation.

Quel commandement avons-nous violé? Celui qui nous ordonnait de vivre en toute simplicité la vie des Animaux – de vivre nus, pour ainsi dire. Mais nous avions soif de la connaissance du Bien et du Mal, et nous l'avons obtenue, et de ce vent semé nous récoltons aujourd'hui la tempête. Nous avons fait tant d'efforts pour nous élever au-dessus de notre condition que nous sommes tombés de bien haut, et que nous n'avons pas fini de tomber; car, à l'instar de la Création, la Chute elle aussi se poursuit. Une chute dans l'avidité : pourquoi pensons-nous que tout sur Terre nous appartient alors qu'en réalité c'est nous qui appartenons au Tout? Nous avons trahi la confiance des Animaux et failli à notre mission sacrée de gardiens de la Terre. En nous ordonnant : «Emplissez la Terre», Dieu ne nous demandait pas de l'encombrer de notre présence et d'en éliminer tout le reste. Combien d'espèces avons-nous déjà anéanties? Ce que vous ferez à la plus humble des Créatures de Dieu, c'est à Lui que vous le ferez. Veuillez penser à cela, mes Amis, la prochaine fois que vous écraserez un Ver sous votre pied ou un Scarabée entre vos doigts!

Nous prions pour ne pas succomber à la fierté en nous considérant comme des êtres exceptionnels, les seules Créatures de Dieu dotées d'une Âme; en nous imaginant dans notre vanité comme supérieurs aux autres formes de Vie, et en détruisant celles-ci à loisir, en toute impunité.

Nous Te remercions, ô Dieu, de nous avoir permis d'être conscients non seulement de notre nature presque angélique mais aussi des brins d'ADN et d'ARN qui nous lient aux Créatures qui sont nos Frères et nos Sœurs.

Chantons.

Ô Seigneur, garde-moi d'être fier

Ô Seigneur, garde-moi d'être fier,
Garde-moi de me sentir supérieur
Aux autres Primates, car c'est grâce à leurs gènes
Que nous avons grandi dans Ton amour.

En un million de millions d'années, des jours pour Toi,
Par Tes méthodes indiscernables,
Et par Ton bouillon d'ADN,
Nous sont venus passion, esprit et sagesse.

Si nous perdons parfois Ta trace
Entre le Singe et le Gorille,
Tous néanmoins sont protégés
Par Ton ombrelle céleste.

Et si de fierté et de vanité
Nous tentons de nous rengorger,
Alors souvenons-nous de l'Australopithèque,
L'Animal qui est en nous.

Préserve-nous des défauts capitaux,
L'agression, la colère, l'avidité ;
Fasse que nous ne méprisions pas nos humbles origines,
Ni notre graine de Primate.

Extrait du *Livre de cantiques des Jardiniers de Dieu*

11

Ren

An 25

Quand je repense à cette nuit-là – celle où a débuté le Déluge des Airs –, je ne me rappelle rien qui soit sorti de l'ordinaire. Vers sept heures du soir, comme j'avais un peu faim, j'ai pris une Voltbar dans le minifrigo et j'en ai mangé la moitié. Je ne finis jamais ce que j'entame, car une fille de mon gabarit ne peut se permettre de grossir. Un jour, j'ai demandé à Mordis si je ne devrais pas me faire poser des bimplants, mais il m'a répondu que je pouvais encore passer pour une mineure dans la pénombre et que les numéros d'écolière étaient très demandés.

J'ai fait une série de tractions et d'exercices de Kegel, puis Mordis m'a appelée sur mon vidéophone pour savoir si ça allait bien : je lui manquais, affirmait-il, car je n'avais pas mon pareil pour attirer les clients.

« Ren, en te voyant, ils chient des billets de mille dollars », me disait-il, et je lui envoyais un baiser en réponse.

« Tu entretiens ton petit cul ? » m'a-t-il demandé, et j'ai glissé le phone derrière moi pour lui montrer.

« On en mangerait », a-t-il commenté.

Même quand vous vous sentiez moche, il avait le pouvoir de vous rendre belle.

Ensuite, je me suis branchée sur la vidéo de la Fosse aux serpents pour voir les danseuses en action tout en écoutant la musique. Ça m'a fait un drôle d'effet de constater que tout se faisait sans moi, comme si j'avais été effacée. Pétale-Écarlate aguichait le poteau, Savone me remplaçait au trapèze. Elle avait l'air splendide : verte, luisante et sinueuse, avec une nouvelle ToisondOr couleur argent. J'envisageais de m'en offrir une, moi aussi – c'était mieux qu'une perruque, ça ne tombait jamais –, mais, à en croire certaines, elles puaient la peau de mouton, surtout par temps de pluie.

Savone était un peu maladroite. D'habitude, elle ne travaillait pas le trapèze mais le poteau, et elle était du genre plantureuse – à force de se gonfler, elle semblait porter des ballons. Quand elle se tenait en équilibre sur ses talons aiguilles, il suffisait de lui souffler dessus par-derrière pour qu'elle se retrouve face contre terre.

« Du moment que ça marche, disait-elle. Et, mon chou, ça marche du tonnerre. »

À présent, elle faisait des va-et-vient verticaux tout en se caressant d'une main. Ce n'était guère convaincant à mes yeux, mais les hommes qui assistaient au spectacle ne s'intéressaient guère à l'art : Savone serait jugée fantastique sauf si elle se mettait à rire au lieu de gémir ou, pire, si elle tombait du trapèze.

J'ai abandonné la Fosse aux serpents pour jeter un coup d'œil dans les autres salons, mais il ne s'y passait pas grand-chose. Pas un seul fétichiste qui aurait souhaité se faire couvrir de plumes, badigeonner de porridge, saucissonner avec des cordes en velours ou caresser par des poissons rouges. Le train-train quotidien.

Puis j'ai appelé Amanda. Nous formions une petite famille ; sans doute parce qu'on était des enfants perdues, toutes les deux. Ça crée des liens.

Elle se trouvait dans le désert du Wisconsin, occupée à préparer une installation de bio-art comme elle en réalisait depuis qu'elle s'était reconvertie dans la performance artistique, ainsi qu'elle le formulait. Ce coup-ci, c'étaient des ossements de vaches. Le Wisconsin en était jonché depuis la sécheresse survenue dix ans plus tôt, et les fermiers avaient jugé plus économique de tuer les bêtes sur place que de les expédier à l'abattoir – sans compter celles qui étaient mortes de déshydratation. Elle avait à sa disposition deux chargeurs sur pneus fonctionnant sur batteries ainsi que deux clandestins tex-mex sans papiers, et elle plaçait les ossements afin de composer des signes uniquement visibles du ciel : d'immenses lettres majuscules formant un mot. Par la suite, elle les recouvrirait de sirop d'érable, attendrait qu'elles grouillent d'insectes et tournerait un film vidéo pour le projeter dans les galeries d'art. Elle aimait bien voir les choses pousser puis disparaître.

Amanda n'avait aucun mal à financer ses performances artistiques. Elle jouissait d'une certaine célébrité dans les cercles qui se piquaient de culture. Leurs membres n'étaient pas nombreux, mais ils étaient riches. Cette fois-ci, elle était soutenue par un type du CorpSeCorps – c'était lui qui l'emmènerait en hélicoptère pour tourner son film.

« J'ai obtenu un ventilo du Gros Ponte », m'a-t-elle dit.

On se gardait de prononcer les mots « CorpSeCorps » et « hélicoptère » au téléphone pour ne pas alerter les robots de surveillance à l'écoute.

Cette performance du Wisconsin appartenait à une série baptisée Le Verbe vivant – à l'en croire, c'était une référence ironique aux Jardiniers, qui nous empêchaient jadis de mettre les choses par écrit. Elle avait débuté par des mots d'une lettre – *À, E, Ô* –, pour passer à deux avec *Ça*, puis à trois, quatre et cinq. À présent, elle en était à six. Pour les écrire, elle avait usé de toutes sortes de matériaux, parmi lesquels des tripes de poisson, des oiseaux tués par une marée noire et des toilettes provenant de sites de démolition, remplies d'essence et incendiées.

Son nouveau mot était *Kaputt*. Quand elle me l'avait communiqué quelques instants plus tôt, elle avait précisé qu'il s'agissait d'un message.

« Adressé à qui ? avais-je demandé. Aux clients des galeries ? Aux Riches et aux Puissants ?

— Exactement. Et à leurs femmes. N'oublions pas leurs femmes.

— Tu vas avoir des ennuis, Amanda.

— T'inquiète. Ils n'y comprendront goutte. »

Le projet avançait bien, dit-elle : il avait plu, les fleurs du désert étaient écloses et les insectes présents en abondance, ce qui lui faciliterait la tâche quand elle appliquerait le sirop. Le *K* était déjà bouclé et le *A* à moitié fini. Mais les Tex-Mex commençaient à s'ennuyer.

« On est deux, ai-je dit. Il me tarde de sortir d'ici.

— Trois, a-t-elle corrigé. Il y a deux Tex-Mex. Plus toi. Ça fait trois.

— Oh ! Tu as raison. Tu as l'air en forme – cette tenue kaki te va à ravir. »

Elle était grande et ressemblait à une exploratrice habituée à vivre à la dure. Ne manquait que le casque colonial.

« Tu n'es pas mal non plus, a dit Amanda. Prends soin de toi, Ren.

— De même, prends soin de toi. Fais gaffe à ces machos, tiens-les à distance.

— Ils ne me toucheront pas. Ils pensent que je suis cinglée. Une cinglée, ça peut vous arracher la bite d'un coup de dents.

— Ça, je l'ignorais ! »

J'ai éclaté de rire. Amanda adorait me faire rire.

« Comment pouvais-tu le savoir ? a-t-elle lancé. Tu n'es pas cinglée, tu n'as jamais vu ce genre de vermisseau se tortiller par terre. Fais de beaux rêves.

— Toi aussi, fais de beaux rêves », ai-je répondu.

Mais elle avait déjà raccroché.

J'ai oublié les dates où l'on fête les divers saints – impossible de savoir auquel correspond la date d'aujourd'hui –, mais je reste capable de compter les années. J'ai pris mon crayon de maquillage pour déterminer depuis combien de temps je connais Amanda. J'ai procédé comme les prisonniers dans les vieux dessins animés : quatre bâtons puis un cinquième qui les barre, et ça donne cinq ans.

Ça fait longtemps – plus de quinze ans, depuis le jour où elle est arrivée chez les Jardiniers. La plupart des gens que je connais viennent de là : Amanda, Bernice et Zeb ; Adam Premier, Shackie et Croze ; la vieille Pilar ; et Toby, bien sûr. Je me demande ce qu'ils penseraient de moi – de la façon dont j'ai fini par gagner ma vie. Certains d'entre eux seraient très déçus, notamment Adam Premier. Bernice dirait que j'étais retombée dans le péché et que c'était bien fait pour moi. Lucerne me traiterait de traînée, et je lui répondrais qu'elle était bien placée pour me juger. Pilar me regarderait avec sagesse. Shackie et Croze se mettraient à rire bêtement. Toby serait furieuse contre Zécailles. Et Zeb ? Je crois bien qu'il tenterait de me secourir, ce serait pour lui un défi à relever.

Amanda est déjà au courant. Elle ne me juge pas. Elle dit que chacun doit user de ses atouts. On n'a pas toujours le choix.

12

Lorsque Lucerne et Zeb m'ont arrachée au Monde exfernal pour me conduire parmi les Jardiniers, ça ne m'a pas vraiment emballée. Les Jardiniers souriaient tout le temps mais ils me faisaient peur : ce qui les intéressait au premier chef, c'étaient l'Apocalypse, leurs ennemis et Dieu. Et ils n'arrêtaient pas de parler de la Mort. Ils prêchaient le respect le plus strict de la Vie mais affirmaient par ailleurs que la Mort participait d'un processus tout à fait naturel, ce qui était plutôt contradictoire maintenant que j'y pense. Selon eux, finir sous la forme de compost constituait un objectif fort louable. La majorité des gens n'était guère enthousiaste à l'idée de devenir une charogne à la merci des vautours, mais tel était le cas des Jardiniers. Et quand ils déliraient sur le Déluge des Airs qui allait tuer tous les habitants de la Terre, à l'exception d'eux-mêmes... eh bien, ça me donnait des cauchemars.

Rien de tout cela n'effrayait les enfants Jardiniers pur jus. Ils avaient l'habitude. Ils arrivaient même à en blaguer, à tout le moins les plus âgés : Shackie, Croze et leurs copains.

« On va tous mouriiiiir, disaient-ils en mimant des cadavres. Hé, Ren ! Fais ton devoir pour accomplir le Cycle de la Vie ! Fourre-toi dans ce composteur pour fertiliser la terre.

— Hé, Ren ! Tu veux devenir un asticot ? Lèche donc ma plaie !

— Taisez-vous, leur lançait Bernice. Sinon, c'est vous qui finirez au composteur, et je vous y fourrerai moi-même ! »

Bernice était méchante, elle ne s'en laissait pas conter, et la plupart des gamins rendaient les armes. Les garçons comme les filles. Mais j'avais une dette envers elle, et je devais faire tout ce qu'elle voulait.

Shackie et Croze ne cessaient pas pour autant de me tourmenter lorsque Bernice avait le dos tourné. Ils se faisaient un malin plaisir d'écraser les limaces et de grignoter les scarabées. Tout ça dans le but de vous écœurer. Des fouteurs de merde – ainsi que les qualifiait Toby. « Voilà les emmerdes qui arrivent », disait-elle à Rebecca quand ils s'approchaient.

Shackie était l'aîné ; grand et maigre, il arborait à la saignée du coude une araignée qu'il s'était tatouée lui-même avec une seringue et du suif. Plus trapu que lui, Croze avait une tête ronde et une dent en moins, conséquence à l'en croire d'une bagarre qui avait mal tourné. Ils avaient un petit frère dénommé Oates. Ils n'avaient pas de parents ; à les entendre, leur père était parti en mission avec Zeb mais n'était jamais revenu, et ensuite leur mère avait quitté la communauté, assurant à Adam Premier qu'elle enverrait chercher ses fils une fois installée. Sauf qu'elle ne l'avait jamais fait.

L'école des Jardiniers se trouvait dans un autre bâtiment que celui du Jardin de toiture. On l'appelait la Clinique du Bien-Être, car c'était son ancienne raison sociale. Il s'y trouvait encore des cartons pleins de gaze, que les Jardiniers récupéraient pour leur artisanat. Une odeur âcre imprégnait les salles de classe : de l'autre côté de la cour se tenait l'atelier où les Jardiniers distillaient leur vinaigre.

Nous étions assis en rang sur des bancs sacrément durs. Pour écrire, nous avions des ardoises que nous effacions soigneusement chaque soir, car les Jardiniers ne voulaient pas que nous laissions derrière nous des mots susceptibles d'être lus par nos ennemis. Quant au papier, c'était un péché que d'en user, parce qu'il était fabriqué à partir de la chair des arbres.

Nous passions beaucoup de temps à mémoriser des choses que nous récitions ensuite à haute voix. L'histoire des Jardiniers, par exemple – voici ce que ça donnait :

En l'An 1 naquit le Jardin ; en l'An 2, il était radieux ; en l'An 3, Pilar aux abeilles a donné un toit ; en l'An 4, Burt pour nous a quitté son squatt ; en l'An 5, Toby a échappé à son assassin ; en l'An 6, Katuro a goûté à nos sojacisses ; en l'An 7, Zeb au paradis a donné son aide.

En l'An 7, oui, c'est là que je suis arrivée, et ma mère Lucerne aussi, sauf que ce n'était pas le paradis, mais les Jardiniers tenaient à leur imagerie.

J'aurais bien voulu que Ren en l'An 10 soit pleine de malice, mais ça ne s'est pas fait.

Les autres mémorisations étaient plus ardues. Le pire, c'étaient les formules scientifiques et mathématiques. On devait aussi mémoriser les fêtes de tous les saints, et chaque jour en honorait au moins un, et les jours fériés pouvaient en honorer jusqu'à quatre cents. En outre, il fallait réciter les actes qui leur avaient valu d'être sanctifiés. Pour certains d'entre eux, c'était facile. Saint Yossi Leshem de la Chouette effraie, par exemple – rien que le nom suffisait pour comprendre. Sainte Dian Fossey, dont l'histoire était si triste, et saint Shackleton, dont l'histoire était si héroïque. Mais pour les autres, c'était parfois très dur. Qui se souvenait encore de saint Bashir Alouse, de saint Crick et du jour du Podocarpe ? C'était un arbre d'autrefois, mais il avait un nom de poisson.

Voici quels étaient nos enseignants : Nuala pour la classe maternelle, le Chœur des Fleurs et des Bourgeons et le Recyclage des matériaux, Rebecca pour les Arts culinaires, c'est-à-dire la cuisine, Surya pour la Couture, Mugi pour le Calcul mental, Pilar pour l'Apiculture et la Mycologie, Toby pour la Guérison holistique et la Médecine par les plantes, Burt pour la Nature et les Jardins botaniques, Philo pour la Méditation et Zeb pour les Relations prédateur-proie et le Mimétisme. Il existait d'autres matières – à partir de treize ans, on suivait les cours de Médecine d'urgence dispensés par Katuro, et Marushka la Sage-Femme nous enseignait le Mode de reproduction humain, alors qu'avant on se contentait d'étudier les Grenouilles –, mais je ne cite que les plus importantes.

Les enfants avaient affublé chaque enseignant d'un sobriquet. Champipi pour Pilar, Mad Adam pour ce dingue de Zeb, Tournevis pour Stuart parce que c'était lui qui montait tous les meubles. Mugi était Monsieur Muscle, Marushka la Muqueuse, Rebecca Poivre-et-Sel, Burt la Boule-de-Billard, vu qu'il était chauve. Quant à Toby, on l'appelait la Sorcière sèche. Sorcière parce qu'elle s'affairait toujours à mélanger des trucs et à verser le résultat dans un flacon, sèche parce qu'elle était dure et sèche, tout simplement ; par contraste, Nuala était la Sorcière mouillée, parce qu'elle bavait souvent et qu'il était facile de la faire pleurer – sans parler de son cul flasque qui ressemblait à une outre.

En plus des mémorisations, les gamins avaient inventé des chants épicés de grossièretés. Ils les entonnaient souvent à voix basse

– c'étaient les grands qui commençaient, surtout Shackleton et Crozier, mais on se joignait tous à eux sans tarder.

> *Sorcière mouillée, Sorcière mouillée,*
> *Grosse dondon toute boudinée !*
> *Je la vends au boucher, il me file plein de blé,*
> *Et je la mange en boudin, la Sorcière mouillée !*

Parler de boudin et de boucher, c'était grave, puisque toute sorte de viande était jugée obscène par les Jardiniers.

« Arrêtez ! » disait Nuala, puis elle rigolait en douce et les grands levaient le pouce tous ensemble.

On n'est jamais arrivés à faire pleurer Toby, la Sorcière sèche. D'après les grands, c'était une dure à cuire – ainsi que Rebecca, d'ailleurs. Rebecca avait le sourire facile, mais il ne fallait pas l'emmerder. Quant à Toby, elle était aussi dure en dedans qu'en dehors.

« Commence pas, Shackleton », lançait-elle sans prévenir et sans même se retourner.

Nuala était trop gentille avec nous, mais Toby ne laissait rien passer et on avait davantage confiance en elle ; un roc, c'est plus solide que de la gelée.

13

Je vivais en compagnie de Lucerne et de Zeb dans un immeuble situé à cinq rues du Jardin. On l'appelait l'Usine à fromage car telle était son ancienne affectation et, en effet, on y percevait encore une légère odeur de fromage. Puis il avait abrité des ateliers d'artistes, qui avaient par la suite déserté les lieux, et personne ne semblait savoir à qui il appartenait. En attendant, les Jardiniers l'avaient investi. Ils aimaient bien se loger sans payer de loyer.

Nous demeurions dans une grande pièce, dont certaines portions étaient isolées par des rideaux : ma chambre, celle de Lucerne et de Zeb, le local des biolettes violettes et la cabine de douche. Ces rideaux étaient confectionnés avec des sacs en plastique et du ruban adhésif, et ne permettaient aucune isolation phonique. Ce n'était pas terrible, surtout quand on utilisait les biolettes. À en croire les Jardiniers, la digestion était sacrée et il n'y avait rien de comique ni de répugnant dans les bruits et les odeurs participant de la dernière phase du processus nutritif, mais chez nous ces bruits et ces odeurs n'étaient vraiment pas discrets.

Nous mangions dans la section principale, sur une porte soutenue par des tréteaux. Toute notre vaisselle provenait de la récupération – du glanage, comme disaient les Jardiniers –, excepté les chopes et les plats les plus lourds. Ceux-ci avaient été fabriqués par les Jardiniers lors de leur période Céramique, avant qu'ils ne décident que les fours consommaient trop d'énergie.

Je dormais sur un futon fourré de paille et d'herbe sèche. En guise de couverture, j'avais un patchwork de vieux jeans et de tapis de bain usagés ; je devais faire mon lit aussitôt levée, car si les Jardiniers n'étaient pas difficiles sur les matériaux de leurs lits, ils tenaient à leur propreté. Ensuite, j'attrapais mes vêtements accrochés à leur clou et je les enfilais. Je me changeais tous les sept jours : les Jardiniers estimaient qu'il fallait limiter les lessives pour éviter de gaspiller l'eau et le savon. Mes vêtements étaient toujours mouillés, conséquence de l'humidité des lieux et de l'aversion des Jardiniers pour les sèche-linge.

«Si Dieu a créé le soleil, c'est pour une bonne raison», disait Nuala, ajoutant dans la foulée que le soleil était là pour sécher nos robes.

Lucerne traînait au lit, car c'était l'endroit qu'elle préférait entre tous. Du temps où l'on vivait à SentéGénic avec mon vrai père, elle ne restait pratiquement jamais à la maison, mais ici on n'arrivait pas à l'en faire sortir, sauf pour aller sur le Jardin de toiture ou à la Clinique du Bien-Être afin d'aider les autres Jardinières à peler des racines de bardane, confectionner des patchworks, ou des rideaux en plastique, ou que sais-je encore.

Zeb prenait sa douche : *Pas de douche quotidienne*, prescrivaient les Jardiniers, mais Zeb se fichait de cette règle et de bien d'autres. L'eau qui sortait du pommeau provenait d'un collecteur de pluie *via* un tuyau d'arrosage, et seule la pesanteur l'acheminait jusqu'à nous. Une des raisons pour lesquelles Zeb faisait une exception pour son cas personnel. Il chantait :

> *Tout le monde s'en fout,*
> *Tout le monde s'en fout,*
> *Et c'est pour ça qu'on va dans l'trou,*
> *Parce que tout le monde s'en fout!*

Chaque fois qu'il chantait sous la douche, c'était un truc négatif, mais il avait une voix allègre, une voix de nounours russe.

Zeb m'inspirait des sentiments mitigés. Il pouvait se montrer terrifiant, pourtant c'était rassurant de compter quelqu'un d'important parmi mes proches. Zeb était un Adam – et un Adam haut placé. Ça se voyait à la façon dont les autres le regardaient. Il était grand et costaud, avec des cheveux longs, une barbe de motard – brune avec des filets gris –, un visage tanné et des sourcils qui ressemblaient à des barbelés. On l'imaginait avec un tatouage et une dent en argent, mais il n'avait ni l'un ni l'autre. Il était aussi fort qu'un videur, dont il arborait l'expression favorite, comme s'il était prêt à vous briser la nuque tout en le regrettant sincèrement.

Parfois il jouait aux dominos avec moi. Les Jardiniers désapprouvaient les jouets – *La Nature est notre terrain de jeux* – et ne toléraient que ceux que nous fabriquions avec des rebuts et des bouts de ficelle, ou encore les poupées façonnées à partir de pommes séchées. Mais les dominos étaient autorisés, car c'étaient eux-mêmes qui les fabriquaient. Quand je gagnais, Zeb éclatait de rire et lançait « Bravo, ma fille ! », et ça me faisait tout chaud dedans, comme si j'avais humé une capucine.

Lucerne m'exhortait à être gentille avec lui, car bien qu'il ne fût pas mon vrai père, il était *comme* mon vrai père, et ça lui faisait mal au cœur quand je le rembarrais. D'un autre côté, quand Zeb était gentil avec moi, ça ne plaisait pas à ma mère. J'avais du mal à savoir comment me conduire.

Pendant que Zeb chantait sous la douche, je me préparais à manger – des sojacisses grillées ou un reste de pâté aux légumes de la veille. Lucerne était nulle comme cuisinière. Ensuite, j'allais à l'école. En général, j'avais encore faim, mais je comptais sur le déjeuner pour me rassasier. Quoique souvent insipide, il était au moins comestible. Comme disait Adam Premier, la Faim est le meilleur des condiments.

Je ne me souvenais pas d'avoir jamais eu faim dans le Compound SentéGénic. Je voulais vraiment y retourner. Je voulais mon vrai père, qui devait encore m'aimer : s'il avait su où j'étais, il serait sûrement venu me chercher. Je voulais ma vraie maison, avec ma chambre, mon lit à courtepointe rose et mon placard plein de vrais vêtements. Mais, surtout, je voulais que ma mère redevienne ce qu'elle était avant, quand elle m'emmenait faire du shopping, quand elle allait jouer au golf ou quand elle allait se refaire une beauté au Balnéo NouvoMoi, d'où elle revenait toujours joliment parfumée. Mais si j'évoquais un détail de notre vie d'avant, elle s'empressait de me dire que c'était du passé.

Elle avait tout un tas de raisons pour s'enfuir avec Zeb et rejoindre les Jardiniers. Ceux-ci œuvraient pour le bien de l'humanité, affirmait-elle, et pour celui de toutes les créatures de la Terre, et si elle avait agi comme elle l'avait fait, c'était par amour, pour Zeb mais aussi pour moi, parce qu'elle voulait que le monde soit guéri, que la vie n'y soit pas totalement anéantie, et n'étais-je pas heureuse de savoir cela ?

Elle-même ne semblait guère heureuse. Elle passait des heures à se brosser les cheveux, contemplant son reflet dans un petit miroir avec une expression maussade, critique ou franchement tragique. Elle portait les cheveux longs, comme toutes les Jardinières, et ce n'était pas une mince affaire de les brosser, de les tresser et de les épingler. Lorsqu'elle n'était pas en forme, il lui arrivait de s'y reprendre quatre ou cinq fois.

Les jours où Zeb était sorti, c'est à peine si elle m'adressait la parole. Ou alors elle insinuait que je l'avais caché quelque part.

« Quand est-ce que tu l'as vu pour la dernière fois ? me demandait-elle. Est-ce qu'il était à l'école ? » Comme si elle avait souhaité que je l'espionne. Puis elle ajoutait en s'excusant : « Comment te sens-tu ? » avec l'air de quelqu'un qui est pris en faute.

Quand je lui répondais, elle ne m'écoutait même pas. Elle tendait l'oreille au cas où Zeb aurait décidé de rentrer. L'anxiété la gagnait, puis la colère ; elle faisait les cent pas, se plantait devant notre fenêtre, se plaignait à voix haute de la façon dont il la traitait ; mais lorsqu'il finissait par rentrer, elle n'arrêtait pas de l'embrasser. Puis elle se mettait à le houspiller : où était-il allé ? qui avait-il vu ? pourquoi n'était-il pas rentré plus tôt ? Il haussait alors les épaules et se contentait de répondre :

« C'est pas grave, ma chérie. Je suis là maintenant. Tu te fais trop de souci. »

Puis ils disparaissaient tous les deux derrière leur rideau de plastique, et ma mère poussait des cris de souffrance et d'abjection que je trouvais mortifiants. Je la détestais à ces moments-là, car elle n'avait ni fierté ni retenue. Comme si elle s'était baladée toute nue dans un centre commercial. Pourquoi vénérait-elle Zeb à ce point ?

Je sais maintenant comment ça se produit. On peut tomber amoureuse de n'importe qui – d'un crétin, d'un criminel, d'un minable. Il n'y a pas de règles.

Ce que je détestais aussi chez les Jardiniers, c'étaient les fringues. Les Jardiniers étaient de toutes les couleurs, mais on ne pouvait pas en dire autant de leurs habits. Si la Nature était aussi belle que l'affirmaient les Adam et les Ève – si le lis dans la vallée était bien notre modèle –, pourquoi ne pouvions-nous pas ressembler à des papillons plutôt qu'à des parkings ? Nous étions si plats, si ternes, si récurés, si sombres.

Les gamins des rues – les plèberats – n'étaient pas riches, mais ils rutilaient. Je leur enviais leurs objets brillants, chatoyants, tels les téléphones-caméras roses, pourpres et argentés, qui apparaissaient dans leurs mains comme par magie, ou encore les Zikbonbons qu'ils se fourraient dans les oreilles pour écouter de la musique. Je leur enviais leur liberté bariolée.

Il nous était interdit d'approcher les plèberats, qui, de leur côté, nous traitaient comme des parias, se bouchaient le nez à notre approche, nous criaient dessus et nous lançaient des projectiles. D'après les Adam et les Ève, c'était à cause de notre foi qu'ils nous persécutaient, mais je crois que notre garde-robe y était aussi pour beaucoup : soucieux de suivre la mode, les plèberats portaient les plus belles fringues qu'ils réussissaient à troquer ou à voler. Mais si on ne pouvait pas se mêler à eux, on pouvait écouter ce qu'ils disaient. C'est comme ça qu'on acquérait leurs connaissances – par contamination. Nous contemplions leur vie enviable et interdite comme à travers des barbelés.

Un jour, j'ai trouvé un superbe téléphone-caméra sur le trottoir. Il était maculé de boue et son forfait était épuisé, mais je l'ai quand même ramassé, et les Ève me l'ont confisqué.

« Tu es folle ou quoi ? m'ont-elles dit. Ce genre d'objet est dangereux ! Il peut te cramer la cervelle ! Surtout, ne le regarde pas : si tu le vois, lui aussi peut te voir. »

14

J'ai fait la connaissance d'Amanda en l'An 10, alors que j'avais dix ans : comme mon âge correspondait à l'année en cours, il m'est facile de m'en souvenir.

Ce jour-là, on fêtait saint Farley des Loups – c'était un jour de récupération pour les Jeunes Bionniers et on devait se passer un foulard vert autour du cou et partir glaner du matériau que les Jardiniers recycleraient ensuite. Parfois nous collections des bouts de savon, présentant nos paniers d'osier aux bons hôtels et aux bons restaurants qui en jetaient à la pelle. Les meilleurs hôtels se trouvaient dans les plèbezones les plus riches – les Fougères, Greens-de-Golf et Spasolaire, la plus huppée de toutes – et on faisait du stop pour y aller, bien que ce fût interdit. Les Jardiniers étaient comme ça : ils vous demandaient de faire un truc et s'efforçaient ensuite de vous rendre la tâche difficile.

Le meilleur savon, c'était celui qui était parfumé à la rose. Bernice et moi, on en rapportait un peu chez nous et j'en glissais sous mon oreiller, pour atténuer l'odeur de moisi de mon patchwork mouillé. On apportait le reste aux Jardiniers, qui le mettaient dans les cuisosolaires en forme de boîte noire pour en faire de la gelée, qu'ils découpaient en barres sitôt qu'elle avait refroidi. Si les Jardiniers utilisaient autant de savon, c'était par trouille des microbes, ce qui pourtant ne les empêchait pas de mettre quelques barres de côté. Après les avoir roulées dans des feuilles, autour desquelles ils tressaient des brins d'herbe, ils les revendaient aux badauds et aux touristes lors du Troc de produits naturels de l'Arbre de vie, en même temps que les sachets d'asticots, les navets, les courgettes bio et les autres légumes qu'ils n'avaient pas consommés eux-mêmes.

Ce jour-là n'était pas dévolu au savon mais au vinaigre. Nous nous présentions à l'entrée de service des bars, des night-clubs et des boîtes de strip-tease pour récupérer les bouteilles de vin et en verser le reliquat dans nos seaux de Jeunes Bionniers. Ensuite, nous apportions notre récolte à la Clinique du Bien-Être, où on la transvasait dans les tonneaux de la Vinaigrerie et, une fois la fermentation achevée, on obtenait du vinaigre que les Jardiniers utilisaient comme produit de nettoyage. Le résidu faisait l'objet d'une décantation dans des flacons récupérés lors du glanage, qui étaient ensuite étiquetés par les Jardiniers. Ils finissaient sur nos étals du Troc de produits naturels de l'Arbre de vie, à côté des barres de savon recyclé.

Ces activités de Jeune Bionnier étaient censées nous inculquer des leçons très utiles. Exemple : on ne doit rien jeter à la légère, même pas le vin provenant des antres du péché. Les déchets, les ordures, la crasse, rien de tout ça n'existait : ce n'était que de la matière demandant à être utilisée à bon escient. Et, leçon la plus importante entre toutes : tout le monde, y compris les enfants, devait contribuer à la vie de la communauté.

Parfois, Shackie, Croze et les plus grands picolaient leur vin en douce plutôt que de le rapporter. Une fois bourrés, ils s'effondraient, ils vomissaient ou se battaient avec les plèberats et jetaient des pavés aux clochards. En guise de représailles, ces derniers pissaient dans des bouteilles vides afin de nous berner. Personnellement, je ne me suis jamais laissé prendre : il me suffisait de renifler le goulot pour être fixée. Mais certains enfants s'étaient engourdi les sens en fumant des mégots, voire des joints quand ils en récupéraient, et ils se précipitaient sur ces trouvailles pour en recracher aussitôt le contenu. À moins qu'ils n'eussent fait exprès de boire de la pisse afin d'avoir une excuse pour jurer, ce qui était strictement interdit par les Jardiniers.

Dès qu'ils s'étaient suffisamment éloignés du Jardin, Shackie, Croze et leurs copains prenaient leur foulard vert de Jeunes Bionniers pour s'en ceindre le front, à la manière des Fusiatiques. Eux aussi avaient l'ambition de former une bande – ils avaient même un mot de passe. « Gang ! » s'exclamait l'un d'eux, et l'autre était censé répliquer : « Green ! » D'où : « Gangrène ! » « Gang », parce qu'ils constituaient un gang, « Green », parce qu'ils étaient verts, comme leurs foulards. En principe, c'était un secret, mais nous étions tous au courant. Pour citer Bernice, leur mot de passe était bien choisi, vu qu'ils étaient tous pourris.

« Ouaf-ouaf, Bernice, rétorquait Crozier. Au fait, tu sais que t'es moche ? »

Nous étions censés glaner en groupe, afin de nous défendre contre les bandes de plèberats, les poivrots qui risquaient de piquer notre récolte ou les voleurs d'enfants qui auraient pu nous vendre à des pédobordels. Mais nous préférions nous diviser en duos ou en trios, car cela nous permettait de couvrir plus vite notre terrain de chasse.

Ce jour-là, je faisais équipe avec Bernice mais nous nous sommes disputées. Nous n'arrêtions pas de nous chamailler, ce qui signifiait à mes yeux que nous étions de bonnes amies, car en dépit de la violence de nos querelles, nous finissions toujours par nous réconcilier. Il existait un lien entre nous ; pas solide comme de l'os, mais glissant comme du cartilage. Sans doute parce que ni elle ni moi ne nous sentions à l'aise chez les Jardiniers ; chacune de nous recherchait désespérément une alliée.

Cette fois-ci, nous nous étions disputées à propos d'un porte-monnaie décoré d'une étoile de mer en perles qu'on avait trouvé dans un dépotoir. On guettait toujours des trouvailles de ce genre. Les habitants des plèbezones en jetaient très souvent, car – à en croire les Adam et les Ève – ils étaient aussi exempts de sens moral que de capacité de concentration.

« Je l'ai vu la première, ai-je déclaré.

— C'est ce que t'as dit la dernière fois, a rétorqué Bernice.

— Et alors ? Ça n'empêche pas que c'est vrai !

— Ta mère est une pétasse. »

Ce n'était pas sympa de dire ça, car c'était ce que je pensais et elle le savait.

« La tienne est un légume ! » ai-je répliqué.

Contrairement à ce qu'on aurait pu croire, ce terme était une insulte chez les Jardiniers.

« Veena le végétal ! ai-je ajouté.

— Ton haleine pue la viande ! » a lancé Bernice.

Elle s'accrochait au porte-monnaie et refusait de le lâcher.

« Très bien ! »

J'ai tourné les talons et je suis partie. Je ne courais pas mais ne me retournais pas non plus, et Bernice n'a pas cherché à me retenir.

Ça se passait dans la galerie marchande, qui s'appelait le Coin aux pommes. C'était aussi la dénomination officielle de notre plèbezone, que tout le monde surnommait le Trou de l'évier parce que plein de gens y disparaissaient sans laisser de trace. Les enfants des Jardiniers ne manquaient pas une occasion d'aller y faire un tour, rien que pour le plaisir des yeux.

À l'instar du reste de notre plèbezone, cette galerie marchande avait autrefois bien plus de classe. On y trouvait une fontaine hors d'usage remplie de canettes vides, des bacs à fleurs débordant de boîtes de Zizifruits, de mégots et de capotes grouillant de microbes (*dixit* Nuala). On y trouvait un holomaton qui avait jadis craché des lunes et des soleils, des animaux rares et même votre propre image, à condition d'y mettre du fric, mais qu'on avait éventré quelque temps plus tôt et qui était hors service. Parfois nous y entrions, nous tirions le rideau constellé d'étoiles et nous déchiffrions les graffitis de plèberats qui grouillaient sur les cloisons. *Monica conne. Darf trouduc + large. Tadublé? Masau6étatoi! Brad témor.* Ils étaient si audacieux, ces plèberats, qu'ils pouvaient écrire n'importe quoi, et n'importe où en plus. Ils se foutaient de savoir qui les lisait.

Les plèberats du Trou de l'évier venaient ici pour se droguer – la cabine empestait le hash – mais aussi pour baiser : c'était évident, vu la quantité de capotes et aussi de culottes qui traînaient par terre. Ces deux activités étaient en principe interdites aux enfants des Jardiniers – les hallucinogènes étaient réservés aux cérémonies religieuses et les relations sexuelles à ceux qui avaient échangé des feuilles vertes et sauté par-dessus le feu –, mais les plus grands d'entre nous affirmaient être passés outre.

Les boutiques qui n'étaient pas condamnées vendaient des articles à vingt dollars et s'appelaient Camelote, Au Sauvageon et Bing-Bong – des noms de ce genre. On y trouvait des chapeaux à plume, des crayons tatoueurs, des tee-shirts frappés de dragons, de crânes et de slogans agressifs. Ainsi que des Voltbars, des chewing-gums qui rendaient la langue phosphorescente, des cendriers aux lèvres rouges qui proclamaient « Fume, c'est de la bonne » et des kits de gravage-tatouage Dans Ta Peau qui, à en croire les Ève, vous cramaient les chairs et le sang. On trouvait des produits de luxe à prix cassés, mais, selon Shackie, les marchands les avaient volés dans les boutiques de Spasolaire.

Des merdouilles clinquantes, décrétaient les Ève. Tant qu'à vendre votre âme, exigez-en un bon prix ! Bernice et moi faisions la sourde oreille. Notre âme, on n'en avait rien à faire. Les vitrines nous fascinaient jusqu'au vertige. *Qu'est-ce qui te fait envie ?* nous interrogions-nous. *Le bâton lumineux à LED ? Trop top ! Le disque* Du

Sang et des Roses ? Beurk, c'est pour les mecs ! Les Bimplants Stickers Vraiefemme avec mamelons hypersensibles ? Ren, t'es nulle !

Ce jour-là, après m'être séparée de Bernice, je ne savais trop où aller. Peut-être ferais-je mieux de rentrer, ai-je songé, car je ne me sentais pas en sécurité toute seule. Puis j'ai aperçu Amanda, de l'autre côté de la galerie, en compagnie d'un groupe de filles tex-mex. Je les connaissais vaguement mais jamais je n'avais vu Amanda en leur compagnie.

Elles portaient leur type de fringues habituel : une minijupe et un top à paillettes, un boa autour du cou, des gants couleur argent, des papillons plastifiés dans les cheveux. Elles se pavanaient, fières de leurs Zikbonbons, de leurs phones bariolés et de leurs bracelets-méduses. Leurs Zikbonbons jouaient tous le même morceau et elles dansaient dessus, remuant du popotin et se cambrant pour faire ressortir leurs seins. À les voir, on aurait dit qu'elles possédaient déjà le contenu de tous les magasins et que ça les faisait chier. Comme j'enviais leur look ! Je me suis mise à les dévorer des yeux.

Amanda dansait elle aussi, mais beaucoup mieux que les autres. Au bout d'un moment, elle s'est arrêtée pour s'écarter du groupe et rédiger un texto sur son phone pourpre. Puis elle m'a regardée droit dans les yeux, m'a souri et a agité ses doigts argentés. Ça voulait dire : *Viens ici.*

J'ai vérifié que personne ne me regardait. Puis j'ai traversé la galerie.

15

« Tu veux voir mon bracelet-méduse ? » a demandé Amanda quand je l'ai rejointe.

Je devais lui paraître pathétique, avec mes guenilles d'orpheline et mes doigts crayeux. Elle a levé le poignet : de minuscules méduses y grouillaient, s'ouvrant et se refermant comme des fleurs à la dérive. Elles avaient l'air trop parfaites.

« Où tu l'as trouvé ? » ai-je demandé.

Je ne savais quoi dire.

« Je l'ai piqué », a dit Amanda.

C'était ainsi que les plèberats, filles et garçons, se procuraient des trucs.

« Comment ça se fait qu'elles soient toujours en vie ? »

Elle m'a montré une molette en argent près du fermoir.

« C'est un aérateur. Ça leur envoie de l'oxygène. Il faut les nourrir deux fois par semaine.

— Qu'est-ce qui se passe si on oublie ?

— Elles se dévorent entre elles. » Petit sourire d'Amanda. « Y a des filles qui font exprès de les affamer. C'est comme une guerre qui éclate et, au bout d'un temps, il ne reste plus qu'une seule méduse, qui finit par mourir de faim.

— C'est horrible. »

Amanda a continué de sourire.

« Ouais. C'est pour ça qu'elles le font.

— Elles sont vraiment jolies », ai-je enchaîné d'un ton neutre.

Je tenais vraiment à lui plaire et je n'aurais su dire si, dans sa bouche, le mot *horrible* était un reproche ou un compliment.

«Prends-le, m'a proposé Amanda en tendant le poignet. Je peux toujours en piquer un autre.»

J'avais vraiment envie de ce bracelet, mais je ne savais comment me procurer de quoi nourrir les méduses et je ne voulais pas les voir mourir. Et puis, même si je prenais toutes les précautions voulues, on risquait de le découvrir et de me le confisquer, et je n'aurais pas fini d'en entendre parler.

«Je ne peux pas, ai-je dit en reculant d'un pas.

— Tu es l'un d'eux, hein?» a fait Amanda. Elle semblait curieuse plutôt que moqueuse. «Les Béni-oui-oui. Les Bondieusards. On raconte qu'il y en a une bande dans le coin.

— Non, ce n'est pas vrai.»

Elle a dû voir sans peine que je lui mentais. On trouvait pleins de gens mal fringués dans la plèbe du Trou de l'évier, mais seuls les Jardiniers le faisaient exprès.

Amanda a incliné la tête sur le côté.

«Bizarre, a-t-elle dit. Pourtant tu leur ressembles.

— J'habite chez eux. Disons que je suis en visite. Mais, en vérité, je ne suis pas comme eux.

— Bien sûr que non.» Elle a souri et m'a gratifié d'une petite tape sur le bras. «Viens par ici. Je veux te montrer quelque chose.»

Elle m'a entraînée dans une ruelle débouchant sur l'entrée de service de Queuezécailles. Les Jardiniers nous interdisaient d'aller dans ce coin, mais on passait outre au moment du glanage, car on pouvait ramasser pas mal de vin à condition de se pointer avant les poivrots.

Cette ruelle était dangereuse. Queuezécailles était un antre de perdition, comme disaient les Ève. Personne ne devait s'en approcher, et surtout pas les filles. DIVERTISSEMENT POUR ADULTES, précisait l'enseigne au néon au-dessus de la porte, laquelle était gardée par deux colosses en costume noir, qui portaient des lunettes de soleil même en pleine nuit. L'une des filles les plus âgées racontait qu'ils lui avaient dit : «Reviens dans un an et, surtout, n'oublie pas ton petit cul.» Mais, d'après Bernice, elle se vantait.

On avait placardé des affiches de chaque côté de l'entrée – des holophotos lumineuses. Elles montraient des filles superbes au corps recouvert d'écailles vertes, comme des lézards, mais avec des cheveux. L'une d'elles se tenait sur une seule jambe, l'autre étant repliée autour de son cou. Je me suis dit que ça devait lui faire mal, sauf qu'elle souriait de toutes ses dents.

Ces écailles leur poussaient-elles naturellement ou bien les avait-on collées sur leur peau ? Bernice et moi étions en désaccord sur ce point. Je pensais qu'elles étaient collées. Bernice affirmait qu'elles poussaient toutes seules parce qu'on avait opéré les filles, comme si on leur avait posé des bimplants. C'était idiot, lui disais-je, parce que personne n'avait envie d'écailles. Mais, au fond de moi, je me doutais qu'elle avait raison.

Un jour, j'avais vu une fille couverte d'écailles courant dans la rue en plein jour, poursuivie par un homme en costume noir. Elle étincelait de partout à cause de ses écailles ; elle s'était débarrassée de ses talons hauts pour courir pieds nus, slalomant entre les passants, mais elle est tombée après avoir marché sur du verre brisé. L'homme l'a rattrapée, l'a ramassée et l'a remportée à Zécailles, ses bras pendant comme des serpents morts. Elle avait les pieds en sang. Chaque fois que je repensais à cette scène, j'en avais des frissons, comme si j'avais vu quelqu'un se couper au doigt.

Au fond de la ruelle, à côté de l'entrée de Zécailles, se trouvait une courette servant de local à poubelles – celles pour les carborduruiles et les autres. Elle était fermée par une palissade, derrière laquelle s'étendait un terrain vague abritant les ruines calcinées d'un immeuble. On n'y trouvait que de la terre de chantier, des gravats, des poutres carbonisées, des éclats de verre et des mauvaises herbes.

Les plèberats venaient quelquefois glander par ici, et ils nous sautaient dessus quand on vidait les bouteilles de vin. Ils nous traitaient de béni-oui-oui puants et s'emparaient de nos seaux, ou alors nous les vidaient dessus. Bernice s'est fait coincer une fois et elle a pué la vinasse pendant plusieurs jours.

Parfois Zeb nous emmenait dans ce terrain vague pour sa Classe nature : d'après lui, dans notre plèbezone, c'était ce qui se rapprochait le plus d'un pré. Quand il nous accompagnait, les plèberats évitaient de s'approcher. On aurait pu se croire protégés par un tigre dressé : tout doux avec nous, féroce avec les autres.

Un jour, on a trouvé le cadavre d'une fille. Elle n'avait ni cheveux ni vêtements : rien que quelques écailles encore accrochées à sa peau. *Elles étaient donc collées*, me suis-je dit. *Ou quelque chose comme ça. En tout cas, elles n'ont pas poussé naturellement. J'avais raison.*

« Peut-être qu'elle prend un bain de soleil », a dit l'un des grands, et tous les autres ont ricané.

« Ne la touchez pas, a ordonné Zeb. Et montrez-lui du respect ! Aujourd'hui je vous ferai cours dans le Jardin de toiture. »

Lorsqu'on est revenus pour la Classe nature suivante, le cadavre avait disparu.

«Je te parie qu'elle a été changée en carborduruile», m'a murmuré Bernice.

La carborduruile était obtenue à partir de toutes les ordures carbonées : abats, légumes pourris, déchets alimentaires, et même bouteilles en plastique. On mettait tout ça dans une chaudière et il en ressortait de l'eau, de l'huile et des résidus métalliques. Officiellement, il était interdit d'y incorporer des cadavres humains, mais les gamins inventaient quantité de blagues sur le sujet. De l'eau, de l'huile et des boutons de culotte. De l'eau, de l'huile et des capuchons de stylo.

«De l'eau, de l'huile et des écailles vertes», ai-je chuchoté à Bernice.

À première vue, le terrain vague semblait désert. Pas de poivrots, pas de plèberats, pas de cadavres dénudés. Amanda m'a emmenée dans un coin isolé où se dressait une plaque de béton. Une bouteille de sirop était posée devant elle, de celles qu'on presse pour y boire.

«Regarde ça», m'a-t-elle dit.

Elle avait écrit son nom sur le béton en lettres de sirop et toute une fourmilière faisait bombance, liserant chaque lettre d'un épais trait noir. C'est comme ça que j'ai appris son nom : je l'ai vu épelé par des fourmis. Amanda Payne.

«Cool, hein? a-t-elle commenté. Tu veux écrire ton nom?

— Pourquoi tu fais ça? ai-je demandé.

— Parce que c'est chouette. Tu écris des trucs puis les fourmis mangent tes lettres. Tu apparais puis tu disparais. Comme ça, personne ne peut te retrouver.»

Pourquoi était-ce sensé à mes yeux? Je n'en sais rien, mais je comprenais.

«Où tu habites? l'ai-je questionnée.

— Oh! pas trop loin», a-t-elle répondu, l'air de rien.

Ça voulait dire qu'elle était SDF : elle logeait dans un squat, ou pire encore.

«Dans le temps, j'habitais au Texas», a-t-elle ajouté.

C'était donc une réfugiée. Les Texans avaient émigré en masse, chassés par les ouragans et les sécheresses à répétition. Le plus souvent de façon illégale. Je comprenais maintenant pourquoi Amanda avait envie de disparaître.

«Tu peux venir habiter chez moi», lui ai-je dit.

C'était sorti spontanément, sans que j'aie eu besoin d'y réfléchir.

À ce moment-là, Bernice s'est insinuée dans la brèche de la palissade. Elle avait fini par changer d'avis et elle était venue me chercher, sauf que, maintenant, je ne voulais plus la voir.

«Ren! Qu'est-ce que tu *fiches*?» a-t-elle hurlé.

Elle a traversé le terrain vague d'un pas pesant, l'air décidé comme à son habitude. Je me suis surprise à penser qu'elle avait de grands pieds, un corps trop carré et un nez trop petit, et que son cou aurait dû être plus long, plus gracile. Comme celui d'Amanda.

«Une de tes amies, je suppose», a dit celle-ci en souriant.

J'avais envie de répondre : *Ce n'est pas mon amie*, mais je n'étais pas assez courageuse pour faire acte de trahison.

Bernice était écarlate lorsqu'elle s'est plantée devant nous. La colère la faisait toujours rougir.

«Viens, Ren, a-t-elle dit. Tu n'as pas le droit de lui parler.»

Elle a repéré le bracelet-méduse d'Amanda et j'ai vu qu'elle le désirait autant que moi.

«Tu es le mal! a-t-elle soufflé à Amanda. Espèce de plèberate!»

Elle m'a agrippée par le bras.

«Je te présente Amanda. Elle va venir vivre avec moi.»

J'ai cru que Bernice allait se mettre en rage. Mais en voyant le regard buté que je lui adressais, et qu'elle avait appris à connaître, elle a compris que je ne céderais pas d'un pouce. En insistant davantage, elle risquait de perdre la face devant une étrangère, aussi m'a-t-elle gratifié d'un regard de son cru, du genre calculateur.

«Okay, a-t-elle fait. Elle va nous aider à porter le vin pour le vinaigre.

— Amanda sait voler des choses», ai-je dit à Bernice tandis que nous reprenions la direction de la Clinique du Bien-Être.

En lui confiant cela, je lui proposais de faire la paix, mais elle s'est contentée de maugréer.

16

Je ne pouvais pas ramener Amanda chez moi comme si c'était un chaton recueilli dans la rue, je le savais bien : Lucerne m'aurait ordonné de la reconduire là où je l'avais trouvée, car c'était une plèberate et Lucerne détestait les plèberats. Selon elle, c'étaient des enfants pourris, des voleurs et des menteurs, et une fois qu'on commençait à les fréquenter, on était fichu, pareil à un animal retourné à l'état sauvage, qui refusait d'obéir et n'était plus digne de confiance. Si elle avait peur de sortir dans la rue, pour aller au Jardin de toiture ou ailleurs, c'était à cause des bandes de plèberats, qui étaient prêtes à se jeter sur elle pour la dépouiller. Elle n'avait jamais appris à crier, ni à jeter des pavés. Ça s'expliquait par la vie qu'elle avait eue avant. Une fleur de serre : c'était comme ça que Zeb la surnommait. Vu l'emploi du mot *fleur*, j'ai d'abord cru à un compliment.

Donc, Amanda se ferait virer sauf si j'obtenais d'abord la permission d'Adam Premier. Il adorait que les gens rejoignent les Jardiniers, les enfants en particulier : les Jardiniers se devaient de modeler les jeunes esprits, répétait-il. S'il décrétait qu'Amanda devait vivre chez nous, Lucerne n'aurait plus son mot à dire.

Nous avons trouvé Adam Premier à la Clinique du Bien-Être, où il aidait à mettre le vinaigre en bouteilles. Je lui ai expliqué que j'avais trouvé Amanda – ou plutôt «glané» –, qu'elle avait vu la Lumière et souhaitait se joindre à nous. Pouvait-elle venir habiter chez moi ?

«C'est vrai, mon enfant ?» lui a-t-il demandé.

Les autres Jardiniers avaient cessé de travailler pour fixer la mini-jupe et les doigts argentés d'Amanda.

«Oui, monsieur, a répondu celle-ci d'une voix respectueuse.

— Elle va exercer une mauvaise influence sur Ren, a déclaré

Nuala, qui nous avait rejoints. Ren n'a pas assez de volonté. On devrait l'installer chez Bernice. »

Cette dernière m'a gratifiée d'un regard triomphal : *Regarde ce que tu as fait!*

« Pas de problème, a-t-elle répondu d'une voix neutre.

— Non ! C'est moi qui l'ai trouvée ! »

Bernice m'a jeté un regard noir. Amanda n'a rien dit.

Adam Premier nous a considérées toutes les trois. Il savait beaucoup de choses.

« Peut-être qu'Amanda elle-même devrait en décider, a-t-il avancé. Qu'elle fasse la connaissance des deux familles. Cela devrait aider à régler la question. C'est la solution la plus juste, non ?

— On commence par chez moi », a soufflé Bernice.

Bernice vivait à la Résidence Buenavista. Les Jardiniers n'étaient pas exactement propriétaires de l'immeuble, car la propriété, c'était le mal, mais c'étaient eux qui le contrôlaient. Sur la façade était peinte, en lettres d'or fanées, l'inscription « Appartements de luxe pour les célibataires d'aujourd'hui », mais je savais que le luxe n'était plus de mise : la douche de Bernice était bouchée, le carrelage de la cuisine fissuré et craquelé, le plafond tout sauf étanche, et la salle de bains infestée de moisissures.

On est entrées dans le hall et on est passées devant la Jardinière d'âge avancé qui faisait office de gardienne – elle était si concentrée sur son macramé que c'est à peine si elle nous a remarquées. On a dû monter six volées de marches pour atteindre l'étage de Bernice, car les ascenseurs, selon les préceptes des Jardiniers, étaient réservés aux vieillards et aux paraplégiques. On trouvait quantité d'objets interdits dans l'escalier : des seringues, des capotes usagées, des cuillères, des morceaux de bougie. D'après les Jardiniers, les gangsters, truands et autres proxos s'introduisaient ici durant la nuit pour se livrer à des orgies ; nous, on ne les avait jamais vus, mais, un jour on avait surpris Shackie, Croze et leurs copains en train de boire de la vinasse.

Bernice possédait sa propre plasticlé ; elle a ouvert la porte et nous a fait entrer. Il flottait dans l'appartement un mélange d'odeurs évoquant du linge sale oublié sous un lavabo qui fuyait, des sinus bouchés et des couches-culottes. S'y ajoutait une senteur des plus inattendues : une odeur de terreau, riche, fertile, épicée. Comme si les conduits d'aération avaient apporté jusqu'à nous le fumet de la champignonnière aménagée dans la cave.

Mais cette odeur – toutes ces odeurs – semblaient provenir de Veena, la mère de Bernice, qui était effondrée sur le sofa avachi comme si elle y avait pris racine, les yeux fixés sur le mur. Elle portait la robe informe qu'elle mettait tous les jours ; une vieille couverture pour bébé jaune pâle était posée sur ses genoux ; ses cheveux filasse pendaient lamentablement de part et d'autre de son visage pâle et bouffi ; ses mains reposaient sur son giron, inertes, comme si elle avait tous les doigts cassés. À ses pieds, le sol était jonché d'assiettes sales. Veena ne faisait jamais la cuisine : elle mangeait ce que lui servait le père de Bernice ; ou alors elle ne mangeait rien. Elle ne faisait jamais le ménage. C'était à peine si elle parlait, et elle n'a pas ouvert la bouche en nous voyant. Mais elle a battu des cils quand on est passées devant elle, alors peut-être qu'elle nous avait vues.

« Qu'est-ce qu'elle a ? m'a demandé Amanda dans un murmure.

— Elle est en Jachère, ai-je répondu sur le même ton.

— Ah bon ? J'aurais plutôt dit raide défoncée. »

À en croire ma mère, la mère de Bernice était « dépressive ». Mais ma mère n'était pas une vraie Jardinière, car, ainsi que Bernice me le rappelait toujours, jamais un vrai Jardinier n'aurait parlé de *dépression*. Les gens comme Veena, disaient les Jardiniers, étaient en état de Jachère : ils se reposaient, ils se retiraient en eux-mêmes en quête d'illumination spirituelle, rassemblaient leur énergie en vue du moment où ils resurgiraient tels des boutons fleurissant le printemps venu. Ils ne restaient oisifs qu'en apparence. Certains Jardiniers pouvaient demeurer très longtemps en Jachère.

« Ici, c'est chez moi, a dit Bernice.

— Où est-ce que je dormirai ? » a demandé Amanda.

Nous étions en train d'examiner la chambre de Bernice lorsque est arrivé Burt, dit Boule-de-Billard.

« Où est ma petite fille ? a-t-il appelé.

— Ne répondez pas ! a dit Bernice. Fermez la porte ! »

On l'entendait marcher dans le séjour ; puis il est entré dans la chambre de Bernice et l'a soulevée dans ses bras. Il est resté là, à la tenir par les aisselles.

« Où est ma petite fille ? » a-t-il répété.

J'ai grimacé malgré moi. Je l'avais déjà vu agir ainsi, et pas seulement avec Bernice. Il adorait les aisselles des filles. Il vous coinçait derrière les plants de haricots pendant que vous relocalisiez les limaces et les escargots, et il faisait semblant de vous aider. Puis ses mains se glissaient sous vos bras. Quel vieux salopard !

Bernice grimaçait et se trémoussait.

«Je ne suis pas ta petite fille », a-t-elle protesté.

Cela pouvait vouloir dire *Je ne suis pas petite*, *Je ne suis pas à toi*, ou même *Je ne suis pas une fille*. Burt l'a pris à la rigolade.

«Alors, où est passée ma petite fille? a-t-il clamé d'une voix inconsolable.

— Repose-moi par terre! » a crié Bernice.

J'avais de la peine pour elle, mais j'étais également soulagée : quels que fussent mes sentiments à l'égard de Zeb, la gêne n'était pas du nombre.

«J'aimerais aller voir chez toi, maintenant », m'a dit Amanda.

Alors on a redescendu l'escalier toutes les deux, laissant derrière nous une Bernice plus furieuse et plus écarlate que jamais. Je m'en voulais un peu de l'abandonner, mais pas au point de renoncer à Amanda.

Lucerne n'était pas franchement ravie d'apprendre qu'Amanda faisait désormais partie de notre famille, mais je lui ai dit que c'était un ordre d'Adam Premier; que pouvait-elle y faire?

«Elle va devoir dormir dans ta chambre, a-t-elle grommelé.

— Ça ne la dérangera pas, ai-je fait. Pas vrai, Amanda?

— Non, pas du tout.»

Amanda était capable de se montrer extrêmement polie, comme si c'était elle qui vous accordait une faveur. Ça a irrité Lucerne.

«Et elle va devoir se débarrasser de ces vêtements criards, a-t-elle décrété.

— Mais ils ne sont pas encore usés, ai-je répliqué d'un air innocent. On ne va pas les jeter! Ce serait du gaspillage!

— Nous les vendrons, a répliqué Lucerne, les lèvres pincées. Un peu d'argent sera le bienvenu.

— Cet argent doit revenir à Amanda. Après tout, ces vêtements sont à elle.

— Ce n'est pas grave, a dit Amanda, royale. Ils ne m'ont rien coûté. »

Puis nous sommes allées dans ma chambre et, une fois le rideau tiré, nous avons ri sous cape.

Quand Zeb est rentré ce soir-là, il n'a fait aucun commentaire. Nous avons dîné ensemble et, tandis qu'il mâchonnait ses sojacisses et ses haricots verts cuits à l'eau, il a observé Amanda, toujours aussi gracieuse, qui manipulait sa nourriture d'un air raffiné avec ses doigts argentés. Elle n'avait toujours pas ôté ses gants. Finalement, il lui a glissé :

« Tu es une petite maligne, toi, hein ? »

C'était sa voix amicale, celle qu'il prenait pour me dire : « Bien joué, ma fille ! »

Lucerne, qui lui servait du rab, s'est figée en pleine action, brandissant la cuillère en bois comme elle l'aurait fait d'un détecteur de métal. Amanda a fixé Zeb de ses grands yeux candides.

« Je vous demande pardon, monsieur ? »

Zeb a éclaté de rire.

« Oui, vraiment maligne. »

17

Vivre avec Amanda, c'était comme avoir une sœur, mais en mieux. Elle portait des fringues de Jardinière à présent, donc elle nous ressemblait ; et, très vite, elle a senti comme nous.

Durant la première semaine, je lui ai fait visiter notre petit monde. Je l'ai emmenée à la Vinaigrerie, à l'Ouvroir et à la salle de gym Cours et Maigris. C'était Mugi qui s'en occupait ; on l'appelait Monsieur Muscle parce qu'il ne lui en restait qu'un, de muscle. Mais ça n'a pas empêché Amanda de s'en faire un ami. Elle avait le chic pour se lier d'amitié avec tout le monde : il lui suffisait de leur demander comment bien faire ce qu'ils faisaient.

Burt la Boule-de-Billard lui a expliqué comment relocaliser les limaces et les escargots du Jardin en les jetant par-dessus la rambarde pour les envoyer sur la route, où ils étaient censés ramper vers de nouveaux espaces, sauf que je savais qu'ils finissaient écrabouillés. Katuro, dit Clé-à-Molette, qui réparait les fuites et s'occupait des canalisations, lui a donné des cours de plomberie.

Philo le Fog ne lui a pas dit grand-chose ; il se contentait de sourire bêtement. À en croire les autres Jardiniers, il avait réussi à transcender le langage et côtoyait désormais l'Esprit, mais Amanda prétendait qu'il était tout simplement défoncé. Stuart le Tournevis, qui bricolait nos meubles à partir de rebuts, ne supportait personne, mais il aimait bien Amanda.

« Cette fille a l'œil pour le bois », disait-il.

Amanda n'aimait pas coudre, mais elle faisait semblant, si bien que Surya ne tarissait pas d'éloges à son égard. Rebecca l'appelait *ma chérie* et lui trouvait du goût pour la bonne chère ; Nuala se pâmait quand elle chantait dans le Chœur des Fleurs et des

Bourgeons. Jusqu'à Toby, la Sorcière sèche, qui fondait en la voyant arriver. C'était la plus exigeante de toutes, mais Amanda, en se prenant de passion pour les champignons et en assistant la vieille Pilar avec son miel et ses ruches, a fini par faire craquer Toby, même si celle-ci s'est efforcée de n'en rien laisser paraître.

«Pourquoi tu fayotes comme ça ? lui demandais-je.

— C'est la meilleure façon d'apprendre des trucs», répondait-elle.

Nous nous confiions plein de choses. Je lui ai parlé de mon père, de ma maison au Compound SentéGénic, de la fuite de ma mère et de Zeb.

«Je parie qu'elle bandait pour lui», a commenté Amanda.

On se racontait tout ça dans notre chambre, la nuit venue, tout près de Zeb et de Lucerne, si près qu'on n'avait pas de mal à les entendre baiser. Avant l'arrivée d'Amanda, ça me foutait la honte, mais comme elle trouvait ça drôle, ça m'a amusée aussi.

Amanda m'a raconté les sécheresses du Texas : ses parents y avaient perdu leur franchise Cafésympa, ils n'étaient pas arrivés à revendre leur maison faute d'acheteurs et, comme il n'y avait plus de boulot, ils avaient échoué dans un parc à caravanes pourri au milieu d'immigrés tex-mex. Puis un ouragan avait démoli leur mobile home et son père avait été tué par un débris de métal. Plein de gens avaient péri noyés, mais sa mère et elle s'étaient accrochées à un arbre et une équipe de secours les avait recueillies dans un canot. En fait, m'a dit Amanda, c'étaient des pillards en quête de butin facilement transportable, mais ils avaient promis de conduire Amanda et sa mère sur la terre ferme en échange de quelque chose.

«Quoi donc ? ai-je demandé.

— Oh ! un truc.»

Elles s'étaient retrouvées dans un village de toile aménagé sur un stade. Les échanges y allaient bon train : contre vingt dollars, on était prêt à tout. Puis sa mère était tombée malade à cause de l'eau contaminée, mais Amanda était passée au travers, vu qu'elle continuait d'échanger des trucs contre des sodas. Et comme il n'y avait pas de médicaments, sa mère avait fini par mourir.

«Y a plein de gens qui sont morts de la chiasse, a précisé Amanda. Je te raconte pas l'odeur.»

Ensuite, elle avait filé en douce parce que les malades étaient de plus en plus nombreux et qu'il n'y avait personne pour ramasser les déchets et apporter de la nourriture. Comme elle ne voulait pas qu'on la renvoie dans ce fichu stade, elle avait changé de nom : les réfugiés étaient affectés d'office à toutes sortes de boulots de merde. «On n'a rien sans rien», disaient-ils : si on ne voulait pas crever, il fallait payer – en liquide ou en nature.

«C'était quoi avant? lui ai-je demandé. Ton nom.

— Barb Jones. Un nom de prolo blanche. C'était mon identité officielle. Mais je n'ai plus d'identité à présent. Je suis invisible.»

C'était une des choses que j'admirais chez elle : son invisibilité.

Amanda était partie vers le nord, en compagnie de plusieurs milliers de réfugiés.

«J'ai voulu faire du stop, mais je n'ai trouvé qu'un seul bon Samaritain, et c'était un amateur de chair fraîche. Il a glissé sa main entre mes cuisses ; quand ils commencent à haleter comme ça, on sait ce qui va suivre. Je lui ai planté un pouce dans l'œil et je me suis cassée fissa.»

À l'entendre, ce genre de chose était normal dans le Monde exfernal. J'aurais bien voulu apprendre à éborgner les emmerdeurs, mais j'avais peur de ne pouvoir aller jusqu'au bout.

«Ensuite, j'ai dû franchir le Mur, a-t-elle poursuivi.

— Quel Mur?

— Tu ne regardes pas les infos? Le Mur qu'ils sont en train de construire pour arrêter les réfugiés tex-mex – les barbelés, ça n'a pas suffi. Y a plein de sentinelles armées d'aérodésintégreurs – c'est le CorpSeCorps qui s'occupe de ça. Mais ils ne peuvent pas en mettre partout : les gamins tex-mex connaissent tous les tunnels, c'est eux qui m'ont fait passer.

— Tu aurais pu te faire descendre. Et ensuite?

— Ensuite, je suis venue jusqu'ici. En bossant pour bouffer. Il m'a fallu du temps.»

À sa place, je me serais couchée dans un fossé pour pleurer tout mon soûl. Mais, à en croire Amanda, quand on veut vraiment quelque chose, on trouve toujours le moyen de l'obtenir. Le découragement, c'est une perte de temps, qu'elle dit.

J'avais peur que les autres enfants ne nous cherchent noise : après tout, Amanda était une plèberate, une ennemie des Jardiniers. Bernice la détestait, évidemment, mais elle n'osait pas le dire car, comme tout le monde, elle restait bouche bée devant elle. Primo, aucun de nous ne savait danser, alors qu'Amanda faisait ça à la perfection – on l'aurait cru désossée au niveau du bassin. Elle me donnait des leçons quand Zeb et Lucerne n'étaient pas dans les parages. Pour avoir de la zique, on allumait son phone pourpre, qu'elle avait planqué sous notre matelas, et quand la carte a rendu l'âme, elle en a piqué un autre. Par ailleurs, elle avait planqué des fringues flashy de plèberate, si bien que quand on avait besoin de chouraver un truc, elle les enfilait pour aller faire un tour à la galerie marchande du Trou de l'évier.

Shackleton, Crozier et les autres mecs étaient tous amoureux d'elle, ça crevait les yeux. Elle était très jolie, avec sa peau hâlée, son long cou et ses grands yeux, mais même les plus mignonnes d'entre nous se faisaient traiter de suceuse de carottes ou de trou à viande sur pattes par ces débiles ; quand il s'agissait de charrier les filles, l'imagination ne leur faisait pas défaut.

Cependant Amanda passait au travers : ils la respectaient tous. Elle portait toujours sur elle un poignard de verre renforcé par de l'adhésif extrafort, et elle disait qu'il lui avait sauvé la vie plus d'une fois. Elle nous a montré comment s'y prendre pour frapper un mec dans les couilles, voire lui briser la nuque en lui décochant un coup de poing sous le menton. Elle connaissait plein de trucs de ce genre – des trucs à utiliser en dernière extrémité, comme elle disait.

Mais lors des Festivals, et pendant les répétitions du Chœur des Fleurs et des Bourgeons, on ne trouvait pas plus pieux qu'elle. On l'aurait cru purifiée par le lait.

Le Festival des Arches

Festival des Arches

An 10

Des deux Déluges et des deux Alliances.
Prononcé par Adam Premier

Chers Amis, chers Mortels, mes Frères et mes Sœurs :

Aujourd'hui, les Enfants ont construit leurs petites Arches et les ont lancées sur le Ruisseau de l'Arborétum pour qu'elles apportent à d'autres enfants, qui les trouveront en bord de mer, leurs messages de respect envers les Créatures de Dieu. Quelle délicate attention dans ce monde de plus en plus menacé ! Ne l'oublions pas : mieux vaut espérer que pleurnicher !

Ce soir, nous partagerons un repas exceptionnel en l'honneur de ce Festival : le délicieux potage aux lentilles de Rebecca, représentant le Premier Déluge, l'Arche de Noé et ses animaux étant figurés par des boulettes farcies aux légumes. L'une d'elles contient un navet symbolisant Noé, et celui qui le trouvera dans son assiette aura droit à un prix – ce qui nous enseignera en passant à ne pas dévorer les aliments sans réfléchir.

Ce prix est une image peinte par Nuala, notre talentueuse Ève Neuf : saint Brendan le Voyageur, équipé des articles essentiels que nous devons stocker dans nos Ararats en prévision du Déluge des Airs. Nuala a bien veillé à représenter les conserves de sojardines et de sojacisses. Mais n'oublions pas de surveiller régulièrement le contenu de nos Ararats. Nous serions bien avancés si, le jour venu, nous n'avions plus à nous mettre sous la dent que des sojardines gâtées.

Veena, la digne épouse de Burt, est en état de Jachère et ne peut être des nôtres pour ce Festival, mais nous ne tarderons pas, j'en suis sûr, à l'accueillir de nouveau parmi nous.

Consacrons à présent nos Dévotions au Festival des Arches.

En ce jour nous pleurons, mais nous nous réjouissons aussi. Nous pleurons la mort de toutes les Créatures terrestres qui ont été détruites lors du Premier Déluge des extinctions – quelle que soit sa date –, mais nous nous réjouissons parce que les Poissons et les Baleines, et les Coraux, et les Tortues de mer et les Dauphins, et les Oursins, oui et aussi les Requins... nous nous réjouissons parce que tous ont été épargnés, à moins que l'apport démesuré d'eau douce dans l'océan, en altérant sa température et sa salinité, ne se soit révélé néfaste à des Espèces inconnues de nous.

Nous pleurons le carnage qui a affecté les Animaux. Ainsi qu'en attestent les fossiles retrouvés depuis, Dieu souhaitait de toute évidence se débarrasser de nombreuses Espèces, mais bien d'autres furent épargnées jusqu'à notre époque, et ce sont celles-ci qu'Il a confiées à nos bons soins. Si vous aviez composé une merveilleuse symphonie, souhaiteriez-vous la voir oblitérée ? La Terre et la musique qui en participe, l'Univers et l'harmonie qui le sous-tend – ce sont les fruits de la Créativité de Dieu, et la créativité de l'Homme n'en est qu'un pâle reflet.

Selon la Parole humaine de Dieu, la tâche de sauver les Espèces élues est échue à Noé, qui symbolise les éléments conscients de l'Humanité. Lui seul fut averti ; lui seul endossa la mission originelle d'Adam, à savoir veiller sur les Espèces bien-aimées de Dieu jusqu'à ce que les eaux du Déluge se soient retirées et que son Arche se soit échouée sur les flancs du mont Ararat. Alors les Créatures sauvées se répandirent sur la Terre, comme en une seconde Création.

La première Création n'avait été que réjouissances, mais ce second événement était bien moins joyeux : Dieu n'était plus aussi satisfait. Il savait que quelque chose avait mal tourné dans son expérience, à savoir l'Homme, mais qu'il était trop tard pour réparer cela. « Je ne maudirai plus jamais la terre à cause de l'homme, parce que les desseins du cœur de l'homme sont mauvais dès son enfance ; plus jamais Je ne frapperai tous les vivants comme Je l'ai fait », dit la Parole humaine de Dieu. Genèse 8.21.

Oui, mes Amis – si la terre devait de nouveau être maudite, ce ne serait pas du fait de Dieu mais du fait de l'Homme. Considérez les rives australes de la Méditerranée – hier un verger fructueux, aujourd'hui un désert. Considérez les dommages subis par le bassin de l'Amazone ; considérez le massacre en gros des écosystèmes, dont chacun était le reflet vivant de l'infini sens des détails dont Dieu a fait preuve... mais ces sujets-là sont pour un autre jour.

Alors Dieu a dit quelque chose de remarquable. Il a dit : « Soyez... » Il s'adresse à l'Homme. « Soyez la crainte et l'effroi de tous les animaux de la terre et de tous les oiseaux du ciel... ils sont livrés entre vos mains. » Genèse 9.2. N'allez pas croire que Dieu donne à l'homme le droit de détruire tous les Animaux, comme le prétendent certains. En fait, Il avertit Ses Créatures bien-aimées : *Prenez garde à l'Homme et à son cœur mauvais.*

Puis Dieu établit son Alliance avec Noé et ses fils, « et avec tous les êtres animés ». Nombreux sont ceux qui se souviennent de l'Alliance passée avec Noé mais oublient celle passée avec tous les autres Êtres vivants. Cependant, Dieu, Lui, ne l'oublie pas. Il répète plusieurs fois les termes « toute chair » et « tous les êtres vivants » afin que nous le comprenions sans ambiguïté.

Nul ne peut passer une Alliance avec une pierre : pour qu'il y ait Alliance, il faut qu'il y ait au moins deux parties vivantes et responsables. Par conséquent, les Animaux ne sont pas une matière inerte, ni de la viande sur pattes. Non ; ils ont une Âme vivante, car sinon Dieu n'aurait pas passé une Alliance avec eux. La Parole humaine de Dieu le rappelle en ces termes : « Interroge pourtant le bétail pour t'instruire, les oiseaux du ciel pour t'informer... ils te renseigneront, les poissons des mers. » Job 12.

Souvenons-nous de Noé, le gardien des Espèces choisi par Dieu. Nous autres, Jardiniers de Dieu, sommes un Noé pluriel : nous aussi, nous avons entendu l'appel, nous aussi, nous avons été avertis. Nous sentons les symptômes de la catastrophe imminente, comme un docteur tâtant le pouls de son patient. Nous devons être prêts quand viendra le temps où ceux qui ont violé la confiance des Animaux – oui, ceux qui les ont effacés de la surface de la Terre où Dieu les avait placés – seront emportés par le Déluge des airs, cette plaie qu'apporteront sur leurs ailes les Anges noirs de Dieu filant dans la nuit, et les avions, et les hélicoptères, et les trains à grande vitesse, et les camions, et les autres moyens de transport.

Mais nous autres, Jardiniers, nous chérirons le savoir des Espèces que nous avons cultivé en nous, ces Espèces si précieuses pour Dieu. Et nous devrons acheminer ce savoir sur les Eaux des Airs, comme à bord d'une Arche.

Édifions nos Ararats avec soin, mes Amis. Stockons-y notre prévoyance, en plus de nos légumes secs et de nos conserves. Et camouflons-les à la perfection.

Que Dieu nous arrache au filet de l'oiseleur, qu'il nous couvre de ses ailes pour que nous trouvions sous son pennage un abri, comme il est dit dans le psaume 91 ; et nous ne craindrons pas la peste qui marche en la ténèbre, ni le fléau qui dévaste à midi.

Puis-je vous rappeler à tous qu'il est d'une importance vitale de se laver les mains, au moins sept fois chaque jour, et chaque fois que vous avez rencontré un étranger. Il n'est pas trop tôt pour vous habituer à cette précaution essentielle.

Évitez tous les gens qui éternuent.

Chantons.

Mon corps est mon Arche terrestre

Mon corps est mon Arche terrestre,
Il me protège du Déluge ;
Il abrite en son cœur toutes les Créatures
Et sait qu'elles sont toutes bonnes.

Solidement bâtie de gènes et de cellules
Et de neurones innombrables,
Mon Arche englobe les millions d'années
Qu'Adam a passées ensommeillé.

Et quand tournoiera la Destruction,
Vers Ararat je glisserai ;
Mon Arche trouvera refuge à terre,
Guidée par la lumière de l'Esprit.

Avec toutes les Créatures, en harmonie,
Je vivrai mon temps de mortel,
Pendant que chacune, avec la voix qui est la sienne,
Chantera les louanges du Créateur.

Extrait du *Livre de cantiques des Jardiniers de Dieu*

18

Toby. Fête de saint Crick

An 25

Le cochon mort gît toujours dans le pré nord. Les vautours se sont acharnés dessus, mais sa peau est trop dure pour eux : ils doivent se contenter des yeux et de la langue. Il leur faudra attendre qu'il ait pourri et explosé sous l'effet des gaz pour qu'ils puissent déguster sa viande.

Toby dirige ses jumelles vers le ciel, vers les corbeaux qui tournent en croassant. Quand elle les rabaisse, deux liogneaux traversent le pré. Un mâle et une femelle, aussi à l'aise que s'ils étaient chez eux. Ils s'arrêtent devant le cochon, le reniflent un court instant. Puis ils reprennent leur promenade.

Toby les regarde, fascinée : c'est la première fois qu'elle voit un liogneau autrement qu'en photo. Est-ce que j'ai des visions ? s'interroge-t-elle. Non, ces liogneaux sont bien réels. Sans doute s'agit-il de pensionnaires d'un zoo, libérés par l'une des sectes les plus fanatiques pendant les ultimes journées de folie.

Contrairement aux apparences, ces animaux-là sont dangereux. Les Isaïstes du Lion ont commandité cette chimère afin de hâter l'avènement du Royaume de la Paix. La seule façon d'accomplir la prophétie du lion et de l'agneau sans que celui-là dévore celui-ci, raisonnaient-ils, serait de confondre les deux créatures en une seule. Mais le résultat obtenu n'était pas vraiment végétarien.

Pourtant, les liogneaux semblent doux et placides, avec leur toison bouclée couleur or et leur queue mobile. Ils broutent des fleurs sans lever les yeux vers elle un seul instant; mais elle a l'impression qu'ils sont conscients de sa présence. Puis le mâle ouvre grande sa gueule, exhibant de longues canines acérées, et lance son appel. Un étrange mélange de bêlement et de rugissement : un rugibêlement, songe Toby.

Elle en a la chair de poule. L'idée qu'une de ces créatures puisse surgir d'un buisson pour se jeter sur elle ne l'enchante guère. Si elle devait finir dans le ventre d'un prédateur, elle préférerait qu'il soit du genre conventionnel. Cela dit, ces bêtes-là sont stupéfiantes. Elle les regarde gambader quelques instants, humer l'air et foncer vers la forêt, puis disparaître dans l'ombre mouchetée du feuillage.

Pilar aurait été ravie de voir ça, se dit-elle. Pilar, mais aussi Rebecca et la petite Ren. Et Adam Premier. Et Zeb. Mais ils sont tous morts.

Arrête, s'ordonne-t-elle. Arrête tout de suite.

Elle descend l'escalier avec un luxe de précautions, utilisant son manche à balai en guise de balancier. Elle persiste – encore – à espérer que les portes de l'ascenseur vont s'ouvrir, les lumières s'allumer, la climatisation se mettre en marche et que quelqu'un – mais qui? – va se manifester.

Elle s'engage dans le long couloir, avançant à pas comptés sur la moquette de plus en plus spongieuse et longeant l'enfilade de miroirs. Il n'y a pas pénurie de miroirs au Balnéo : les clientes avaient besoin qu'on leur rappelle leur laideur, et l'éclairage se faisait cru, puis qu'on leur fasse espérer une nouvelle beauté au terme de soins coûteux, et l'éclairage se faisait doux. Mais, au bout de quelques semaines de solitude, elle avait recouvert les miroirs de serviettes roses pour ne plus être surprise par son propre reflet, qui sautait d'un rectangle de glace à l'autre.

« Qui vit en ce lieu? » demande-t-elle à voix haute.

Pas moi, pense-t-elle. Mon quotidien ne saurait être qualifié de vie. Disons que je suis dormante, comme une bactérie dans un glacier. Que je fais mon temps. Voilà tout.

Elle passe le reste de la matinée assise, dans un état proche de la stupeur. Jadis, elle aurait parlé de méditation, mais elle n'a plus recours à de tels faux-semblants. Apparemment, il lui arrive parfois d'être prise d'une rage paralysante : impossible de dire quand surviendra une crise. Cela débute par une sensation d'incrédulité pour s'achever dans le chagrin, pourtant, entre ces deux phases, son corps tout entier tremble de colère. Mais une colère dirigée contre qui, contre quoi? Pourquoi a-t-elle été épargnée? Seule parmi d'innombrables victimes. Pourquoi pas quelqu'un de plus jeune, de plus frais, de plus optimiste ? Elle devrait se dire que, si elle est là, c'est pour une bonne raison : pour témoigner, pour transmettre un message, pour sauver quelque chose du désastre global. Oui, elle le devrait, mais elle n'y arrive pas.

J'ai tort de consacrer autant de temps au deuil, se dit-elle. Au deuil et aux idées noires. Il n'y a rien à en retirer.

Elle fait une sieste au plus fort de la chaleur. Chercher à rester éveillée durant le bain de vapeur qui prévaut à midi, c'est gâcher son énergie.

Elle dort sur une table de massage dans l'une des cabines où les clientes du Balnéo suivaient leur traitement biobotanique. On y trouve des draps roses, des coussins roses et des couvertures roses – des couleurs douillettes, infantilisantes –, mais elle n'a pas besoin de couverture, pas avec ce temps.

Elle a déjà éprouvé des difficultés à se réveiller. Elle doit lutter contre la léthargie. Quel violent désir : dormir. Dormir et dormir encore. Dormir pour toujours. Elle ne peut pas se contenter de vivre dans le présent, comme un végétal. Mais le passé lui est fermé et elle ne voit aucun avenir. Peut-elle exister jour après jour, année après année, jusqu'à ce qu'elle finisse par se flétrir, par se replier sur elle-même, par se dessécher comme une vieille araignée ?

Ou alors prendre un raccourci. Il reste le pavot dans son flacon rouge, la mortelle amanite, les petits Anges de la Mort. Combien de jours s'écouleront avant qu'elle les lâche dans son corps pour qu'ils l'emportent sur leurs ailes blanches... blanches... ?

Pour se remonter le moral, elle ouvre son bocal de miel. C'est le dernier échantillon du miel qu'elles ont collecté il y a si longtemps – Pilar et elle – dans le Jardin d'Édenfalaise. Toutes ces années durant, elle l'a conservé comme s'il s'agissait d'un charme protecteur. Le miel ne se gâte pas, disait Pilar, à condition qu'on le tienne à l'écart de l'eau : c'est pour cela que les anciens parlaient de nectar d'immortalité.

Elle avale une cuillère parfumée, puis une autre. C'était une rude tâche que de collecter ce miel : l'enfumage des ruches, l'extraction des rayons. Il fallait du tact, de la délicatesse. Non seulement on devait gazer les abeilles, mais il fallait en outre leur parler et les convaincre de céder leur miel, et il arrivait parfois qu'elles piquent, mais, dans son souvenir, l'expérience demeure nimbée d'une aura de bonheur sans mélange. Elle sait qu'elle se leurre sur ce point, mais elle préfère se leurrer. Elle a désespérément besoin de croire qu'une joie aussi pure demeure encore possible.

19

Peu à peu, Toby cessa de se dire qu'elle devait quitter les Jardiniers. Si elle ne partageait pas vraiment leur credo, elle ne le rejetait pas pour autant. Les saisons se succédèrent – pluies, orages, chaleur sèche, fraîcheur sèche, pluie et chaleur –, puis les années. Elle n'était pas tout à fait une Jardinière, mais elle n'était plus une plèbezoneuse. Elle n'était ni l'une ni l'autre.

Il lui arrivait parfois de s'aventurer dans les rues, sans toutefois s'éloigner du Jardin, et elle prenait soin de se protéger : chapeau à larges bords et masque filtrant. Dans ses cauchemars, Blanco continuait de la visiter – ses bras couverts de serpents, la femme sans tête enchaînée à son dos, ses mains d'écorché aux veines bleues tendues vers elle. *Dis-moi que tu m'aimes! Mais dis-le, salope!* Durant les pires moments, au comble de la terreur et de la douleur, elle imaginait ces mains tranchées au niveau des poignets. Ainsi que d'autres parties de son anatomie. Des geysers de sang gris. Elle l'imaginait fourré vivant dans une chaudière à orduruile. Des fantasmes de violence, qu'elle s'efforçait sincèrement de chasser de son esprit depuis qu'elle avait rejoint les Jardiniers. Mais ils ne cessaient de revenir à la charge. D'après ceux qui dormaient à proximité de son matelas, elle émettait parfois des «signaux de détresse» pendant son sommeil.

Adam Premier avait connaissance de ces signaux. Au fil du temps, elle avait compris que ce serait une erreur de le sous-estimer. Bien que sa barbe eût viré à un blanc duveteux qui suggérait l'innocence, que ses grands yeux bleus fussent aussi candides que ceux d'un bébé et qu'il semblât toujours confiant et vulnérable, c'était sans doute l'être le plus déterminé qu'elle était destinée à rencontrer. Loin de brandir son but comme une arme, il se laissait porter par lui, comme flottant dans l'air. Ce qui le rendait inattaquable : autant vouloir s'en prendre à la marée.

« Il est parti à Painball, ma chère, lui dit-il le jour de la Saint-Mendel. Peut-être n'en sortira-t-il jamais. Peut-être retournera-t-il aux éléments. »

Le cœur de Toby fit un bond.

« Qu'est-ce qu'il a fait ?

— Il a tué une femme, répondit Adam Premier. Une femme qu'il n'aurait pas dû tuer. Une cadre des Corps venue s'encanailler dans les plèbezones. Je regrette qu'elles agissent de la sorte. Cette fois-ci, le CorpSeCorps a dû intervenir. »

Toby avait entendu parler de Painball. C'était un centre de détention pour les criminels condamnés, les politiques comme les droit-commun : on leur donnait le choix entre la mort par aérodésintégreur ou l'entrée dans l'Arène, laquelle était en fait une forêt tenant lieu de champ clos. Le volontaire avait droit à deux semaines de provisions et à une arme de Painball – celle-ci tirait des billes de peinture, comme dans le paint-ball classique, mais une peinture capable de vous aveugler et de vous ronger la peau comme de l'acide, ce qui faisait de vous une proie facile pour l'équipe adverse. Chaque combattant était intégré d'office à l'un des deux camps antagonistes : les Rouges et les Dorés.

L'immense majorité des condamnés de sexe féminin optait pour l'aérodésintégreur. La plupart des politiques également. Ils savaient qu'ils n'auraient aucune chance dans l'Arène et préféraient en finir vite. Toby les comprenait.

On avait longtemps tenu secrète l'existence de Painball, comme on l'avait fait pour les combats de coqs et le Transfert interne de prisonniers, mais on pouvait désormais admirer l'Arène sur écran, à en croire la rumeur. On avait placé des caméras vidéo dans les arbres et les rochers, mais elles ne permettaient pas de voir grand-chose, hormis un bras, une jambe ou une ombre mouvante, car les combattants étaient par essence furtifs. Mais, de temps à autre, on avait droit à une image sensationnelle. Survivre un mois faisait de vous un expert ; plus d'un mois, un guerrier d'élite. Certains combattants devenaient accros à l'adrénaline et refusaient de sortir une fois leur peine accomplie. Les pros du CorpSeCorps eux-mêmes redoutaient les Painballers.

Certains combattants accrochaient leurs trophées aux arbres, d'autres mutilaient les cadavres de leurs victimes. Ils leur coupaient la tête, leur arrachaient le cœur et les reins. Le but était d'intimider l'adversaire. Ils allaient jusqu'à dévorer les morts, soit parce que la nourriture était rare, soit pour faire la démonstration de leur cruauté. Au bout d'un temps, songea Toby, non seulement on n'hésitait plus à franchir la ligne jaune, mais on oubliait qu'elle avait existé. Nécessité fait loi.

Elle imagina Blanco décapité, suspendu par les pieds. Que ressentait-elle à cette vision ? Du plaisir ? De la pitié ? Elle n'aurait su le dire.

Elle demanda à faire une Veille et la passa à genoux, tentant de parvenir à la fusion mentale avec des plants de petits pois. Les tiges, les fleurs, les feuilles, les cosses. Si verts, si apaisants. Ça faillit marcher.

Un jour, Pilar – Ève Six – demanda à Toby si elle voulait être instruite sur les abeilles. Les abeilles et les champignons – c'étaient les spécialités de Pilar. Toby aimait bien cette vieille femme douce au visage fripé, dont elle enviait la sérénité apparente ; elle accepta donc.

« Bien, fit Pilar. Tu pourras toujours raconter tes ennuis aux abeilles. »

Ainsi, Adam Premier n'était pas le seul à avoir remarqué qu'elle se faisait du souci.

Pilar l'emmena visiter les ruches et la présenta aux abeilles.

« Elles ont besoin de savoir que tu es leur amie, expliqua-t-elle. Elles identifieront ton odeur. Évite les mouvements brusques, avertit-elle tandis que les insectes recouvraient le bras de Toby comme un manchon doré. La prochaine fois, elles te reconnaîtront. Oh !... si elles te piquent, ne les chasse pas trop vivement. Contente-toi d'enlever le dard. Mais pour qu'elles te piquent, il faut qu'elles aient très peur, car elles meurent aussitôt après avoir attaqué. »

Pilar maîtrisait à fond le folklore des abeilles. Une abeille dans la maison annonce la visite d'un inconnu, et si on tue l'abeille, cette visite se passera mal. Quand meurt l'apiculteur, on doit le dire aux abeilles, sinon elles formeront un essaim et partiront au loin. Le miel soigne les plaies ouvertes. Un essaim en mai, et le temps sera frais. Un essaim en juillet, et c'en est fini de l'été. Toutes les abeilles de la ruche n'en font qu'une : c'est la raison pour laquelle chacune est prête à se sacrifier pour les autres.

« Comme les Jardiniers », ajouta Pilar.

Toby n'aurait su dire si elle plaisantait.

Au début, les abeilles étaient agitées en sa présence, mais elles finirent par l'accepter. Elles la laissèrent récolter le miel sans aide et elle ne se fit piquer que deux fois.

« Les abeilles ont commis une erreur, lui dit Pilar. Tu dois demander la permission à la Reine et leur expliquer que tu ne leur veux aucun mal. »

Il fallait leur parler à haute voix, disait-elle, car, pas plus qu'un être humain, les abeilles ne savaient lire avec précision dans les esprits. Toby s'exécuta, tout en se sentant un peu bête. Que penserait l'un des passants dans la rue s'il la voyait parler à un essaim d'abeilles ?

À en croire Pilar, toutes les abeilles de la planète souffraient depuis plusieurs décennies. Du fait des pesticides, de la chaleur, d'une maladie ou de tout cela à la fois – personne n'en était sûr. Mais les abeilles du Jardin de toiture étaient en bonne santé. En fait, elles prospéraient.

« Elles se savent aimées », conclut Pilar.

Toby en doutait. Elle doutait de beaucoup de choses. Mais elle gardait ses doutes pour elle, car le mot *doute* n'était pas le mot préféré des Jardiniers.

Après un certain temps, Pilar emmena Toby dans les caves humides de la Résidence Buenavista pour lui montrer la champignonnière. Les abeilles et les champignons, ça allait ensemble, déclara Pilar : les abeilles étaient en bons termes avec le monde invisible, du fait de leur statut de psychopompes. Elle proféra ce petit factoïde délirant comme s'il était connu de tous, et Toby fit mine de ne rien remarquer. Les champignons étaient les roses du jardin de ce monde invisible, car l'essence du champignon était souterraine. Ce que l'on voyait de lui – ce que le commun des mortels appelait un champignon –, ce n'était qu'une brève manifestation. Une fleur de nuée.

Certains champignons étaient destinés à l'alimentation, d'autres à la médecine, d'autres encore aux visions. Ces derniers n'étaient consommés que lors des Retraites et des Semaines d'isolation, bien qu'ils servissent à l'occasion de remèdes et même de calmants pour les personnes en Jachère, durant la période où l'Âme se refertilisait. Tôt ou tard, nous avons tous un temps de Jachère, affirmait Pilar. Mais il était dangereux de rester en Jachère trop longtemps.

« C'est comme si on descendait dans la cave pour ne plus jamais remonter, ajouta-t-elle. Mais les champignons peuvent nous aider à ce moment-là. »

Il existait trois catégories de champignons, poursuivit-elle : Jamais Toxique, À Employer avec Précaution et Prenez Garde. Il fallait tous les mémoriser. Vesses-de-loup de toute sorte : Jamais Toxiques. Psilocybines : À Employer avec Précaution. Amanites, en particulier phalloïdes : Prenez Garde.

« Celles-ci sont très dangereuses, non ? demanda Toby.

— Oh ! oui, acquiesça Pilar. Extrêmement dangereuses.

— Alors pourquoi en cultives-tu ?

— Dieu n'aurait pas créé les champignons vénéneux s'Il ne s'attendait pas à ce que nous en usions de temps à autre. »

Pilar était si douce, si affable, que Toby n'en crut pas ses oreilles.

« Tu n'irais pas jusqu'à empoisonner quelqu'un, quand même ! » protesta-t-elle.

Pilar la fixa sans broncher.

« On ne sait jamais, ma chère. C'est parfois la seule chose à faire. »

Désormais, Toby passait tous ses moments de loisir avec Pilar – elles s'occupaient des ruches d'Édenfalaise et des plants de lavande et de sarrasin que fréquentaient aussi les abeilles des toits voisins, récoltaient le miel et le mettaient en bocaux. Plutôt que d'annoter les étiquettes à la main, elles y apposaient le tampon à motif d'abeille de Pilar, et elles mettaient quelques bocaux de côté pour approvisionner l'Ararat aménagé par celle-ci derrière un parpaing amovible du sous-sol de Buenavista. Elles s'occupaient aussi des pavots, collectaient le suc sirupeux coulant de leurs capsules, ou alors s'affairaient à la champignonnière de Buenavista, ou encore mitonnaient des sirops, des élixirs et l'émulsion pour la peau parfumée au miel et aux roses qu'elles écoulaient lors du Troc de produits naturels de l'Arbre de vie.

Et le temps passait. Toby cessa de compter les jours et les semaines. De toute façon, le temps n'est pas une chose qui passe, disait Pilar : c'est une mer sur laquelle tu flottes.

La nuit, Toby se humait. Son nouveau moi. Sa peau sentait le miel et le sel. Et la terre.

20

Les Jardiniers accueillaient constamment des nouveaux venus. Certains étaient d'authentiques convertis, mais d'autres ne restaient pas longtemps. Ils séjournaient un moment, vêtus des mêmes habits que tout le monde, informes et ternes, s'affairant aux corvées les plus ingrates et, dans le cas des femmes, s'offrant de temps à autre une crise de larmes. Puis ils disparaissaient. Ce n'étaient que des ombres qu'Adam Premier manipulait dans l'ombre. Tout comme il avait manipulé Toby.

Elle avait eu vite fait de comprendre, du moins était-ce une impression, que les Jardiniers n'appréciaient pas les questions personnelles. D'où viens-tu ? que faisais-tu avant ? Cela n'avait pas d'importance, semblaient-ils sous-entendre. Seul comptait le Présent. Ne parle pas d'autrui comme tu n'aimerais pas qu'il parle de toi. En d'autres termes : ne dis rien !

Nombre de choses éveillaient encore sa curiosité. Par exemple : Nuala avait-elle jamais couché avec quelqu'un, et, sinon, cela expliquait-il qu'elle flirte avec tout le monde ? Où Marushka la Sage-femme avait-elle appris son métier ? Que faisait Adam Premier avant de fonder les Jardiniers ? Existait-il une Ève Première, ou une Mme Adam Premier, ou un Adam Premier Junior ? Si elle abordait de tels sujets, elle avait droit à un sourire, puis son interlocuteur changeait de thème et lui faisait comprendre que convoiter un savoir interdit, voire un pouvoir interdit, tenait du péché originel. Les deux notions étaient en effet liées – Toby n'était-elle pas d'accord ?

Puis il y avait Zeb. Autrement dit Adam Sept. Toby ne le croyait pas sincère dans sa foi de Jardinier, pas plus qu'elle-même en tout cas. Durant sa période SecretBurgers, elle avait croisé quantité de mecs costauds et velus comme lui, et elle aurait parié qu'il trafiquait quelque chose; son air vigilant ne trompait pas. Qu'est-ce qu'un homme comme lui fichait au Jardin de toiture d'Édenfalaise?

Zeb ne cessait d'aller et venir; parfois il disparaissait plusieurs jours et, à son retour, il portait souvent des fringues de plèbezoneur: combi de motard, salopette de gardien, costard noir de videur. D'abord elle avait craint qu'il fût un homme de Blanco chargé de l'espionner, mais non, ce n'était pas ça. Les enfants le surnommaient Mad Adam, pourtant il semblait sain d'esprit. Un peu trop pour traîner avec cette bande d'excentriques inoffensifs mais un tantinet cinglés. Et qu'est-ce qui pouvait le lier à Lucerne? Celle-ci était l'image même de la ménagère de Compound: chaque fois qu'elle se cassait un ongle, elle faisait la gueule toute la journée. Une partenaire bien improbable pour un homme comme Zeb – un crache-balles, comme on aurait dit quand Toby était gamine, à l'époque où on trouvait des balles partout.

C'était peut-être purement sexuel, songea-t-elle. Un mirage de la chair, une obsession hormonale. Ça arrivait à plein de gens. Naguère, elle aurait pu se retrouver dans le même genre de situation, à condition de tomber sur l'homme idéal, mais plus elle s'incrustait chez les Jardiniers, plus cela lui paraissait lointain.

Elle n'avait pas eu de relation sexuelle depuis son arrivée, et ça ne lui manquait pas: durant son immersion dans le Lagon puant, elle avait eu plus que son content de sexe, et pas du genre plaisant. Se savoir libérée de Blanco l'aidait à supporter l'abstinence: elle avait eu de la chance de ne pas finir réduite en lambeaux, battue à mort et abandonnée dans un terrain vague.

Elle n'avait connu qu'un seul incident à caractère sexuel depuis son arrivée chez les Jardiniers: un jour, le vieux Mugi – alias Monsieur Muscle – lui avait sauté dessus alors qu'elle se servait du tapis roulant Cours et Maigris dans l'ancienne salle de loisirs au dernier étage de la Résidence du Boulevard. Il l'avait jetée à terre sans ménagements, s'était couché sur elle et avait retroussé sa jupe en jean pour la peloter, pantelant comme une pompe défectueuse. Mais à force de travailler le terreau, elle s'était fait des muscles, elle aussi, et Mugi n'était plus aussi costaud qu'au temps de sa splendeur: elle l'avait arrêté d'un coup de coude dans les côtes, s'était dégagée de son étreinte et l'avait laissé gisant par terre, le souffle coupé.

Elle avait raconté l'incident à Pilar, comme elle lui racontait tout ce qui la dépassait.

« Que dois-je faire? demanda-t-elle.

111

« On ne fait pas tellement cas de ce genre de chose, répondit Pilar. Mugi est inoffensif, tu sais. Il a tenté le coup avec chacune de nous – même avec moi, mais c'était il y a des années. » Petit gloussement étouffé. « L'antique Australopithèque qui sommeille en nous se réveille de temps à autre. Tu dois lui pardonner du fond de ton cœur. Il ne recommencera pas, tu verras. »

Au temps pour le sexe, donc. Peut-être est-ce temporaire, se dit Toby. Peut-être que c'est une forme d'engourdissement, comme un bras en est parfois frappé. Mes connexions neurales sexe sont interrompues. Mais pourquoi je m'en fiche ?

On fêtait ce jour-là sainte Maria Sibylla Merian et c'était le Jour de la métamorphose des insectes, propice entre tous à l'apiculture. Toby et Pilar s'affairaient à récolter le miel. Elles avaient coiffé leurs chapeaux à voilette ; un soufflet leur permettait d'enfumer les ruches, du bois pourri entretenait les flammes.

« Tes parents... ils sont encore vivants ? » demanda Pilar derrière sa voilette.

Toby fut surprise par cette question directe, étonnante dans la bouche d'une Jardinière. Mais, si Pilar la posait, c'était sûrement pour une bonne raison. Comme elle n'avait toujours pas le cœur à parler de son père, elle lui raconta la mystérieuse maladie de sa mère. Le plus étrange dans l'histoire, précisa-t-elle, c'était que sa mère s'était toujours souciée de sa santé : vu ce qu'elle ingurgitait, les suppléments vitaminés devaient constituer la moitié de sa masse corporelle.

« Dis-moi, insista Pilar. Quels suppléments prenait-elle ?

— Elle tenait une boutique franchisée SentéGénic, alors c'est ceux-là qu'elle consommait.

— SentéGénic. Oui. Nous en avons déjà entendu parler.

— Entendu parler de quoi ?

— De ce genre de maladie, associé à ce genre de suppléments. Pas étonnant que SentéGénic ait tenu à prendre en charge le traitement de ta mère.

— Que veux-tu dire ? »

En dépit de la chaleur du soleil matinal, Toby sentit un frisson la parcourir.

« N'as-tu jamais pensé, ma chère, que ta mère avait peut-être servi de cobaye ? »

Non, Toby n'y avait jamais pensé, mais l'évidence s'imposa à elle.

« Je me suis posé des questions, dit-elle. Pas sur les pilules, non, mais... je croyais que c'était un coup du promoteur qui convoitait la propriété de papa. Je me suis demandé s'il n'avait pas empoisonné le puits.

— Dans ce cas, vous auriez tous été atteints. Écoute, promets-moi que jamais tu n'avaleras une pilule fabriquée par une Corporation. N'en achète jamais et n'en accepte jamais si on t'en offre, quoi qu'on te dise. On te citera des données et des noms de scientifiques ; on te donnera des avis autorisés émanant de médecins réputés – tout cela ne vaut rien, ils ont tous été achetés.

— Pas tous, enfin ! protesta Toby, ébranlée par la véhémence de Pilar, d'ordinaire si calme.

— Non. Non, pas tous. Mais tous ceux qui travaillent encore pour les Corporations. Les autres... certains sont morts subitement. Pourtant les survivants... ceux qui ont conservé un peu de l'antique éthique médicale... » Un temps. « Oui, il existe encore des docteurs de cette trempe. Mais pas dans les Corps.

— Où les trouve-t-on ?

— Il y en a quelques-uns ici, parmi nous. » Pilar sourit. « Katuro la Clé-à-Molette était jadis interne. Maintenant c'est notre plombier. Surya était chirurgienne ophtalmologue, Stuart cancérologue, Marushka gynécologue.

— Et les autres docteurs ? Ceux qui ne sont pas ici ?

— Disons qu'ils sont en sécurité ailleurs. Pour le moment. Mais revenons à cette promesse : les pilules des Corporations sont la provende des morts, ma chère. Et je ne parle pas de nos morts, mais des mauvais morts. Des morts-vivants. Nous devons apprendre à nos enfants à ne pas y toucher – ces pilules sont maléfiques. Ce n'est pas seulement un article de foi, c'est une certitude.

— Mais comment pouvez-vous en être aussi sûrs ? demanda Toby. Les Corps... personne ne sait ce qu'elles fabriquent. Elles sont enfermées dans leurs Compounds, il n'en sort jamais rien...

— Ah ! si tu savais... On n'a jamais construit un bateau qui soit exempt de fuites. Maintenant, promets-moi. »

Toby promit.

« Un jour, reprit Pilar, quand tu seras une Ève, tu comprendras bien des choses.

— Oh ! ça m'étonnerait que je devienne une Ève », dit Toby.

Pilar se contenta de sourire.

Plus tard dans l'après-midi, alors qu'elles avaient achevé leur récolte et que Pilar remerciait la ruche et la reine de leur coopération,

Zeb gagna le toit par l'escalier de secours. Il portait un blouson de pluir noir comme en portent les motards. Ils y pratiquaient des entailles pour que l'air chaud circule quand ils prenaient la route, mais il y en avait beaucoup trop sur celui-ci.

« Que s'est-il passé ? demanda Toby. Que puis-je faire ? »

Les grosses mains de Zeb étaient crispées sur son ventre ; le sang coulait entre ses doigts. Elle eut un haut-le-cœur. En même temps, elle avait envie de lui dire : « Ne le laisse pas couler sur les abeilles. »

« Je suis tombé et je me suis coupé, dit Zeb. Sur des éclats de verre. »

Il avait le souffle court.

« Je ne te crois pas, dit Toby.

— Ça ne m'étonne pas de toi, répliqua Zeb avec un sourire. Tiens, dit-il à Pilar. Un petit cadeau. Fabrication SecretBurgers. »

Il glissa une main dans la poche de son pluir et en sortit une poignée de viande hachée. L'espace d'un instant, Toby eut l'horrible impression que c'était sa propre chair, mais Pilar sourit.

« Merci, très cher Zeb, dit-elle. Je sais que je peux compter sur toi ! Viens avec moi, nous allons soigner ça. Toby, tu veux bien aller chercher Rebecca et lui dire de nous apporter des torchons propres ? Et ramène aussi Katuro. »

Elle ne semblait nullement troublée par la vue du sang.

Quel âge devrai-je atteindre pour acquérir un tel calme ? se demanda Toby. Elle sentait comme une plaie ouverte dans sa peau.

21

Pilar et Toby transportèrent Zeb au coin nord-ouest du toit, dans la hutte affectée aux Veilles, où l'on hébergeait les Jachérés en rémission ainsi que les malades dont l'état n'inspirait aucune inquiétude. Comme elles l'aidaient à s'allonger, Rebecca émergea de l'appentis à l'autre bout du toit, un paquet de torchons propres à la main.

«Qui a fait ça? demanda-t-elle. C'est du verre qui t'a coupé comme ça. Tu t'es battu avec une bouteille cassée?»

Katuro arriva à son tour, souleva le blouson pour dégager le ventre de Zeb et mieux l'examiner.

«Les côtes ont arrêté le coup, diagnostiqua-t-il. Et l'autre frappait pour entailler, pas pour planter son arme. Blessure superficielle – tu as eu de la chance.»

Pilar confia la viande hachée à Toby.

«C'est pour les asticots, expliqua-t-elle. Tu veux bien t'en occuper cette fois-ci, ma chère?»

À en juger par l'odeur, la viande commençait à s'avarier. Toby l'enveloppa dans de la gaze provenant de la Clinique du Bien-Être, comme elle avait vu faire Pilar, y attacha une ficelle et laissa le paquet pendre au parapet. Dans deux ou trois jours, quand les mouches auraient pondu leurs œufs et que ceux-ci seraient éclos, elles remonteraient le paquet et en extrairaient les asticots, qui apparaîtraient immanquablement là où il y avait de la viande pourrie. Pilar entretenait une petite colonie d'asticots à des fins thérapeutiques, mais Toby ne les avait jamais vus à l'œuvre.

Selon Pilar, l'asticothérapie était une technique très ancienne. On l'avait considérée comme dépassée, à l'instar des saignées et des sangsues, mais, au cours de la Première Guerre mondiale, les médecins avaient constaté que les blessés guérissaient plus vide si des asticots étaient présents dans leurs plaies. Non seulement ces précieux auxiliaires dévoraient les tissus nécrosés, mais ils tuaient les bactéries et contribuaient grandement à prévenir la gangrène.

Les asticots procuraient au patient une sensation agréable, disait Pilar – un doux grignotis, comme des têtards –, mais il fallait les surveiller avec attention, car une fois à court de tissus nécrosés, ils s'attaquaient aux tissus sains, et il y avait risque de douleur et de saignements. Quand tout se passait bien, la blessure guérissait proprement.

Pilar et Katuro lavèrent les plaies de Zeb avec du vinaigre puis les badigeonnèrent de miel. Zeb ne saignait plus mais il était encore pâle. Toby lui donna un verre de sumacade.

D'après Katuro, les combats de rue entre plèberats n'étaient pas précisément antiseptiques, aussi valait-il mieux sortir les asticots tout de suite pour éviter un empoisonnement du sang. S'aidant d'une pince à épiler, Pilar plaça quelques spécimens sur un carré de gaze, qu'elle plia et appliqua sur le ventre de Zeb. Le temps que les asticots aient mâché la gaze, les chairs de Zeb seraient suffisamment infectées pour les attirer.

« Il faut surveiller ces asticots, dit Pilar. Vingt-quatre heures sur vingt-quatre. Au cas où l'envie leur prendrait de manger notre cher Zeb.

— À moins qu'ils ne me donnent faim, répliqua l'intéressé. C'est comme des écrevisses. Le goût est le même. Surtout sous forme de friture. Très bonne teneur en lipides. »

Il s'efforçait de faire bonne figure, mais sa voix était très faible.

Toby assura les cinq premières heures de garde. Adam Premier, qui avait entendu parler de la mésaventure de Zeb, vint lui rendre visite.

« La fuite est parfois la meilleure solution, dit-il d'une voix douce.

— Ouais, peut-être, mais ils étaient trop nombreux. Bref, j'en ai envoyé trois à l'hôpital.

— Il n'y a pas de quoi être fier. »

Zeb se renfrogna.

« Un fantassin, ça se sert de ses pieds, relança-t-il. C'est pour ça que je porte des bottes.

— Nous en reparlerons plus tard, quand tu te sentiras mieux, répondit Adam Premier.

— Je me sens parfaitement bien », gronda Zeb.

Nuala vint relever Toby, tout excitée.

« Tu lui as préparé de la tisane de saule ? demanda-t-elle. Oh ! quelle horreur, ces asticots ! Tiens, laisse-moi te redresser un peu. On ne peut pas lever ce store ? Il faut faire entrer un peu d'air ! Zeb, c'est ça que tu appelles la Limitation des pertes en guérilla urbaine ? Tu n'as pas été sage ! »

En la voyant minauder comme ça, Toby avait envie de lui fiche son pied au cul.

Puis ce fut une Lucerne en pleurs qui fit son entrée.

« C'est horrible ! Que s'est-il passé ? Qui t'a fait...

— Oh ! il a été très dissipé ! dit Nuala avec des airs de conspiratrice. N'est-ce pas, Zeb ? Imaginez un peu : se battre avec des plèbezoneurs, acheva-t-elle avec un frisson de délice.

— Toby, continua Lucerne sans prêter attention à Nuala, est-ce que c'est grave ? Est-ce qu'il... va-t-il... »

On aurait dit une actrice de télé de jadis jouant l'épouse éplorée face à un mari agonisant.

« Je vais parfaitement bien, répondit Zeb. Maintenant, calte et fiche-moi la paix ! »

Personne ne devait le tripoter, expliqua-t-il. Sauf Pilar. Et Katuro, si nécessaire. Et Toby, à la rigueur, vu qu'elle savait fermer sa gueule. Lucerne s'en fut en pleurant de plus belle, mais Toby ne pouvait rien y faire.

Chez les Jardiniers, la rumeur tenait lieu d'information. Les enfants les plus âgés eurent vite fait d'apprendre que Zeb avait été blessé au cours d'une bataille – car c'en était devenu une – et, le lendemain après-midi, Shackleton et Crozier vinrent lui rendre visite. Comme il dormait – Toby avait ajouté de l'extrait de pavot à sa tisane de saule –, ils tournèrent autour de lui sur la pointe des pieds en parlant à voix basse et tentèrent de voir sa blessure.

« Un jour, il a mangé un ours, dit Shackleton. Quand il pilotait un avion pour le compte de l'Opération Bearlift, à l'époque où l'on tentait de sauver les ours polaires. Son avion s'est crashé et il a dû rentrer à pied à la base – ça lui a pris des mois ! » Les plus grands se racontaient nombre de hauts faits ayant Zeb pour héros. « Il dit qu'un ours ressemble beaucoup à un homme une fois qu'on l'a écorché.

— Il a aussi mangé son copilote, ajouta Crozier. Mais il a attendu qu'il soit mort.

— On peut voir les asticots ?

« — Il a de la gangrène ?

— Gang ! Green ! s'écria le petit Oates, qui avait suivi ses frères.

— La ferme, Oatie !

— Aïe ! Espèce de pue-la-viande !

— Allez-vous-en maintenant, dit Toby. Zeb... Adam Sept a besoin de repos. »

Adam Premier persistait à croire que Shackleton, Crozier et le jeune Oates finiraient par bien tourner, mais Toby en doutait fortement. Philo le Fog, censé jouer le rôle de père de substitution, n'était pas toujours disponible, mentalement parlant.

Pilar assurerait la garde de nuit : de toute façon, elle ne dormait plus beaucoup, affirma-t-elle. Nuala se porta volontaire pour les matinées. Toby se chargerait des après-midi. Toutes les heures elle contrôlait les asticots. Zeb n'avait pas de température et ne saignait plus.

Dès qu'il commença à se rétablir, il ne tint plus en place, aussi Toby se mit-elle à jouer avec lui, d'abord aux dominos, puis au cribbage et, pour finir, aux échecs. L'échiquier appartenait à Pilar : les pièces noires étaient des fourmis, les blanches des abeilles ; c'était elle qui les avait sculptées.

« On prétendait que la reine des abeilles était un roi, disait Pilar. Car si on la tuait, les autres abeilles perdaient toute raison de vivre. C'est pour cela que le roi ne bouge guère aux échecs – parce que la reine des abeilles ne quitte jamais la ruche. »

Toby doutait de la véracité de cette histoire : la reine des abeilles restait-elle toujours dans la ruche ? Pas tout à fait : il y avait l'essaimage, et aussi le vol nuptial... Elle fixa l'échiquier, cherchant à y voir un motif rappelant les abeilles. De l'extérieur lui parvenait la voix de Nuala, mêlée au babil des enfants les plus jeunes.

« Les cinq sens, par lesquels le monde vient à nous... la vue, l'ouïe, le toucher, l'odorat, le goût... qu'est-ce qui nous sert à goûter ? Oui, c'est ça... Oates, tu n'as pas besoin de lécher Melissa. Maintenant rentrez votre langue dans son clapet et fermez-le. »

Toby reçut une image – ou plutôt une saveur. Elle goûtait la peau du bras de Zeb, le sel qui l'imprégnait...

« Échec et mat, dit Zeb. Les fourmis ont encore gagné. »

Zeb prenait toujours les noirs afin de donner un petit avantage à Toby.

« Oh ! fit celle-ci. Je ne l'avais pas vu venir. »

Elle commençait à se demander – pensée indigne d'elle – s'il n'y avait pas quelque chose entre Zeb et Nuala. En dépit de sa surcharge pondérale, cette dernière était sensuelle et un rien infantile. Une qualité prisée par certains hommes.

Zeb fit place nette sur l'échiquier et remit les pièces en position.

«Tu pourrais me rendre un service?» demanda-t-il.

Il n'attendit même pas qu'elle ait accepté. Lucerne souffrait de migraines, expliqua-t-il. Sa voix restait neutre, mais Toby y perçut une certaine tension, d'où elle conclut que ces migraines étaient sans doute imaginaires, ou que Zeb commençait à s'en lasser si elles étaient bien réelles.

Toby pourrait-elle venir leur rendre visite avec ses flacons la prochaine fois que Lucerne aurait une crise, afin de voir ce qu'il était possible de faire? Lui-même était foutrement incapable de régler ses problèmes hormonaux, s'il s'agissait bien de ça évidemment.

«Elle n'arrête pas de me faire des reproches, conclut-il. Parce que je m'absente trop souvent. Ça la rend jalouse.» Il se fendit d'un sourire de squale. «Peut-être que tu pourras lui remettre les idées en place.»

Ah. La rose a cessé de s'épanouir, se dit Toby. Et la rose n'aime pas ça.

22

Fête d'Allan Sparrow de l'Air pur : jusqu'ici, la journée n'était pas à la hauteur de son saint. Toby se frayait un chemin dans la plèbezone parmi la foule des piétons, son sac d'herbes séchées et de flacons médicinaux dissimulé sous une ample salopette. L'orage de l'après-midi avait chassé la fumée et les particules, mais elle portait néanmoins un masque filtrant en l'honneur de saint Sparrow. Ainsi le voulait la coutume.

Elle se sentait un peu plus en sécurité dans les rues maintenant que Blanco était enfermé à Painball ; toutefois, elle veillait à ne jamais lambiner ni courir – appliquant en cela les instructions de Zeb. Le mieux, disait celui-ci, était d'afficher un air résolu, comme si l'on était en mission. Elle ne prêtait pas attention aux regards appuyés, faisait la sourde oreille aux propos anti-Jardiniers, mais guettait le moindre mouvement brusque, la moindre tentative d'approche. Un jour, une bande de plèberats lui avait volé ses champignons ; heureusement pour eux, ils n'étaient pas mortels cette fois-là.

Elle se dirigeait vers l'Usine à fromage pour satisfaire la requête de Zeb. C'était la troisième fois qu'elle s'y rendait. Si les migraines de Lucerne étaient authentiques et ne se réduisaient pas à une ruse pour attirer l'attention, il aurait suffi d'un soporifique-analgésique surpuissant de SentéGénic pour régler le problème et lui apporter la guérison ou la mort. Mais les produits des Corps étaient tabous chez les Jardiniers, si bien qu'elle devait se contenter d'extraits d'écorce de saule et de valériane additionnée de pavot ; mais pas trop de pavot, car on risquait l'assuétude.

« Qu'est-ce qu'il y a là-dedans ? demandait Lucerne chaque fois que Toby lui administrait son traitement. C'est meilleur quand c'est Pilar qui le prépare. »

Toby se retenait de lui dire que c'était toujours Pilar qui officiait et l'encourageait à avaler sa dose. Puis elle lui appliquait une compresse froide sur le front et restait assise à son chevet en s'efforçant de ne pas entendre ses geignements.

Les Jardiniers étaient censés ne pas imposer leurs problèmes personnels à autrui : on voyait d'un mauvais œil ceux qui montraient leurs résidus mentaux à tous les passants. Quand on veut boire la Vie, on a le choix entre deux verres, ainsi que Nuala l'enseignait aux tout-petits. Tous deux contiennent peut-être la même chose, mais, oh là là ! le goût n'est jamais le même.

> *Le verre Non est amer, le verre Oui est sucré –*
> *Lequel préfères-tu vider dans ton gosier ?*

Un credo fondamental chez les Jardiniers. Mais, si Lucerne connaissait les slogans par cœur, elle n'avait pas assimilé leur sens : Toby avait le chic pour reconnaître une simulatrice, vu qu'elle-même en était une. Dès qu'elle jouait le rôle de ministre auprès de Lucerne, celle-ci évacuait tout ce qui macérait dans son esprit. Toby hochait la tête sans rien dire, espérant projeter une impression de compassion, alors qu'en réalité elle se demandait combien de gouttes de pavot seraient nécessaires pour plonger Lucerne dans l'inconscience avant qu'elle ne succombe à la tentation de l'étrangler comme le lui soufflaient ses plus bas instincts.

Tout en marchant d'un bon pas, Toby anticipait les plaintes de Lucerne. Comme d'habitude, elles porteraient sans doute sur Zeb : pourquoi n'était-il jamais là quand elle avait besoin de lui ? Comment avait-elle fait pour échouer dans cette fosse septique en compagnie d'une bande de doux rêveurs – *Je ne parle pas de toi, Toby, tu as gardé la tête sur les épaules* – qui ne comprenaient rien de rien à la marche du monde ? Elle était enterrée vivante en compagnie d'un monstre d'égotisme, un homme qui ne se souciait que de lui-même. Parler avec lui, c'était comme parler à une patate – non, à une pierre. Il n'écoutait jamais, on ne savait jamais ce qu'il pensait, il était dur comme du silex.

Pourtant, Lucerne avait fait des efforts. Elle tenait à agir en personne responsable, elle croyait sincèrement qu'Adam Premier avait raison sur bien des points, personne n'aimait les animaux comme elle les aimait, mais quand même, il y a une limite à tout et elle ne croyait pas vraiment que les limaces fussent équipées d'un système nerveux central, et quant à dire qu'elles avaient une âme, c'était une insulte au concept d'âme, et cela la troublait au plus haut point, car personne ne respectait les âmes comme elle les respectait ; elle était depuis toujours un être profondément spirituel. Pour ce qui est de sauver le monde, personne ne le souhaitait autant qu'elle, mais les Jardiniers auraient beau se priver de nourriture correcte, de vêtements corrects et même de douches correctes, pour l'amour du Ciel, ils auraient beau se croire plus forts et plus vertueux que tous les autres, ça n'y changerait strictement rien. Ils étaient comme ces cinglés qui, au Moyen Âge, se fouettaient jusqu'au sang – les flagrants.

« Les flagellants », avait rectifié Toby la première fois que le sujet était venu sur le tapis.

Puis Lucerne lui avait affirmé qu'elle ne parlait pas sérieusement, que sa migraine la rendait morose, voilà tout. Et les Jardiniers la méprisaient parce qu'elle venait d'un Compound, et parce qu'elle avait quitté son mari pour s'enfuir avec Zeb. Ils n'avaient pas confiance en elle. Ils la considéraient comme une traînée. Ils racontaient des blagues salaces sur son compte quand elle avait le dos tourné. En tout cas, les enfants ne s'en privaient pas – hein ?

« Les enfants racontent des blagues salaces sur tout le monde, avait dit Toby. Moi y compris.

— Toi ? s'était étonnée Lucerne en ouvrant ses grands yeux aux longs cils noirs. Pourquoi raconterait-on des blagues salaces sur toi ? »

Sous-entendu : il n'y a rien de sexuel chez *toi*. Aussi plate devant que derrière. Une bonne petite ouvrière.

À quelque chose malheur est bon : Lucerne ne la jalousait pas, c'était déjà ça. De ce point de vue, Toby était quasiment unique dans la communauté des Jardiniers.

« Ils ne te méprisent pas, lui avait-elle dit. Ils ne te considèrent pas comme une traînée. Maintenant, détends-toi, ferme les yeux et imagine la décoction d'écorce de saule coulant dans ton organisme et gagnant peu à peu ton crâne, la source de ta douleur. »

Les Jardiniers ne méprisaient pas Lucerne, du moins pas pour les raisons qu'elle évoquait. Peut-être lui en voulaient-ils de tirer au flanc et de se révéler incapable de débiter une carotte, peut-être faisaient-ils la moue devant la saleté de son espace de vie, ses pathétiques tentatives pour cultiver des tomates sur le rebord de sa fenêtre et le temps qu'elle passait à traîner au lit, mais ils se fichaient bien de son infidélité, ou de son adultère, quel qu'eût été jadis le terme approprié.

Tout simplement parce que les Jardiniers ne reconnaissaient pas l'institution du mariage. Ils étaient partisans de la fidélité, dans la mesure où un couple s'était formé sur ce principe, mais comme le premier Adam et la première Ève n'avaient pas été unis par les liens du mariage, ils estimaient que ni les prêtres, ni les prélats des autres religions, ni les autorités civiles n'avaient le pouvoir de marier les gens. Quant au CorpSeCorps, s'il était partisan du mariage, c'était uniquement parce que cela permettait d'archiver les empreintes rétiniennes et digitales des mariés, ainsi que leur ADN, afin de mieux les localiser si nécessaire. C'était du moins ce qu'affirmaient les Jardiniers et, sur ce point-là, Toby les croyait sans réserve.

Chez les Jardiniers, l'union nuptiale était une chose toute simple. Les deux promis devaient proclamer devant témoins leur amour partagé. Ils s'échangeaient des feuilles vertes symbolisant la croissance et la fertilité, puis sautaient par-dessus un feu de camp figurant l'énergie de l'univers, après quoi ils pouvaient gagner le lit conjugal. Pour le divorce, il suffisait d'inverser l'ordre de la cérémonie : une déclaration publique de désamour et de séparation, un échange de feuilles mortes et un petit bond par-dessus les cendres froides d'un feu.

Entre autres plaintes récurrentes – que seule une dose de pavot était susceptible de prévenir –, Lucerne reprochait à Zeb de ne l'avoir jamais invitée à cette cérémonie des feuilles vertes et du feu de joie.

« Ne va pas croire que je lui accorde une quelconque signification, disait-elle. Mais comme il fait partie de la communauté, elle devrait être importante pour lui, non ? Donc, en refusant de la célébrer avec moi, il refuse de s'engager dans notre relation. Tu n'es pas d'accord ?

— Je ne sais jamais ce que pensent les gens, s'empressait de dire Toby.

— Mais, si tu étais à ma place, tu ne le soupçonnerais pas de fuir ses responsabilités ?

— Pourquoi tu ne lui poses pas la question ? répondait Toby. Demande-lui pourquoi il ne t'a pas fait de... »

Proposition était-il le mot juste ?

« Ça ne ferait que le mettre en colère, soupirait Lucerne. Comme il a changé depuis notre première rencontre ! »

Et Toby se tapait une énième fois l'histoire de Lucerne et de Zeb – une histoire que Lucerne ne se lassait jamais de raconter.

23

Voici comment c'était arrivé. Lucerne avait rencontré Zeb au Balnéo NouvoMoi dans le Parc – Toby connaissait-elle le Balnéo NouvoMoi ? Ah bon. Bref, c'était un lieu idéal pour se ressourcer et décompresser un peu. On venait tout juste de le construire et on n'avait pas encore fini d'aménager le paysage. Les fontaines, les pelouses, les jardins, les buissons. Et les lumiroses. Toby devait adorer les lumiroses, n'est-ce pas ? Elle n'en avait jamais vu ? Ah bon. Enfin, un jour, peut-être...

Lucerne aimait beaucoup se lever à l'aube, elle était très matinale, elle adorait contempler le lever du soleil. Elle était en effet depuis toujours sensible à la couleur, à la lumière, elle accordait une attention extrême à l'esthétique de ses maisons – les maisons qu'elle décorait. Dans chacune d'elles, il y avait au moins une pièce aux couleurs d'aurore – la pièce aurorale, ainsi qu'elle l'appelait.

En ce temps-là, elle était bien agitée. Très agitée, même, car son mari se montrait glacial comme un tombeau ; ils ne faisaient plus jamais l'amour parce qu'il ne pensait plus qu'à sa carrière. Alors qu'elle était une personne sensuelle, oui, depuis toujours, sa nature était sur le point de périr d'inanition. Ce qui se révélait nuisible à sa santé, et en particulier à son système immunitaire. Elle avait lu des articles sur la question.

Alors la voilà, errant au lever du jour en kimono rose, les larmes aux yeux, envisageant de demander le divorce à son époux, cadre supérieur à SentéGénic, le divorce ou à tout le moins une séparation, même si, elle le savait, ce ne serait pas la meilleure solution pour Ren, si jeune et si attachée à son père, quoiqu'elle n'accordât guère d'attention à sa Ren. Et, soudain, voilà que Zeb entre en scène, dans la lumière matutinale, pareil à... eh bien, pareil à une vision, oui, tout seul dans le parc, en train de planter un buisson de lumiroses. Ces roses qui brillent dans l'obscurité, leur parfum était divin – Toby l'avait-elle jamais humé ? Non, elle ne le pensait pas, les Jardiniers étaient opposés à toute forme d'innovation, mais que ces roses étaient jolies !

Donc : un homme, au lever du jour, à genoux dans la terre, tenant ce qui ressemblait à un bouquet de fleurs de braise.

Quelle femme frustrée résisterait à un homme tenant une pelle dans une main et dans l'autre un buisson de roses ardentes, avec dans les yeux une lueur raisonnablement folle qu'on peut interpréter comme de l'amour ? se dit Toby. Quant à Zeb, sans doute avait-il apprécié de voir apparaître une femme plutôt séduisante vêtue d'un kimono rose, un kimono à la ceinture assez lâche, sur une pelouse éclairée par un soleil perlé, une femme en larmes qui plus est. Car Lucerne était bel et bien séduisante. D'un point de vue strictement visuel, elle était même très séduisante. Y compris quand elle geignait, et jamais Toby ne l'avait vue autrement que geignarde.

Lucerne avait plané au-dessus de la pelouse, consciente de l'herbe fraîche et humide caressant ses pieds nus, du tissu du kimono frou-froutant contre ses cuisses, de la tension lui nouant les tripes et du plaisir lui liquéfiant la gorge. On eût dit une marée à l'écume tour-billonnante. Elle avait pilé devant Zeb, qui la regardait arriver comme un marin naufragé dans les profondeurs océanes aurait regardé une sirène ou un requin. (C'était Toby qui illustrait ainsi le récit de Lucerne – celle-ci se contentait d'évoquer le *Destin*.) Tous deux étaient tellement *conscients*, insistait-elle ; toujours elle avait eu conscience de la conscience d'autrui, telle une chatte ou... ou... elle avait ce talent, mais peut-être était-ce une malédiction – elle l'igno-rait. Tout au fond d'elle-même, elle savait ce que ressentait Zeb en la voyant. C'était bouleversant !

Impossible de trouver les mots pour décrire une telle sensation, déclarait-elle, sous-entendant que rien de semblable n'aurait pu arri-ver à Toby.

Bref, les voilà, face à face, comprenant déjà ce qui va suivre – ce qui doit suivre. La peur et le désir les attiraient l'un vers l'autre et les repoussaient à égale mesure.

Lucerne n'appelait pas ça du désir, mais de l'amour.

À ce moment-là, Toby revoyait en esprit la salière et la poivrière qui se trouvaient dans la cuisine de son enfance : une petite poule en porcelaine, un petit coq en porcelaine. La poule, c'était le sel ; le coq, c'était le poivre. Lucerne, salée, se tenait devant Zeb, poivré, souriant et levant les yeux, et lui posait une question toute simple – combien de rosiers devait-il planter ou quelque chose comme ça, elle ne se rappelait plus, Zeb était si fascinant... (C'était à ce moment-là que Toby commençait à décrocher, car elle en avait marre d'entendre vanter les biceps, les triceps et les autres muscles de Zeb. Était-elle immunisée contre leurs charmes ? Non. Ce passage éveillait-il sa jalousie ? Oui. Nous devons à tout moment avoir conscience de nos tendances animales et des préjugés qui en découlent, disait Adam Premier.)

Puis Lucerne mentionnait un détail qui attirait soudain l'attention de Toby : une chose des plus étranges s'était produite – elle avait reconnu Zeb.

« Je vous ai déjà vu quelque part, lui avait-elle dit. Vous n'avez jamais travaillé à SentéGénic ? Sauf que vous n'étiez pas jardinier à l'époque ! Vous étiez...

— Vous faites erreur », avait-il coupé.

Et il l'avait embrassée. Ce baiser s'était planté en elle comme un poignard et elle avait fondu entre ses bras comme... comme un poisson mort... non : comme un cotillon... non : comme un mouchoir en papier trempé ! Puis il l'avait soulevée dans ses bras pour l'allonger sur la pelouse, là où tout le monde pouvait les voir, ce qui l'avait excitée au plus haut point, il l'avait débarrassée de son kimono et, arrachant les pétales de ses roses, il les avait répandus sur son corps nu, et ensuite... C'était comme une collision à grande vitesse, disait Lucerne, et elle avait pensé : Comment puis-je survivre à cela ? Je vais mourir, ici et maintenant ! Et elle sentait qu'il partageait son sentiment.

Plus tard – beaucoup plus tard, alors qu'ils vivaient ensemble –, il lui avait dit qu'elle ne s'était pas trompée. Oui, il travaillait jadis chez SentéGénic, mais, pour des raisons qu'il ne tenait pas à préciser, il avait dû quitter la boîte en hâte, et il comptait sur elle pour ne parler à personne de ce chapitre de son passé, à personne. Et elle avait tenu parole. Enfin, presque. Elle n'en avait parlé qu'à Toby.

À l'époque, cependant, durant son séjour au Balnéo – grâce à Dieu, elle n'y était pas pour se faire tirer la peau, cela aurait laissé des traces, elle souhaitait uniquement se remettre en forme –, à l'époque, ils s'étaient souvent savourés mutuellement, comme pour un apéritif, enfermés dans une douche des vestiaires, et ensuite elle avait collé à Zeb comme une feuille mouillée. Et réciproquement, ajoutait-elle. Ils ne se lassaient pas l'un de l'autre.

Ensuite, quand elle eut fini sa cure au Balnéo, une fois rentrée chez elle ou dans ce qui en tenait lieu, elle prit l'habitude de sortir du Compound sous un prétexte quelconque – faire un peu de shopping, par exemple, les boutiques du Compound étaient si banales – pour un rendez-vous secret au cœur d'une plèbezone – c'était si excitant au début ! –, dans un nid d'amour si drôle, une chambre de motel ou une location miteuse, tarifée à l'heure, loin, très loin de l'atmosphère coincée du Compound SentéGénic ; et quand il était obligé de partir précipitamment – il avait des ennuis, elle ignorait lesquels, mais il ne devait pas traîner –, eh bien, elle ne supportait pas d'être séparée de lui.

Alors elle avait largué son mari, et c'était bien fait pour lui, cette larve. Et ils étaient allés d'une ville à l'autre, d'un parc de caravanes à l'autre, et Zeb avait acheté des processus au marché noir pour altérer ses empreintes digitales, son ADN, *et cætera* ; puis, une fois que les choses s'étaient tassées, ils étaient revenus ici, mais chez les Jardiniers. Parce que Zeb avait toujours été un Jardinier. Du moins l'affirmait-il. Quoi qu'il en soit, il semblait bien connaître Adam Premier. Ils avaient été à l'école ensemble. Ou quelque chose comme ça.

Ainsi, Zeb avait rejoint les Jardiniers contraint et forcé, songea Toby. C'était un valet des Corps en fuite ; peut-être avait-il dérobé un brevet pour le revendre, un truc de nanotechnologie ou de génétique. S'il se faisait prendre, il le paierait de sa vie. Et comme Lucerne avait mis un nom sur son visage, il l'avait distraite en la culbutant puis enlevée pour s'assurer de sa loyauté. C'était ça ou la tuer. Il ne pouvait l'abandonner ; elle se serait sentie délaissée et aurait lâché sur lui les molosses du CorpSeCorps. Sacré risque qu'il avait couru là. Cette femme était comme une bombe bricolée par un amateur : on ne pouvait pas savoir quand elle allait exploser, ni qui elle allait emporter dans la tombe. Toby se demanda si Zeb n'avait jamais eu envie de lui fourrer un bouchon dans l'épiglotte et de la jeter dans un conteneur de carborduruile.

Mais peut-être qu'il l'aimait. À sa façon. Même si Toby avait peine à l'imaginer. Ou alors, peut-être que leur amour s'était rouillé, vu qu'il négligeait les travaux d'entretien ces derniers temps.

« Ton mari n'a jamais cherché à te retrouver ? avait demandé Toby la première fois qu'elle avait entendu ce récit. Celui qui travaillait à SentéGénic ?

— Je considère que cet homme n'est plus mon mari, avait répondu Lucerne d'une voix offensée.

— Je te demande pardon. Ton ex-mari. Est-ce que le CorpSeCorps... tu lui as laissé un message ? »

Celui qui suivrait Lucerne à la trace arriverait tout droit chez les Jardiniers – où il dénicherait, outre Zeb, Toby et son ancienne identité. Ce qui risquait d'être gênant pour elle : le CorpSeCorps n'oubliait jamais ses débiteurs, et supposons que quelqu'un ait déterré son père ?

« Pourquoi dépenseraient-ils du fric pour me retrouver ? lança Lucerne. Je ne suis pas assez importante à leurs yeux. Quant à mon ex-mari... (elle grimaça)... il aurait dû épouser une équation. Si ça se trouve, il n'a même pas remarqué mon départ.

— Et Ren ? C'est une petite fille adorable. Je suis sûr qu'elle doit lui manquer.

— Oh ! Oui. Ça, il a dû le remarquer. »

Toby avait envie de lui demander pourquoi elle n'avait pas abandonné Ren en même temps que son père, tout simplement. L'emmener comme ça, sans rien dire à personne – ça ressemblait à une vengeance mesquine. Mais en posant une telle question à Lucerne, elle ne ferait que la mettre en colère – cela aurait trop ressemblé à une critique.

Arrivée à deux rues de l'Usine à fromage, Toby tomba sur une bataille rangée entre plèberats – les Fusiatiques contre les Poissons-Noirs, avec quelques Cotonneux jouant les supporters. Ces gamins n'avaient que sept ou huit ans, mais ils étaient fichtrement nombreux et, quand ils la repérèrent, ils cessèrent de se crier dessus pour s'en prendre à elle. *Sorcière écolo, sorcière clodo ! Piquez-lui ses grolles !*

Elle pivota sur ses talons afin de se placer dos au mur et se prépara à les repousser. C'était difficile de cogner sur des enfants si jeunes – comme Zeb le leur avait enseigné dans ses cours de Limitation des pertes en guérilla urbaine, l'être humain souffre d'une inhibition l'empêchant de blesser un enfant –, mais elle devrait en passer par là, car ces petits salopards étaient dangereux. Ils allaient foncer sur elle pour lui planter la tête dans le ventre et tenter de la faire tomber. Les plus petits avaient la sale habitude de se glisser sous les amples robes des Jardinières pour leur mordre les cuisses jusqu'au sang. Mais elle se tenait prête à les affronter : dès qu'ils seraient à sa portée, elle leur tirerait les oreilles ou leur décocherait des atémis bien sentis, à moins qu'elle ne leur entrechoque les crânes.

Soudain, ils se massèrent comme un banc de poissons, passèrent près d'elle en courant et disparurent dans une ruelle.

Elle tourna la tête et comprit pourquoi. C'était Blanco. Ainsi, il n'était pas à Painball. Ou alors on l'avait relâché. À moins qu'il n'eût choisi de se faire la belle.

La panique lui empoigna le cœur. Elle vit ses mains écorchées, bleu hématome et rouge sang, les entendit qui lui brisaient déjà les os. La pire de ses terreurs se concrétisait.

Ressaisis-toi, s'ordonna-t-elle. Il était sur le trottoir d'en face, elle portait une robe informe et un masque filtrant en forme de cône, alors peut-être qu'il ne la reconnaîtrait pas. Et, pour l'instant, il ne semblait même pas l'avoir remarquée. Mais elle était seule, et il était bien du genre à tabasser et violer une passante croisée par hasard. Il allait l'entraîner dans cette ruelle, où les plèberats s'étaient enfuis. Dès qu'il lui aurait ôté son masque, il la reconnaîtrait. Et ce serait la fin, une fin tout sauf rapide. Il allait la massacrer, oui, mais à petit feu. La transformer en une enseigne de chair – une démonstration de sa finesse visible aux yeux de tous.

Elle fit demi-tour et s'éloigna à toute vitesse, avant qu'il ait eu le temps de focaliser sur elle sa malveillance. Essoufflée, elle tourna au coin de la rue, parcourut la moitié de la distance la séparant de la rue suivante, puis se retourna. Pas un chat.

Pour une fois, elle était plus que ravie d'arriver devant la porte de Lucerne. Elle souleva son masque, se força à afficher un sourire professionnel et frappa.

« Zeb ? héla Lucerne. C'est toi ? »

Saint Euell des Mets sauvages

Saint Euell des Mets sauvages

An 12

Des dons de saint Euell.
Prononcé par Adam Premier

Chers Amis, chères Créatures, chers Mammifères, mes Frères et mes Sœurs :

Ce jour marque le début de la semaine consacrée à saint Euell, durant laquelle nous cueillerons la Moisson sauvage que Dieu met à notre disposition par les voies de la Nature. Pilar, notre Ève Six, nous conduira en randonnée dans le Parc du Patrimoine, afin d'y ramasser des champignons, et Burt, notre Adam Treize, nous aidera à cueillir les Herbes comestibles. Rappelez-vous : dans le doute, recrachez ! Mais si la souris en a mangé, vous le pouvez sans doute. Pas toujours, cependant.

Les plus âgés des enfants auront droit à une démonstration, sous l'égide de Zeb, notre Adam Sept si respecté, sur l'art et la manière de piéger les petits Animaux en cas d'impérieuse nécessité. Rappelez-vous : rien ne nous est interdit à condition que nous exprimions notre gratitude et notre désir de pardon, et que nous soyons également prêts à participer le moment venu à la grande chaîne alimentaire. N'est-ce pas là que réside le sens profond du sacrifice ?

Veena, l'épouse tant estimée de Burt, est encore en Jachère, mais nous espérons la voir revenir parmi nous très bientôt. Souhaitons tous que la Lumière vienne l'éclairer.

Aujourd'hui, le sujet de notre méditation est saint Euell Gibbons, qui a prospéré sur cette Terre de 1911 à 1975, il y a bien longtemps donc, mais qui est resté proche de nous dans notre cœur. Enfant, lorsque son père quittait la maison pour chercher du travail, saint Euell nourrissait sa famille grâce à son savoir en matière de Nature. Il n'a fréquenté d'autre école que la Tienne, ô Seigneur. Dans Tes Espèces il a trouvé ses professeurs, parfois sévères mais toujours justes. Puis il a partagé son savoir avec nous.

Il nous a appris l'utilité de Tes Vesses-de-loup et des autres champignons comestibles ; il nous a enseigné les dangers des espèces toxiques, qui peuvent cependant avoir une valeur pour l'Esprit, à condition d'en user avec modération.

Il a chanté les vertus de l'Oignon sauvage, de l'Asperge sauvage et de l'Ail sauvage, qui ne filent ni ne tissent, et qui ne sont pas non plus arrosés de pesticides, à condition de pousser assez loin des exploitations agroalimentaires. Il connaissait la médecine par les plantes : l'écorce du Saule qui apaise la fièvre et la douleur, la racine du Pissenlit dont l'effet diurétique chasse les fluides en excès. Il nous a appris à ne pas gaspiller ; car même l'humble Ortie, si souvent piétinée et arrachée, est une source abondante de vitamines. Il nous a appris à improviser ; car faute d'Oseille, on mange la Massette ; faute de Myrtilles, on cueille la Canneberge.

Saint Euell, puissions-nous prendre place en Esprit à ta table, cette humble toile goudronnée étalée sur le sol ; et dîner avec toi de Fraises sauvages, de Têtes de violon au printemps, de jeunes cosses d'Asclépiade, à peine cuites, avec un peu de substitut de beurre si possible.

Et quand viendra l'heure de nos épreuves, aide-nous à accepter ce que nous réservera le Destin ; murmure à notre oreille, charnelle et spirituelle, les noms des Plantes, leur saison et leur terrain de prédilection.

Car le Déluge des Airs approche, qui verra cesser commerce et activité, et nous ne dépendrons plus que de nos propres ressources, au sein du Jardin fertile du Seigneur. Qui était aussi ton Jardin.

Chantons.

Oh ! chantons aujourd'hui les Herbes saintes

Oh ! chantons aujourd'hui les Herbes saintes
Qui fleurissent dans les ornières,
Car elles sont faites pour les humbles,
Elles sont ignorées des riches.

On ne peut les acheter au marché,
Ni au super ni à l'hypermarché,
Elles sont méprisées car elles poussent
Partout, partout pour les pauvres.

Le Pissenlit se cueille au printemps,
Avant que sa feuille n'essaime ;
La racine de la Bardane s'arrache en juin,
Quand elle est grasse et bien juteuse.

L'automne venu, le Gland est bien mûr,
Et la Noisette bien noire ;
Les jeunes cosses d'Asclépiade savoureuses,
Avant d'avoir essaimé à leur tour.

Sous l'écorce du Bouleau et de l'Épicéa,
La vitamine C tu trouveras ;
Mais avec mesure tu la prélèveras,
Ou sinon l'arbre tu tueras.

Pourpier, Oseille, Chénopode,
Ortie aussi sont savoureux ;
Aubépine, Sureau, Sumac et Rose,
De leurs baies tu te nourriras.

Les Herbes saintes sont abondantes
Et splendides à voir...
Dieu les a créées, qui peut en douter ?
Pour que jamais tu ne sois affamé.

Extrait du *Livre de cantiques des Jardiniers de Dieu*

24

Ren

An 25

Je me rappelle ce que j'ai mangé pour dîner, ce soir-là dans la Zone Poisse : des Nævi CoqOTops. J'avais du mal à avaler de la viande depuis les Jardiniers, mais, d'après Mordis, les Nævi CoqOTops étaient des légumes, vu qu'ils n'avaient pas de tête et poussaient sur des tiges. J'ai donc mangé la moitié du plat.

Puis j'ai dansé un peu pour garder la forme. J'avais mon Zikbonbon à moi et j'ai chanté en chœur avec lui. D'après Adam Premier, c'était Dieu qui nous avait doués du sens de la musique : on pouvait chanter comme des oiseaux mais aussi comme des anges, car le chant était une forme de louange plus profonde encore que la parole, et Dieu nous entendait mieux lorsque nous chantions. Je m'efforce de ne pas l'oublier.

Puis j'ai jeté un nouveau coup d'œil à la Fosse aux serpents. Il s'y trouvait trois hommes sortis de Painball – et depuis très peu de temps. On les reconnaissait à leurs joues glabres, à leurs cheveux coupés ras, à leurs vêtements neufs et à leur air tétanisé, comme s'ils avaient passé des années enfermés dans un placard. Plus le petit tatouage à la base du pouce gauche : un cercle rouge ou jaune vif, suivant qu'ils étaient chez les Rouges ou les Dorés. Les autres clients veillaient à ne pas les approcher de trop près tout en les traitant avec respect – comme si c'étaient des sportifs ou des stars de la Toile, et non des repris de justice. Les riches adoraient s'imaginer dans la peau de combattants dans l'Arène. Et ils pariaient aussi sur les équipes : les Rouges contre les Dorés. De grosses sommes changeaient de main grâce à Painball.

Il y avait toujours deux ou trois gars du CorpSeCorps pour escorter les Painballers – ceux-ci pouvaient péter les plombs et faire pas mal de dégâts. On ne nous laissait jamais seules avec eux, nous autres Zécâlines : ils ne comprenaient pas le concept de simulation et, quand ils cassaient quelque chose, ce n'était pas seulement le mobilier. Le mieux, c'était encore de les saouler, mais il fallait faire vite avant qu'ils n'entrent en rage.

« S'il ne tenait qu'à moi, je leur interdirais l'entrée, disait Mordis. Il ne reste pas grand-chose d'humain sous leur tissu cicatriciel. Mais SexMart nous file un sacré bonus pour nous occuper d'eux. »

On leur servait de l'alcool et de la drogue, à la pelle si possible. Depuis que j'étais confinée dans la Zone Poisse, les clients utilisaient une nouvelle substance : le JouissPluss. Aucun effet secondaire, satisfaction totale, extase garantie et protection absolue – du moins à en croire le mode d'emploi. Les filles n'avaient pas le droit de se droguer pendant le boulot – on n'était pas payées pour prendre notre pied, *dixit* Mordis –, mais ça, ce n'était pas pareil vu que, si on en prenait, on n'avait pas besoin d'enfiler une Biopeau étanche, et nombre de clients étaient prêts à nous allonger un supplément. Comme Zécailles testait le JouissPluss pour le compte de Rejouven, on n'en donnait pas à tout le monde – les meilleurs clients étaient prioritaires –, mais il me tardait de l'essayer.

On recevait de généreux pourboires les soirs où débarquaient des Painballers, bien que les Zécâlines fussent dispensées de bosser à l'horizontale avec eux, car nous étions des artistes cotées et par conséquent fragiles. Pour les satisfaire, on faisait venir des vacataires : des Eurotrash ou des Tex-Mex clandestines, voire des Fusiatiques et des Poissons-Noirs mineures enlevées dans la rue, car les vétérans étaient friands d'hymen. On les déclarait ensuite contaminées jusqu'à preuve du contraire, sans que Zécailles les examine ni les isole dans la Zone Poisse : ça coûtait trop de fric. On ne les revoyait jamais. Elles entraient un soir et ne ressortaient plus. Dans une boîte plus sordide, on les aurait affectées aux fétichistes tendance vampire, mais ça aurait entraîné des risques de contamination et, comme je l'ai dit, Mordis ne plaisantait pas avec l'hygiène.

Ce soir-là, l'un des Painballers avait Starlite sur les genoux, qui lui servait la trémousse basique. Elle avait enfilé sa tenue de paonigrette, avec les plumes et le casque, et peut-être qu'elle était splendide vue de face, mais, sur l'écran, on aurait dit que le mec se faisait frictionner par une tête de balai bleu-vert – une sorte de lavage de voiture à sec.

Le deuxième Painballer fixait Savone bouche bée, la tête tellement rejetée en arrière qu'elle semblait former un angle droit avec sa colonne vertébrale. Si elle lâche prise, elle lui brise la nuque, ai-je pensé. Et, dans ce cas, ce ne sera pas la première fois qu'on évacue un client en douce pour l'abandonner à poil dans un terrain vague. C'était un type assez vieux, avec le crâne dégarni, une queue de cheval et plein de tatouages sur les bras. Sa tête me rappelait quelque chose – c'était peut-être un récidiviste –, mais je la distinguais difficilement.

Le troisième buvait comme un trou. Peut-être souhaitait-il oublier ce qu'il avait fait dans l'Arène. Je ne regardais jamais le site de Painball. Trop gerbant à mon goût. Je ne savais que ce que j'avais entendu dire. Étonnant, ce que vous racontent les clients, surtout si vous êtes recouverte d'écailles vertes et luisantes et qu'ils ne peuvent pas voir votre vrai visage. Ils doivent avoir l'impression de parler à un poisson.

Comme il ne se passait pas grand-chose, j'ai appelé Amanda sur son mobile. Mais elle n'a pas répondu. Peut-être qu'elle dormait, pelotonnée dans son duvet quelque part dans le Wisconsin. Peut-être qu'elle était assise devant un feu de camp et que les deux Tex-Mex chantaient en jouant de la guitare, Amanda reprenant le refrain en chœur vu qu'elle parlait leur langue. Peut-être que la lune flottait dans le ciel et que les coyotes hurlaient dans le lointain, comme dans un vieux film. Je l'espérais bien.

25

Bien des choses ont changé pour moi quand Amanda est venue vivre avec nous, et d'autres encore lors de la Semaine de Saint-Euell, alors que je me préparais à fêter mes treize ans. Amanda était plus âgée que moi : il lui était déjà poussé de vrais nibards. Bizarre qu'on mesure le temps de cette façon.

Cette année-là, Amanda et moi – et Bernice aussi –, on devait rejoindre les plus grands et intégrer la classe de Relations proie-prédateur animée par Zeb, ce qui nous obligerait à bouffer des proies pour de bon. Je me rappelais vaguement avoir mangé de la viande au Compound SentéGénic. Mais les Jardiniers y étaient fermement opposés, sauf en période de crise, si bien que j'avais déjà la nausée en pensant qu'il me faudrait m'insérer dans la bouche un morceau de muscle et de cartilage sanglant et le fourrer ensuite dans mon gosier. Mais je me suis juré de ne pas dégobiller, non seulement parce que ça me filerait la honte mais aussi parce que ce serait mauvais pour Zeb.

Pour Amanda, aucune inquiétude à avoir. Elle avait l'habitude de manger de la viande, elle l'avait fait plein de fois. Sitôt qu'elle en avait l'occasion, elle piquait un SecretBurger pour le bouffer en douce. Donc, elle n'aurait aucune peine à mâcher et à déglutir.

Le lundi de la Semaine de Saint-Euell, on a mis des fringues propres – propres de la veille –, j'ai tressé les cheveux d'Amanda et elle en a fait autant pour moi. De la toilette de primates, comme disait Zeb.

On entendait celui-ci chanter sous la douche :

Tout le monde s'en fout,
Tout le monde s'en fout,
Et c'est pour ça qu'on va dans l'trou,
Parce que tout le monde s'en fout!

Cette rengaine avait fini par me sembler réconfortante. Elle signifiait que tout irait bien – du moins pour la journée.

En général, Lucerne restait au lit jusqu'à notre départ, notamment pour éviter de voir Amanda, mais ce jour-là elle se trouvait dans le coin cuisine, vêtue de sa robe de Jardinière, et s'affairait aux fourneaux. Ça lui arrivait de plus en plus souvent ces derniers temps. Elle allait même jusqu'à cultiver des tomates en pot sur le rebord de la fenêtre. Et à faire le ménage dans notre espace de vie. À mon avis, elle cherchait à faire plaisir à Zeb, ce qui ne les empêchait pas de se quereller plus fréquemment. Ils nous priaient de sortir quand ça arrivait, mais on n'avait aucun mal à les entendre.

Lucerne ne cessait de demander à Zeb où il allait quand il n'était pas avec elle. «Je vais bosser», répondait-il. Ou alors : «Ne me cherche pas, ma chérie.» Ou encore : «T'as pas besoin de le savoir. C'est pour ton bien.»

Et elle de répliquer : «Tu en vois une autre! Tu sens la salope à plein nez!»

Amanda me murmurait à l'oreille : «Ouaouh! ta mère est vraiment grossière», et je ne savais pas si je devais en être fière ou en avoir honte.

«Mais non, mais non, répondait Zeb avec lassitude. Pourquoi en désirerais-je une autre que toi, ma chérie?

— Tu mens!

— Oh! sacré nom de Dieu! Fous-moi la paix!»

Zeb est sorti tout dégoulinant de la cabine de douche. J'ai vu la cicatrice qu'il gardait de ce coup de bouteille cassée quand j'avais dix ans : ça m'a filé des frissons.

«Comment vont mes petites plèberates aujourd'hui?» a-t-il demandé en souriant comme un troll.

Amanda lui a souri en retour, mais avec plus de douceur.

«Tes grandes plèberates», a-t-elle corrigé.

Pour le petit déjeuner, on a eu de la purée de haricots noirs frits et des œufs de pigeons à la coque.

«C'est délicieux, mon chou», a dit Zeb à Lucerne.

Et c'était vrai, j'étais bien obligée de l'admettre, même si c'était Lucerne qui avait cuisiné.

Elle l'a gratifié de son sourire mielleux.

« Je voulais être sûre que vous auriez tous un bon repas, a-t-elle dit. Vu ce que vous allez vous taper pendant la semaine. Des souris et des vieilles racines, je suppose.

— Du lapin au barbecue, a précisé Zeb. Même si l'on m'en servait une dizaine, j'aurais encore de l'appétit pour un steak de souris et des brochettes de limaces braisées en guise de dessert. »

Il nous a fait la grimace, à Amanda et à moi : il cherchait à nous écœurer.

« Ça a vraiment l'air appétissant, a dit Amanda.

— Tu es un monstre, lui a lancé Lucerne en ouvrant de grands yeux.

— Dommage que je ne puisse arroser tout ça d'une bonne bière, a regretté Zeb. Viens donc avec nous, ma chérie, ça relèvera le niveau question déco.

— Oh ! je crois que je vais passer, a dit Lucerne.

— Tu ne nous accompagnes pas ? » lui ai-je demandé.

Normalement, Lucerne passait la Semaine de Saint-Euell sur les sentiers du Parc, à ramasser des herbes, à râler contre les insectes et à garder l'œil sur Zeb. Je ne tenais pas spécialement à ce qu'elle vienne cette fois-ci, mais j'aurais bien aimé que les choses restent normales, car j'avais l'impression que ma vie allait être bouleversée une nouvelle fois, comme lorsqu'on m'avait arrachée au Compound SentéGénic. Ce n'était qu'une impression, mais je n'aimais pas ça. Je m'étais habituée aux Jardiniers, ma place était désormais parmi eux.

« Je n'en aurai pas la force, j'en ai peur, a-t-elle répondu. J'ai une migraine atroce. » La même que la veille. « Je vais me recoucher.

— Je demanderai à Toby de passer te voir, a dit Zeb. À Toby ou à Pilar. Ça chassera cette sacrée migraine.

— Tu ferais ça pour moi ? a-t-elle répliqué avec un sourire de martyre.

— Pas de problème. »

Comme Lucerne n'avait pas mangé son œuf de pigeon, Zeb l'a récupéré. De toute façon, il faisait à peine la taille d'une prune.

Les haricots provenaient du Jardin, mais ces œufs avaient été ramassés sur notre toit. On n'y faisait pas pousser de plantes, car à en croire Adam Premier, le lieu ne convenait pas, mais on y hébergeait des pigeons. Zeb les attirait avec des miettes de pain, en se déplaçant lentement pour ne pas les affoler. Une fois qu'ils avaient pondu des œufs, il s'empressait de piller leurs nids. Les pigeons ne constituaient pas une espèce menacée, disait-il, alors pas de problème.

Adam Premier prétendait que les œufs étaient des Créatures potentielles mais pas actuelles : une noix n'est pas un Arbre. Un œuf avait-il une âme ? Non, mais il avait une âme potentielle. Donc, si les Jardiniers ne mangeaient pas d'œufs en règle générale, ils ne condamnaient pas cette pratique. On ne s'excusait pas auprès d'un œuf parce qu'on ingérait ses protéines, mais on était censé s'excuser auprès de la pigeonne qui l'avait pondu et la remercier pour ce don. Ça m'aurait étonnée que Zeb prît cette peine. Si ça se trouvait, il mangeait aussi des pigeons en cachette.

Amanda a eu droit à un œuf de pigeon. Moi aussi. Zeb en a eu trois, plus celui de Lucerne. Il devait manger plus que nous, vu qu'il était plus grand, expliquait celle-ci : si on avait bouffé autant que lui, on serait devenues obèses.

« À plus tard, vaillantes guerrières. Ne tuez personne », a dit Zeb comme on sortait toutes les deux.

Il savait qu'Amanda maîtrisait le coup de genou dans les couilles et le coup de griffes dans les yeux, sans compter le poignard de verre collé à sa cuisse par du ruban adhésif ; et ça lui inspirait pas mal de vannes.

26

Amanda et moi, on passait chercher Bernice au Buenavista avant d'aller à l'école. On avait envie de sécher les cours, toutes les deux, mais on savait qu'Adam Premier nous ferait des histoires, parce que les Jardiniers étaient des gens sérieux. Bernice n'aimait pas Amanda, mais elle ne la détestait pas, pas exactement. Elle se méfiait d'elle comme on se méfie de certains animaux, un oiseau au bec acéré, par exemple. Si Bernice était une chipie, Amanda était une dure à cuire, et ce n'était pas tout à fait pareil.

Rien ne pouvait changer les choses, à savoir que Bernice et moi on avait été copines et que c'était fini. Ça me mettait mal à l'aise quand j'étais avec elle : je me sentais un peu coupable. Bernice en avait conscience et elle s'efforçait d'exploiter ce sentiment pour me dresser contre Amanda.

Cela dit, en apparence, nos relations restaient amicales. On se rendait à l'école toutes les trois ensemble, et on accomplissait ensemble nos missions de Jeunes Bionniers et autres corvées. Ce genre de trucs. Mais Bernice ne venait jamais à l'Usine à fromage, et on ne traînait jamais avec elle après les cours.

Ce matin-là, alors qu'on se rendait chez Bernice, Amanda m'a dit :
« J'ai découvert un truc.
— Quoi donc ?
— Je sais ce que fait Burt entre cinq et six heures, deux jours par semaine.
— Burt la Boule-de-Billard ? Qu'est-ce qu'on en a à foutre ? »
On le méprisait toutes les deux, ce tripoteur d'aisselles.
« Non. Écoute. Il va au même endroit que Nuala, a dit Amanda.

— Tu déconnes ! Où ça ? »

Nuala flirtait, mais elle flirtait avec tous les hommes. C'était son truc, tout comme le truc à Toby, c'était le regard mauvais.

« Ils vont à la Vinaigrerie quand il n'y a personne.

— Oh ! non, ai-je fait. C'est vrai ? »

C'était un plan sexe, je le savais – la plupart de nos conversations portaient là-dessus. Pour les Jardiniers, le sexe était « l'acte générateur » et on n'était pas censé le tourner en ridicule, mais ça n'empêchait pas Amanda de le faire. On pouvait en rigoler, le monnayer ou les deux, mais le respecter, pas question !

« Pas étonnant qu'elle ait le cul tout frémissant, a dit Amanda. Il commence à s'user. On dirait le sofa de Veena – complètement avachi !

— Arrête, je le crois pas ! Elle peut pas faire ça ! Pas avec Burt !

— Croix de bois, croix de fer, je crache par terre. » Et Amanda a craché ; ce qu'elle faisait très bien. « Sinon, pourquoi irait-elle là-bas avec lui ? »

Nous autres, enfants Jardiniers, on se racontait tout un tas de trucs sur la vie sexuelle des Adam et des Ève. Ça les ramenait à notre niveau de les imaginer tout nus, en train de batifoler les uns avec les autres, ou alors avec des chiens, ou encore avec les filles à peau verte qu'on voyait en photo dans la vitrine de Queuzécailles. Mais quand même, Nuala en train de prendre son pied avec Burt la Boule-de-Billard, c'était pas évident à concevoir.

« Bon, de toute façon, on peut pas le dire à Bernice ! » ai-je lancé.

Et on a bien ri, toutes les deux.

Arrivées à la Résidence Buenavista, on a salué la vieille Jardinière qui tricotait derrière son guichet et qui ne nous a même pas vues. Puis on a pris l'escalier en faisant gaffe aux capotes et aux seringues usagées. Le Bordel Buenavista, c'était comme ça qu'Amanda surnommait l'immeuble, et je l'imitais désormais. Ce jour-là, l'odeur de champignons était particulièrement forte.

« Ça sent le hash ici, a dit Amanda. Quelqu'un a monté une plantation clandestine. »

C'était une experte en la matière : elle avait vécu dans le Monde exfernal, elle s'y connaissait un peu en drogues. Pas beaucoup, affirmait-elle, parce que les drogues ça endormait la vigilance, on ne pouvait les acheter qu'à des personnes de confiance, sous peine de tomber sur du poison, et elle n'avait confiance en personne ou quasiment. J'aurais voulu qu'elle me fasse goûter, mais elle s'y refusait.

« Tu n'es qu'une gamine », disait-elle.

Parfois, elle me jurait qu'elle avait perdu tous ses contacts depuis qu'elle avait rejoint les Jardiniers.

« Y peut pas y avoir de plantation ici, ai-je assuré. Cet immeuble appartient aux Jardiniers. Y a que les plèbegangs qui font ça. Ici... c'est seulement des gamins qui tirent sur un joint la nuit venue. Des plèbezoneurs.

— Ouais, je sais, a fait Amanda, mais ça sent pas que la fumette. Ça sent la plantation. »

Alors qu'on arrivait au troisième étage, on a entendu des voix – deux hommes, de l'autre côté de la porte. Ils n'avaient pas l'air aimable.

« C'est tout ce que j'ai, a dit le premier. Pour le reste, faut attendre demain.

— Trouduc ! a dit l'autre. Tu te fous de ma gueule ou quoi ? »

On a entendu un bruit, comme s'il tapait sur le mur ; puis un autre bruit, suivi par un cri de douleur, ou alors de colère.

Amanda m'a donné un coup de coude.

« Grimpe ! a-t-elle ordonné. Et vite ! »

On a couru dans l'escalier en faisant le moins de bruit possible.

« Ça, c'était du sérieux, a dit Amanda quand on eut atteint le cinquième.

— Que veux-tu dire ?

— Un deal qui a mal tourné. Bon, on est dures d'oreille, d'accord ? Fais comme si de rien n'était. »

Elle semblait effrayée, ce qui m'a filé les jetons, car Amanda ne s'effrayait pas facilement.

On a frappé à la porte de Bernice.

« Toc-toc, a fait Amanda.

— Qui est là ? » a dit Bernice.

Elle devait nous attendre derrière la porte, comme si elle avait peur qu'on ne vienne pas. Ça m'a rendue toute triste.

« Le gang, a dit Amanda.

— Quel gang ?

— Le gang green ! »

Amanda s'était approprié le mot de passe de Shackie, et on l'utilisait désormais toutes les trois.

Quand Bernice a ouvert la porte, j'ai aperçu Veena le Végétal. Comme d'habitude, elle était vautrée sur son canapé marronnasse, mais elle avait les yeux fixés sur nous comme si elle nous voyait pour de bon.

« Ne rentre pas trop tard, a-t-elle dit à Bernice.

— Mais elle t'a parlé !» ai-je lancé à celle-ci une fois qu'elle nous eut rejointes sur le palier et eut refermé la porte derrière elle.

Je cherchais à être amicale, mais Bernice a refroidi mon enthousiasme.

«Ouais, et alors ? a-t-elle répondu. C'est pas une débile.

— C'est pas ce que j'ai dit», ai-je répliqué d'une voix glaciale.

Bernice m'a décoché un regard mauvais. Mais, même dans ce registre, elle avait perdu de sa puissance depuis qu'Amanda était chez nous.

27

Quand on est arrivées dans le terrain vague derrière Zécailles pour notre cours de Relations proie-prédateur, Zeb nous attendait, assis sur un siège pliant. À ses pieds se trouvait un sac de toile contenant une créature vivante. Je me suis efforcée de ne pas le regarder.

« Tout le monde est là ? Bien, a-t-il fait. Bon. Relations proie-prédateur. La chasse et la traque. Quelles sont les règles du jeu ?

— Voir sans être vu, avons-nous récité. Entendre sans être entendu. Sentir sans être senti. Manger sans se faire manger !

— Vous en oubliez une.

— Blesser sans se faire blesser, a dit l'un des garçons parmi les plus âgés.

— Exact ! Un prédateur ne peut se permettre la moindre blessure. S'il est incapable de chasser, il mourra. Il doit attaquer vite et tuer vite. Il doit choisir la plus faible de ses proies potentielles – celle qui est trop jeune, trop vieille ou trop mal en point pour lui résister. Et nous, comment évitons-nous de devenir des proies ?

— En n'ayant pas l'air de proies, avons-nous répondu.

— En n'ayant pas l'air de proies *aux yeux de ce prédateur*, a corrigé Zeb. Pour un requin, un surfeur ressemble à un phoque. Essayez d'imaginer à quoi vous ressemblez aux yeux du prédateur.

— En ne montrant pas notre peur, a enchaîné Amanda.

— Exact. Ne montrez pas votre peur. N'ayez pas l'air malade. Imaginez-vous que vous êtes très forts. Ça fera hésiter les grands carnassiers. Mais l'homme fait partie des grands carnassiers, pas vrai ? Pourquoi chasserions-nous ?

— Pour manger, a dit Amanda. Il n'existe pas d'autre bonne raison. »

Zeb lui a souri, comme s'il s'agissait d'un secret connu d'eux seuls.

«Exactement.»

Il a soulevé son sac, l'a ouvert, y a plongé la main. Il l'y a laissée pendant ce qui nous a semblé un long moment. Puis il en a sorti le cadavre d'un lapin vert.

«Je l'ai capturé au Parc du Patrimoine. Pris au collet. On peut aussi attraper des rasconses comme ça. Bon, maintenant, on va l'écorcher et le vider.»

Aujourd'hui encore, ça me donne la nausée rien que d'y penser. Les garçons les plus âgés l'ont aidé – ils n'ont pas bronché, mais Shackie et Croze n'en menaient pas large. Ils faisaient toujours ce que Zeb leur demandait. C'était leur maître. S'ils le respectaient, ce n'était pas seulement parce qu'il était grand et fort. Il possédait aussi un savoir qu'ils jugeaient précieux.

«Et si le lapin n'est pas tout à fait mort? a demandé Croze. Si le collet ne l'a pas tué?

— Alors tu l'achèves, a répondu Zeb. Tu lui défonces le crâne avec une pierre. Ou bien, tu l'attrapes par les pattes de derrière et tu lui cognes la tête sur le sol.»

On ne pouvait pas tuer un mouton de cette façon, a-t-il ajouté, parce qu'un mouton a la tête dure: il fallait lui trancher la gorge. Pour chaque animal, il existait une méthode.

Zeb a entrepris d'écorcher le lapin. Amanda l'a aidé quand il s'est agi de retourner la pelisse verte comme un gant. Je me suis efforcée de ne pas regarder les veines de près. Elles étaient trop bleues. Sans parler des tendons luisants.

Zeb a découpé des morceaux de viande assez petits pour que chacun ait droit au sien, mais aussi parce qu'il ne voulait pas nous écœurer en nous donnant des portions trop grosses. Puis il les a fait griller après avoir allumé un feu avec de vieilles planches.

«C'est ce que vous devrez faire en dernière extrémité», a-t-il conclu.

Il m'a tendu un morceau de viande. Je l'ai mis dans ma bouche. J'ai découvert que je pouvais le mâcher et l'avaler à condition de me répéter mentalement: «Ce n'est que de la purée de haricots, ce n'est que de la purée de haricots...» J'ai compté jusqu'à cent, puis je l'ai ingurgité.

Mais j'avais un goût de lapin dans la bouche. Comme si j'avais bu le sang coulant de mon nez.

Cet après-midi-là se déroulait le Troc de produits naturels de l'Arbre de vie. Ça se passait sur une placette au nord du Parc du Patrimoine, face aux boutiques de Spasolaire. On y avait aménagé un bac à sable et des balançoires pour les tout-petits. Il s'y trouvait aussi une maison en bauge, faite d'argile, de sable et de torchis. Elle comptait six pièces, avec plein d'arches et d'ouvertures voûtées, mais sans portes ni fenêtres. D'après Adam Premier, elle avait été bâtie par les Verts au moins trente ans auparavant. Les plèberats avaient maculé ses murs de graffitis : *Jém les chattes (griyées). Sussmabit, ellébio! Krèv lézékolos!*

L'Arbre de vie n'était pas réservé aux seuls Jardiniers. Tous les membres du Réseau Nature le fréquentaient : le Collectif des Fougères, les Bricolos de Grosse-Boîte, les Verts de Greens-de-Golf. Nous les regardions tous avec mépris car leurs fringues étaient plus classe que les nôtres. À en croire Adam Premier, les produits qu'ils troquaient étaient moralement contaminés, même s'ils n'irradiaient pas le mal synthétique des fruits de l'esclavage, contrairement aux produits des galeries marchandes. Ceux des Fougères vendaient des céramiques émaillées et des bijoux fabriqués avec des trombones ; les Bricolos se spécialisaient dans les animaux tricotés ; les Verts de Greens-de-Golf fabriquaient des sacs à main à partir de vieux magazines recyclés et cultivaient des choux à la lisière de leurs greens. Bernice ne cachait pas son scepticisme : comme ils continuaient de traiter leur herbe, ce n'étaient pas quelques choux qui pouvaient sauver leurs âmes. La pauvre devenait de plus en plus fanatique. Peut-être était-ce pour compenser son absence d'amis.

L'Arbre de vie était devenu un événement à la mode. On y croisait des richards appartenant aux communautés fermées de Spasolaire, des m'as-tu-vu des Fougères et même des habitants des Compounds, qui venaient s'encanailler dans la plèbezone sans courir trop de risques. Ils affirmaient préférer les légumes des Jardiniers à ceux des supermarchés et même aux produits proposés dans les marchés fermiers, où – s'il fallait en croire Amanda – des vendeurs déguisés en paysans fourguaient à des prix prohibitifs des légumes industriels emballés dans des paniers tressés en jurant leurs grands dieux qu'ils étaient issus de l'agriculture biologique. Seuls les légumes des Jardiniers étaient authentiques. On le devinait à leur odeur : les Jardiniers étaient peut-être des doux dingues, mais au moins respectaient-ils l'éthique. C'est ce que disaient les chalands pendant que j'emballais leurs achats dans du plastique recyclé.

Le pire, quand on participait à l'Arbre de vie, c'était qu'on devait mettre notre écharpe de Jeune Bionnier. C'était humiliant car les richards venaient souvent avec leurs gamins. Ces derniers portaient des casquettes ornées de logos et nous regardaient comme des bêtes curieuses, nous, nos fringues pourries et nos écharpes à la con, et ils n'arrêtaient pas de se marrer en douce. Je faisais de mon mieux pour les ignorer. Bernice tapait du pied et les engueulait. Amanda se montrait plus finaude. Elle leur souriait puis sortait son poignard de verre, s'entaillait le bras et léchait son sang. Puis elle se pourléchait les babines et tendait le bras, et alors les rieurs se cassaient vite fait. Si on voulait avoir la paix, disait Amanda, le meilleur moyen était de passer pour un cinglé.

On nous a demandé à toutes les trois d'aider au stand des champignons. En général, c'étaient Pilar et Toby qui le tenaient, mais comme Pilar était malade, Toby se retrouvait toute seule. Toujours aussi sévère, Toby : avec elle il fallait se tenir bien droit et rester poli.

J'ai reluqué les richards qui passaient devant nous. Certains portaient des jeans et des sandales pastel, mais d'autres arboraient quantité d'accessoires en peau : sac à dos en alligator, minijupe en léopard, sac à main en oryx. Ils restaient sur la défensive et leurs regards semblaient nous dire : *Ce n'est pas moi qui l'ai tué, alors pourquoi la gaspiller ?* Je me suis demandé quel effet ça ferait de porter un de ces trucs – de sentir la peau d'une créature collée à la mienne.

Certains étaient affublés d'une ToisondOr – argentée, bleue ou rose. D'après Amanda, dans quelques-unes des boutiques du Lagon puant qui vendaient ces machins, les naïves se faisaient anesthésier en salle de transplantation et, une fois réveillées, elles avaient de nouvelles empreintes digitales en plus d'une nouvelle tignasse, et elles étaient enfermées dans une maison où on les obligeait à se faire tringler ; même si elles parvenaient à s'échapper, elles ne pouvaient pas prouver qui elles étaient puisqu'on leur avait volé leur identité. Ça me semblait quand même un peu gros. Et Amanda racontait parfois des craques. Mais on s'était juré de ne jamais se mentir, toutes les deux. Alors peut-être que c'était vrai.

Nous avions passé une heure à vendre des champignons en compagnie de Toby quand on nous a demandé d'aller aider Nuala au stand du vinaigre. Comme on commençait à s'ennuyer ferme, chaque fois que Nuala se penchait sous le comptoir pour attraper un flacon, Amanda et moi on se mettait à remuer le popotin en gloussant comme des malades. Bernice virait à l'écarlate parce qu'on la tenait à l'écart de nos jeux. C'était méchant, je le savais, mais je ne pouvais m'en empêcher.

Puis Amanda a dû aller aux biolettes violettes portables et Nuala a dit qu'elle devait parler à Burt, qui vendait du savon enveloppé dans des feuilles au stand voisin. Dès qu'elle a eu le dos tourné, Bernice m'a empoigné le bras et l'a tordu de toutes ses forces.

« Dis-moi pourquoi ! a-t-elle sifflé.

— Lâche-moi ! Te dire quoi ?

— Tu le sais bien ! Qu'est-ce que vous trouvez de si drôle, Amanda et toi ?

— Rien ! »

Elle a accentué sa torsion.

« D'accord, d'accord, mais ça ne va pas te plaire. »

Alors je lui ai dit que Nuala et Burt se retrouvaient à la Vinaigrerie pour y faire des saletés. Je devais être impatiente de lâcher le morceau, car c'est sorti presque tout seul.

« C'est un mensonge ! a-t-elle hurlé.

— Qu'est-ce qui est un mensonge ? a demandé Amanda depuis les biolettes violettes.

— Mon père ne se tape pas la Sorcière mouillée !

— Je n'ai rien pu faire, ai-je lancé à Amanda. Elle m'a tordu le bras. »

Bernice avait les yeux rougis par les larmes et, si Amanda n'avait pas été là, elle m'aurait sûrement frappée.

« Ren exagère un peu, a dit Amanda. En fait, on n'est sûres de rien. On *soupçonne* ton père de se taper la Sorcière mouillée, c'est tout. Peut-être qu'on se trompe. Mais si c'est le cas, on peut le comprendre, avec ta mère qui est tout le temps en Jachère. Il doit avoir une sacrée trique – c'est pour ça qu'il tripote les aisselles des petites filles. »

Elle a prononcé ce discours d'une voix d'Ève pétrie de vertu. C'était cruel à entendre.

« Ce n'est pas vrai, a dit Bernice. Ce n'est pas vrai ! »

Elle était au bord de l'hystérie.

« Si c'est le cas, a poursuivi Amanda, toujours aussi calme, il est bon que tu sois au courant. Je veux dire, si j'avais un père, je n'aimerais pas qu'il commette l'acte générateur avec une autre que ma mère. C'est une pratique déplorable – et qui n'a rien d'hygiénique de surcroît. Il ne faut pas qu'il te touche avec ses mains pleines de microbes. Mais je suis sûre qu'il ne...

— Je te déteste, je te déteste ! a crié Bernice. J'espère que tu finiras brûlée vive !

— Ce n'est pas très *charitable*, Bernice, a rétorqué Amanda d'une voix pleine de reproche.

— Alors, les filles ? a lancé Nuala, qui revenait vers nous en se dandinant. Des clients à signaler ? Bernice, pourquoi as-tu les yeux si rouges ?

— Je suis allergique à quelque chose.

— C'est exact, a déclaré Amanda avec solennité. Elle ne se sent pas bien. Peut-être qu'elle devrait rentrer chez elle. Ou alors, c'est l'air d'ici qui ne lui convient pas. Peut-être devrait-elle mettre un masque filtrant. Tu n'es pas d'accord, Bernice ?

— Amanda, tu es débordante de sollicitude, a dit Nuala. Oui, Bernice, ma chérie, je pense que tu ne devrais pas rester ici. Et, dès demain, nous te procurerons un masque pour contrer ton allergie. Je vais faire un bout de chemin avec toi, ma chérie. »

Et, passant un bras autour des épaules de Bernice, elle l'a emmenée avec elle.

Je n'arrivais pas à croire que nous ayons pu faire une chose pareille. J'avais l'estomac noué, comme quand on lâche un objet lourd et qu'on sait qu'il va vous tomber sur le pied. On était allées trop loin, mais je ne savais pas comment le dire sans qu'Amanda m'accuse de lui faire un sermon. De toute façon, je ne pouvais pas retirer ce que j'avais dit.

28

À ce moment-là, un garçon que je n'avais jamais vu s'est présenté devant notre stand – un ado, plus âgé que nous. Grand, maigre, les cheveux noirs, il ne portait pas des fringues de richard. Rien que des vêtements noirs tout simples.

«Que puis-je faire pour vous, monsieur?» a dit Amanda.

Quand on tenait un stand, on s'amusait parfois à imiter les serveuses exploitées de SecretBurgers.

«Je dois voir Pilar», a-t-il répondu. Même pas un sourire, rien. «Ce truc n'est pas bon.»

Il a sorti de son sac à dos un bocal de miel de Jardinier. C'était bizarre, parce que le miel ne tourne jamais. Pour le gâter, à en croire Pilar, on était obligé d'y ajouter de l'eau.

«Pilar ne se sent pas bien, lui ai-je dit. Vous devriez en parler avec Toby – c'est elle, là-bas, au stand des champignons.»

Il a jeté autour de lui un regard qui m'a semblé inquiet. Apparemment, il était venu tout seul – ni avec des amis, ni avec des parents.

«Non, a-t-il répliqué. Il faut que je voie Pilar.»

Zeb, qui vendait des racines de bardane et des chénopodes au stand des légumes, est venu nous rejoindre.

«Il y a quelque chose qui ne va pas?

— Il veut voir Pilar, a expliqué Amanda. À propos de ce miel.»

Zeb a échangé un regard avec le garçon, et j'ai cru voir celui-ci lui adresser un signe de tête.

«Est-ce que tu peux m'en parler? a dit Zeb.

— Il vaut mieux que je la voie, je crois, a insisté le garçon.

— Amanda et Ren vont te conduire auprès d'elle.

— Et qui va s'occuper du vinaigre ? me suis-je inquiétée. Nuala a dû s'absenter.

— T'inquiète pas, je m'en charge. Je vous présente Glenn. Prenez soin de lui. Et toi, veille à ce qu'elles ne te mangent pas tout cru. »

On a traversé la plèbezone pour regagner le Jardin d'Édenfalaise.

« Comment ça se fait que tu connaisses Zeb ? a demandé Amanda.

— Oh ! je l'ai rencontré dans le temps. »

Ce garçon n'était pas très bavard. Il ne voulait même pas marcher à nos côtés : passé le premier pâté de maisons, il s'est laissé distancer de quelques mètres.

On est arrivés à l'immeuble des Jardiniers et on est montés sur le toit par l'escalier d'incendie. Philo le Fog et Katuro la Clé-à-Molette étaient là – on laissait toujours quelqu'un de garde, au cas où des plèberats auraient cherché à s'introduire chez nous. Katuro réparait un tuyau d'arrosage ; Philo souriait d'un air bête.

« Qui c'est ? a demandé Katuro en voyant le garçon.

— Zeb nous a dit de l'amener ici, a répondu Amanda. Il veut voir Pilar. »

D'un coup de menton, Katuro a désigné le Jardin derrière lui.

« Hutte de Jachère. »

Pilar était assise dans un fauteuil à bascule. Son échiquier était posé près d'elle, avec toutes les pièces encore en place : elle n'avait même pas essayé de jouer. Avec ses joues toutes creusées, elle ne semblait pas vraiment en forme. Elle avait les yeux clos, mais elle les a ouverts en nous entendant arriver.

« Bienvenue, mon cher Glenn, a-t-elle dit, comme si elle s'attendait à sa venue. J'espère que tu n'as pas eu d'ennuis.

— Non, aucun. » Il a sorti le bocal de son sac. « Ce n'est pas bon.

— Tout est bon, a répliqué Pilar. Il faut adopter une vue d'ensemble. Amanda, Ren, vous voulez bien aller me chercher un verre d'eau ?

— J'y vais, ai-je dit.

— Toutes les deux. S'il vous plaît. »

Elle cherchait à nous éloigner. On est sorties de la hutte en traînant les pieds. J'aurais bien voulu entendre ce qu'ils avaient à se dire, ces deux-là – ça n'aurait aucun rapport avec le miel, j'en aurais juré. Pilar me faisait un peu peur.

« Ce mec n'est pas un plèbezoneur, a chuchoté Amanda. Il vient d'un Compound. »

J'étais du même avis, mais je lui ai demandé :

« Comment le sais-tu ? »

Les Compounds, c'était là que vivaient les gens des Corps – ces scientifiques et ces hommes d'affaires qui, au dire d'Adam Premier, détruisaient les anciennes Espèces, en fabriquaient de nouvelles et travaillaient à la ruine du monde, encore que je ne pouvais pas croire que mon vrai père, un cadre de SentéGénic, fût capable de faire des choses pareilles ; mais, de toute façon, pourquoi Pilar aurait-elle adressé la parole à quelqu'un des Compounds ?

« Une impression, c'est tout », a répondu Amanda.

Quand on est revenues avec le verre d'eau, Pilar avait de nouveau les yeux clos. Le garçon était assis à côté d'elle ; il avait déplacé quelques pièces sur l'échiquier. La reine blanche était cernée : au prochain coup, c'en serait fini pour elle.

« Merci, a dit Pilar en prenant le verre des mains d'Amanda. Et merci d'être venu, mon cher Glenn », a-t-elle ajouté à l'intention du garçon.

Il s'est levé.

« Eh bien, adieu », a-t-il dit, un peu pataud, et Pilar lui a souri.

Quoique radieux, son sourire faisait peine à voir. J'aurais voulu la serrer dans mes bras tant elle me semblait fragile.

Quand on est retournés à l'Arbre de vie, Glenn marchait à nos côtés.

« Il y a quelque chose qui cloche chez elle, pas vrai ? a demandé Amanda.

— La maladie est une erreur de conception, a répondu le garçon. Elle est donc susceptible d'être corrigée. »

Oui – il venait bien des Compounds. Il n'y avait que les têtes d'œuf de là-bas pour parler comme ça : plutôt que de répondre aux questions qu'on leur posait, ils préféraient énoncer une généralité d'un air sentencieux, comme s'il s'agissait pour eux d'un fait irréfutable. N'était-ce pas comme ça que s'exprimait mon père ? Si, sans doute.

« Donc, si c'était toi qui devais créer le monde, tu veillerais à faire mieux ? » ai-je demandé.

À faire mieux que Dieu – c'est ce que je sous-entendais. Soudain, je me sentais d'humeur pieuse, comme Bernice. Comme une Jardinière.

« Oui, a-t-il répondu. En fait, c'est exactement ça. »

29

Le lendemain, on est allées chercher Bernice à la Résidence Buenavista, comme d'habitude. On éprouvait un peu de honte toutes les deux, je crois bien, vu ce qu'on lui avait fait la veille – enfin, c'était mon cas, tout du moins. Mais quand on a frappé à la porte en disant «Toc-toc», Bernice n'a pas répondu «Qui est là?». On n'a rien entendu.

«Gang! a enchaîné Amanda. Gang green!»

Toujours rien. Le silence était assourdissant.

«Allez, Bernice! ai-je lancé. Ouvre la porte! C'est nous!»

La porte s'est bien ouverte, mais ce n'est pas Bernice qu'on a vue sur le seuil. C'est Veena. Elle nous regardait droit dans les yeux et semblait sortie de sa Jachère.

«Fichez le camp», a-t-elle dit.

Et elle nous a claqué la porte au nez.

On a échangé un regard, toutes les deux. J'avais un sinistre pressentiment. Et si on avait infligé un traumatisme durable à Bernice en lui racontant les galipettes de Burt et de Nuala? Et si c'était du vent, cette histoire? On cherchait seulement à blaguer, du moins au début. Mais ça n'était vraiment pas drôle à présent.

Habituellement, durant la Semaine de Saint-Euell, on se rendait dans le Parc du Patrimoine pour ramasser des champignons avec Pilar et Toby. J'étais tout excitée d'aller là-bas, parce qu'on ne savait jamais ce qu'on allait trouver. Il y avait des familles de plèbezoneurs venues pique-niquer ou s'engueuler, et on se bouchait le nez pour ne pas sentir la puanteur de la viande grillée; des couples batifolaient dans les buissons, des SDF picolaient ou ronflaient sous les arbres, des cinglés aux cheveux crades hurlaient ou parlaient tout seuls, des drogués se piquaient. En poussant jusque sur la plage, on avait des chances d'apercevoir des filles en bikini bronzant sur le sable, et Shackie et Croze criaient *Cancer de la peau!* pour attirer leur attention.

De temps à autre, on voyait des mecs du CorpSeCorps en mission de service public, qui demandaient aux passants de jeter leurs déchets dans les corbeilles prévues à cet effet, mais en fait – à en croire Amanda – ils cherchaient à coincer les petits dealers qui ne versaient pas de pourcentage à leurs potes gangsters. Il arrivait qu'on entende le *zipzipzip* d'un aérodésintégreur, puis une série de hurlements. Outrage et rébellion, disaient-ils aux passants en évacuant leur prisonnier.

Mais, vu l'état de santé de Pilar, la sortie au Parc du Patrimoine a été annulée. À la place, on a eu une classe de Plantes sauvages avec Burt la Boule-de-Billard, qui nous a emmenés dans le terrain vague derrière Queuezécailles.

On avait pris nos craies et notre ardoise, car on dessinait toujours les Plantes sauvages pour mieux les mémoriser. Une fois qu'on les avait effacées, elles restaient dans nos têtes. Rien de tel que de dessiner un truc pour voir comment il est fichu, disait Burt.

Après avoir cherché un peu partout dans le terrain vague, il a cueilli une plante et nous l'a montrée.

«*Portulaca oleracea*, a-t-il déclaré. Plus communément : le pourpier. Plante sauvage mais aussi cultivable. Préfère les sols sableux. Remarquez la tige rouge et les feuilles alternes. Bonne source d'oméga 3.» Il a marqué une pause et froncé les sourcils. «La moitié d'entre vous ne regarde pas et l'autre ne dessine pas. Ceci pourrait vous sauver la vie! Ce dont il est question, c'est de sustentation. De *sustentation*. Quel est le sens de ce mot?»

Regards vides, silence total.

«Se sustenter, a repris la Boule-de-Billard, c'est se nourrir. C'est un aliment. De la nourriture. D'où vient la nourriture? Répondez!

— Toute nourriture vient de la Terre, avons-nous récité en chœur.

— Exact! De la Terre. Et ensuite, la plupart des gens l'achètent au supermarché. Que se passerait-il si, soudain, tous les supermarchés venaient à disparaître? Shackleton?

— On ferait pousser ce truc sur le toit, a dit Shackie.

— Suppose qu'on n'ait plus de Jardin de toiture, a dit la Boule-

157

de-Billard en virant au rouge. Où est-ce qu'on trouverait cette plante ? »

Silence persistant.

« En *fourrageant*, a repris la Boule-de-Billard. Crozier, que signifie *fourrager* ?

— Trouver des trucs, a dit Croze. Les avoir sans les payer. Comme quand on vole. »

On a tous gloussé.

La Boule-de-Billard a fait mine de ne pas entendre.

« Et où est-ce qu'il faut chercher ces *trucs* ? Quill ?

— À la galerie marchande ? Dans les coins, je veux dire. Là où les gens jettent des trucs, comme des bouteilles vides et... »

Quill n'était pas très malin, mais là il exagérait. Les garçons savaient que c'était le meilleur moyen d'énerver la Boule-de-Billard.

« Non ! Non ! Il n'y aura plus *personne* pour jeter des trucs ! Vous n'êtes jamais sortis de cette plèbezone, pas vrai ? Vous n'avez jamais vu un *désert*, jamais souffert de la *famine* ! Quand surviendra le Déluge des Airs, même si vous réussissez à y survivre, vous finirez par mourir de faim. Pourquoi ? Parce que vous n'aurez pas fait attention à ce que je dis ! Pourquoi est-ce que je perds mon temps avec vous ? »

Chaque fois que la Boule-de-Billard nous faisait la classe, il finissait par péter les plombs.

« Bon, a-t-il fait en se calmant un peu. Comment s'appelle cette plante ? Le pourpier ? Quelle est son utilité ? On peut la manger. Maintenant, continuez de dessiner. Le pourpier ! Remarquez la forme ovale des feuilles ! Voyez comme elles sont luisantes ! Notez bien la couleur de la tige. Mémorisez tout ça ! »

Ce n'est pas vrai, me disais-je. Personne – même pas Nuala, la Sorcière mouillée – ne pouvait baiser avec Burt la Boule-de-Billard. Il était chauve et transpirait tout le temps.

« Petits crétins, marmonnait-il. Pourquoi je perds mon temps ? »

Puis il s'est figé. Il regardait quelque chose derrière nous. On a tourné la tête : Veena était plantée devant la brèche de la palissade. Elle venait sans doute de s'y insinuer. Aux pieds, elle portait ses inévitables pantoufles ; sur la tête, en guise de fichu, sa couverture jaune pour bébé. Bernice se tenait à ses côtés.

Elles restaient là sans bouger. Sans dire un mot. Puis deux hommes du CorpSeCorps sont entrés à leur suite. Ils étaient en tenue de combat, un uniforme d'un gris chatoyant qui les faisait ressembler à un mirage. Ils braquaient leurs aérodésintégreurs sur nous. J'ai senti le sang refluer de mon visage ; j'ai bien cru que j'allais vomir.

« Qu'est-ce qui se passe ? a hurlé Burt.

— Plus un geste ! » a crié l'un des deux hommes.

Le micro intégré à son casque amplifiait encore sa voix. Ils se sont avancés.

« Restez où vous êtes », nous a ordonné Burt.

On aurait cru qu'il venait d'être frappé au taser.

« Veuillez nous suivre, monsieur, a dit le premier homme quand ils furent arrivés à notre niveau.

— Pourquoi ? Je n'ai rien fait !

— Culture illégale de marijuana destinée au marché noir, monsieur, a dit le second homme. Je vous déconseille de nous résister. »

Ils ont escorté Burt jusqu'à la brèche. Nous les avons tous suivis sans rien dire – on ne parvenait pas à comprendre ce qui se passait.

Comme ils arrivaient près de Veena et de Bernice, Burt a ouvert les bras.

« Veena ? Comment est-ce arrivé ?

— Espèce de dégénéré ! a-t-elle répliqué. Hypocrite ! Fornicateur ! Tu me prends vraiment pour une conne, hein ?

— Mais qu'est-ce que tu racontes ? a-t-il geint.

— En me filant ton poison, tu croyais que je serais tellement défoncée que je n'y verrais que du feu, hein ? Mais j'ai fini par comprendre. Toi et cette grosse vache de Nuala ! Et s'il n'y avait que ça ! Espèce de pervers !

— Non. Je te le jure ! Jamais je n'ai... je voulais seulement... »

J'avais les yeux fixés sur Bernice : impossible de déchiffrer ses sentiments. À sa place, j'aurais eu les joues en feu. Mais elle était livide. D'une blancheur de craie.

Ce fut au tour d'Adam Premier de franchir la brèche dans la palissade. Quand il se produisait un événement sortant de l'ordinaire, il semblait toujours au courant. Comme s'il avait été équipé d'un téléphone, prétendait Amanda. Il a posé les mains sur la couverture jaune de Veena.

« Veena, ma chère, tu es sortie de ta Jachère, a-t-il dit. C'est merveilleux. Nous n'avons cessé de prier pour toi. Bon, que se passe-t-il ici ?

— Veuillez vous écarter, monsieur, a dit le premier homme.

— Pourquoi m'as-tu fait ça ? » a beuglé Burt en se tournant vers Veena tandis que les deux hommes l'emmenaient.

Adam Premier a inspiré profondément.

« Cela est fort regrettable. Peut-être serait-il sage de méditer sur les défauts que nous, Humains, avons reçus en partage...

— Tu es un imbécile, a coupé Veena. Burt avait monté tout un petit trafic au Buenavista, au nez et à la barbe de tes stupides Jardiniers. Ils n'ont même pas vu qu'il profitait de votre troc de produits naturels pour dealer sa marchandise. Ces jolis pains de savon enveloppés dans des feuilles – ce n'était pas que du savon ! Et il s'est fait des couilles en or ! »

Adam Premier a pris un air peiné.

« L'argent est une terrible tentation. Une maladie.

— Quel crétin tu fais ! Le jardinage biologique, tu parles ! » a conclu Veena.

Amanda m'a murmuré à l'oreille :

« Je t'avais dit qu'il y avait une odeur suspecte au Buenavista. La Boule-de-Billard est dans la merde. »

Adam Premier nous a dit de rentrer à la maison et c'est ce qu'on a fait. J'avais vraiment de la peine pour Burt. Je me disais que ce jour-là, quand on avait été si méchantes avec Bernice à l'Arbre de vie, elle était allée dire à Veena que Burt la trompait avec Nuala, et aussi qu'il tripotait les filles sous les bras ; ensuite, Veena, folle de rage et de jalousie, avait dû le dénoncer au CorpSeCorps. Le CorpSeCorps encourageait les gens à la délation – famille, voisins, tout était bon à prendre. Selon Amanda, ça rapportait même de l'argent.

Je ne voulais pas lui causer du tort, du moins pas comme ça. Et regardez comment ça s'était terminé.

Je pensais qu'on aurait dû tout avouer à Adam Premier, mais Amanda m'a convaincue que ça n'aurait servi à rien, excepté à nous attirer des ennuis supplémentaires. Elle avait raison. Mais ce n'est pas ça qui pouvait me remonter le moral.

« Arrête de faire cette tête, m'a dit Amanda. Je vais voler quelque chose pour te l'offrir. Qu'est-ce qui te fait envie ?

— Un phone, ai-je répondu. Pourpre. Comme le tien.

— Okay. Je m'en occupe.

— C'est vraiment gentil. »

J'ai tenté de mettre plein d'énergie dans ma voix, pour qu'elle sache que je lui étais reconnaissante, mais elle n'a pas été dupe.

30

Le lendemain, Amanda m'a annoncé qu'elle avait une surprise qui me remonterait sûrement le moral. Ça se passait à la galerie marchande du Trou de l'évier, a-t-elle précisé. Et, pour une surprise, ce fut une surprise, car quand on est arrivées là-bas, on a trouvé Shackie et Croze en train de glander devant l'holomaton. Je savais qu'ils étaient amoureux d'Amanda – comme tous les garçons –, mais elle ne les fréquentait pas autrement qu'en groupe.

« Vous l'avez ? » leur a-t-elle demandé.

Ils ont répondu par un sourire timide. Shackie avait pas mal grandi ces derniers temps : il était maigre et dégingandé, pourvu d'épais sourcils noirs. Croze avait grandi, lui aussi, mais il avait également épaissi ; ses joues étaient ornées d'un duvet jaune paille. Jusque-là, je ne m'étais pas souciée de leur apparence – pas en détail, du moins –, mais voilà que je les découvrais soudain sous un autre jour.

« Là-dedans », ont-ils dit.

Ils ne semblaient pas effrayés, pas exactement, mais plutôt excités. Après avoir vérifié que personne ne nous regardait, nous nous sommes tous entassés dans la cabine où, jadis, les gens se faisaient tirer le portrait. Comme elle était conçue pour abriter deux personnes, nous avons dû nous serrer.

Il faisait chaud là-dedans. Je sentais la chaleur émanant de nos corps, comme si nous étions tous infectés et brûlants de fièvre, et je sentais aussi l'odeur émanant de Shackie et de Croze – l'odeur caractéristique des enfants de Jardiniers –, un mélange de sueur sèche, de vieux coton, de crasse et de sécrétions du cuir chevelu, auquel se mêlait un fumet de champignons et de lie de vin, typique des garçons les plus âgés ; plus l'odeur fleurie d'Amanda, relevée de musc et d'une pointe de sang.

Je n'aurais su dire quelle odeur je dégageais. Personne ne peut sentir sa propre odeur, dit-on, car chacun de nous y est trop habitué. J'aurais bien aimé être prévenue, car j'aurais utilisé un de mes bouts de savon à la rose pour me laver un peu. J'espérais que je ne sentais pas les pieds, ni la culotte sale.

Pourquoi voulons-nous que les autres nous aiment, même si nous ne les aimons qu'à moitié ? Je l'ignore, mais c'est pourtant ce qui se passe. Tandis que je humais toutes les odeurs qui parvenaient à mes narines, je me suis surprise à espérer que Shackie et Croze me trouvent jolie.

« Voilà », a dit Shackie.

Il a sorti un objet enveloppé dans un bout de tissu.

« Qu'est-ce que c'est ? » ai-je demandé.

Ma voix de fille était haut perchée à mes propres oreilles.

« C'est une surprise, a dit Amanda. Ils ont récupéré un peu de super herbe à notre intention. Le truc que cultivait Burt la Boule-de-Billard.

— Je le crois pas ! ai-je dit. Comment vous avez fait ? Vous l'avez rachetée au CorpSeCorps ?

— On la leur a piquée, a dit Shackie. On est entrés dans le Buenavista par la porte de service – c'était pas la première fois. Les mecs du CorpSeCorps n'utilisaient que l'entrée principale, il ne nous ont même pas vus.

— Y a un barreau qui tient mal au soupirail d'une des caves – c'est par là qu'on passait pour aller faire la fête dans l'escalier, a expliqué Croze.

— Ils ont entreposé les sacs au sous-sol, a enchaîné Shackie. Je crois bien qu'ils ont arraché toute la récolte. Rien qu'en respirant, on se sentait planer.

— Montre-moi ça », a demandé Amanda.

Shackie a défait le paquet : il contenait des morceaux de feuilles séchées.

Je savais ce qu'Amanda pensait de la drogue : celui ou celle qui en consommait perdait le contrôle de son esprit et devenait par conséquent vulnérable. En outre, quand on en abusait, comme Philo le Fog, par exemple, on finissait par perdre carrément l'esprit, si bien qu'on ne se souciait plus de le contrôler. Dernier point : on ne devait fumer qu'en compagnie de personnes de confiance. Faisait-elle confiance à Shackie et à Croze ?

« T'as déjà essayé ce truc ? ai-je demandé dans un murmure.

— Pas encore », a-t-elle répondu sur le même ton.

Pourquoi prenions-nous ces précautions ? On était tellement serrés dans cette cabine que Shackie et Croze ne pouvaient que nous entendre.

« Alors je passe, ai-je dit.

— Mais j'ai déjà conclu l'échange ! a protesté Amanda, véhémente. Et ça m'a pas mal coûté !

— Moi, j'ai essayé ce shit, a dit Shackie en prononçant ce dernier mot comme un dur à cuire. C'est énorme !

— Je confirme, on a l'impression qu'on va s'envoler, a renchéri Croze. Comme un putain d'oiseau ! »

Shackie s'affairait déjà à rouler un joint et à l'allumer.

J'ai senti une main sur mes fesses sans pouvoir l'identifier, une main qui cherchait à s'insinuer sous ma robe de Jardinière. J'avais envie de dire « Arrêtez », mais je n'ai pas pipé mot.

« Tiens, essaie une soufflette », a dit Shackie.

Il m'a saisi le menton, a collé sa bouche contre la mienne et m'a soufflé la fumée dans le palais. Je me suis mise à tousser, il a recommencé et j'ai été prise de vertige. Puis j'ai eu une vision fluorescente, éblouissante, du lapin qu'on avait mangé cette semaine. Il me fixait de ses yeux morts, des yeux orangés.

« Arrête ! a dit Amanda. Elle n'a pas l'habitude ! »

J'ai senti mon estomac se contracter et j'ai vomi tout mon soûl. Je les ai tous arrosés, je le crains. Oh ! non, ai-je pensé, quelle idiote ! J'ignore combien de temps a duré l'incident, car le temps était devenu élastique, il s'étirait comme un gigantesque morceau de chewing-gum. Puis il a claqué pour se réduire à un minuscule carré noir, et je me suis évanouie.

Quand je suis revenue à moi, j'étais assise sur la fontaine cassée, dans la galerie. J'avais encore la tête qui tournait un peu, mais, à part ça, ça allait : j'avais l'impression de flotter, non de voler. Toutes choses me semblaient lointaines et translucides. Peut-être que j'arriverai à traverser le ciment de ma main, ai-je songé. Peut-être que le monde est une dentelle : des brins de dentelle avec Dieu dans tous les intervalles, comme le dit Adam Premier. Peut-être que je suis fumée.

La vitrine du magasin devant moi ressemblait à une boîte remplie de lucioles, de paillettes vivantes. On faisait la fête là-dedans, j'entendais la musique. Étranges grelots. Ce devait être des papillons dansant sur leurs pattes filiformes. Si j'arrivais à tenir sur mes jambes, je pourrais danser, moi aussi.

Amanda me serrait entre ses bras.

« C'est pas grave, disait-elle. Tout va bien. »

Shackie et Croze étaient toujours là, et ils n'avaient pas l'air contents. Surtout Croze, vu que Shackie était presque aussi parti que moi.

« Alors, quand est-ce que tu raques ? a demandé Croze.

— Ça n'a pas marché, a dit Amanda. Donc : jamais.

— C'est pas ce qui était convenu. On devait seulement te fournir le shit. Et on l'a fourni. Alors raque !

— L'idée, c'était de faire plaisir à Ren. Sur ce plan-là, c'est raté. Donc, on n'en parle plus.

— Pas question. Tu as promis. Tu raques.

— Tu peux essayer de m'y obliger. »

J'ai reconnu le ton d'Amanda : c'était celui qu'elle employait lorsque des plèberats s'approchaient de trop près.

« Quand tu veux, a dit Shackie. Où tu veux. »

Il n'avait pas l'air de trouver ça très grave.

« Tu nous dois un coup à chacun, a repris Croze. Un pour lui, un pour moi. On a pris des risques, on aurait pu se faire tuer !

— Arrête de l'embêter, a dit Shackie. Je veux juste te caresser les cheveux, a-t-il ajouté à l'intention d'Amanda. Tu sens le toffee. »

Il planait toujours.

« Dégagez ! » les a enjoints Amanda.

Ils ont dû lui obéir car, lorsque je les ai de nouveau cherchés du regard, ils n'étaient plus là.

Je commençais à me sentir plus normale.

« Amanda, ai-je dit. Je n'arrive pas à croire que tu as accepté cet échange. »

J'aurais voulu ajouter : pour me faire plaisir, mais j'avais peur de me mettre à chialer.

« Ça n'a pas marché, désolée, a-t-elle lâché. Je voulais te remonter un peu le moral.

— Mais je me sens mieux. Je me sens plus légère. »

Et c'était vrai, en partie parce que j'avais régurgité une bonne quantité de liquide, mais aussi parce que j'appréciais le geste d'Amanda. Je savais qu'elle avait déjà échangé ses faveurs contre de la nourriture, quand la famine sévissait au Texas après l'ouragan, mais ça ne lui plaisait pas, m'avait-elle dit, et comme c'était pure-ment commercial à ses yeux, elle ne le faisait qu'en cas de nécessité absolue. Et elle l'avait fait pour moi, alors que ça n'avait rien de nécessaire. Jamais je n'aurais cru qu'elle m'aimait à ce point.

«Maintenant, ils sont furieux contre toi, l'ai-je mise en garde. Ils vont chercher à se venger.»

Ce qui ne me semblait guère important, vu que je planais encore.

«T'inquiète pas, a dit Amanda. Ils ne me font pas peur.»

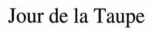

Jour de la Taupe

Jour de la Taupe

An 12

De la Vie souterraine.
Prononcé par Adam Premier

Chers Amis, chers Mammifères, mes Frères et mes Sœurs :

Je ne veux dénoncer personne, car je ne saurais qui dénoncer ; mais, comme nous venons de le voir, la calomnie engendre parfois la confusion. Une remarque imprudente est pareille à une cigarette mal éteinte jetée dans un conteneur de déchets : ses braises finissent par s'enflammer et par incendier tout un quartier. À l'avenir, gardez-vous des paroles en l'air.

Certaines amitiés, c'est inévitable, se prêtent à des commentaires déplacés. Mais nous ne sommes pas des Chimpanzés : nos femelles ne mordent pas leurs rivales, nos mâles ne sautent pas à pieds joints sur nos femelles, pas plus qu'ils ne les bastonnent. Du moins en règle générale. Tout appariement est sujet au stress et à la tentation – mais gardons-nous d'accroître ce stress comme de mal interpréter cette tentation.

Burt, notre Adam Treize de naguère, nous manque beaucoup, ainsi que son épouse Veena et la petite Bernice. Pardonnons ce qui doit être pardonné et enveloppons-les de Lumière en nos cœurs.

Pensons à l'avenir : nous avons repéré un atelier de réparation d'automobiles abandonné susceptible d'être converti en foyers douillets une fois accompli notre programme de relocalisation de Rats. Je suis sûr que les Rats de PareChocsContrePareChocs se plairont à la

Résidence Buenavista une fois qu'ils en auront mesuré les avantages en matière de nourriture.

Bien que notre champignonnière doive être considérée comme perdue, hélas, vous serez ravis d'apprendre que Pilar avait conservé par devers elle un spécimen de chacune de nos espèces les plus chéries et que nous allons leur aménager un abri provisoire au sous-sol de la Clinique du Bien-Être, en attendant d'avoir trouvé un lieu plus propice.

Aujourd'hui est la Journée de la Taupe, notre Festival de la Vie souterraine. C'est avant tout la fête des Enfants, et nos Enfants se sont affairés à décorer de somptueuse façon notre Jardin de toiture d'Édenfalaise. Les Taupes avec leurs petites griffes faites à partir de dents de peigne, les Nématodes façonnés avec des sacs en plastique, les Lombrics obtenus à partir de collants fourrés et de ficelles, les Bousiers... Louons la créativité du Seigneur, grâce à laquelle même l'inutile et l'immondice peuvent réacquérir un sens.

Nous sommes enclins à négliger les petites Créatures qui vivent parmi nous ; et pourtant, sans elles, nous n'existerions pas ; car chacun de nous est un Jardin de formes de Vie invisibles. Où serions-nous sans la Flore qui tapisse nos parois intestinales, sans les Bactéries qui nous défendent contre les envahisseurs hostiles ? Nous grouillons d'une véritable multitude, mes Amis – de myriades de formes de Vie qui rampent sous nos pieds mais aussi – si je puis me permettre – sous les ongles de nos pieds.

Certes, il nous arrive parfois d'être infectés par des nanobioformes dont nous préférerions nous passer, comme l'Acarien des cils, l'Ankylostome, le Morpion, l'Enterobius et la Tique, sans parler des bactéries et des virus hostiles. Mais nous devons voir en eux les plus petits des Anges de Dieu, qui accomplissent à leur façon Son impénétrable dessein, car ces Créatures elles aussi reposent dans l'Éternel Esprit, brillent dans l'Éternelle Lumière et font partie de la symphonie polyphonique de la Création.

Considérez également Ses ouvriers au sein de la Terre ! Sans le Lombric, le Nématode et la Fourmi qui vaillamment travaillent le sol, celui-ci ne serait qu'une masse dure comme du ciment où périrait toute Vie. Pensez aux propriétés antibiotiques de l'Asticot et des diverses Moisissures, sans parler du miel que produisent nos Abeilles, ni de la toile de l'Araignée, si utile pour stopper une hémorragie. Pour chaque mal, Dieu nous a donné un remède dans Sa grande Armoire à pharmacie naturelle !

Grâce aux Nécrophores et aux Bactéries putréfiantes, nos demeures de chair se dissocient et retournent à leurs éléments constitutifs afin d'enrichir la vie d'autres Créatures. Nos ancêtres avaient bien tort de préserver les cadavres – en les embaumant, en les costumant, en les exposant dans des mausolées. Quelle horreur : faire de la carcasse de l'Âme un fétiche impie ! Et quel égoïsme aussi ! Mieux vaut agir comme nous, à savoir rendre à la Vie le don qu'elle nous a fait en nous livrant à la Vie quand notre heure est venue.

La prochaine fois que vous tiendrez dans vos mains un bloc de compost humide, adressez une prière muette à toutes les Créatures qui nous ont précédés. Imaginez vos doigts dispensant à chacune d'elles une caresse aimante. Car, n'en doutez pas, elles sont toujours avec nous, présentes au sein de cette matrice nourricière.

Et maintenant, joignons-nous à notre Chœur des Fleurs et des Bourgeons, qui va entonner l'hymne traditionnel de la Journée de la Taupe.

Louons les Taupes petites et parfaites

Louons les Taupes petites et parfaites
Qui cultivent le monde souterrain ;
Louons la Fourmi, le Lombric et le Nématode,
Louons-les où qu'ils se trouvent.

Ils passent toute leur vie dans le noir,
Invisibles aux yeux de l'Homme ;
La terre est pour eux comme l'air,
Leur jour comme notre nuit.

Ils retournent le sol et le labourent,
Grâce à eux les plantes prospèrent ;
La Terre serait une désolation
S'ils ne la parcouraient sans cesse.

Voyez le petit Nécrophore :
Dans les endroits les plus curieux,
Il renvoie notre Corps aux Éléments
Et nettoie notre espace.

Aux petites Créatures de Dieu,
Qui grouillent sous les champs et les bois,
Adressons un merci joyeux
Car Dieu a vu qu'elles étaient bonnes.

Extrait du *Livre de cantiques des Jardiniers de Dieu*

31

Toby. Jour de la Taupe

An 25

Tant que le Déluge fera rage, vous devrez compter les jours, disait Adam Premier. Observez le lever et le coucher du Soleil, observez aussi les phases de la Lune, car pour chaque chose il y a une saison. Quand vous entrerez en Méditation, n'allez pas trop loin dans votre voyage intérieur, au risque de sombrer dans l'Atemporalité avant l'heure. Quand vous serez en Jachère, ne descendez pas trop profondément de peur que toute résurgence soit impossible, car sinon viendra la Nuit où toutes les heures se ressemblent, et l'Espoir vous sera alors retiré.

Toby tient le décompte des jours grâce à un vieux bloc-notes aux armes du Balnéo NouvoMoi. Chacune de ses pages roses est ornée de deux yeux aux longs cils, dont l'un lance une œillade, et d'une bouche écarlate dessinant un baiser. Elle aime bien ces yeux et ce sourire : ce sont des ersatz de compagnons. Chaque fois qu'elle tourne une page, elle inscrit sur la suivante le saint ou la fête que célèbrent ce jour les Jardiniers. Elle en connaît toujours la liste par cœur : saint E. F. Schumacher, sainte Jane Jacobs, sainte Sigridur de Gullfoss, saint Wayne Grady des Vautours, saint James Lovelock, le Bienheureux Gautama Bouddha, sainte Bridget Stutchbury du Café d'ombre, saint Linné de la Nomenclature botanique, la Fête des Crocodilidés, saint Stephen Jay Gould des Schistes de Burgess, Gilberto Silva Taboada des Chauves-Souris. Et tous les autres.

Au-dessous de chaque nom, elle écrit ses notes de jardinage : ce qu'elle a planté, ce qu'elle a récolté, la phase de la Lune, les insectes qui se sont invités.

Journée de la Taupe, écrit-elle à présent. *An 25. Faire la lessive. Lune gibbeuse.* La Journée de la Taupe faisait partie de la Semaine de Saint-Euell. Un triste anniversaire.

Pour compenser, elle pourrait bientôt cueillir des polybaies bien mûres. Ce qui fait la force du gène de la polybaie, c'est que le fruit pousse en toute saison. En fin d'après-midi, peut-être, elle descendra jeter un coup d'œil.

Deux jours plus tôt – la fête de saint Orlando Garrido des Lézards – elle a noté une chose sans rapport avec le jardinage. *Hallucination ?* a-t-elle écrit. Elle contemple ce mot à présent. Sur le moment, c'était bien à ça que ça ressemblait.

C'est arrivé juste après l'orage quotidien. Elle se trouvait sur le toit pour vérifier la tuyauterie du système de collecte d'eau de pluie : l'unique robinet dont elle disposait au rez-de-chaussée ne coulait plus. Elle avait résolu le problème – une souris noyée qui faisait bouchon – et se préparait à redescendre quand elle avait entendu un bruit bizarre. On aurait dit un chant, mais d'un type qu'elle n'avait jamais entendu avant ce jour.

Elle balaya les alentours de sa paire de jumelles. D'abord, elle ne remarqua rien d'anormal puis, tout au bout du champ, elle aperçut une étrange procession. Apparemment, il s'y trouvait uniquement des personnes nues, à l'exception d'un des hommes de tête, qui portait des vêtements, une sorte de chapeau rouge et – était-ce possible ? – des lunettes de soleil. Derrière lui venaient des hommes, des femmes et des enfants de toutes les couleurs connues ; en réglant ses jumelles, elle vit que nombre d'entre eux avaient le ventre bleu.

C'était à cause de ce détail qu'elle avait conclu à une hallucination : le ventre bleu. Sans parler de ce chant cristallin, comme issu d'un autre monde. Elle n'avait eu qu'un bref aperçu de ces inconnus. Aussitôt apparus, aussitôt disparus – comme partis en fumée. Sans doute s'étaient-ils enfoncés parmi les arbres, pour suivre le sentier qui sinuait là.

Son cœur avait fait un bond – impossible de réprimer ce sursaut de joie. Elle éprouvait une violente envie de descendre l'escalier quatre à quatre, de courir au-dehors, de retrouver ces gens. Mais d'autres gens, c'était plus qu'elle ne pouvait espérer – et ils étaient nombreux. Ils avaient l'air si sain. Ils ne pouvaient être réels. Si elle laissait un mirage comme celui-là l'attirer au-dehors – dans la forêt infestée de porcs –, elle ne serait pas la première dans l'Histoire à avoir succombé à un excès d'optimisme.

Face à un trop-plein de néant, disait Adam Premier, le cerveau se met à inventer. La solitude engendre la compagnie comme la soif engendre l'eau. Combien de marins ont fait naufrage en confondant un chatoiement de l'air avec une île à l'horizon ?

Elle attrape son crayon et biffe le point d'interrogation. Il est désormais écrit : *Hallucination*. Une hallucination pure et simple. Aucun doute là-dessus.

Elle repose son crayon, attrape son manche à balai, ses jumelles et son fusil, et monte sur le toit pour scruter son domaine. Tout est tranquille ce matin. Pas un seul mouvement dans le champ : ni grosses bêtes, ni chanteurs nus teintés de bleu.

32

Combien d'années ont passé depuis cette Journée de la Taupe, la dernière que Pilar ait fêtée ? Ce devait être en l'An 12.

Peu de temps avant était survenue une catastrophe : l'arrestation de Burt. Après que les hommes du CorpSeCorps l'eurent emmené, et que Veena et Bernice eurent quitté le terrain vague, Adam Premier avait convoqué tous les Jardiniers pour une réunion d'urgence sur le toit d'Édenfalaise. Il leur avait annoncé la nouvelle et, une fois qu'ils l'eurent encaissée, les Jardiniers étaient tombés en état de choc. Cette révélation était source de souffrance, et aussi de honte. Comment Burt avait-il réussi à cultiver de l'herbe à la Résidence Buenavista sans que personne ne le remarque ?

Parce qu'on lui faisait confiance, songe Toby. Si les Jardiniers se méfiaient de tous les habitants du Monde exfernal, ils se fiaient aveuglément à leurs frères et à leurs sœurs. Et voilà qu'ils rejoignaient la longue liste des Églises qui, un beau matin, avaient découvert que le vicaire était parti avec le tronc, laissant derrière lui un sillage d'enfants de chœur victimes de viol. Enfin, Burt n'avait pas touché aux enfants, du moins pour ce qu'on en savait. Il courait certes des rumeurs parmi ceux-ci – le genre de blagues salaces que se racontent les gosses –, mais elles portaient sur les filles plutôt que les garçons, et il n'y était question que de simples attouchements.

Le seul Jardinier à ne se montrer ni surpris ni horrifié par l'existence de la plantation clandestine n'était autre que Philo le Fog, qui n'était jamais ni surpris ni horrifié.

« J'aurais bien aimé goûter son shit, voir s'il était vraiment bon », se contenta-t-il de commenter.

Adam Premier demanda des volontaires pour héberger les familles

176

obligées de déménager – elles ne pouvaient pas retourner à Buenavista, expliqua-t-il, car le bâtiment ne tarderait pas à grouiller d'hommes du CorpSeCorps, et leurs biens matériels devaient être considérés comme perdus.

« Si l'immeuble était en feu, vous ne risqueriez pas votre vie pour sauver quelques babioles et bibelots, déclara-t-il. Considérez cela comme une épreuve envoyée par Dieu pour évaluer votre attachement au royaume des illusions inutiles. »

En théorie, cela n'aurait pas dû troubler les Jardiniers : comme ils se procuraient leurs objets personnels dans les poubelles et les dépotoirs, ils n'auraient aucun mal à les remplacer. Néanmoins, certains pleurèrent qui un verre en cristal, qui un moule à gaufres cassé mais d'une grande valeur sentimentale.

Adam Premier ordonna ensuite à ses ouailles de ne parler de Burt et de Buenavista à personne, et surtout pas au CorpSeCorps.

« Nos ennemis nous écoutent peut-être », avertit-il.

Il lançait cette mise en garde de plus en plus fréquemment : Toby se demandait parfois s'il n'était pas paranoïaque.

« Nuala, Toby, héla-t-il alors que les autres s'en allaient. Attendez un instant. Tu peux aller jeter un dernier coup d'œil là-bas ? demanda-t-il à Zeb. Même si je suppose qu'il n'y a plus rien à faire.

— Non, répondit Zeb d'un air enjoué. Strictement rien. Mais je vais y faire un tour.

— Mets ta tenue de plèbezoneur, ajouta Adam Premier.

— Ouais, la combi de motard », acquiesça Zeb.

Et il se dirigea vers l'escalier de secours.

« Nuala, ma chère, reprit Adam Premier, peux-tu m'éclairer ? À propos de ce qu'a dit Veena sur tes relations avec Burt ? »

Nuala se mit à renifler.

« Je n'y comprends rien, dit-elle. C'est un mensonge ! Et quel manque de respect ! Si tu savais comme je souffre ! Comment a-t-elle pu s'imaginer une telle chose... entre Adam Treize et moi ? »

Ce n'est pas très dur, vu la façon dont tu te frottes à tous les pantalons, songea Toby. Nuala flirtait avec tous les hommes. Mais Veena était en Jachère pendant ce temps-là, alors qu'est-ce qui avait pu éveiller ses soupçons ?

« Aucun d'entre nous n'a cru ces accusations, ma chère, dit Adam Premier. Veena a dû écouter une mauvaise langue – voire un *agent provocateur*[1] que l'ennemi avait dépêché pour semer la zizanie parmi

---

1. En français dans le texte. *(N.d.T.)*

nous. Je demanderai aux gardiens du Buenavista si Veena a eu ces derniers jours des visiteurs sortant de l'ordinaire. Maintenant, chère Nuala, sèche tes larmes et rends-toi à l'Ouvroir. Les membres de notre congrégation privés de leur foyer auront besoin de linge, de couvertures par exemple, et je sais que tu es une personne très serviable.

— Merci », fit Nuala avec reconnaissance.

Elle lui adressa un regard qui disait *Il n'y a que toi qui me comprends* et se précipita vers l'escalier de secours.

« Toby, ma chère. Penses-tu que tu aurais le cœur à endosser les responsabilités de Burt ? demanda Adam Premier lorsque Nuala eut pris congé. La Botanique du Jardin, les Herbes comestibles. Nous ferions de toi une Ève, naturellement. Cela fait quelque temps que j'y songe, mais Pilar apprécie tellement ton assistance, et tu sembles si heureuse dans tes fonctions, que j'hésitais à la priver de ton soutien. »

Toby réfléchit.

« J'en serais honorée, dit-elle enfin. Mais je ne puis accepter. Accéder au rang d'Ève... ce serait hypocrite de ma part. »

Jamais elle n'avait connu d'illumination comparable à celle qu'elle avait éprouvée lors de son premier jour parmi les Jardiniers, bien qu'elle s'y fût souvent efforcée. Elle avait participé aux Retraites, effectué une Semaine d'isolation, accompli les Veilles, consommé les champignons et les élixirs requis, mais nulle révélation ne lui était advenue. Des visions, oui, mais toutes dénuées de sens. Du moins de sens qui lui fût déchiffrable.

« Hypocrite ? répéta Adam Premier en plissant le front. Que veux-tu dire ? »

Toby choisit ses mots avec soin ; elle ne tenait pas à le froisser.

« Je ne suis pas sûre de croire à tout. »

Euphémisme : elle ne croyait à presque rien.

« Dans certaines religions, c'est la foi qui précède l'action, dit Adam Premier. Dans la nôtre, c'est l'action qui précède la foi. Tu te conduis comme si tu croyais, ma chère Toby. *Comme si* – ces deux mots sont très importants pour nous. Continue de vivre ainsi que tu le fais, et, tôt ou tard, la foi te viendra.

— Ça ne peut pas suffire. Une Ève devrait être... »

Adam Premier soupira.

« Il ne faut pas trop attendre de la foi, dit-il. L'intelligence humaine est faillible et nous voyons dans un miroir, en énigme. Toute religion est une ombre de Dieu. Mais les ombres de Dieu ne sont pas Dieu.

— Je ne voudrais pas donner le mauvais exemple, insista Toby. Les enfants n'ont pas leur pareil pour déceler le mensonge – ils verraient bien vite que je ne suis pas sincère. Ce qui serait nuisible à l'œuvre que vous tentez d'accomplir.

— Tes doutes me rassurent. Ils montrent à quel point tu es digne de confiance. Pour chaque Non, il y a un Oui! Veux-tu faire une chose pour moi?

— Laquelle?» demanda Toby avec prudence.

Elle ne voulait pas des responsabilités d'une Ève – elle ne tenait pas à restreindre ses choix. Elle voulait être libre de partir si cela lui semblait nécessaire. Je n'ai fait qu'accomplir mon temps ici, se dit-elle. Profiter du bon vouloir de ces gens. Je les ai trompés.

«Demande à être guidée, répondit Adam Premier. Effectue une Veille d'une nuit. Prie pour avoir la force d'affronter tes doutes et tes craintes. Je suis sûr que tu recevras une réponse positive. Tu possèdes des dons qu'il ne faut pas gaspiller. Nous t'accueillerions tous avec joie si tu devenais une Ève, je puis te l'assurer.

— D'accord, dit Toby. Je peux faire cela.»

Pour chaque Oui, pensa-t-elle, il y a aussi un Non.

C'était Pilar qui conservait le matériel nécessaire aux Veilles, ainsi que les autres substances permettant aux Jardiniers de faire des sorties extracorporelles. Voilà plusieurs jours qu'elle était alitée – une gastro-entérite, disait-on – et que Toby ne lui avait pas parlé. Mais comme Adam Premier n'avait pas évoqué cette maladie, peut-être était-elle enfin rétablie. En règle générale, ce type d'affection ne durait pas plus d'une semaine.

Toby se rendit dans le minuscule logis de Pilar, à l'autre bout du bâtiment. Pilar était allongée sur son futon; sur le sol à côté d'elle, une bougie en cire d'abeille brûlait dans une boîte de fer-blanc. L'atmosphère était étouffante et imprégnée de l'odeur du vomi. Mais le bol posé près du lit était vide et propre.

«Chère Toby, dit Pilar. Viens t'asseoir près de moi.»

Son visage fripé évoquait plus que jamais une petite noix, en dépit de la pâleur de sa peau, si tant est qu'une peau brune puisse être pâle. Elle avait la couleur de la boue.

«Tu te sens mieux? demanda Toby en serrant fermement de ses deux mains l'une des serres de Pilar.

— Oh! oui. Beaucoup mieux», répondit Pilar avec un doux sourire.

Sa voix était pourtant très faible.

«Qu'est-ce que tu as eu ?

— J'ai mal digéré quelque chose. Bon, que puis-je faire pour toi ?

— Je voulais m'assurer que tu étais en bonne santé », dit Toby.

Et elle comprit qu'elle disait vrai. Pilar avait l'air si affaiblie, si éprouvée. Elle prit conscience de la peur qui l'habitait : et si Pilar – elle qui semblait éternelle, qui donnait l'impression d'avoir toujours été là, ou sinon toujours, du moins depuis des temps immémoriaux, comme un rocher ou une ancienne souche d'arbre... et si Pilar venait à disparaître ?

« C'est très aimable à toi, dit Pilar en lui étreignant la main.

— Et Adam Premier m'a demandé de devenir une Ève.

— Tu lui as dit non, je suppose ? s'enquit Pilar en souriant.

— En effet. » Pilar n'avait aucun mal à deviner ses pensées. « Mais il tient à ce que j'effectue une Veille d'une nuit. Pour prier afin d'être guidée.

— Cela vaudrait mieux. Tu sais où j'ai rangé le matériel. C'est le flacon marron, ajouta Pilar alors que Toby tirait le rideau fait de poches en plastique cousues avec de la ficelle qui dissimulait les étagères. Le marron, sur la droite. Cinq gouttes seulement, et deux gouttes du flacon mauve.

— Est-ce que j'ai déjà préparé ce mélange ? demanda Toby.

— Pas vraiment. Avec celui-ci, tu obtiendras forcément une réponse. On en a toujours une. La Nature ne nous trahit jamais. Mais tu le sais, n'est-ce pas ? »

Toby n'en savait rien. Elle versa dans une tasse de thé ébréchée le nombre de gouttes requis puis remit les flacons en place.

« Tu es sûre que ça va mieux ? demanda-t-elle.

— Oui, pour le moment, répondit Pilar. Et le moment est le seul temps sur lequel on puisse compter. Maintenant, va-t'en, chère Toby, je te souhaite une excellente Veille. La lune est gibbeuse cette nuit. Profites-en bien ! »

Parfois, quand elle prescrivait les ingrédients d'un trip, Pilar s'exprimait comme un forain aux commandes d'un manège.

Pour effectuer sa Veille, Toby choisit le carré de tomates du Jardin de toiture d'Édenfalaise. Elle en informa la communauté via l'ardoise prévue à cet effet, ainsi qu'elle en avait l'obligation : il arrivait que les Jardiniers en Veille se mettent à divaguer, et il était utile de savoir quel avait été leur point de départ.

Adam Premier avait récemment décidé de placer un gardien sur le palier de chaque étage. Par conséquent, si j'emprunte l'escalier d'incendie, on ne manquera pas de me voir, se dit Toby. Reste à espérer que je ne tomberai pas du toit.

Elle attendit le crépuscule puis avala son élixir en le coupant d'un sirop de Framboise et de Fleur de Sureau pour en atténuer le goût : les décoctions de Pilar avaient hélas une saveur rappelant le paillis. Puis elle s'assit dans la position du lotus près d'un plant de tomates de belle taille, que le clair de lune faisait ressembler à un insecte grotesque ou à un danseur végétal.

Bientôt, le plant se mit à pousser et à darder ses vrilles, et les tomates à palpiter comme autant de cœurs. Tout près, les criquets se mirent à parler dans des langues inconnues : *quarkit quarkit, ibbit ibbit, arkit arkit...*

Gymnastique neuronale, se dit Toby. Elle ferma les yeux.

Pourquoi ne puis-je croire ? demanda-t-elle aux ténèbres.

Sur l'écran de ses paupières, elle vit un animal. Il était doré, pourvu de doux yeux verts et de canines acérées, et d'une laine bouclée en guise de fourrure. Il ouvrit la bouche mais ne dit mot. Au lieu de cela, il bâilla.

L'animal la fixa. Elle le fixa.

« Tu es la conséquence d'un mélange de plantes toxiques dosées avec soin », lui dit-elle.

Puis elle s'endormit.

33

Le lendemain matin, Adam Premier vint demander à Toby comment sa Veille s'était passée.

«As-tu reçu une réponse ?

— J'ai vu un animal. »

Adam Premier se montra ravi.

«Ça, c'est ce que j'appelle un succès ! De quel animal s'agissait-il ? Qu'est-ce qu'il t'a dit ?» Mais, avant que Toby n'ait eu le temps de répondre, il jeta un coup d'œil par-dessus son épaule et ajouta : «Voici que nous arrive un messager. »

Encore sous le coup de sa Veille, Toby crut qu'il s'agissait d'un ange né des champignons ou d'un esprit issu de l'herbe, mais ce n'était que Zeb, encore essoufflé d'avoir gravi l'escalier d'incendie. Il portait toujours sa tenue de plèbezoneur : blouson de pluir noir, jean crasseux, bottes de motosolaire cabossées. Il semblait affligé d'une gueule de bois.

«Tu as passé une nuit blanche ? demanda Toby.

— Toi aussi, vu la tête que tu fais, rétorqua Zeb. Ça va chauffer quand je rentrerai au bercail – Lucerne déteste que je bosse pendant la nuit. » Mais cela ne semblait pas l'inquiéter outre mesure. «Tu préfères convoquer une assemblée générale ou découvrir d'abord les mauvaises nouvelles en privé ? demanda-t-il à Adam Premier.

— Commençons par les mauvaises nouvelles, répondit celui-ci. Peut-être devrons-nous les édulcorer avant de les transmettre à tous. » Désignant Toby d'un signe de tête : «Elle n'est pas du genre à paniquer.

— Bien, fit Zeb. Voici ce qui s'est passé. »

Ses sources d'information n'avaient rien d'officiel, expliqua-t-il :

dans sa quête de vérité, il avait dû se sacrifier en passant une soirée à regarder les danseuses de Queuezécailles, la boîte que fréquentaient les hommes du CorpSeCorps pendant leurs loisirs. Il n'aimait pas s'approcher d'aussi près de ces sbires, ajouta-t-il – en raison de ses activités passées, et malgré les altérations qu'il avait imposées à son visage et à son corps, il courait le risque d'être reconnu. Mais comme il connaissait quelques-unes des filles, il les avait interrogées pour collecter des rumeurs.

« Tu les as payées ? demanda Adam Premier.

— Rien n'est gratuit. Mais je n'ai pas déboursé grand-chose. »

Burt avait bien aménagé une plantation clandestine au Buenavista. Il avait opté pour la méthode classique : appartements vacants, fenêtres noircies, connexions électriques piratées. Lumière artificielle, arrosage automatique, un produit d'excellente qualité. Mais il ne s'était pas contenté du shit ordinaire, ni même de la super herbe de la côte Ouest : il cultivait une variété transgénique qui vous envoyait dans la stratosphère, boostée par des gènes de peyotl et de psilocybine, et même un peu d'ayahuasca – encore qu'ils n'aient pas entièrement éliminé les propriétés émétiques du shit. La plupart des consommateurs qui testaient ce produit s'empressaient d'en redemander, et comme les fournisseurs étaient encore peu nombreux, l'affaire s'annonçait particulièrement juteuse.

Une affaire lancée par le CorpSeCorps, naturellement. Les labos SentéGénic avaient développé le produit, les hommes du CorpSeCorps jouaient le rôle de grossistes. Ils géraient cette opération comme toutes leurs activités illégales, par l'entremise des plèbegangs. En confier la gestion quotidienne à un Adam et installer la plantation dans un immeuble contrôlé par les Jardiniers, c'était pour eux la cerise sur le gâteau. Burt était grassement payé, mais il avait tenté de détourner une partie de la récolte à son profit. Et il y avait réussi, conclut Zeb, jusqu'à ce que le CorpSeCorps reçoive un coup de fil anonyme. Provenant d'un téléphone mobile retrouvé par la suite dans une poubelle. Pas la moindre trace d'ADN dessus. Mais le correspondant était une femme. Et une femme en pétard.

Veena, sans nul doute, se dit Toby. Où a-t-elle pu se procurer un phone ? À en croire la rumeur, elle avait utilisé la prime du CorpSeCorps pour filer avec Bernice sur la côte Ouest.

« Où est-il à présent ? demanda Adam Premier. Notre Adam Treize ? Notre ex-Adam Treize ? Est-ce qu'il est encore en vie ?

— Impossible à dire, répondit Zeb. Aucune info.

— Prions. Il va leur parler de nous. »

— S'il bossait aussi étroitement avec eux, il l'a déjà fait.

— Connaissait-il l'existence des échantillons de tissu de Pilar? demanda Adam Premier. Et de notre contact chez SentéGénic? Notre jeune messager au bocal de miel?

— Non, répondit Zeb. Seuls Pilar, toi et moi étions au courant. La question n'a jamais été évoquée au Conseil.

— Heureusement!

— Espérons qu'il aura un accident avec un couteau de boucher, conclut Zeb. Et toi, tu n'as rien entendu, ajouta-t-il à l'intention de Toby.

— N'aie crainte, dit Adam Premier. Toby est désormais des nôtres à part entière. Ce sera bientôt une Ève.

— Mais je n'ai pas eu de réponse!» protesta l'intéressée.

En tant que vision, un bâillement d'animal, ça n'allait pas très loin.

Adam Premier se fendit d'un sourire indulgent.

«Tu prendras la bonne décision», assura-t-il.

Toby passa le reste de l'après-midi à préparer une décoction dont le fumet serait irrésistible à des narines de rat et que l'on répandrait sur le trajet reliant l'atelier PareChocsContrePareChocs à la résidence Buenavista. Le but étant d'inciter les rats à déménager de celui-là pour s'établir dans celle-ci, sans que leur population ait à subir la moindre perte : les Jardiniers ne souhaitaient pas déplacer une Espèce sœur sans lui proposer un habitat équivalent.

Elle récupéra des bouts de viande dans le paquet que Pilar conservait à l'intention des asticots, un peu de miel, un peu de beurre de cacahuète – elle avait envoyé Amanda en acheter dans une supérette. Un morceau de fromage moisi, des fonds de canettes de bière pour l'élément liquide. Lorsque le mélange fut prêt, elle convoqua Shackleton et Crozier afin de leur donner ses instructions.

«Ouaouh! ça schlingue, dit Shackleton en reniflant d'un air admiratif.

— Tu penses que tu tiendras le coup? dit Toby. Dans le cas contraire...

— On s'en sortira, dit Crozier en bombant le torse.

— Je peux venir, moi aussi? demanda le petit Oates, qui les avait suivis.

— Interdit aux suceurs de pouce, décréta Crozier.

— Soyez prudents, avertit Toby. On ne veut pas vous retrouver dans un terrain vague, tués d'un coup d'aérodésintégreur. Avec les reins en moins.

— Je sais ce que j'ai à faire, dit fièrement Shackleton. Zeb va nous aider. On porte déjà des fringues de plèbezoneur – regarde ! »

Il entrouvrit sa chemise de Jardinier : elle dissimulait un tee-shirt noir sur lequel il était écrit : LA MORT : LE MEILLEUR MOYEN DE PERDRE DU POIDS ! Sous ce slogan était dessinée une tête de mort surmontant des tibias entrecroisés, le tout d'une belle couleur argentée.

« Ces CorpSeCorps sont des débiles », enchaîna Crozier en souriant. Son tee-shirt proclamait : LES STRIPTEASEUSES ADORENT MON POTEAU. « Ils ne nous verront même pas passer.

— Je suce pas mon pouce », dit Oates en gratifiant Crozier d'un coup de pied dans le tibia.

En guise de représailles, il eut droit à une tape sur le crâne.

« On est hors de portée de leur radar, renchérit Shackleton. Ils ne nous voient pas, c'est vrai.

— Bouffeur de cochon ! s'écria Oates.

— Oates, assez de grossièretés, dit Toby. Viens donc m'aider à nourrir les asticots. Quant à vous, filez, dit-elle aux deux autres. Voilà la bouteille. N'arrosez pas l'intérieur de PareChocsContrePare-Chocs, et n'arrosez aucun objet en bois, sinon ça gâchera la vie d'un innocent pendant les mois à venir. Nous comptons sur toi », ajouta-t-elle à l'intention de Shackleton.

Il était bon de faire comprendre aux garçons de son âge qu'on leur confiait un travail d'homme, à condition toutefois que ça ne leur monte pas à la tête.

« Adieu, pisse-au-lit, dit Crozier.

— Tu pues trop », répliqua Oates.

34

Le lendemain matin, Toby donnait un cours à la Clinique du Bien-Être – Herbes et Affections, à l'intention des douze à quinze ans. Ou Botanomanie, comme l'avaient surnommé les élèves, ce qui n'était pas très grave comparé aux autres sobriquets qu'ils avaient imaginés : CacaPopo pour l'usage et l'entretien des biolettes violettes, BoueGadoue pour le compostage.

«Le Saule, dit-elle. Un analgésique. Écrivez-le sur votre ardoise : a, n, a, l, g, e accent aigu, s, i, q, u, e.» On entendit crisser les craies. Beaucoup trop fort. «Arrête ça, Crozier», dit Toby sans se retourner.

Crozier était un spécialiste de la craie crissante. Quelqu'un avait-il chuchoté *Sorcière sèche* ?

«Je t'ai entendu, Shackleton.»

La classe était plus agitée qu'à l'ordinaire : conséquence du choc engendré par l'incident de Veena.

«Analgésique. Qu'est-ce que cela signifie ?

— Antidouleur, proposa Amanda.

— Exact, Amanda.»

Amanda, dont la conduite exemplaire était hautement suspecte, se montrait encore plus sage ce jour-là. C'était une fille rusée, cette Amanda. Bien trop rompue aux us et coutumes du Monde exfernal. Mais Adam Premier estimait que les Jardiniers exerçaient sur elle une influence positive, et qui aurait pu affirmer qu'elle n'était pas en train de changer de vie ?

Cela dit, on pouvait regretter que Ren fût désormais assujettie à son influence si séduisante. Ren était bien trop malléable – elle risquait de ne jamais trouver son autonomie.

«Quelle partie du Saule nous sert à produire cet analgésique ? reprit-elle.

— Les feuilles ? » avança Ren.

Trop désireuse de plaire, quitte à donner une réponse inexacte, et plus inquiète qu'à l'ordinaire. Ren devait être éprouvée par le départ de Bernice, à moins qu'elle ne se sentît coupable : avec quelle rudesse elle avait écarté son amie une fois qu'Amanda avait fait son entrée en scène. Ils croient qu'on ne fait pas attention à eux, songea Toby. Ils croient qu'on ne comprend rien à leurs manigances. À leur snobisme, à leur cruauté, à leurs complots.

Nuala passa la tête par l'entrebâillement de la porte.

« Toby, ma chère, puis-je te parler ? »

Sa voix était lugubre. Toby sortit dans le couloir.

« Qu'est-ce qu'il se passe ? demanda-t-elle.

— Il faut que tu ailles voir Pilar. Tout de suite. Elle a choisi son heure. »

Toby sentit son cœur se serrer. Ainsi, Pilar lui avait menti. Non, pas tout à fait : elle ne lui avait pas dit toute la vérité. Elle avait mal digéré quelque chose, d'accord, mais elle ne l'avait pas ingéré par accident. Nuala étreignit le bras de Toby pour lui manifester sa compassion. Ôte tes mains moites de ma peau, lui ordonna-t-elle mentalement. Je ne suis pas un homme.

« Tu peux t'occuper de ma classe ? lui demanda-t-elle. S'il te plaît. C'est le cours sur le Saule.

— Mais bien sûr, chère Toby. Je vais leur faire chanter "Le Saule pleureur". »

Cette chanson mièvre était une des préférées de Nuala ; elle l'avait composée à l'intention des tout-petits. Toby voyait déjà les aînés lever les yeux au ciel. Mais comme Nuala ne connaissait pas grand-chose en botanique, cela lui permettrait au moins de gagner du temps.

Tandis que Toby s'éloignait, elle entendit Nuala annoncer :

« Toby vient de se voir confier une mission de miséricorde, alors aidons-la en entonnant "Le Saule pleureur" ! »

Sa voix de contralto, légèrement atone, n'avait aucun mal à émerger du chœur enfantin étrangement terne.

Saule pleureur, Saule pleureur, aux branches mouvantes comme les
[vagues,
Je gis sur mon lit de douleur, viens me consoler, me soulager...

L'enfer, songea Toby, ce serait une éternité passée à écouter les niaiseries de Nuala. Et puis ce n'était pas le Saule pleureur mais le Saule blanc, *Salix alba*, dont l'écorce produisait l'acide salicylique. Autrement dit l'aspirine.

Pilar gisait sur sa couche, avec à son chevet une bougie en cire d'abeille brûlant dans une boîte de fer-blanc. Elle tendit vers Toby ses doigts basanés et filiformes.

«Ma très chère Toby. Merci d'être venue. Je tenais tellement à te voir.

— C'est toi qui t'es fait ça ! cria Toby. Tu ne m'as rien dit !»

La tristesse la poussait à la colère.

«Je ne voulais pas que tu perdes ton temps à te faire du souci.» La voix de Pilar n'était plus qu'un murmure. «Je voulais que tu effectues ta Veille en paix. Allez, viens t'asseoir près de moi et dis-moi ce que tu as vu cette nuit.

— Un animal. On aurait dit un lion, mais ce n'en était pas un.

— Bien, murmura Pilar. C'est bon signe. Tu auras de la force lorsque tu en auras besoin. Je suis ravie que tu n'aies pas vu une limace.»

Elle partit d'un petit rire puis grimaça de douleur.

«Pourquoi ? fit Toby. Pourquoi as-tu fait ça ?

— J'ai reçu mon diagnostic. C'est un cancer. Très avancé. Le mieux est de partir tout de suite, tant que je sais ce que je fais. Pourquoi s'attarder ?

— Quel diagnostic ?

— J'ai envoyé des prélèvements, expliqua Pilar. Katuro m'a aidée – c'est lui qui a collecté les échantillons. On les a planqués dans un bocal de miel pour les transmettre en douce aux labos de SentéGénic Ouest – sous une autre identité que la mienne, bien entendu.

— Qui s'est occupé de ça ? demanda Toby. Zeb ?»

Pilar sourit comme à une plaisanterie pour initiés.

«Un ami, répondit-elle. Nous avons beaucoup d'amis.

— On pourrait t'emmener à l'hôpital, dit Toby. Je suis sûre qu'Adam Premier ne s'opposerait pas à...

— N'insiste pas, ma Toby. Tu sais ce que nous pensons des hôpitaux. Autant me jeter dans une fosse d'aisances. Et puis, rien ne peut me guérir de la potion que j'ai prise. Bon, maintenant, passe-moi ce verre – le bleu, s'il te plaît.

— Pas tout de suite !» s'exclama Toby.

Comment faire pour gagner du temps ? pour garder Pilar auprès d'elle ?

«Ce n'est que de l'eau, coupée d'un peu de Saule et d'un peu de Pavot, murmura Pilar. Pour apaiser la douleur sans m'assommer. Je veux rester consciente le plus longtemps possible. Je n'en ai pas encore fini. »

Toby regarda Pilar boire sa décoction.

«Un autre oreiller, s'il te plaît », lui demanda Pilar.

Toby lui passa l'un des oreillers fourrés d'herbe sèche posés au pied du lit.

«Tu es la seule famille que j'aie ici, lui dit-elle. Bien plus proche de moi que tous les autres. »

Elle avait du mal à articuler, mais elle refusait de pleurer.

«Et toi, tu es ma seule famille, rétorqua Pilar. Prends soin de l'Ararat de Buenavista. Veille à l'entretenir. »

Toby n'avait pas le cœur à lui dire que l'Ararat de Buenavista avait été perdu à la suite de l'arrestation de Burt. Pourquoi lui faire de la peine ? Elle la redressa sur son nid d'oreillers : Pilar lui parut étrangement lourde.

«Qu'est-ce que tu as pris ? demanda-t-elle, la gorge serrée.

— Je t'ai bien formée. » Pilar avait les yeux plissés, comme si elle venait de faire une bonne blague. «Voyons si tu arrives à le deviner. Symptômes : crampes et vomissements. Puis une période de répit durant laquelle le patient semble se rétablir. Sauf que, pendant ce temps, son foie est détruit à petit feu. Aucun antidote connu.

— Une amanite.

— Bravo, chuchota Pilar. L'Ange de la Mort, un ami sur qui on peut compter.

— Mais tu vas horriblement souffrir, protesta Toby.

— Ne t'inquiète pas pour ça. Je prendrai du concentré de Pavot. C'est le flacon rouge – oui, celui-là. Je te ferai signe. Maintenant, écoute-moi attentivement. Voici mes dernières volontés. Un linceul n'a pas de poches, comme on dit – tous nos biens matériels doivent être transmis aux vivants, et notre savoir également. Je tiens à ce que tu hérites de tout ce que j'ai rassemblé ici – de tout mon équipement. C'est un bon échantillonnage, qui te conférera un certain pouvoir. Conserve-le et fais-en bon usage. J'ai confiance en toi. Tu connais bien certains de ces flacons. J'ai dressé un inventaire écrit des autres, que tu devras détruire après l'avoir mémorisé. Il est planqué dans la jarre verte – celle-ci. Me promets-tu de respecter mes dernières volontés ?

— Oui. Je te le promets.

— Chez nous, toute promesse faite à un mourant est sacrée. Tu le sais. Ne pleure pas. Regarde-moi. Je ne suis pas triste. »

Toby connaissait bien la théorie : Pilar croyait faire don de son corps à la matrice de la Vie, de sa propre volonté par-dessus le marché, et elle croyait aussi que c'était là matière à réjouissance.

Et moi ? se dit Toby. Je me retrouve abandonnée. Comme lorsque sa mère était morte, suivie de près par son père. Combien de fois serait-elle condamnée à devenir orpheline ? Arrête de geindre, se morigéna-t-elle.

« Je veux que tu deviennes Ève Six, dit Pilar. Que tu prennes ma place. Personne d'autre n'a le talent et le savoir requis. Peux-tu faire cela pour moi ? Promets-le-moi. »

Toby obtempéra. Avait-elle vraiment le choix ?

« Bien, souffla Pilar. Maintenant, le moment est venu pour moi de prendre le Pavot. Le flacon rouge, oui, celui-ci. Souhaite-moi un bon voyage.

— Merci pour tout ce que tu m'as enseigné », dit Toby.

Je ne supporte pas cela, se dit-elle. Je suis en train de la tuer. Non : de l'aider à mourir. J'exauce ses vœux.

Elle regarda Pilar boire la potion.

« Merci pour tout ce que tu as appris, lui dit Pilar. À présent, je vais dormir. N'oublie pas d'informer les abeilles. »

Toby resta assise au chevet de Pilar jusqu'à ce qu'elle eût cessé de respirer. Puis elle rabattit la couverture sur son visage apaisé et souffla la bougie. Était-ce un effet de son imagination, ou bien celle-ci avait-elle doublé d'éclat lorsque Pilar avait expiré, comme attisée par un souffle d'air ? Le souffle de l'Esprit, aurait dit Adam Premier. Une énergie impossible à capter comme à mesurer. L'incommensurable Esprit de Pilar. Envolé.

Mais si l'Esprit n'est pas matière, il ne peut influer sur la flamme d'une bougie. N'est-ce pas ?

Je deviens débile comme les autres, se dit Toby. Aussi brouillée qu'un œuf. Dans pas longtemps, je vais me mettre à parler aux fleurs. Ou aux limaces, comme Nuala.

Pourtant elle alla quand même voir les abeilles. Elle se sentait un peu stupide, mais chose promise, chose due. Il ne suffisait pas d'émettre des pensées dans leur direction, se rappela-t-elle : il fallait leur parler à voix haute. Les abeilles sont les messagères entre ce monde et l'autre, disait Pilar. Entre les vivants et les morts. Elles portent le Verbe fait air.

Toby se couvrit la tête – telle était la coutume, affirmait Pilar – et se planta devant les ruches du Jardin de toiture. Les abeilles volaient un peu partout, comme d'habitude, affairées à transporter du pollen et à exécuter leurs danses sémaphoriques. De l'intérieur des ruches montait le bourdonnement des ailes, qui assuraient la ventilation et le refroidissement de l'air dans les alvéoles et les tunnels. Une abeille, c'est toutes les abeilles, assurait Pilar, et ce qui est bon pour la ruche est bon pour l'abeille.

Quelques abeilles à fourrure dorée volèrent autour de sa tête. Trois d'entre elles se posèrent sur son visage pour le goûter.

«Abeilles, dit-elle. J'apporte des nouvelles. Vous devez informer votre Reine.»

L'écoutaient-elles? Peut-être. Elles tricotaient des mandibules pour prélever ses larmes séchées. Pour en recueillir le sel, aurait dit un scientifique.

«Pilar est morte, poursuivit-elle. Elle vous envoie son salut et vous remercie pour l'amitié que vous lui avez témoignée durant toutes ces années. Quand viendra pour vous l'heure de la suivre là où elle est allée, elle vous retrouvera là-bas.» Telles étaient les paroles que Pilar lui avait enseignées. Elle se sentait toute bête de les prononcer. «En attendant ce jour, je serai votre Ève Six.»

Personne ne l'écoutait, mais si quelqu'un avait assisté à la scène, il ne lui aurait rien trouvé d'anormal – à condition de demeurer dans le Jardin. Un habitant des rues l'aurait considérée comme une folle, une demeurée qui parlait toute seule.

Pilar s'adressait tous les jours aux abeilles. Toby serait-elle tenue d'en faire autant? Oui, bien sûr. C'était l'une des fonctions d'Ève Six. Si l'on n'informe pas les abeilles de tout ce qui se passe, disait Pilar, elles se froisseront et essaimeront pour aller s'établir autre part. Ou alors elles mourront.

Les abeilles posées sur son visage hésitèrent : peut-être percevaient-elles ses tremblements. Mais elles savaient distinguer le chagrin de la peur, car elles ne la piquèrent pas. Au bout d'un temps, elles s'envolèrent, avant de se fondre dans la multitude qui bourdonnait au-dessus des ruches.

35

Une fois qu'elle eut séché ses larmes et repris sa contenance, Toby s'en fut annoncer la nouvelle à Adam Premier.

« Pilar est morte. Elle s'en est occupée elle-même.

— Oui, ma chère, je sais. Nous en avions discuté. Elle a pris l'Ange de la Mort et ensuite le Pavot, c'est ça ? »

Toby acquiesça.

« Mais... c'est une question délicate et je compte sur ta discrétion, reprit Adam Premier, elle ne tenait pas à ce que l'on dise la vérité à l'ensemble des Jardiniers. Partir de sa propre volonté pour l'ultime voyage, c'est un choix moral qui est réservé aux personnes d'expérience et, je dois le dire, atteintes d'une maladie incurable, comme l'était Pilar. Il ne nous appartient pas de le mettre à la disposition de tous – en particulier des plus jeunes d'entre nous, qui sont impressionnables et enclins aux songeries morbides et autres délires héroïques. Je présume que tu t'es occupée des flacons médicinaux de Pilar ? Nous ne voudrions pas déplorer quelque accident.

— Oui, c'est fait », dit Toby.

Il faut que je me fabrique un coffre, se dit-elle. En métal. Avec un cadenas.

« Et maintenant, tu es Ève Six, déclara Adam Premier avec un sourire rayonnant. J'en suis vraiment ravi, ma chère !

— Tu en as également discuté avec Pilar, je suppose. »

Cette histoire de Veille, c'était uniquement pour gagner du temps, comprit-elle. Pilar m'a mise en attente jusqu'à ce qu'elle ait conclu la vente.

« C'était son vœu le plus cher, répondit Adam Premier. Elle avait beaucoup d'amour et de respect pour toi.

— Et j'espère que j'en serai digne », dit-elle.

Ainsi, ils l'avaient prise au piège, tous les deux. Que pouvait-elle dire ? Ce rituel lui apportait autant de réconfort qu'une paire de chaussures en béton.

Adam Premier convoqua une assemblée générale, au cours de laquelle il servit de beaux mensonges aux Jardiniers.

« J'ai le regret de vous apprendre que notre chère Pilar – Ève Six – est décédée aujourd'hui dans des circonstances tragiques après avoir commis une erreur d'identification sur une espèce de champignon. Elle avait pourtant à son crédit de nombreuses années de pratique rigoureuse... mais peut-être était-ce une façon pour Dieu de recruter notre bien-aimée Ève Six pour Ses sublimes desseins. Permettez-moi de vous rappeler qu'il est vital pour vous tous de bien connaître nos champignons ; et, bien entendu, de limiter votre cueillette aux espèces qui nous sont familières, tels la Morille, le Coprin chevelu et la Vesse-de-loup – avec lesquels il n'y a aucun doute possible.

« Durant sa vie parmi nous, Pilar a considérablement accru notre collection de champignons et de fongus, y ajoutant nombre de spécimens sauvages. Certains de ceux-ci peuvent être d'une aide appréciable au cours de vos Retraites, mais abstenez-vous de les consommer sans avis autorisé et examinez avec soin leur volve et leur anneau, qui constituent des indices décisifs – nous ne voulons plus d'incidents de ce type. »

Toby était outrée : comment Adam Premier pouvait-il mettre en doute le savoir mycologique de Pilar ? Jamais celle-ci n'aurait commis une erreur aussi grossière : les Jardiniers les plus anciens n'étaient sûrement pas dupes. Mais peut-être n'était-ce qu'un doux euphémisme pour le suicide, comme le « regrettable accident » de jadis.

« J'ai le plaisir de vous annoncer que notre estimée Toby a accepté d'occuper la position d'Ève Six, poursuivit Adam Premier. C'était le vœu de Pilar et, vous en conviendrez tous, j'en suis sûr, nul n'est plus apte qu'elle à occuper cette position. Moi-même, je me repose totalement sur elle pour... pour bien des choses. Elle possède non seulement un savoir très étendu mais aussi du bon sens, de la résolution face à l'adversité et un cœur gorgé de tendresse. C'est pour tout cela que Pilar l'a choisie. »

Les Jardiniers adressèrent à Toby sourires et hochements de tête discrets.

« Notre bien-aimée Pilar souhaitait être intégrée au compost du Parc du Patrimoine, continua Adam Premier. Elle a sélectionné elle-même l'arbuste qu'elle voulait voir planté au-dessus d'elle – un beau spécimen de Sureau –, afin qu'à terme nous puissions en récolter les fruits. Comme vous le savez, le compostage clandestin est une entreprise risquée, frappée d'une forte amende – le Monde exfernal croit que la mort elle-même doit être enrégimentée et, bien entendu, payante –, mais nous allons la préparer avec soin et l'accomplir dans la discrétion. En attendant, ceux d'entre vous qui désirent rendre un dernier hommage à Pilar peuvent se recueillir devant sa dépouille dans son logis. Si vous voulez lui offrir des fleurs, permettez-moi de vous suggérer le cresson de fontaine, très abondant en cette saison. S'il vous plaît, ne touchez pas aux fleurs d'ail, que nous conservons à des fins de pollinisation. »

Les adultes versèrent quelques larmes et les enfants pleurèrent d'abondance, car Pilar était très aimée. Puis les Jardiniers s'en furent. Certains adressèrent à Toby des sourires appuyés, lui montrant ainsi qu'ils approuvaient sa promotion. Toby resta où elle était, car Adam Premier la retenait par le bras.

« Pardonne-moi, chère Toby, lui dit-il une fois qu'ils se retrouvèrent seuls. Je m'excuse d'avoir ainsi versé dans la fiction. Mais je suis parfois obligé de faire des entorses à la vérité. C'est pour le bien de tous. »

Toby et Zeb furent chargés de choisir le lieu où Pilar serait compostée et de creuser sa fosse. Le temps pressait, leur dit Adam Premier : les Jardiniers étaient hostiles à la congélation et on était en saison chaude, de sorte que, s'ils ne se pressaient pas, Pilar risquait de se décomposer un peu trop rapidement.

Zeb possédait deux tenues d'employé du Parc – chemise et salopette vertes, frappées de l'emblème du Parc brodé en blanc. Ils les endossèrent et se mirent en route dans un pick-up, où ils avaient chargé des pelles, des râteaux, des pioches et des fourches. Toby ignorait jusque-là l'existence de ce véhicule. Équipé d'un moteur à air comprimé, il était remisé dans une animalerie du Lagon puant. Une boutique désaffectée – les clients potentiels brillaient par leur absence, expliqua Zeb, car tout animal familier, chien, chat ou autre, avait de fortes chances de finir au four ou à la poêle.

Le pick-up était régulièrement repeint en fonction des besoins des Jardiniers, précisa Zeb. En ce moment, il était frappé de l'emblème du Parc du Patrimoine, une contrefaçon quasi parfaite.

« Il y a pas mal d'ex-graphistes parmi les Jardiniers, dit-il. En fait, ils sont tous ex d'une façon ou d'une autre. »

Ils foncèrent à travers le Trou de l'évier, klaxonnant pour chasser les plèberats et virant ceux qui tentaient de nettoyer leur pare-brise.

«Tu as déjà fait ça? demanda Toby.

— Tu veux dire : enterrer illégalement une vieille dame dans un parc public? Non, fit Zeb. C'est la première fois qu'une Ève passe l'arme à gauche pendant mon service. Mais il y a un commencement à tout.

— Est-ce que c'est dangereux?

— On ne va pas tarder à être fixés. Évidemment, on pourrait la larguer dans un terrain vague et laisser les charognards faire le reste, mais elle risquerait de finir dans un SecretBurger. Le cours des protéines animales n'arrête pas de grimper. Ou alors elle pourrait être transformée en carborduruile, ces types-là ne reculent devant rien. Nous devons l'empêcher de subir un tel sort : cette vieille Pilar ne supportait pas le carburant fossile, c'était contraire à sa religion.

— Mais pas à la tienne, pas vrai?»

Zeb gloussa.

«Les subtilités de la doctrine, je laisse ça à Adam Premier. Moi, je fais ce que je dois faire pour aller où je dois aller. Viens, on va se payer un Cafésympa.»

Il se gara dans le parking d'un centre commercial.

«Un Cafésympa? s'étonna Toby. Une boisson transgénique coupée de poisons synthétiques? Le genre qui tue les oiseaux et ruine les petits récoltants – comme on nous le serine tous les jours?

— Nous sommes en immersion profonde, rétorqua Zeb. Il faut bien se fondre dans la foule!» Il lui lança une œillade puis lui ouvrit la portière. «Détends-toi un peu. Je parie que t'étais une nana sympa avant de tomber dans les griffes des Jardiniers.»

Étais, oui, songea Toby. Le passé est bien la forme appropriée. Mais elle se sentait flattée : ça faisait un bail qu'un homme ne lui avait pas adressé un compliment.

Le Cafésympa était le point culminant des pauses déjeuners qu'elle arrivait à se ménager, du temps où elle bossait pour Secret-Burgers; ça faisait une éternité qu'elle n'en avait pas bu, du moins lui semblait-il. Elle commanda un Capuccimpa. C'était plus délicieux encore que dans son souvenir. Elle le sirota tout à son aise : des années passeraient avant qu'elle en boive un autre, si jamais ça lui arrivait.

«On ferait mieux de pas traîner, dit Zeb bien avant qu'elle ait fini sa tasse. On a un trou à creuser, après tout. Mets ta casquette et planque tes cheveux dessous, c'est ce que font les employées du parc.

— Hé ! l'ouvrière du parc, lança une voix derrière elle. Montre-nous ton buisson ! »

Toby avait peur de se retourner. Pourtant Blanco était de retour à Painball, Adam Premier le lui avait assuré – ainsi le prétendait la rumeur dans le quartier.

Zeb capta sa terreur.

« Si un mec t'emmerde, je le massacre à coups de pioche », dit-il.

Une fois remontés dans le pick-up, ils roulèrent dans la plèbezone jusqu'au Parc du Patrimoine. Zeb présenta son laissez-passer bidon aux gardiens, qui n'y virent que du feu. Comme le parc était en principe réservé aux promeneurs, leur véhicule était le seul à le parcourir.

Zeb roulait au pas et ils virent quantité de familles de plèbezoneurs en train de pique-niquer autour d'un barbecue. Des groupes de plèberats buvaient et beuglaient. On lança une pierre sur le pick-up : les employés du Parc n'étaient pas armés et les plèberats le savaient. On avait déploré des blessés et même des morts, lui confia Zeb. Dans un environnement arboré, certains retrouvaient leurs instincts préhistoriques.

« Qui dit Nature dit primitifs », déclara-t-il en ricanant.

Ils trouvèrent le lieu idéal : une parcelle dégagée où le Sureau recevrait son content de soleil et où le sol devait être vierge de racines. Zeb attaqua la terre à la pioche pour creuser une fosse ; Toby évacua le terreau avec une pelle. Ils avaient planté un écriteau bidon : « Plantation sponsorisée par SentéGénic Ouest ».

« Si quelqu'un vient fouiner par ici, j'ai la paperasse qu'il faut, lui assura Zeb. C'est déjà dans la poche. Et ça n'a coûté presque rien. »

Une fois la fosse creusée, ils s'en allèrent, prenant soin de laisser l'écriteau en place.

Le compostage se déroula durant l'après-midi. On transporta Pilar sur zone à bord du pick-up, emballée dans un sac à viande estampillé Paillis, en compagnie du Sureau et d'un bidon d'eau. Placé sous la direction d'Adam Premier et de Nuala, le Chœur des Fleurs et des Bourgeons traversa le Parc en chantant des cantiques, passant à proximité de la sépulture afin d'attirer l'attention des badauds pendant que Zeb et Toby procédaient à la cérémonie. Ils chantaient à pleins poumons l'hymne du Jour de la Taupe. Lorsqu'ils parvinrent au dernier couplet, Shackleton et Crozier, qui traînaient sur la pelouse vêtus de leurs tee-shirts de plèberats, leur lancèrent des quolibets. Quand ils passèrent aux projectiles, les petits chanteurs s'égaillèrent en piaillant. Tous les plèbezoneurs présents observèrent le spectacle, espérant que le sang allait couler. D'un geste souple, Zeb allongea Pilar dans la fosse, sans l'extraire de son sac à viande, et positionna le jeune Sureau au-dessus d'elle. Toby la recouvrit de terreau ; puis ils l'arrosèrent.

« Arrête de tirer la gueule, lui dit Zeb. Fais comme si c'était ton boulot de tous les jours. »

L'un des badauds ne les quittait pas des yeux. Le Chœur des Fleurs et des Bourgeons n'avait pas réussi à le distraire ; il restait adossé à un arbre, comme indifférent à toute cette agitation. Il était vêtu d'un tee-shirt frappé du slogan suivant : LE FOIE EST LE MAL, IL DOIT ÊTRE PUNI.

« Tu connais ce gamin ? » demanda Toby.

Ce tee-shirt ne collait pas. Si ce mec était un vrai plèberat, il aurait été plus moulant.

Zeb suivit son regard.

« Lui ? Pourquoi ?

— Il s'intéresse un peu trop à nous. »

Un type du CorpSeCorps ? se demanda-t-elle. Non, trop jeune.

« Arrête de le reluquer, répondit Zeb. Il connaissait Pilar. Je lui ai dit qu'on viendrait ici. »

36

À en croire Adam Premier, la Chute de l'Homme était multidimensionnelle. Les primates ancestraux avaient commencé par tomber des arbres ; puis ils avaient chu du statut de végétariens à celui de carnivores. Et ensuite de l'instinct à la raison, et de là à la technologie ; des signaux élémentaires à la grammaire complexe, et de là à l'humanité ; de l'absence de feu à l'utilisation d'icelui, et de là à l'usage des armes ; et du rut saisonnier à une sexualité débridée. Puis ils avaient renoncé à vivre dans la joie de l'instant pour s'abîmer dans la contemplation angoissée du passé enfui et de l'avenir lointain.

La Chute était permanente, mais sa trajectoire menait toujours à l'abîme. Une fois tombé dans le puits de la connaissance, on ne pouvait que descendre vers le fond, accumulant le savoir sans jamais gagner le bonheur. Et ainsi en alla-t-il de Toby sitôt qu'elle fut devenue une Ève. Elle sentait son titre d'Ève Six infuser en elle, l'éroder et effacer les aspérités de son moi d'antan. C'était pire qu'un cilice, c'était une tunique tressée d'orties. Comment avait-elle accepté de s'en laisser vêtir ?

Mais elle savait désormais beaucoup de choses. Le savoir qu'elle assimilait était pareil à tous les savoirs : une fois qu'on le possédait, on se demandait comment on avait pu l'ignorer. C'était comme un tour de magie : ce savoir avait toujours été là, à sa portée, mais jusqu'ici elle y avait été aveugle.

Exemple : les Adam et les Ève disposaient d'un ordinateur portable. Toby avait été choquée de l'apprendre – un tel appareil n'était-il pas contraire aux principes mêmes des Jardiniers ? –, mais Adam

Premier l'avait rassurée : ils ne se connectaient jamais, ou alors en prenant des précautions extrêmes, et l'utilisaient surtout pour stocker des données essentielles sur le Monde externel ; ils veillaient en outre à dissimuler son existence au plus gros de la communauté – aux enfants en particulier. Mais ils possédaient bien un ordinateur.

« C'est comme l'enfer de la Bibliothèque du Vatican, lui dit Zeb. Entre nos mains, il est inoffensif. »

L'ordinateur était planqué dans un réduit adjacent à la Vinaigrerie, où se déroulaient les réunions bihebdomadaires des Adam et des Ève. Toby avait bien aperçu une porte dans la Vinaigrerie, mais, avant qu'elle fût élevée au rang d'Ève, on lui avait dit que c'était celle d'un vulgaire placard où l'on entreposait les bouteilles. Et on trouvait bien quelques bouteilles vides sur une étagère, mais celle-ci pivotait sur elle-même pour révéler la porte du réduit. Les deux huis étaient fermés à clé, et seuls les Adam et les Ève pouvaient les ouvrir. Désormais, Toby avait droit à ses clés.

Elle aurait dû se rendre compte que les Adam et les Ève disposaient d'un lieu de rencontre. Ils semblaient agir et penser comme un seul être humain, sans utiliser ni phone ni ordinateur, alors comment pouvaient-ils se concerter sinon en discutant face à face ? Avait-elle conclu qu'ils échangeaient l'information par des moyens chimiques, comme les arbres ? Mais non, rien de végétal dans leurs procédures : ils prenaient place autour d'une table, comme en un banal conclave, et élaboraient une position commune en se querellant comme des moines médiévaux, tant sur le plan pratique que théologique. Et, tout comme chez les moines de jadis, les enjeux de leurs décisions étaient de plus en plus cruciaux. Une nouvelle source d'inquiétude pour Toby, car les Corporations ne toléraient aucune opposition, et l'hostilité des Jardiniers envers les activités commerciales dans leur ensemble pouvait être interprétée comme telle. Ainsi donc, contrairement à ce qu'elle avait cru, Toby n'était pas planquée dans quelque cocon douillet et détaché des contingences de ce monde. Elle s'était engagée sur une route périlleuse, au bord d'un précipice potentiellement mortel.

Car les Jardiniers, semblait-il, ne formaient plus une secte mineure et isolée. Leur influence ne cessait de croître : loin d'être confinés au Jardin de toiture d'Édenfalaise, dans le quartier du Trou de l'évier, et aux quelques immeubles voisins qu'ils contrôlaient, ils avaient des succursales dans d'autres plèbezones et même dans d'autres villes. Ils disposaient aussi de cellules de sympathisants externaux, infiltrés à tous les niveaux, voire au sein des Corporations. Les informations transmises par ces sympathisants leur étaient indispensables, à en croire Adam Premier : grâce à elles, ils connaissaient les intentions de leurs ennemis et pouvaient anticiper leurs actes, du moins en partie.

Ces cellules étaient appelées des Truffes, car elles étaient enfouies, rares et précieuses, mais aussi parce qu'il était impossible de prévoir leur apparition et que c'étaient des chiens et des cochons, autrement dit des flics, qui étaient chargés de les déterrer. Non que les Jardiniers fussent hostiles aux Chiens et aux Cochons, s'empressait de préciser Adam Premier : seule leur exploitation par les forces des ténèbres était répréhensible à leurs yeux.

Bien qu'ils eussent dissimulé leur détresse aux autres Jardiniers, les Adam et les Ève avaient été terrifiés par l'arrestation de Burt. Certains affirmaient que le CorpSeCorps lui proposerait le marché habituel : ta vie en échange de renseignements. Mais le CorpSeCorps n'avait pas besoin de passer un marché avec quiconque, objecta Zeb d'un air sombre, car une fois soumis à leur procédure de Transfert interne, le prisonnier était prêt à avouer tout ce qu'on voulait. En même temps que des litres de sang, de merde et de vomissures, peut-être qu'on extrayait quantité de mensonges compromettants de ce pauvre Burt.

Les Adam et les Ève s'attendaient donc à subir d'un instant à l'autre un raid du CorpSeCorps. Ils mirent en place leurs plans d'évacuation d'urgence et alertèrent les Truffes qui étaient en mesure de les cacher. Puis on découvrit le cadavre de Burt dans le terrain vague derrière Queuezécailles, la peau marbrée de brûlures et le corps vidé de ses organes vitaux.

« Ils veulent que ça ressemble à un coup de la pègre, dit Zeb lors de la réunion du Conseil dans le réduit. Sauf que ça ne convainc personne. Des gangsters auraient laissé quelques mutilations. Rien que pour le plaisir. »

Nuala déclara que Zeb faisait preuve d'irrespect en utilisant ce mot dans un tel contexte. Zeb lui répondit qu'il maniait seulement l'ironie. Marushka la Sage-Femme, qui n'était guère bavarde, fit remarquer que l'ironie était surfaite. Zeb lui rétorqua qu'il ne l'avait pas remarqué, du moins au sein des Jardiniers. Rebecca – qui était désormais une Ève des plus puissantes, Ève Onze, chargée de la Combinatoire des Nutriments – conseilla à tous de se ressaisir et de se mordre la langue. Adam Premier déclara que la discorde était mère de la défaite.

Suivit un débat fort animé portant sur les funérailles de Burt.

Celui-ci avait fait partie des Adam, déclara Rebecca : il méritait donc, à l'instar de ses pairs, d'être composté dans le Parc du Patrimoine. Ce ne serait que justice. Philo le Fog – dont l'esprit était moins embrumé pendant les Conseils – objecta que ce serait trop dangereux : et si le CorpSeCorps surveillait le cadavre de Burt dans l'espoir de piéger ceux qui viendraient le récupérer ? Le CorpSeCorps savait déjà que Burt était un Jardinier, fit remarquer Stuart le Tournevis, alors qu'apprendrait-il en les voyant débarquer ? Peut-être que le cadavre de Burt était un message adressé aux plèbegangs, supposa Zeb : on les enjoignait de mettre de l'ordre dans leurs affaires et de ne pas les déléguer à des parasites.

Eh bien, fit Nuala, si on ne pouvait pas composter ce pauvre Burt, on pouvait toujours se rendre auprès de lui pendant la nuit pour l'arroser de terre, une sorte de geste symbolique : en ce qui la concernait, elle se sentirait nettement mieux en Esprit si elle pouvait faire cela. Mugi estimait que Burt était un bouffeur de porc qui les avait tous trahis, et il ne voyait même pas pourquoi on perdait du temps à parler de lui. Adam Premier déclara qu'ils allaient observer un moment de silence pour envelopper Burt de Lumière dans leur cœur, à quoi Zeb répondit qu'ils en avaient tellement déversé sur lui qu'il devait briller comme un kamikaze dans un resto de poulet frit. Nuala l'accusa de frivolité. Adam Premier décida qu'ils allaient méditer la nuit durant et que la solution leur parviendrait peut-être par inspiration visionnaire. Dans ce cas, dit Philo, il ne manquerait pas de fumer un joint.

Mais, le lendemain, le cadavre de Burt avait disparu du terrain vague : les collecteurs d'orduruile l'avaient ramassé de bonne heure, expliqua Zeb, et sans doute alimentait-il déjà le fourgon de quelque employé des Corps. Toby lui demanda comment il le savait et Zeb, un sourire aux lèvres, lui répondit qu'il avait des contacts parmi les plèberats, lesquels étaient toujours prêts à cafter pour une bouchée de pain.

Adam Premier prononça un discours devant les Jardiniers réunis pour leur narrer le triste sort de Burt, qu'il qualifia de victime de l'esprit de lucre et de matérialisme méritant leur pitié plutôt que leur opprobre, leur demanda de redoubler de vigilance et de lui signaler les touristes trop curieux ainsi que les activités sortant de l'ordinaire.

Mais on ne trouva rien à lui rapporter. Quelques mois passèrent, puis quelques autres. Les cours et les corvées se succédèrent à leur rythme immuable, les Fêtes des saints et les Festivals également. Toby se lança dans le macramé, espérant guérir de ses songeries et de ses désirs inassouvis, et apprendre à se concentrer sur l'instant présent. Les abeilles crûrent et se multiplièrent, et Toby leur donnait les nouvelles chaque matin. La lune émergea des ténèbres, s'arrondit puis s'étiola. Plusieurs bébés vinrent au monde, et il apparut une multitude de scarabées verts et étincelants, et un certain nombre de Jardiniers fraîchement convertis. Les sables du temps sont des sables mouvants, déclara Adam Premier. Tant de choses s'y ensevelissent sans laisser de traces. Et c'est une bénédiction quand les choses en question sont de vains soucis.

Poisson d'Avril

Poisson d'Avril

An 14

*De la stupidité intrinsèque à toutes les religions.
Prononcé par Adam Premier*

Chers Amis, chères Créatures, chers Mammifères, mes Frères et mes Sœurs :

Quel joyeux Premier Avril nous avons eu sur notre Jardin de toiture d'Édenfalaise ! Cette année, les Lampions, inspirés par les Poissons-lanternes vivant dans les profondeurs de l'Océan, sont particulièrement réussis et les gâteaux de Poisson ont l'air délicieux ! Remercions Rebecca et ses assistantes, Amanda et Ren, pour ces succulentes préparations.

Nos Enfants ont toujours aimé cette journée, car elle leur permet de se moquer de leurs aînés ; et tant que ces moqueries ne dépassent pas certaines limites, les aînés s'en réjouissent aussi, car cela leur rappelle leur propre enfance. Il est toujours bon de se souvenir qu'on a jadis été petit et que l'on dépendait de la force, du savoir et de la sagesse des aînés d'alors. Enseignons à nos Enfants la tolérance, l'amour, la tendresse et le respect des limites, tout autant que le rire et la joie. Dieu, qui contient tout ce qui est bon, contient par conséquent l'amour du jeu – un don qu'il a accordé à d'autres Créatures que nous, comme en témoignent la malice du Corbeau, la vivacité de l'Écureuil et l'allégresse du Chaton.

Le Premier Avril, suivant en cela une coutume née en France, nous nous moquons les uns des autres en accrochant au dos de nos amis un Poisson de papier, ou plutôt de tissu recyclé, puis en leur criant : «Poisson d'Avril!» Dans les contrées anglophones, le Premier Avril était aussi nommé le Jour des Idiots. Mais il s'agissait sûrement à l'origine d'une fête chrétienne, car les premiers Chrétiens utilisaient le Poisson comme signe de reconnaissance lors des périodes d'oppression.

Le Poisson est un symbole des plus appropriés, car les deux premiers Apôtres que Jésus appela à le suivre étaient des pêcheurs, qu'il avait sûrement choisis pour aider à la conservation des Poissons. En effet, il leur a ordonné de devenir pêcheurs d'Hommes et non plus de Poissons, neutralisant ainsi deux destructeurs de cette Espèce! Que Jésus se soit soucié des Oiseaux, des Animaux et des Plantes, cela est évident quand on songe à ce qu'il a dit sur les Moineaux, les Poules, les Agneaux et les Lis; mais il savait que le plus vaste des Jardins de Dieu se trouvait sous l'eau et qu'il devait lui aussi être cultivé. Saint François d'Assise prêcha un sermon aux Poissons, sans se rendre compte que les Poissons étaient en communion directe avec Dieu. Néanmoins, ce saint réaffirmait le respect qui leur était dû. Comme ses paroles nous semblent prophétiques à présent que les Océans de ce monde sont en voie d'anéantissement!

D'aucuns, qui ont une vision spéciste des choses, affirment que l'Homme est plus intelligent que le Poisson et qu'un Poisson d'Avril est muet et idiot. Mais la vie de l'Esprit semble toujours stupide à qui ne la partage pas : par conséquent, nous devons accepter avec joie cette étiquette qui fait de nous les Idiots de Dieu, car comparés à Dieu nous sommes tous idiots, quelle que soit le degré de sagesse dont nous nous croyons doués. Être un Poisson d'Avril, c'est accepter humblement notre propre stupidité et reconnaître joyeusement l'absurdité – d'un point de vue matérialiste – de toutes les vérités de l'Esprit que nous cultivons.

Joignez-vous à moi dans une Méditation sur nos frères Poissons.

Ô Dieu, Toi qui as créé la vaste et profonde Mer, avec ses innombrables Créatures : nous prions pour que Tu poses Ton regard sur les habitants de Ton Jardin sous-marin où la Vie a pris naissance; et nous prions pour qu'aucun d'eux ne disparaisse de cette Terre à la suite de l'intervention de l'Homme. Que les Créatures de la Mer reçoivent aide et Amour en cette heure de grand péril et de grande souffrance, causés par le réchauffement de l'Océan, par les ravages qu'entraînent les filets dans ses profondeurs, par le massacre de tous leurs habitants, des Créatures des hauts fonds à celles des abysses, y compris le Calmar géant; et souviens-Toi aussi des Baleines, que Tu as créées le cinquième jour et placées dans la Mer pour y jouer; et apporte une aide toute particulière aux Requins, cette Espèce si incomprise et si persécutée.

Nous pensons aussi à la Grande Zone morte du golfe du Mexique; à la Grande Zone morte du lac Érié; à la Grande Zone morte de la mer Noire; à cette désolation que sont les Grands Bancs de Terre-Neuve, où la Morue nageait jadis en abondance; et à la Grande Barrière de corail, aujourd'hui à l'agonie, blanchie et effritée.

Que tous reviennent à la Vie; que l'Amour les éclaire et les restaure; que ces meurtres océaniques nous soient pardonnés; et que nous soit aussi pardonnée notre stupidité, car c'est la pire des stupidités, celle qui est arrogante et destructrice.

Et aide-nous à accepter en toute humilité notre parenté avec les Poissons, qui nous apparaissent comme muets et stupides; car, à Tes yeux, nous sommes tous muets et stupides.

Chantons.

Ô Seigneur, Tu sais notre stupidité

Ô Seigneur, Tu sais notre stupidité
Et tous nos actes débiles ;
Tu nous regardes nous agiter
Et assouvir notre vaine avidité.

Nous doutons parfois que Tu es Amour
Et nous oublions de Te remercier ;
Le Ciel est pour nous un grand vide
Et l'Univers un néant.

Nous sommes gagnés par le désespoir
Et maudissons le jour de notre naissance ;
Nous prétendons que Tu n'existes pas
Ou que Tu as choisi de nous ignorer.

Pardonne-nous nos humeurs vacantes,
Pardonne-nous nos sinistres propos ;
En ce jour, nous nous proclamons Tes idiots
Et Te célébrons par nos jeux.

Nous acceptons de reconnaître
Tout ce qu'il y a de vain en nous :
Nos querelles et nos peines dérisoires,
Les souffrances que nous nous infligeons.

Poisson d'Avril ! raillons et chantons,
Et rions comme des petits enfants ;
Crevons les baudruches à la fierté pompeuse
Et sourions de ce que nous voyons.

Ton Monde étoilé transcende notre pensée,
Ses merveilles dépassent toute mesure ;
Nous prions, au sein de Tes trésors,
Pour que Ta Lumière éclaire aussi Tes Idiots.

Extrait du *Livre de cantiques des Jardiniers de Dieu*

37

Ren

An 25

J'ai dû m'assoupir – la Zone Poisse, c'était crevant –, car je me suis mise à rêver d'Amanda. Vêtue de sa tenue kaki, elle traversait une vaste prairie desséchée et jonchée d'ossements pour se diriger vers moi. Des vautours tournaient au-dessus d'elle. Mais elle m'a vue en train de rêver d'elle, m'a lancé un sourire et adressé un signe de la main, et je me suis réveillée.

Comme il était trop tôt pour retourner au lit, j'ai décidé de me faire les ongles des pieds. Starlite aimait se poser des renforts en soie d'araignée pour se parer de serres, mais je fuyais ce genre de gadget, car Mordis pensait que ça paralyserait les clients, comme une peluche cloutée. Je m'en tenais donc aux pastels. Avec des ongles flambant neufs, on se sent toute fraîche et toute pétillante : si quelqu'un a envie de vous sucer les orteils, il faut que ça en vaille la peine. Pendant que le vernis séchait, je suis allée *via* la caméra inter-com dans la chambre que je partageais avec Starlite. Ça me remontait le moral de retrouver mes trucs à moi : mon armoire, mon Robochien, mes costumes sur leurs cintres. Comme il me tardait de reprendre une vie normale ! Enfin, pas exactement normale. Mais je m'y étais habituée.

Puis j'ai surfé sur la Toile, en quête d'un site d'astrologie pour avoir une idée de la semaine qui m'attendait, car, si mes tests étaient okay, je ne tarderais pas à sortir de la Zone Poisse. Mon préféré, c'était Étoiles sauvages, de loin le plus encourageant.

La lune est dans votre signe, Scorpion, ce qui veut dire que vos hormones sont chargées à bloc cette semaine ! Chaud, chaud, chaud ! Profitez-en, mais ne prenez pas cette poussée trop au sérieux – ça ne durera pas.

Vous travaillez dur pour faire de votre chez-vous un palais du plaisir. Le moment est venu d'acheter des draps de satin et de vous y glisser ! Cette semaine, vous allez combler votre sensualité de Taureau !

J'espérais que l'amour et l'aventure viendraient à ma rencontre une fois que je serais sortie de la Zone Poisse. Et que je ferais un beau voyage, ou entreprendrais une quête spirituelle – c'était prédit de temps en temps. Mais mon horoscope n'était pas terrible :

Mercure le Messager est dans votre signe, Poissons, ce qui signifie que le passé va se rappeler à vous dans les semaines à venir. Préparez-vous à de rapides transitions ! L'amour peut prendre les formes les plus étranges – l'illusion et la réalité dansent joue contre joue, alors prenez garde !

Savoir que l'amour pouvait prendre les formes les plus étranges ne m'enchantait guère. Avec le boulot, j'étais déjà servie de ce côté-là.

Quand j'ai jeté un nouveau coup d'œil à la Fosse aux serpents, il y avait vraiment foule. Savone était toujours sur le trapèze et Pétale-Écarlate l'avait rejointe, vêtue d'une Biopeau Bodygant pourvue de lèvres supplémentaires qui lui donnaient des allures d'orchidée géante. Au-dessous d'elles, Starlite continuait de besogner son Painballer. Cette fille aurait réveillé un mort, mais le mec était à deux doigts de sombrer dans l'inconscience et ça m'étonnerait qu'elle ait droit à un pourboire.

Les gars du CorpSeCorps continuaient à surveiller les opérations, mais, soudain, ils se sont tous tournés vers l'entrée, si bien que j'ai changé de caméra pour voir ce qui se passait. Mordis discutait ferme avec deux autres types du CorpSeCorps. Ils encadraient un nouveau Painballer qui semblait en plus piteux état que les trois autres. Encore plus à cran. Mordis n'était pas content. Quatre clients de cet acabit, c'était lourd à gérer. Et s'ils n'étaient pas issus de la même équipe, et si hier encore ils s'étaient efforcés de s'étriper les uns les autres ?

Mordis a escorté le nouveau Painballer vers le coin du fond. Puis il a craché quelques mots dans son mobile ; trois danseuses sont arrivées en courant : Vilya, Crenola et Crépuscule. Il avait dû leur dire de meubler la scène. Sortez vos nibards, c'est pour ça que Dieu vous les a donnés. Un chatoiement, un frisson de plumes, six bras qui enlacent le client. J'aurais cru entendre ce que Vilya lui murmurait à l'oreille : *Prends-en deux, chéri, ça ne coûte rien.*

Sur un signal de Mordis, la musique s'est mise à hurler : ça distrayait les clients. Quand ils en avaient plein les oreilles, ils étaient moins susceptibles de tout casser. Les danseuses rampant sur le nouveau venu évoquaient des anacondas. Deux videurs de Zécailles ouvraient l'œil.

Large sourire de Mordis : il avait désamorcé la situation. Le nouveau client allait être escorté dans une chambre au plafond emplumé, engloutir quelques doses d'alcool, peloter la fille assise à califourchon sur lui et devenir un zombie à cervelle grillée et encéphalogramme plat, comme disait Mordis. Grâce au JouissePluss, il aurait droit à des orgasmes multiples suivis d'une félicité douillette, sans le moindre risque de choper un microbe. Depuis que ce truc circulait, le bris de mobilier était réduit au minimum. Zécailles le servait sous forme de polybaies enrobées de chocolat et de grains de Sojalicieux – mais il fallait veiller à ne pas forcer la dose, précisait Starlite, sinon la bite du client se fendait en deux.

38

En l'An 14, on a fêté le Poisson d'Avril comme chaque année. Le 1ᵉʳ avril, on était censés faire les fous et rire comme des malades. J'ai accroché un poisson dans le dos de Shackie, Croze m'en a refilé un et Shackie a piégé Amanda. Tout un tas de gamins avaient choisi Nuala comme victime, mais personne n'a piégé Toby, qui le sentait toujours quand on s'approchait derrière elle. Adam Premier s'est fixé un poisson dans le dos, pour faire je ne sais quel commentaire sur Dieu. Ce petit crétin d'Oates courait partout en criant « Doigts de poisson ! » et en plantant son index dans les gens, jusqu'à ce que Rebecca lui ordonne de cesser. Alors il s'est mis à pleurnicher et je l'ai emmené dans un coin pour lui raconter l'histoire du Tout Petit Vautour. Quand il ne nous embêtait pas, c'était un gentil garçon.

Zeb était parti en expédition – ça lui arrivait de plus en plus souvent ces derniers temps. Lucerne était restée à la piaule : elle n'avait rien à fêter, affirmait-elle, et puis cette fête-là était débile.

Il s'agissait de mon premier Poisson d'Avril sans Bernice. Quand on était petites, avant l'arrivée d'Amanda, on confectionnait un gâteau de Poisson ensemble. On se disputait tout le temps sur les ingrédients. Une fois, notre gâteau était tout vert, avec des écailles en feuilles d'épinard, et des carottes pour faire des yeux orangés. Il avait l'air franchement toxique. En repensant à tout ça, j'en ai eu les larmes aux yeux. Où était Bernice à présent ? J'avais honte de m'être montrée méchante avec elle. Et si elle était morte, comme Burt ? Dans ce cas, c'était en partie ma faute. En grande partie. En totalité.

Amanda et moi, on est retournées à l'Usine à fromage, escortées par Shackie et Croze qui prétendaient nous protéger. Amanda a bien ri mais les a autorisés à nous accompagner si ça leur faisait plaisir. On était de nouveau amis, tous les quatre, même si Croze persistait encore à rappeler à Amanda la dette qu'elle avait envers eux – à quoi Amanda lui répondait d'aller se faire foutre.

Quand on est entrées dans l'Usine à fromage, il faisait déjà nuit. On craignait d'être grondées pour notre retard – Lucerne nous répétait sans arrêt que les rues n'étaient pas sûres –, mais on a entendu des voix et compris que Zeb était revenu, et qu'ils étaient encore en train de s'engueuler. Donc, on a attendu dans le couloir qu'ils aient fini, vu qu'on n'aurait jamais eu la paix dans notre chambre.

Ça avait l'air plus sérieux que d'habitude. Un meuble s'est renversé, à moins qu'on ne l'ait lancé – ce devait être Lucerne, car Zeb n'était pas du genre à s'en prendre au mobilier.

«Pourquoi ils se disputent?» ai-je demandé à Amanda.

Elle avait l'oreille collée à la porte. Ça ne la dérangeait pas d'être indiscrète.

«Je sais pas, a-t-elle répondu. Elle crie trop fort. Oh! attends... elle l'accuse de coucher avec Nuala.

— Pas Nuala! Il ne ferait pas ça!»

Je savais maintenant ce qu'avait éprouvé Bernice quand on lui avait dit la même chose à propos de son père.

«Un homme, ça couche avec tout ce qui traîne, a lancé Amanda. Maintenant, elle le traite de proxo. Elle dit qu'il la méprise et qu'il la traite comme une merde. Je crois bien qu'elle pleure.

— Peut-être qu'on devrait arrêter d'écouter.

— D'accord.»

On s'est adossées au mur dans l'attente du moment où Lucerne se mettrait à hurler. Comme elle le faisait toujours. Zeb partirait en claquant la porte et on ne le reverrait pas avant plusieurs jours.

Zeb est sorti.

«Au revoir, Reines de la Nuit, nous a-t-il dit. Surveillez vos arrières.»

Il blaguait avec nous comme si de rien n'était, mais on a vu qu'il n'était pas d'humeur à rigoler. Il avait l'air sinistre.

En règle générale, après une querelle, Lucerne se couchait pour pleurer un bon coup, mais, ce soir-là, elle a fait son bagage. Le bagage en question était un sac à dos rose glané par Amanda et par moi-même. Comme elle ne pouvait pas y mettre grand-chose, elle a eu vite fait de le remplir et s'est dirigée vers notre chambre.

Amanda et moi faisions semblant de dormir, allongées sur nos futons fourrés à l'herbe sèche, à l'abri de nos couvertures en patchwork de jean.

« Debout, Ren, m'a dit Lucerne. On s'en va.

— Où ça ? ai-je demandé.

— On rentre à la maison. Au Compound SentéGénic.

— Tout de suite ?

— Oui. Pourquoi tu me regardes comme ça ? C'est ce que tu as toujours voulu, non ? »

C'était la vérité : jadis, je me languissais du Compound SentéGénic. J'avais le mal du pays. Mais depuis qu'Amanda vivait avec nous, je n'y pensais presque plus.

« Amanda nous accompagne ? ai-je demandé.

— Amanda reste ici. »

Un frisson m'a parcourue.

« Je veux qu'Amanda vienne avec nous.

— C'est hors de question. »

Il était arrivé quelque chose à Lucerne : le charme jeté par Zeb s'était rompu et avait cessé de la paralyser. Elle s'était défaite de son désir sexuel comme d'une robe trop grande. À présent, elle était sèche, décidée, efficace. Avait-elle été ainsi autrefois ? Je m'en souvenais à peine.

« Pourquoi ? ai-je dit. Pourquoi Amanda ne peut pas venir ?

— Parce qu'on ne la laissera pas entrer à SentéGénic. Nous deux, nous pouvons récupérer notre identité, mais elle n'en possède aucune et je n'ai pas l'argent nécessaire pour lui en acheter une nouvelle. On s'occupera d'elle ici », ajouta-t-elle, comme si elle parlait d'un chat que j'étais obligée d'abandonner.

« Pas question ! ai-je protesté. Si elle ne vient pas, je ne viens pas non plus !

— Et où irez-vous vivre ? demanda Lucerne d'un air méprisant.

— On restera ici, avec Zeb.

— Il n'est jamais à la maison. Tu ne penses pas qu'ils vont laisser deux fillettes camper toutes seules ?

— Alors on ira vivre avec Adam Premier. Ou avec Nuala. Ou peut-être avec Katuro.

— Ou avec Stuart le Tournevis », a ajouté Amanda d'une voix pleine d'espoir.

On touchait le fond – Stuart était un homme aigri et solitaire –, mais j'ai pigé où elle voulait en venir.

« On l'aidera à fabriquer des meubles. »

Je nous voyais déjà, Amanda et moi, en train de collecter des débris et des rebuts pour le compte de Stuart, de scier et de planter des clous en chantant, de préparer de la tisane...

« Stuart ne vous accueillera pas à bras ouverts, a dit Lucerne. C'est un misanthrope. S'il vous tolère, c'est uniquement à cause de Zeb, et c'est pareil pour tous les autres.

— On restera avec Toby, ai-je répliqué.

— Toby a autre chose à faire. Maintenant, ça suffit. Si Amanda ne trouve personne pour l'héberger, elle n'aura qu'à retourner voir les plèberats. Sa place est parmi eux, après tout. Mais pas la tienne. Allez, dépêche-toi.

— Il faut que je m'habille.

— Très bien. Tu as dix minutes. »

Et Lucerne est ressortie.

« Qu'est-ce qu'on va faire ? ai-je demandé tout en enfilant mes vêtements.

— Je ne sais pas, a murmuré Amanda. Une fois que tu seras là-bas, elle ne te laissera jamais ressortir. Ces Compounds, c'est des véritables forteresses. Elle t'interdira de me revoir. Elle me déteste.

— Rien à foutre de ce qu'elle pense. Je réussirai à lui échapper.

— Mon phone ! Emporte-le avec toi. Tu pourras m'appeler.

— Je te ferai entrer dans le Compound, c'est promis. »

Je pleurais en silence. J'ai glissé dans ma poche le phone pourpre d'Amanda.

« Dépêche-toi, Ren ! a crié Lucerne.

— Je t'appellerai ! ai-je chuchoté. Mon père t'achètera une nouvelle identité !

— Mais oui, a-t-elle dit à voix basse. Ne te laisse pas faire, d'accord ? »

Lucerne s'affairait dans la salle à manger. Elle avait jeté dans la rue le plant de tomates maladif qu'elle cultivait sur le rebord de la fenêtre. Enfoui dans le terreau, il y avait un sac plastique plein d'argent. Elle avait dû le piquer dans la caisse quand elle vendait des trucs divers à l'Arbre de vie : savon, vinaigre, macramé, patchworks. L'argent liquide appartenait presque au passé, mais les gens l'utilisaient encore pour les petits achats, et les Jardiniers, qui interdisaient les ordinateurs, n'acceptaient pas l'argent virtuel. Elle avait donc amassé un pécule en vue de s'évader. De toute évidence, elle était moins tarte qu'elle en avait l'air.

Elle a pris une paire de ciseaux et coupé ses longs cheveux, s'arrêtant au ras de la nuque. Le bruit évoquait celui d'un Velcro qu'on arrache – un bruit sec, irritant. Elle a laissé le tas de cheveux au milieu de la table du dîner.

Puis elle m'a empoigné le bras et traînée sur le palier et dans l'escalier. Elle ne sortait jamais la nuit, redoutant les poivrots et les camés qui traînaient au coin des rues, sans parler des plèberats et autres voyous. Mais elle était habitée d'une colère incandescente et emplie d'une énergie crépitante : les passants s'écartaient de notre chemin comme si nous étions atteintes d'une maladie contagieuse, et même les Fusiatiques et les Poissons-Noirs nous ont fichu la paix.

Il nous a fallu des heures pour traverser le Trou de l'évier et le Lagon puant, puis les plèbezones moins misérables. À mesure que nous progressions, les maisons, les immeubles et les hôtels devenaient plus beaux, les rues moins animées. Arrivées à Grosse-Boîte, on a pris un taxisolaire : il nous a fait traverser Greens-de-Golf, puis on a longé un vaste espace dégagé pour déboucher devant le portail du Compound SentéGénic. Ça faisait si longtemps que je ne l'avais vu que je me serais crue dans l'un de ces rêves où l'on reconnaît tout sans rien reconnaître vraiment. Je me sentais un peu nauséeuse, mais c'était peut-être l'excitation.

Avant de monter dans le taxi, Lucerne m'avait ébouriffé les cheveux, puis elle avait maculé son visage de crasse et déchiré en partie sa robe.

« Pourquoi tu fais ça ? » lui avais-je demandé.

Mais elle ne m'avait pas répondu.

Deux gardes étaient postés à l'entrée de SentéGénic.

« Identité ? ont-ils demandé.

— Nous n'en avons plus, a répondu Lucerne. On nous les a volées. Nous avons été enlevées de force. » Elle a jeté un coup d'œil derrière elle, comme si elle craignait d'être suivie. « Je vous en supplie, laissez-nous entrer, tout de suite ! Mon mari... il travaille aux Nanobioformes. Il vous dira qui je suis. »

Elle s'est mise à pleurer.

L'un des gardes a attrapé son phone et pressé un bouton.

« Frank, a-t-il annoncé. Porte principale. Y a ici une dame qui dit être ta femme.

— On aura besoin d'échantillons de vos muqueuses, m'dame, pour les envoyer par commucâble, a précisé le second garde. Ensuite, vous devrez patienter dans la salle de rétention pour attendre une vérification et une clairance biologique. Quelqu'un va vous y rejoindre sans tarder. »

Dans la salle de rétention, on s'est assises sur un sofa en vinyle noir. Il était cinq heures du matin. Lucerne a attrapé un magazine – *PoNeuv*, affichait la couverture. *Pourquoi vivre avec l'imperfection ?* Elle l'a feuilleté.

« On a été enlevées de force ? lui ai-je demandé.

— Oh ! ma chérie. Tu ne t'en souviens pas ? Tu étais si petite ! Je ne voulais pas te le dire – je ne voulais pas que tu aies peur ! Ils auraient pu te faire des choses horribles ! »

Puis elle s'est remise à chialer, plus fort cette fois-ci. Lorsque est entré un homme du CorpSeCorps vêtu d'une biocombinaison, ses joues étaient striées de larmes.

39

Méfie-toi de tes souhaits, disait la vieille Pilar. J'étais revenue au Compound SentéGénic et j'avais retrouvé mon père, comme je le souhaitais autrefois. Mais plus rien ne collait. Ce faux marbre, ces imitations de meubles antiques, ces tapis dans la maison : rien de tout cela ne me semblait réel. Et il y avait une drôle d'odeur – comme du désinfectant. Je regrettais les fumets associés aux Jardiniers : les légumes, le graillon et même le vinaigre qui me piquait les yeux ; oui, et aussi les biolettes violettes.

Mon père – Frank – n'avait pas touché à ma chambre. Mais le lit à baldaquin et les rideaux roses me paraissaient étriqués. Et j'en avais passé l'âge. Quant aux peluches jadis tant aimées, elles avaient des yeux morts. Je les ai fourrées au fond de mon placard pour qu'elles cessent de regarder à travers moi comme si j'étais une ombre.

Le premier soir, Lucerne m'a fait couler un bain assaisonné à l'essence de fleurs artificielle. La grande baignoire blanche et les douces serviettes blanches me donnaient l'impression d'être crasseuse et puante. J'exhalais une odeur de terre – ou plutôt de compost en fermentation. Une odeur âcre.

Et ma peau était toute bleue, à cause de la teinture de mes vêtements de Jardinière. Je ne l'avais jamais remarqué, car, chez les Jardiniers, on ne se douchait que brièvement et il n'y avait pas de miroirs. Pas plus que je n'avais remarqué mes poils, qui m'ont encore plus choquée que ma peau bleuâtre. Je n'ai pas arrêté de me frotter et de me récurer : sans succès. J'ai regardé mes orteils qui émergeaient de l'eau du bain. Mes ongles ressemblaient à des griffes.

« On va y mettre un peu de vernis », a dit Lucerne deux jours plus tard, quand elle m'a vue chaussée de tongs.

Elle se comportait comme si rien ne s'était passé – ni les Jardiniers, ni Amanda, et surtout ni Zeb. Toujours vêtue d'un tailleur en lin impeccable, elle s'était déjà fait couper et teindre les cheveux. Et aussi refaire les ongles – elle n'avait pas perdu de temps.

«Regarde toutes les teintes que je te propose! Vert, pourpre, orange givrée, et j'ai même des paillettes...»

Mais j'étais fâchée contre elle et je lui ai tourné le dos. Quelle menteuse!

Durant toutes ces années, j'avais gardé en moi la silhouette de mon père, comme un dessin à la craie englobant une forme paternelle. Quand j'étais petite, il m'arrivait souvent de le colorier. Mais c'était avec des couleurs trop vives, des contours trop larges : Frank était plus petit, plus gris, plus dégarni et plus déboussolé que je l'avais pensé.

Avant qu'il vienne nous identifier au portail de SentéGénic, je pensais qu'il serait ravi de nous découvrir en vie, et saines et sauves par-dessus le marché. Mais quand il m'a identifiée, son visage s'est décomposé. J'ai fini par comprendre que j'étais toute petite la dernière fois qu'il m'avait vue et aujourd'hui plus grande qu'il l'avait imaginé, plus grande peut-être qu'il l'avait souhaité. Sans compter que j'étais bien crade – abstraction faite de mes fringues de Jardinière, je devais ressembler à une de ces plèberates qu'il avait pu croiser dans le Trou de l'évier ou le Lagon puant. Peut-être craignait-il que je ne lui fasse les poches ou ne lui pique ses souliers. Il s'est approché prudemment, comme s'il avait peur que je le morde, et m'a étreinte avec maladresse. Il sentait les produits chimiques – de ceux qu'on utilise pour dissoudre la colle. Une odeur qui vous calcinait les bronches.

La première nuit, j'ai dormi douze heures, et, à mon réveil, j'ai découvert que Lucerne avait emporté mes fringues de Jardinière pour les brûler. Heureusement, j'avais planqué le phone pourpre d'Amanda à l'intérieur du tigre en peluche rangé dans mon placard – c'est pour cela que je lui avais ouvert le ventre. Donc, le phone avait été sauvé des flammes.

L'odeur de ma peau me manquait : elle avait perdu sa saveur salée pour puer le savon et le parfum. Je me suis rappelé ce que disait Zeb à propos des souris : si l'on en sort une du nid quelque temps pour l'y replacer ensuite, les autres la mettent en pièces. Si je retournais chez les Jardiniers avec mes senteurs florales à la con, est-ce qu'ils me mettraient en pièces?

Lucerne m'a amenée à la Clinique de SentéGénic pour qu'on vérifie que je n'avais ni poux ni vers, et aussi qu'on ne m'avait pas violentée. Le docteur m'a introduit un ou deux doigts, devant et derrière.

« Ô mon Dieu ! a-t-il fait en découvrant ma peau bleue. Ce sont des hématomes ?

— Non. C'est de la teinture.

— Oh ! On t'obligeait à te teindre ?

— Non, c'est celle des vêtements.

— Je vois. »

Il m'a pris rendez-vous avec le psychiatre de la Clinique, qui avait déjà traité des patients enlevés par une secte. Ma mère devait participer à nos séances.

C'est comme ça que j'ai découvert les bobards qu'elle leur servait. On nous avait enlevées dans une rue de Spasolaire, alors que nous faisions du shopping, mais elle ne pouvait pas dire où on nous séquestrait vu qu'on ne le lui avait jamais dit. La secte en elle-même n'était pas responsable, a-t-elle précisé : le coup avait été manigancé par l'un de ses membres, un obsédé qui la voulait comme esclave sexuelle et qui lui avait confisqué ses chaussures pour l'empêcher de fuir. J'ai reconnu Zeb dans cette description délirante, mais elle n'a pas cité son nom. J'étais trop jeune pour me rendre compte de la situation, ajoutait-elle, pourtant j'avais servi d'otage à ce monstre – elle était obligée de lui obéir, de satisfaire le moindre de ses caprices, plus répugnants les uns que les autres –, il n'aurait pas hésité à me tuer. Mais elle avait réussi à se confier à un membre féminin de la secte, qu'elle décrivait comme une sorte de bonne sœur. Sans doute voulait-elle parler de Toby. C'était elle qui l'avait aidée à fuir : elle lui avait procuré des chaussures, donné un peu d'argent et avait détourné l'attention du monstre pour que Lucerne pût s'enfuir.

Il était inutile de m'interroger, affirmait-elle. Les membres de la secte se montraient toujours gentils avec moi, mais tous étaient les dupes du monstre. Elle était la seule à connaître la vérité : un fardeau de plus sur ses épaules. Et n'importe quelle mère soucieuse de protéger son enfant aurait agi comme elle, n'est-ce pas ?

Avant chaque séance, elle m'empoignait l'épaule et me disait :

« Amanda est toujours là-bas. Ne l'oublie pas. »

Traduction : si je dénonçais ses mensonges au psy, elle se rappellerait soudain le lieu de sa détention et le CorpSeCorps donnerait l'assaut à coups d'aérodésintégreur, et qui sait comment ça finirait ?

Avec ce genre d'arme, il fallait craindre des dommages collatéraux. Pas moyen de faire autrement, disait le CorpSeCorps. L'ordre et la sécurité avant tout.

Lucerne m'a tenue à l'œil pendant des semaines, au cas où j'aurais tenté de m'enfuir ou de la dénoncer. Mais j'ai fini par trouver l'occasion d'appeler Amanda sur son phone pourpre. Elle m'avait envoyé par texto le numéro de celui qu'elle venait de voler, si bien que je savais comment la joindre – elle avait pensé à tout. Je me suis planquée dans mon placard pour l'appeler. Comme tous les placards de la maison, celui-ci était pourvu d'une lumière. Et il était aussi spacieux que ma chambre chez les Jardiniers.

Amanda a décroché tout de suite. Je l'ai vue apparaître sur l'écran, toujours pareille à elle-même. Comme j'aurais voulu retourner chez les Jardiniers !

« Tu me manques vraiment, ai-je dit. Dès que possible, je me taille d'ici. »

Mais je ne savais pas quand je le pourrais, car Lucerne avait rangé mon identité dans un tiroir fermé à clé et, sans elle, jamais on ne me laisserait sortir du Compound.

« Tu ne peux pas faire un échange ? a dit Amanda. Avec les gardes ?

— Non. Je ne crois pas. Ça ne marche pas comme ça ici.

— Oh ! Qu'est-il arrivé à tes cheveux ?

— Lucerne me les a fait couper.

— Ils ont l'air bien. » Puis Amanda a changé de sujet. « On a retrouvé Burt dans le terrain vague derrière Zécailles. Il était couvert de brûlures de congélo.

— On l'avait mis au congélo ?

— Ce qu'il en restait. Il manquait des morceaux : le foie, les reins, le cœur. C'est la façon de faire des plèbegangs, d'après Zeb : ils vendent des organes puis conservent le reste au congélo jusqu'à ce qu'ils aient besoin d'envoyer un message.

— Ren ! Où es-tu ? »

Lucerne, dans ma chambre !

« Il faut que je file », ai-je chuchoté.

J'ai remis le phone dans le tigre en peluche.

« Je suis là », ai-je répondu.

Je claquais des dents. Il fait froid dans un congélo.

« Que fais-tu dans le placard, ma chérie ? a demandé Lucerne. Viens donc déjeuner ! Ça ira bientôt mieux ! »

Elle avait l'air guilleret : plus je me conduisais comme une folle, mieux ça vaudrait pour elle, car on ne risquait pas de me croire si je disais la vérité à son sujet.

Elle affirmait que j'avais été traumatisée par mon séjour chez ces cinglés, qui pratiquaient le lavage de cerveau. Je n'avais aucun moyen de prouver le contraire. Et puis, peut-être bien que j'étais traumatisée : je ne disposais d'aucun élément de comparaison.

40

Une fois que je me suis ajustée – *ajustée*, c'est le mot qu'ils employaient, comme si j'étais une bretelle de soutien-gorge –, Lucerne a décrété que j'irais à l'école, car ça ne me faisait pas de bien de rester traîner à la maison : je devais sortir et me faire une nouvelle vie, comme elle était en train de s'y employer. C'était risqué pour elle : j'étais une bombe à retardement ambulante, prête à tout moment à proclamer la vérité à son sujet. Mais elle savait que je la jugeais en silence et cela l'irritait de plus en plus, aussi souhaitait-elle sincèrement me voir le moins possible.

Frank semblait avoir avalé ses bobards, ou alors il s'en fichait complètement. Je comprenais à présent pourquoi Lucerne avait fui avec Zeb : au moins celui-ci la remarquait-il de temps en temps. Et il me remarquait moi aussi, alors que Frank me traitait comme il aurait traité une fenêtre : il regardait constamment à travers moi.

Je rêvais parfois de Zeb. Il portait une peau d'ours, qui s'ouvrait en son milieu grâce à une fermeture à glissière, comme un sac de couchage, et alors Zeb en sortait. Dans mon rêve, il avait une odeur réconfortante – l'herbe mouillée par la pluie, la cannelle, le parfum de vinaigre et de feuilles mortes brûlées des Jardiniers.

Je me suis retrouvée au Lycée de SentéGénic. Le premier jour, j'ai enfilé l'une des tenues toutes neuves que Lucerne m'avait achetées. Elle était rose et jaune citron – deux couleurs que les Jardiniers auraient proscrites, parce qu'elles étaient trop salissantes et auraient entraîné un gaspillage de savon.

Ces fringues me donnaient l'impression d'être déguisée. Elles étaient très moulantes comparées à mes anciens vêtements, et je n'aimais pas la façon dont mes bras nus émergeaient des manches, mes mollets nus de la jupe plissée. Mais, à en croire Lucerne, toutes les filles du lycée étaient habillées comme ça.

« N'oublie pas ton écran total, Brenda », a-t-elle lancé comme je me dirigeais vers la porte.

Désormais, elle m'appelait Brenda : c'était mon vrai nom, affirmait-elle.

Le lycée m'avait envoyé une guide – une fille qui m'accompagnerait en classe et me montrerait les lieux. Elle s'appelait Wakulla Price ; plutôt mince, elle avait une peau lisse et couleur caramel. Elle portait un top jaune pastel, comme le mien, et un pantalon. En voyant ma jupe, elle a ouvert de grands yeux.

« J'adore, a-t-elle dit.

— C'est ma mère qui l'a achetée.

— Oh ! a-t-elle fait comme pour s'excuser. Ma mère m'a achetée la même il y a deux ans. »

Je l'ai tout de suite trouvée sympa.

En chemin, elle m'a demandé *Qu'est-ce que ton père fait comme métier, quand es-tu arrivée ici,* les questions que j'attendais, mais elle n'a pas parlé de secte ; de mon côté, je lui ai demandé *Elle est comment l'école, et les profs qui c'est,* et on est arrivées sans encombre. Les maisons du quartier étaient toutes différentes, mais toutes équipées de dermosolaire. Le dernier cri en matière de technologie, ainsi que Lucerne ne se privait pas de le répéter. *Vraiment, Brenda, ils sont bien plus verts que ces puristes de Jardiniers, alors ne te prive pas de faire couler l'eau chaude et, à propos, tu devrais prendre une douche, non ?*

Le bâtiment du lycée était flambant neuf : pas de graffitis, pas de vitres cassées, pas une égratignure. Il était entouré d'une pelouse verte, ornée de buissons taillés en boule et d'une statue dont la plaque disait : « Florence Nightingale, la Dame à la lampe ». Sauf qu'un petit malin avait gratté le dernier *a* et qu'on lisait « La Dame à la lump ».

« C'est un coup de Jimmy, a expliqué Wakulla. On fait équipe au labo de Technologies nanobiochimiques, et il a l'habitude des vannes débiles de ce genre. »

Elle a souri : ses dents étaient d'une blancheur éclatante. Lucerne n'arrêtait pas de me dire que les miennes étaient jaunes et que j'avais besoin d'un dentiste cosméticien. Non seulement elle projetait de redécorer la maison de fond en comble, mais elle avait également prévu des modifications pour moi.

Au moins n'avais-je pas de caries. Les Jardiniers proscrivaient le sucre raffiné et exigeaient un brossage régulier – mais on devait se servir d'une brindille, vu qu'ils se refusaient à mettre dans leur bouche du plastique ou des poils d'animal.

Ma première matinée fut vraiment étrange. J'avais l'impression que profs et élèves s'exprimaient dans une langue étrangère. Les sujets, le vocabulaire, tout était différent, sans parler des ordinateurs et des blocs-notes. Ces derniers me fichaient les jetons : ça semblait si dangereux d'écrire des trucs pour de bon, au risque que vos ennemis les lisent – impossible de les effacer comme sur une ardoise. Après avoir touché le papier et les claviers, j'avais envie de foncer me laver les mains aux toilettes : le danger s'était sûrement communiqué à ma peau.

D'après Lucerne, les autorités du Compound SentéGénic garderaient le secret sur notre supposée histoire personnelle – l'enlèvement et le reste. Mais il y avait sûrement eu une fuite, car les lycéens étaient déjà au courant. Enfin, on ne leur avait pas dit que Lucerne était devenue l'esclave sexuelle d'un monstre doublé d'un obsédé. Mais je savais que je devrais mentir, moi aussi, ne serait-ce que pour protéger Amanda, Zeb, Adam Premier et même les Jardiniers ordinaires. Chacun de nous tient l'autre au creux de sa main, disait Adam Premier. Je commençais à comprendre ce que ça signifiait.

Au cours de la pause déjeuner, un groupe s'est massé autour de moi. Ils n'étaient pas méchants, seulement curieux. *Alors, t'étais dans une secte ? L'horreur ! C'étaient vraiment des cinglés ?* Ils avaient plein de questions comme ça. Ils mangeaient tout en parlant et ça sentait la viande de toutes parts. Le bacon. Les bâtonnets de poisson – 20 % de vrai poisson. Les burgers – ils appelaient ça des GéniBurgers, et on les obtenait à partir de viande cultivée sur râtelier. Donc, aucun animal n'était mort pour les produire. Mais ça puait quand même la viande. Amanda aurait bouffé du bacon pour leur prouver que les mangeurs de feuilles ne lui avaient pas lavé le cerveau, mais j'en étais encore incapable. J'ai voulu goûter le pain de mon GéniBurger, mais ça empestait l'animal mort.

« Alors, ça craignait vraiment ? a demandé Wakulla.

— C'était juste une secte verte, ai-je répondu.

— Comme les Isaïstes du Loup, a avancé un garçon. C'étaient des terroristes ? »

Ils se sont tous penchés vers moi : ce qu'ils voulaient, c'étaient des histoires d'horreur.

«Non. C'étaient des pacifistes, ai-je répondu. On travaillait dans un jardin de toiture.»

Et je leur ai expliqué la relocalisation d'escargots et de limaces. Ça me paraissait vraiment bizarre quand je le racontais.

«Au moins, tu ne mangeais pas de ces saletés, a dit une fille. Il paraît que dans certaines sectes ils mangent les animaux tués sur la route.

— Oui, c'est les Isaïstes du Loup qui font ça. Je l'ai vu sur la Toile.

— Mais t'as vécu dans les plèbezones. C'est cool.»

J'ai compris que cela représentait un atout pour moi : jamais ils n'avaient mis le pied dans une plèbezone, sauf dans le cadre d'une sortie scolaire, ou alors quand leurs parents les avaient traînés là-bas pour aller s'encanailler à l'Arbre de vie. Je pouvais donc inventer ce que je voulais.

«Ce que tu étais, c'est une enfant exploitée, a déclaré un garçon. Une petite enviroserve. Ça, c'est sexy !»

Hilarité générale.

«Ne sois pas stupide, Jimmy, a dit Wakulla. Fais pas attention, a-t-elle ajouté en se tournant vers moi, il est toujours à dire des conneries.»

Jimmy a souri de toutes ses dents.

«Est-ce que tu as vénéré des choux ? a-t-il repris. Ô Grand Chou, je baise ta chousitude chousissime !» Il a mis un genou à terre et saisi l'ourlet de ma jupe plissée. «Jolies, les feuilles, quand est-ce qu'elles tombent ?

— Ferme-la, pue-la-viande !

— Hein ? a-t-il fait en riant. C'est quoi, un pue-la-viande ?»

J'ai dû leur expliquer que c'était une injure dans la bouche des extrémistes verts. Comme bouffeur de porc. Ou tête de limace. Jimmy se tenait les côtes.

La tentation était grande. Je le voyais clairement. Il me suffirait d'inventer des détails incongrus sur ma vie dans la secte et de prétendre que je la jugeais aussi perverse que les ados de SentéGénic. Ça ne manquerait pas de me rendre populaire. Mais j'imaginais sans peine la réaction qu'auraient les Adam et les Ève : une tristesse mêlée de déception. Adam Premier, Toby et Rebecca. Et Pilar, même si elle était morte. Et même Zeb.

Comme il est facile de trahir. On se laisse aller, c'est tout. Mais, grâce à Bernice, je le savais déjà.

En sortant du lycée, Wakulla a fait un bout de chemin avec moi et Jimmy est venu lui aussi. Il n'arrêtait pas de déconner ; il s'attendait à ce qu'on rie de ses blagues, et Wakulla le faisait parfois, par politesse. J'ai vu que Jimmy en pinçait pour elle, mais elle me dirait par la suite qu'elle ne voyait en lui qu'un ami et rien de plus.

Wakulla m'a quittée pour rentrer chez elle mais Jimmy est resté avec moi, affirmant que ma maison était sur son chemin. Il était agaçant quand il y avait du monde : peut-être pensait-il qu'il valait mieux faire l'idiot avant que les autres ne le traitent d'idiot. Mais quand on se retrouvait seuls tous les deux, il devenait beaucoup plus agréable. J'ai vu qu'il était triste au fond de lui, parce que j'étais pareille. On était un peu comme des jumeaux, dans un sens, ou du moins je le ressentais ainsi à l'époque. C'était le premier garçon que je considérais comme un ami.

« Ça doit te faire bizarre de te retrouver dans un Compound après avoir vécu dans une plèbezone, m'a-t-il dit un jour.

— Ouais, ai-je répondu.

— Ta mère était vraiment attachée à son lit par un obsédé sexuel ? »

Jimmy n'hésitait jamais à dire tout haut ce que les autres n'osaient penser tout bas.

« Qui c'est qui t'a raconté ça ?

— C'est des bruits de vestiaire. »

Ainsi, les bobards de Lucerne s'étaient répandus.

J'ai inspiré profondément.

« Ça restera entre nous, d'accord, Jimmy ?

— Promis-juré.

— Non. Elle n'était pas attachée à son lit.

— Je m'en doutais.

— Mais ne le dis à personne. Je veux avoir confiance en toi.

— Je ne dirai rien. »

Il ne m'a pas demandé pourquoi. Il savait parfaitement que, si l'on apprenait que Lucerne disait n'importe quoi, les gens en déduiraient qu'elle n'avait pas été kidnappée mais qu'elle avait tout simplement abandonné le domicile conjugal. Elle avait agi par amour, ou par désir. Et si elle était revenue au Compound SentéGénic pour retrouver son taré de mari, c'était parce que son amant l'avait larguée. Mais elle préférerait mourir que de le reconnaître. Mourir, ou alors tuer quelqu'un.

Durant tout ce temps-là, je n'arrêtais pas de me planquer dans mon placard pour sortir le mobile pourpre du tigre en peluche et appeler Amanda. On se donnait rendez-vous par texto et, si la connexion était correcte, on pouvait se voir sur l'écran. Je lui posais plein de questions sur les Jardiniers. Amanda m'a dit qu'elle n'habitait plus avec Zeb : elle devait dormir chez les célibataires à présent qu'elle était grande, lui avait annoncé Adam Premier, et elle se barbait sérieusement.

« Quand est-ce que tu pourras revenir ? » me demandait-elle.

Mais je n'arrivais pas à trouver un moyen de m'enfuir du Compound.

« J'y travaille », répondais-je.

Lors de notre conversation suivante, elle m'a dit :

« Regarde qui est là. »

En voyant apparaître Shackie, un sourire penaud aux lèvres, je me suis demandé s'ils avaient couché ensemble. J'avais l'impression qu'Amanda venait de rafler une babiole dont j'avais moi aussi envie, mais c'était idiot, vu que Shackie ne m'inspirait aucun sentiment. Néanmoins, je m'étais toujours demandé si c'était sa main que j'avais sentie sur mes fesses, le soir où je m'étais évanouie dans l'holomaton. Non, c'était sûrement celle de Croze.

« Comment va Croze ? ai-je demandé à Shackie. Et Oates ?

— Ils vont bien tous les deux, a-t-il marmonné. Quand est-ce que tu reviens ? Croze est impatient de te revoir ! Gang !

— Green ! ai-je répliqué. Gangrène. »

J'étais surprise de l'entendre utiliser ce cri de ralliement si gamin, mais peut-être était-ce une idée d'Amanda, pour que je ne me sente pas à l'écart.

Quand elle est revenue sur l'écran, elle m'a dit que Shackie et elle étaient associés – ils se mettaient à deux pour piquer des trucs dans le centre commercial. Mais c'était un échange équitable : elle avait un auxiliaire pour surveiller ses arrières, l'aider à planquer son butin et à le revendre, et lui, il avait du cul.

« Tu ne l'aimes pas ? » ai-je demandé.

Amanda m'a dit que j'étais une romantique. L'amour, ça ne servait à rien, affirmait-elle, parce que ça débouchait sur des échanges déséquilibrés, et ensuite on devenait cruel et méchant.

41

Jimmy et moi, on a commencé à faire nos devoirs ensemble. Il était vraiment sympa de m'aider à combler mes lacunes. Mais j'avais appris à me servir de ma mémoire chez les Jardiniers, et il me suffisait de regarder une leçon pour en voir apparaître tout le contenu dans ma tête, comme une photo. Si bien qu'en dépit de mes difficultés, j'ai eu vite fait de rattraper mon retard.

Comme il avait deux ans d'avance sur moi, Jimmy n'étudiait pas les mêmes matières que moi, excepté les Sciences de la vie quotidienne, un cours conçu pour vous aider à structurer votre vie, une fois que vous en aviez une. On y mélangeait les classes d'âge afin que tous bénéficient de l'expérience des autres, et Jimmy a changé de place pour s'asseoir à mes côtés.

«Je suis ton garde du corps», m'a-t-il chuchoté, et je me suis aussitôt sentie en sécurité.

Si Lucerne n'était pas là, on allait chez moi pour bosser; sinon, on allait chez Jimmy. Je préférais la maison de Jimmy à la nôtre parce qu'il avait un rasconse – une nouvelle variété transgénique, un mélange de sconse, mais sans l'odeur, et de raton laveur, mais sans l'agressivité. Il s'appelait Killer; c'était un des premiers spécimens de son espèce. Quand je l'ai pris dans mes bras, il m'a tout de suite adoptée.

Apparemment, la mère de Jimmy m'aimait bien, elle aussi, sauf que, la première fois qu'elle m'a vue, elle m'a fixée de ses yeux bleus avec une mine sévère et m'a demandé mon âge. Je la trouvais sympa mais elle fumait beaucoup trop et ça me faisait tousser. Aucun des Jardiniers ne fumait, en tout cas pas du tabac. Elle travaillait beaucoup sur son ordinateur mais je n'ai jamais su ce qu'elle faisait, car elle n'avait pas vraiment de profession. Le père de Jimmy n'était presque jamais là : il passait tout son temps au labo et cherchait une façon de transplanter de l'ADN humain et des cellules souches humaines sur les porcs pour faire pousser des organes humains. J'ai demandé lesquels à Jimmy et il m'a parlé de reins, mais peut-être aussi de poumons ; à l'avenir, chacun disposerait de son porc personnel, avec des copies de sauvegarde de chacun de ses organes. Je savais bien ce qu'en penseraient les Jardiniers : ils trouveraient ça mal, puisqu'il faudrait tuer les porcs.

Jimmy les avait vus, ces fameux porcs : on les surnommait porcons parce qu'ils étaient gros comme des ballons. Cette méthode pour faire pousser des organes, c'était un secret industriel.

« Tu n'as pas peur qu'une Corps étrangère kidnappe ton père pour lui presser la cervelle et en faire sortir tous ses secrets ? » ai-je demandé à Jimmy.

Ce genre de trucs arrivait de plus en plus souvent : les infos n'en parlaient jamais, mais à SentéGénic les rumeurs allaient bon train. Parfois on récupérait le scientifique kidnappé, parfois non. La sécurité était sans cesse renforcée.

Quand on avait fini nos devoirs, on allait faire un tour à la galerie marchande SentéGénic pour jouer à des jeux vidéo sans danger et boire des Capuccimpas. La première fois, j'ai dit à Jimmy que Cafésympa, c'était le mal et que je ne pouvais pas en boire, et il s'est moqué de moi. La deuxième fois, j'ai fait un effort et, comme j'ai trouvé ça délicieux, j'ai bientôt cessé de voir le mal au fond de mon gobelet.

Au bout d'un temps, Jimmy m'a parlé de Wakulla Price. C'était la première fille dont il était tombé amoureux, m'a-t-il confié, mais quand il a voulu que ça devienne sérieux, elle lui a répondu qu'ils ne seraient que de simples amis et rien de plus. Je le savais déjà, mais je lui ai dit que c'était triste. Il m'a répondu qu'il s'était senti comme une flaque de vomi pendant plusieurs semaines et qu'il ne s'en était toujours pas remis.

Puis il m'a demandé si j'avais un petit copain dans les plèbezones et je lui ai dit que oui – ce qui était faux –, mais que j'avais décidé de l'oublier vu que je n'avais aucun moyen de retourner là-bas et que c'était la meilleure chose à faire quand on désirait un truc qu'on ne pouvait pas avoir. Jimmy était plein de compassion et il m'a étreint la main. Alors j'ai eu honte de lui avoir menti ; mais j'étais contente qu'il me tienne la main.

À ce moment-là, j'avais commencé un journal intime – toutes les

230

filles de l'école en avaient un, c'était une mode genre rétro : on pouvait se faire pirater son ordi, mais pas son carnet de notes. J'ai donc écrit tout ce qui m'arrivait dans le mien. C'était comme si je parlais à quelqu'un. Je ne pensais plus que ça pouvait être dangereux : ça prouve à quel point je m'étais éloignée des Jardiniers, je crois. Je conservais ce journal dans mon placard, à l'intérieur d'un ours en peluche, car je ne voulais pas que Lucerne le voie. Les Jardiniers avaient raison sur ce point : lire les secrets d'un autre vous donne du pouvoir sur lui.

Puis un nouveau est arrivé au Lycée de SentéGénic. Il s'appelait Glenn et, dès que je l'ai vu, j'ai reconnu le Glenn qui était venu à l'Arbre de vie pendant la Semaine de Saint-Euell, quand Amanda et moi l'avions accompagné chez Pilar avec son pot de miel. J'ai cru le voir me saluer de la tête – m'avait-il reconnue ? J'espérais que non, parce que je ne voulais pas qu'il commence à parler de l'endroit où il m'avait aperçue la première fois. Et si le CorpSeCorps cherchait toujours à mettre la main sur le prétendu monstre qui avait enlevé Lucerne ? Et si Zeb se faisait capturer à cause de moi et se retrouvait dans un congélo, vidé de ses organes vitaux ? Quelle idée horrible !

Mais même s'il se souvenait de moi, Glenn ne dirait sûrement rien, car il ne tenait pas à ce qu'on découvre ses petits trafics avec Pilar et les Jardiniers. J'étais persuadée que c'était un truc illégal, car sinon pourquoi Pilar nous aurait-elle chassées, Amanda et moi ? Elle cherchait sans doute à nous protéger.

Avec ses tee-shirts noirs, Glenn avait l'air de se foutre de tout et de tout le monde. Mais, au bout d'un moment, Jimmy a commencé à le voir assez souvent et, peu après, c'est moi qui l'ai vu de moins en moins.

« Qu'est-ce que tu fiches avec ce Glenn ? Il est répugnant », lui ai-je dit un jour.

On était en train de faire nos devoirs sur les ordis de la médiathèque du lycée. Jimmy m'a confié qu'ils jouaient aux échecs en trois dimensions ou à des jeux en ligne, tantôt chez l'un, tantôt chez l'autre. Comme je me doutais qu'ils regardaient du porno – c'est ce que faisaient la plupart des mecs, et pas mal de filles aussi –, je lui ai demandé à quels jeux ils jouaient. Anéantissement des barbares, m'a-t-il dit – un jeu de guerre. Du Sang et des Roses – ça ressemblait au Monopoly, sauf qu'il fallait conquérir le marché du génocide et autres atrocités. Extinctacthon, une sorte de Trivial Pursuit sur les espèces disparues.

« Je pourrais venir jouer avec vous un de ces jours ? » ai-je proposé.

Mais il n'a rien voulu savoir. J'en ai conclu qu'ils regardaient bien du porno.

Puis il est arrivé un truc vraiment grave : la mère de Jimmy a disparu. Elle n'avait pas été kidnappée : elle était partie de son plein gré. J'ai entendu Lucerne en parler avec Frank : apparemment elle s'était tirée avec un paquet de données précieuses, si bien que le CorpSeCorps avait envahi la maison de Jimmy. Et vu que Jimmy était un de mes copains, poursuivait Lucerne, ils pouvaient également nous chercher des ennuis. On n'avait rien à cacher, d'accord. Mais ça risquait quand même d'être pénible.

J'ai aussitôt envoyé un texto à Jimmy pour lui dire que je compatissais et lui demander si je pouvais faire quelque chose. Il n'est plus venu en classe mais, quelques jours plus tard, il a débarqué chez moi. Il était vraiment déprimé. Non seulement sa mère s'était cassée, mais le CorpSeCorps avait chargé son père de participer à l'enquête, ce qui voulait dire qu'il partait chaque matin à bord d'un fourgosolaire noir ; désormais, deux femmes du CorpSeCorps passaient la journée à fouiller sa maison et à lui poser des questions stupides. Le pire, dans l'histoire, c'est que la mère de Jimmy avait emporté Killer pour le lâcher dans la nature – elle le lui avait expliqué dans une note. Mais jamais la pauvre bête ne pourrait s'en sortir, elle se ferait bouffer par les malchatons.

« Oh ! Jimmy, ai-je fait. C'est horrible. »

Je lui ai passé les bras autour du cou pour le serrer très fort : on aurait dit qu'il pleurait. Je me suis mise à pleurer, moi aussi, et on s'est caressés tout doucement, avec précaution, comme si on était blessés et malades tous les deux, puis on s'est glissés tendrement entre mes draps, sans se lâcher, comme des noyés, et on a commencé à s'embrasser. J'avais l'impression que j'aidais Jimmy et que, lui aussi, il m'aidait. C'était comme un festival chez les Jardiniers, quand on faisait tout d'une façon spéciale parce que c'était en l'honneur de quelque chose. Voilà, c'est exactement ça : on faisait ça *en l'honneur*.

« Je ne veux pas te faire du mal », a dit Jimmy.

Oh ! Jimmy, ai-je songé. Je t'enveloppe de Lumière.

42

Après cette première fois, je me suis sentie très heureuse, comme si je chantais. Pas une chanson triste, plutôt un chant d'oiseau. J'adorais coucher avec Jimmy, j'avais une telle impression de sécurité dans ses bras, et j'étais étonnée de voir à quel point le contact d'une autre peau sur la mienne pouvait être souple et soyeux à la fois. Le corps possède une sagesse qui lui est propre, disait Adam Premier : il parlait du système immunitaire, mais c'était vrai d'une autre façon. Cette sagesse ne participait pas du chant mais de la danse – en mieux. J'étais amoureuse de Jimmy et je devais croire que lui aussi était amoureux de moi.

J'ai écris en gros dans mon journal : JIMMY. Puis j'ai souligné son nom en rouge et dessiné un cœur à côté. Je me méfiais encore un peu de l'écriture et je n'ai pas donné d'autres détails, mais, chaque fois que nous faisions l'amour, je dessinais un autre cœur et le coloriais en rouge.

Je voulais appeler Amanda pour tout lui raconter, bien qu'elle m'eût dit un jour que les gens qui racontent leur vie amoureuse sont aussi chiants que ceux qui vous parlent de leurs rêves. Mais quand je suis entrée dans mon placard pour fouiller dans le tigre en peluche, le phone pourpre ne s'y trouvait plus.

J'ai été prise de frissons. Mon journal intime était toujours à l'intérieur de l'ours, là où je l'avais caché. Mais je n'avais plus de phone.

Puis Lucerne est entrée dans ma chambre. Tous les téléphones introduits dans le Compound devaient être enregistrés afin d'éviter la fuite de secrets industriels, est-ce que je le savais ? La possession d'un phone clandestin était considérée comme un crime, et le

CorpSeCorps avait les moyens de repérer les phones de ce type. Est-ce que je le savais ?

J'ai fait non de la tête.

« Ils peuvent découvrir qui m'a appelée ? » ai-je demandé.

Ils pouvaient identifier le numéro de l'appelant, et ça risquait de craindre pour les deux correspondants. Sauf qu'elle ne l'a pas dit comme ça, elle a parlé de *regrettables conséquences*.

Puis elle m'a dit que même si je la considérais comme une mauvaise mère, c'était surtout à moi qu'elle pensait. Par exemple, si elle avait trouvé un phone pourpre avec en mémoire le numéro d'un appelant unique, elle avait pu envoyer à celui-ci un texto consistant en un seul mot : « Poubellise ! » Comme ça, si le CorpSeCorps retrouvait le phone de l'appelant en question, ce serait sûrement dans une poubelle. Elle-même se serait débarrassée du phone pourpre de cette façon. Maintenant elle allait jouer au golf et elle espérait que je réfléchirais soigneusement à ce qu'elle venait de me dire.

C'est ce que j'ai fait. *Lucerne s'est défoncée pour sauver Amanda. Elle savait sûrement que c'était elle qui me téléphonait. Mais elle déteste Amanda. Donc, c'est Zeb qu'elle tenait à sauver : en dépit de tout ce qui s'est passé, elle l'aime toujours.*

À présent que j'étais amoureuse de Jimmy, je comprenais mieux Lucerne et la façon dont elle se comportait en présence de Zeb. On pouvait faire des trucs dingues pour la personne qu'on aimait, je le voyais bien. Quand vous aimez quelqu'un, disait Adam Premier, il ne vous aime pas toujours en retour comme vous le souhaiteriez, mais c'est quand même une bonne chose parce que l'amour émane de vous comme des ondes d'énergie et que cela peut aider une créature que vous ne connaissez même pas. En guise d'exemple, il a parlé d'un homme tué par un virus et dévoré par les vautours. Cette comparaison ne me plaisait guère, mais l'idée générale n'en était pas moins vraie ; en effet, Lucerne avait envoyé ce texto parce qu'elle aimait Zeb et, du coup, elle avait sauvé Amanda alors que telle n'était pas son intention. Donc, Adam Premier avait raison.

Sauf qu'en attendant, j'avais perdu le contact avec Amanda. Ça me rendait vraiment triste.

On continuait de faire nos devoirs ensemble, Jimmy et moi. Parfois c'était pour de bon, quand on n'était pas seuls. Le reste du temps, non. En moins d'une minute, on s'était déshabillés et Jimmy me caressait partout en me disant que j'étais mince comme une sylphe – il aimait bien les mots comme ça, mais je ne savais pas toujours ce qu'ils signifiaient. Parfois il me confiait qu'il avait l'impression de pervertir la jeunesse. Plus tard je notais quelques trucs qu'il me disait, comme si c'étaient des prophéties. *Jimmy est génial, il dit que je suis une silfe.* Seuls comptent les sentiments, rien à faire de l'orthographe.

Comme je l'aimais! Puis j'ai fait une gaffe. Je lui ai demandé s'il aimait toujours Wakulla ou s'il était tombé amoureux de moi. Je n'aurais pas dû. Il a attendu trop longtemps pour répondre puis il a dit : C'est important? Je voulais dire oui mais je lui ai dit non. Ensuite Wakulla Price a déménagé sur la côte Ouest, Jimmy s'est mis à déprimer, et voilà qu'il passait plus de temps avec Glenn qu'avec moi. Je l'avais, ma réponse, et elle ne m'a pas rendue heureuse.

Malgré cela, on continuait à faire l'amour, mais moins souvent – dans mon journal intime, les cœurs rouges devenaient de plus en plus espacés. Puis un jour, par hasard, j'ai vu Jimmy au centre commercial en compagnie de LyndaLee, cette fille qui jurait tout le temps et dont la rumeur disait qu'elle voulait se taper tous les mecs du lycée, l'un après l'autre et à toute vitesse, comme si elle bouffait des sojanoix. Jimmy lui a mis la main au cul puis elle l'a embrassé goulûment. Un long baiser baveux. Rien que de penser que Jimmy pouvait la toucher, j'en ai eu la nausée, et je me suis rappelé un truc que disait Amanda à propos des maladies et j'ai pensé : Je sais pas ce qu'a LyndaLee, mais je l'ai sans doute attrapé. Je suis rentrée chez moi, j'ai vomi, j'ai pleuré et j'ai pris un bon bain chaud. Mais ça ne m'a pas remonté le moral.

Jimmy ignorait que j'étais au courant pour LyndaLee. Quelques jours plus tard, il m'a demandé s'il pouvait passer chez moi et j'ai dit oui. J'ai écrit dans mon journal : *Jimmy, espèce de sale fouineur, je sais que tu es en train de lire mon journal, je* déteste *ça, c'est pas parce qu'on baise ensemble que je t'aime, alors* MÊLE-TOI DE TES OIGNONS!!! J'ai souligné *déteste* de deux traits rouges et *mêle-toi de tes oignons* de trois. Puis j'ai laissé mon journal sur la commode. Vos ennemis peuvent user de vos écrits contre vous, ai-je pensé, mais le contraire est tout aussi vrai.

Après l'amour, j'ai pris une douche toute seule et, quand je suis sortie de la salle de bains, Jimmy était en train de lire mon journal et m'a demandé pourquoi je m'étais mise à le détester. Alors je lui ai dit. J'ai employé des mots que je m'étais interdits jusqu'ici et Jimmy m'a déclaré qu'il n'était pas fait pour moi, qu'il était incapable de s'engager à cause de Wakulla Price, qu'elle l'avait transformé en dépotoir émotionnel, ou alors c'était carrément sa nature qui le poussait à détruire toutes les relations qu'il réussissait à créer. Du coup, je lui ai demandé combien il y en avait eu à ce jour. Qu'il me mette dans le même panier que tout un tas de filles, comme si on était des pêches ou des navets, je ne pouvais le supporter. Alors il a dit qu'il m'aimait beaucoup en tant que personne et que c'était la raison pour laquelle il était franc avec moi, et je lui ai dit d'aller se faire voir. Et c'est ainsi qu'on s'est séparés en mauvais termes.

La période qui a suivi a été très noire. Je me demandais ce que je faisais sur terre : si je disparaissais, personne ne s'en soucierait. Peut-être devrais-je renoncer à ma carcasse, comme disait Adam Premier, et me transformer en ver ou en vautour. Puis je me suis rappelé ce que disaient les Jardiniers : *Ren, ta vie est un don des plus précieux, et qui dit don dit Donneur, et quand on a reçu un don il faut toujours remercier le Donneur.* Ça m'a un peu aidée.

Et puis j'entendais la voix d'Amanda : Pourquoi es-tu si faible ? L'amour n'est pas un échange équitable, rappelle-toi. Jimmy s'est lassé de toi, et alors ? Des mecs comme lui, y en a plein autour de toi, ça grouille comme des microbes et tu peux les cueillir comme des fleurs, pour les jeter ensuite une fois qu'ils seront fanés. Mais agis comme si tu prenais ton pied et comme si chaque jour était une fête.

Ce que j'ai fait ensuite n'était pas très sympa et j'en ai encore un peu honte. J'ai abordé Glenn à la cafétéria – il fallait un sacré courage, vu que ce mec était cool au point d'en paraître glacial. Et je lui ai demandé s'il aimerait sortir avec moi. Ce que je voulais, c'était faire l'amour avec lui pour filer le bourdon à Jimmy. Glenn en lui-même ne m'attirait pas – j'aurais eu l'impression de baiser un couvert à salade. Un truc en bois tout raide.

« Sortir avec toi ? a-t-il répété sans comprendre. Tu ne sors pas avec Jimmy ? »

Je lui ai répondu que c'était fini et que ça n'avait jamais été très sérieux, vu que Jimmy était un clown. Puis je lui ai dit ce qui me passait par la tête.

« Je t'ai vue avec les Jardiniers, à l'Arbre de vie. Tu te rappelles ? C'est moi qui t'ai emmenée chez Pilar. Avec ton pot de miel ? »

Il a eu l'air inquiet et m'a dit qu'on ferait mieux d'en parler autour d'un Cappuccimpa.

C'est ce qu'on a fait. Et on a beaucoup parlé. On se retrouvait si souvent à la galerie marchande que les autres ont commencé à jaser sur notre compte – sauf qu'il n'y a jamais rien eu entre nous.

Qu'est-ce qui nous liait si ce n'était pas de l'amour ? Glenn était la seule personne à SentéGénic avec qui je pouvais parler des Jardiniers, et c'était pareil pour lui – le voilà, notre lien. Comme si j'avais appartenu à un club secret. Peut-être que Jimmy n'avait jamais été mon jumeau – peut-être que c'était Glenn. C'est plutôt bizarre, à bien y réfléchir, vu que c'était un mec vraiment bizarre. Une sorte de cyborg, comme disait Wakulla Price. Est-ce qu'on était amis ? Je n'irais même pas jusque-là. Parfois il me regardait comme si j'étais une amibe, ou encore un problème à résoudre dans son labo de Nanobioformes.

Glenn savait déjà pas mal de choses sur les Jardiniers, mais il voulait en apprendre davantage. Chez eux, à quoi ressemblait la vie quotidienne. Ce qu'ils disaient, ce qu'ils faisaient, ce qu'ils croyaient. Il me demandait de chanter des cantiques, de répéter les sermons que prononçait Adam Premier les jours de fête : Glenn ne riait jamais quand je m'exécutais, alors que Jimmy aurait certainement été plié en quatre. Il me posait des questions du genre : « Donc, ils pensent que nous devrions uniquement utiliser des matériaux recyclés. Et si les Corps cessaient de fabriquer des matériaux neufs ? Nous serions vite à court. » Ou alors des questions plus personnelles, comme : « Mangerais-tu un animal si tu mourais de faim ? Penses-tu que ce Déluge des Airs surviendra un jour ? » Mais je ne connaissais pas toujours les réponses.

Il abordait aussi d'autres sujets. Un jour, il m'a dit que dans une situation de conflit, la seule chose à faire était de tuer le roi, comme aux échecs. Je lui ai dit qu'il n'y avait plus de rois en ce monde. Il m'a précisé qu'il parlait du pouvoir central, sauf qu'aujourd'hui ce n'était plus un individu qui le représentait, mais plutôt des connexions technologiques. Comme les manipulations génétiques, tu veux dire ? ai-je relancé. Et lui : « Oui, quelque chose comme ça. »

Un jour, il m'a demandé si, à mon avis, Dieu était un bouquet de neurones et si, dans ce cas, un tel trait était transmis par l'évolution, car il s'agissait d'un avantage naturel, ou bien si c'était une simple trompe, comme les cheveux roux, un sous-produit sans rapport aucun avec les chances de survie. Le plus souvent, j'étais complètement larguée par ses interrogations, alors je le questionnais : « Et toi, qu'en penses-tu ? » Il avait toujours une réponse.

Jimmy nous a vus ensemble à la galerie marchande et ça l'a pas mal secoué, apparemment ; mais ça n'a pas duré longtemps car je l'ai vu lever le pouce en direction de Glenn, semblant lui dire : *Vas-y, mon vieux, je te la laisse!* Comme si je lui appartenais et qu'il consentait à me partager.

Jimmy et Glenn ont obtenu leur diplôme deux ans avant moi et sont allés à la fac. Glenn a intégré le Centre Watson-Crick, là où on envoyait les petits génies, et Jimmy l'école Martha-Graham, où échouaient les lycéens médiocres en maths et en sciences. Au moins, je n'étais plus obligée de croiser Jimmy chaque jour au lycée, en train de draguer telle ou telle fille. Mais c'était encore pire de le savoir loin de moi.

J'ai réussi à faire deux années de plus dans cette boîte. J'avais de mauvaises notes et je n'étais même pas sûre de rentrer en fac – j'allais me retrouver avec un emploi de merde, serveuse dans un SecretBurgers ou une connerie comme ça. Mais Lucerne m'a pistonnée. Je l'ai entendue parler de moi à l'une de ses copines de golf :

«Elle n'est pas stupide, mais l'influence de la secte lui a fait perdre toute motivation, donc on n'a pas pu faire mieux que Martha-Graham.»

J'allais alors me retrouver dans la même fac que Jimmy : ça m'a tellement remuée que j'en ai été malade.

La veille d'embarquer à bord du train à grande vitesse scellé, j'ai relu mon vieux journal et compris ce que voulaient dire les Jardiniers quand ils avertissaient : *Méfiez-vous de ce que vous écrivez.* J'avais rédigé ces mots quand j'étais heureuse, mais, à présent, les lire était une vraie torture. Je suis allée au coin de la rue et j'ai jeté le journal dans un conteneur à orduruile. Il allait se transformer en huile et tous les cœurs rouges que j'avais dessinés partiraient en fumée, mais au moins serviraient-ils à quelque chose.

Une partie de moi-même se disait que j'allais retrouver Jimmy à Martha-Graham, qu'il allait me dire que c'était moi qu'il avait toujours aimée, me demander si on pouvait se remettre ensemble, et moi je lui pardonnerais et on serait de nouveau heureux, comme on l'avait été aux premiers temps. Mais une autre partie de moi-même savait qu'il n'y avait aucune chance. Adam Premier disait que les gens étaient capables de croire en même temps deux choses contradictoires, et je voyais à présent que c'était vrai.

Fête de la Sagesse du Serpent

Fête de la Sagesse du Serpent

An 18

De l'importance du savoir instinctif.
Prononcé par Adam Premier

Chers Amis, chères Créatures, chers Mortels, mes Frères et mes Sœurs :

Aujourd'hui, nous fêtons la Sagesse du Serpent, et nos Enfants se sont à nouveau surpassés pour décorer notre demeure. Remercions Amanda et Shackleton pour la fresque saisissante montrant la Couleuvre Fauve avalant une Grenouille – une image qui nous rappellera à tous les interconnexions de la Danse de la Vie. La vedette de cette fête est d'ordinaire la Courgette, un légume en forme de Serpent. Remercions Rebecca, notre Ève Onze, pour sa recette innovante de Râpé de Radis et de Courgette. Il nous tarde de la déguster.

Mais je dois auparavant vous mettre en garde contre certains individus qui posent des questions suspectes à propos de Zeb, notre Adam Sept aux talents multiples. Il y a plusieurs Espèces dans le Jardin de notre Père, il faut de tout pour faire un Écosystème, et Zeb a opté pour la non-violence ; donc, si on vous pose des questions, rappelez-vous que la meilleure réponse est toujours «Je ne sais pas».

En ce jour de fête, nous commenterons Matthieu 10.16 : «Montrez-vous sages comme le Serpent et inoffensifs comme la Colombe.» Les anciens biologistes parmi nous, qui ont peut-être étudié les Serpents ou les Colombes, ne manqueront pas d'être intrigués par cette injonction. Le Serpent est un expert en matière de chasse, qui paralyse ou étouffe ses proies, un talent qui lui permet de traquer nombre de Rats et de Souris. Cependant, en dépit de cette habileté naturelle, on n'est pas enclin à le qualifier de «sage». Et les Colombes, quoique inoffensives pour nous, sont extrêmement agressives entre elles : un mâle dominant n'hésitera pas à harceler et à tuer un autre mâle si l'occasion se présente à lui. L'Esprit de Dieu est souvent figuré sous la forme d'une Colombe, ce qui nous apprend tout simplement que cet Esprit n'est pas toujours paisible : il a également son côté féroce.

Le Serpent est un symbole particulièrement lourd de sens dans la Parole humaine de Dieu, où il apparaît sous des déguisements variés. Parfois, il est l'ennemi juré de l'Humanité – sans doute parce que le Constrictor était l'un des rares prédateurs nocturnes de nos ancêtres les Primates quand ils dormaient dans les arbres. Et pour ces mêmes ancêtres – qui allaient sans chaussures –, piétiner une Vipère signifiait une mort certaine. Mais le Serpent est aussi identifié à Léviathan, ce gigantesque animal marin que Dieu a créé pour enseigner l'humilité à l'Homme, déclarant à Job qu'il constituait un exemple impressionnant de Son Inventivité.

Chez les Anciens Grecs, le Serpent était l'animal sacré du dieu guérisseur. Dans d'autres religions, le Serpent qui se mord la queue représente le cycle de la Vie, ainsi que le commencement et la fin des Temps. Comme il change régulièrement de peau, le Serpent symbolise aussi le Renouveau : l'Âme se défaisant de son ancien moi duquel elle émerge resplendissante. Un symbole bien compliqué, certes. Par conséquent, comment pouvons-nous être «sages comme le Serpent»? Devons-nous nous mordre la queue, inciter notre prochain à faire le mal ou enserrer notre ennemi pour l'étouffer jusqu'à ce que mort s'ensuive? Bien sûr que non – puisque la même phrase nous exhorte à être inoffensifs comme la Colombe.

La Sagesse du Serpent – je pense –, c'est la sagesse de la *sensation directe*, la perception qu'a le Serpent des vibrations de la Terre. Le Serpent est sage en ce sens qu'il vit dans l'immédiat, sans avoir besoin du complexe édifice intellectuel que l'Humanité ne cesse de se construire. Car ce qui chez nous participe de la foi et de la croyance est savoir inné chez les autres Créatures. Nul Humain ne peut connaître l'esprit de Dieu dans sa plénitude. La raison humaine est une épingle dansant sur la tête d'un ange, infinitésimale comparée à la vastitude divine qui nous englobe.

Comme le dit la Parole humaine de Dieu : «La foi est la garantie des biens que l'on espère, la preuve des réalités qu'on ne voit pas[1]. » Là est l'essentiel : qu'on ne voit *pas*. Nous ne pouvons connaître Dieu par la raison et la mesure ; en fait, un excès de raison et de mesure mène au doute. C'est par la raison et la mesure que nous savons que la Comète et l'holocauste nucléaire comptent parmi les futurs possibles, sans parler du Déluge des Airs, probablement plus proche encore, du moins nous le craignons. Cette crainte dilue notre certitude et de là découle la perte de Foi ; puis vient la tentation d'ouvrir notre Âme au mal ; car si c'est l'annihilation qui nous attend, à quoi bon lutter pour le Bien ?

Nous autres Humains, nous devons batailler pour avoir la foi, contrairement aux autres Créatures. Celles-ci *savent* que l'aube viendra. Elles le sentent – ce chatoiement de la lumière, ce frémissement à l'horizon. Il en va ainsi de chaque Moineau, de chaque Rasconse, mais aussi de chaque Nématode, de chaque Mollusque, de chaque Pieuvre, de chaque ToisondOr et de chaque Liogneau – car Il les tient tous au creux de Sa main. Contrairement à nous, ils n'ont pas besoin de Foi.

Quant au Serpent, qui saurait dire où s'achève sa tête et où commence son corps ? Il fait l'expérience de Dieu en chacune de ses parties ; il capte les vibrations de la Divinité qui parcourent la Terre et y réagit plus vite que la pensée.

Telle est la Sagesse du Serpent que nous cherchons : cette plénitude de l'Être. Puissions-nous nous réjouir des rares instants où, par la grâce de Dieu, et avec l'aide de nos Retraites et de nos Veilles, sans parler de l'assistance de la Botanique de Dieu, il nous est donné de l'appréhender.

Chantons.

---

1. Hébreux 11.1. *(N.d.T.)*

Dieu a donné aux animaux

Dieu a donné aux animaux
Une sagesse que nous ne pouvons voir :
Chacun sait comment vivre en naissant,
Quand nous l'apprenons laborieusement.

Les Créatures n'ont ni livres ni leçons
Car Dieu leur instruit l'Esprit et l'Âme :
Le soleil bourdonne pour chaque Abeille,
L'argile humide murmure à la Taupe.

Et chacun tient son manger de Dieu,
Chacun jouit des délices de la Terre ;
Mais nul ne vend et nul n'achète,
Et nul ne souille sa tanière.

Le Serpent, flèche de lumière,
Capte les vibrations de la Terre
Courant dans ses chairs caparaçonnées
Et le long de son échine sinueuse.

Oh ! que je sois sage comme le Serpent,
Que je sente le Tout dans sa totalité,
Non seulement par les pensées de mon Cerveau,
Mais aussi par la vive ardeur de mon Âme !

Extrait du *Livre de cantiques des Jardiniers de Dieu*

43

Toby. Fête de la Sagesse du Serpent

An 25

Fête de la Sagesse du Serpent. Vieille lune. Toby note la Fête du jour et la phase de la lune sur son bloc-notes aux pages roses, frappées d'une œillade et d'un baiser. Vieille lune, semaine de taille, disaient les Jardiniers. On plante à la nouvelle, on taille à la vieille. Le moment idéal pour user de ciseaux sur toi-même, couper les parties superfétatoires qui ont besoin d'être taillées. Ta tête, par exemple.

« Je rigole », dit-elle à haute voix.

Mieux vaudrait éviter les blagues morbides de ce genre.

Aujourd'hui, elle va se couper les ongles. Ceux des orteils aussi : ils ne devraient pas avoir le droit de pousser comme ça. Elle pourrait s'offrir une manucure : ce lieu regorge de produits cosmétiques, il y en a plein les étagères. Vernis affriolant NouvoMoi. Peau de prune remplumée NouvoMoi. Immersion totale dans la Fontaine de Jouvesse NouvoMoi : *Dites adieu au psoriasis !* Mais pourquoi se vernir, se remplumer, se peler ? Pourquoi pas ? Dans un sens comme dans l'autre, ça n'a pas de sens.

Je le fais pour moi, disaient les pubs NouvoMoi. *Le Nouveau Moi.* Je pourrais avoir un moi tout neuf, songe Toby. Un nouveau moi tout neuf, aussi frais qu'un serpent après la mue. Ça en ferait combien à ce jour ?

Elle monte sur le toit, attrape ses jumelles et scrute son domaine visible. Du mouvement parmi les roseaux, près de la lisière de la forêt : seraient-ce les truies ? Dans ce cas, elles restent discrètes. Les vautours continuent de tourner autour du porc. Quantité de nanobio-formes doivent s'affairer sur sa carcasse : sans doute est-il bien mûr à présent.

Voilà du nouveau. Plus près du bâtiment, un groupe de moutons en train de brouter. Elle en compte cinq : trois ToisondOr – un vert, un rose et un violet – et deux normaux, du moins lui semble-t-il. Les longs poils des ToisondOr ne sont pas beaux à voir – tout emmêlés, avec des brindilles et des feuilles mortes accrochées dedans. Sur les pubs, leur toison était étincelante – on voyait l'animal secouer sa laine, puis fondu enchaîné sur une fille splendide agitant sa crinière. *ToisondOr, toison d'aurore!* Mais privées de salons de beauté, ces bêtes ne s'en sortent pas très bien.

Les moutons se regroupent et lèvent la tête. Toby voit tout de suite pourquoi : tapis parmi les roseaux, deux liogneaux sont à l'affût. Peut-être que les moutons les ont sentis, mais cette odeur ne peut que les déconcerter : mi-lion, mi-agneau.

Le ToisondOr violet est le plus agité. N'aie pas l'air d'une proie, lui dit mentalement Toby. Et, naturellement, c'est sur lui que les lio-gneaux jettent leur dévolu. Ils l'écartent du troupeau et le coursent sur une faible distance. La pauvre bête est handicapée par son pelage – on dirait une perruque de carnaval sur pattes – et les liogneaux ont tôt fait de la terrasser. Il leur faut un certain temps pour localiser la gorge sous les paquets de laine, et le ToisondOr réussit à se redresser plusieurs fois avant d'être achevé. Alors les liogneaux passent à table. Les autres moutons ont fui en bêlant, mais ils se sont remis à brouter un peu plus loin.

Aujourd'hui, elle avait l'intention de faire un peu de jardinage, de ramasser quelques légumes : ses réserves de conserves et de légumes secs sont sur le décroît, comme la lune. Mais, après avoir vu ces lio-gneaux, elle se ravise. Les félins adorent vous tendre une embus-cade : le premier s'avance bien en vue pour vous distraire pendant que le second, sans faire de bruit, vous surprend par-derrière.

Pendant l'après-midi, elle fait la sieste. La vieille lune ramène le passé, disait Pilar : quoi qu'il sorte des ombres, accueille-le comme une bénédiction. Et c'est bien le passé qui lui revient : la maison blanche de son enfance, les arbres ordinaires, la forêt en guise de décor, comme nimbée d'un halo bleuté. La silhouette d'un cerf se découpe devant elle, aussi raide qu'un ornement de jardin, les oreilles dressées. Son père manie la pelle près de la pile de poteaux ;

elle aperçoit sa mère à la fenêtre de la cuisine. Peut-être prépare-t-elle de la soupe. Tout est calme, comme si cela ne devait jamais finir. Mais où est Toby dans cette image ? Car il s'agit bien d'une image. Aussi plate qu'une photo accrochée au mur. Elle n'est pas là.

Elle ouvre les yeux : des larmes sur ses joues. Si je n'étais pas sur l'image, c'est parce que j'en suis le cadre, se dit-elle. Ce n'est pas vraiment le passé. Ce n'est que moi, qui tiens tout ça ensemble. Ce n'est qu'une poignée de circuits neuronaux en train de s'effacer. Ce n'est qu'un mirage.

À cette époque, j'étais sûrement optimiste, songe-t-elle. Je me réveillais en sifflotant. Je savais que le monde allait de travers, on en parlait souvent, les infos y revenaient sans cesse. Mais c'était ailleurs que ça se passait, ailleurs.

Lorsqu'elle était entrée en fac, le monde allait de travers un peu partout. Elle n'a pas oublié cette sensation oppressante, comme si elle attendait en permanence une chute de pierres, un coup à la porte. Tout le monde le savait. Personne ne l'admettait. Si quelqu'un se mettait à discuter de ça, on cessait de l'écouter, tant ce qu'il disait était à la fois évident et impensable.

Nous avons usé la Terre. Elle est presque épuisée. On ne peut pas vivre avec de telles craintes et faire comme si de rien n'était. L'attente monte comme une marée. On a envie que ce soit fini. On se surprend à lancer au ciel : *Mais vas-y. Tombe-nous sur la tête. Qu'on en finisse.* Elle sentait, endormie ou éveillée, les frissons annonciateurs lui faire vibrer l'échine. Ça ne s'arrêtait jamais, même quand elle était parmi les Jardiniers. Surtout – avec le temps – quand elle était parmi les Jardiniers.

44

Le dimanche suivant la Fête de la Sagesse du Serpent, on célébrait saint Jacques-Yves Cousteau. On était en l'An 18 – l'Année de la Rupture, mais Toby ne le savait pas encore. Elle se rappelle avoir parcouru les rues du Trou de l'évier pour se rendre à la Clinique du Bien-Être où, comme tous les dimanches, se tenait le Conseil des Adam et des Ève. Cela ne l'enchantait guère : ces derniers temps, ce Conseil était devenu un prétexte à des querelles absconses.

La semaine précédente, ils avaient passé tout leur temps à débattre de questions théologiques. La question des dents d'Adam, pour commencer.

« Les *dents* d'Adam ? » avait bafouillé Toby.

Elle devait vraiment apprendre à contrôler son étonnement, au risque d'être accusée de tout critiquer.

Comme l'avait expliqué Adam Premier, certains enfants étaient troublés depuis que Zeb leur avait expliqué ce qui différenciait les dents des carnivores, conçues pour déchirer les chairs, de celles des herbivores, conçues pour ruminer les herbes. Si Adam était une Créature végétarienne – et il ne pouvait en être autrement, n'est-ce pas ? –, comment se faisait-il que les dents humaines aient des caractéristiques si ambiguës ?

« Il n'aurait pas dû aborder ce sujet, avait marmonné Stuart.

— Nous avons changé lors de la Chute, avait souri Nuala. Nous avons évolué. Une fois que l'Homme a commencé à manger de la viande, eh bien, naturellement... »

C'était mettre la charrue avant les bœufs, avait déclaré Adam Premier : il leur était impossible de concilier les découvertes scientifiques et leur vision sacramentelle de la Nature en passant outre les lois de la science. Il les avait invités à méditer sur ce problème et à proposer des solutions lors des prochaines réunions.

Puis ils avaient abordé le problème des peaux de bêtes que Dieu avait fournies à Adam et Ève au troisième chapitre de la Genèse. Les troublantes « tuniques de peau ».

« Les enfants s'en inquiètent beaucoup », avait dit Nuala.

Toby le comprenait sans peine. Dieu avait-il tué et écorché certaines de Ses bien-aimées Créatures pour confectionner ces tuniques ? Si oui, Il donnait à l'Homme un très mauvais exemple. Sinon, eh bien, d'où sortaient ces tuniques de peau ?

« Peut-être que ces animaux sont morts de mort naturelle, avait proposé Rebecca. Et que Dieu n'aimait pas le gaspillage. »

Elle-même répugnait à jeter les restes.

« C'étaient peut-être de petits animaux, avait dit Katuro. À la durée de vie très courte.

— C'est une possibilité, avait concédé Adam Premier. Admettons-la pour le moment, en attendant de trouver une explication plus vraisemblable. »

Alors qu'elle venait de devenir une Ève, Toby s'était interrogée sur ces arguties théologiques et Adam Premier lui avait assuré qu'elles étaient nécessaires.

« En vérité, la plupart des gens ne s'intéressent pas aux autres Espèces, du moins quand les temps sont durs. Ce dont ils se soucient avant tout, c'est de ne pas mourir de faim, ce qui est bien naturel : leur vie en dépend, après tout. Mais de quoi se soucie Dieu ? Notre évolution nous a conduits à croire en des dieux, ce qui nous confère sans doute un avantage évolutionnaire. Une vision trop matérialiste des choses – celle qui veut que nous soyons le résultat d'une expérience conduite par une protéine animale, par exemple – apparaît comme trop désespérante à la majorité des gens et les conduit au nihilisme. Conclusion : nous devons encourager la populace à aller dans un sens favorable à la biosphère en lui faisant comprendre que Dieu nous a confié la Terre et qu'Il compte sur nous pour l'entretenir.

— En introduisant Dieu dans l'histoire, tu introduis aussi un châtiment, avait fait remarquer Toby.

— En effet, avait admis Adam Premier. Mais je n'ai pas besoin de te dire que, même sans Lui, il y a quand même un châtiment. Sauf que les gens sont moins susceptibles d'y croire. S'il doit y avoir châtiment, ils préfèrent qu'il y ait un bourreau. Les catastrophes arbitraires, ça ne leur plaît pas. »

De quoi serait-il question aujourd'hui ? se demanda Toby. Quel était le fruit qu'Ève avait cueilli sur l'Arbre de la connaissance ? Il ne s'agissait sûrement pas d'une pomme, vu l'état de l'horticulture à l'époque. Une datte ? Une bergamote ? Cela faisait des années que le Conseil s'interrogeait. Toby avait envisagé de proposer la framboise, mais le framboisier n'est pas un arbre.

Tandis qu'elle marchait dans la rue, Toby avait une conscience aiguë de tous les passants. En dépit de son chapeau à larges bords, elle voyait nettement devant elle et sur les côtés. Chaque fois qu'elle faisait une pause sur un pas de porte ou passait devant une vitrine, elle vérifiait que personne ne la suivait. Néanmoins, elle demeurait persuadée que quelqu'un l'épiait – que, d'un instant à l'autre, une main allait lui enserrer la nuque, une main tatouée de veines bleu et rouge, avec un bracelet de crânes de bébés. Voilà un moment qu'on n'avait pas vu Blanco dans le Lagon puant – il était toujours à Painball, disaient certains ; non, il était devenu mercenaire et se battait à l'étranger, affirmaient d'autres –, mais il était semblable à la brume : on trouvait toujours une trace de ses molécules dans l'atmosphère.

Il y avait quelqu'un derrière elle – elle le sentait, comme un picotement entre les omoplates. Vivement, elle se réfugia sur un pas de porte, se retourna et poussa un soupir de soulagement : c'était Zeb.

« Salut, mon chou, dit-il. Fait chaud, non ? »

Il marcha à ses côtés en fredonnant :

> *Tout le monde s'en fiche,*
> *Tout le monde s'en fiche,*
> *Alors fais donc gaffe à tes miches,*
> *Parce que tout le monde s'en fiche !*

« Tu devrais peut-être t'arrêter de chanter », dit Toby d'une voix neutre.

Il était malaisé d'attirer l'attention sur soi, surtout pour un Jardinier traversant une plèbezone.

« Peux pas m'en empêcher, répliqua Zeb sur un ton enjoué. C'est la faute au bon Dieu. Il a tissé la musique dans la trame de notre être. Il t'entend mieux quand tu chantes, et je te parie qu'Il m'écoute en ce moment. J'espère que ça Lui plaît », ajouta-t-il d'une voix moqueuse, imitant les accents d'Adam Premier comme il le faisait lorsque celui-ci n'était pas dans les parages.

Tendance à l'insubordination, songea Toby : il en a marre d'être le Chimpanzé Bêta.

Depuis qu'elle était devenue une Ève, elle avait compris bien des choses sur le statut de Zeb chez les Jardiniers. Chaque Jardin de toiture et chaque Truffe fonctionnaient de façon autonome mais, tous les six mois, ils envoyaient des délégués à un congrès central qui se tenait dans un entrepôt abandonné, jamais le même deux fois de suite pour des raisons de sécurité. Zeb faisait toujours partie de la délégation : il était bien équipé pour traverser les quartiers les plus hostiles des plèbezones et circonvenir les check-points du CorpSeCorps sans se faire agresser, arrêter ni aérodésintégrer. C'était peut-être pour cela qu'il en faisait à sa guise avec les règles des Jardiniers.

Adam Premier ne participait que rarement à ces congrès. Il était dangereux de s'y rendre et, si l'on pouvait se passer de Zeb – du moins le semblait-il –, on ne pouvait se passer d'Adam Premier. En théorie, la communauté des Jardiniers n'avait pas de chef, mais, en pratique, Adam Premier était son dirigeant, à la fois gourou et fondateur. Sa parole était comme un marteau de douceur lors de ces congrès et, n'étant pas là pour manier ce marteau, c'était à Zeb qu'il confiait ce soin. Ce qui devait représenter une sacrée tentation : et si Zeb décidait d'oublier les décrets d'Adam Premier pour leur substituer les siens propres ? C'était ainsi que tombaient les régimes et que les dynasties s'effondraient.

« Tu as reçu une mauvaise nouvelle ? » demanda Toby.

Il n'y avait pas à s'y tromper : chaque fois que Zeb chantait cet air guilleret, une catastrophe menaçait.

« En fait oui, répondit-il. Nous avons perdu le contact avec l'un de nos agents dans les Compounds. Il a viré au noir. »

Toby avait appris l'existence du jeune coursier lorsqu'elle était devenue une Ève. Il avait fait analyser la biopsie de Pilar et lui avait communiqué le diagnostic fatal – l'un comme l'autre dissimulés dans un pot de miel. Mais elle ne savait rien de plus : les Adam et les Ève partageaient leurs informations, certes, mais uniquement en cas de nécessité absolue. Pilar était morte depuis des années : le coursier en question n'était plus tout jeune.

« Viré au noir ? répéta-t-elle. Comment cela ? »

Avait-il modifié la pigmentation de sa peau ? C'était fort improbable.

« Il demeurait dans le Compound SentéGénic, mais il a achevé ses études secondaires, il est entré au Centre Watson-Crick et il a disparu de nos écrans. Non que nous ayons des écrans dignes de ce nom», ajouta-t-il.

Toby patienta. Il ne servait à rien de presser Zeb.

«Ça reste entre nous, d'accord? reprit-il au bout d'un temps.

— Bien sûr.»

Je ne suis qu'une oreille, se dit Toby. Une compagne fidèle, comme un chien. Un puits de silence. Rien de plus. Quatre ans plus tôt, quand Lucerne avait mis les bouts, elle avait cru un temps qu'elle deviendrait davantage aux yeux de Zeb, qu'il s'intéresserait à elle. Mais il ne s'était rien passé. Je n'ai pas le bon physique, pensa-t-elle. Trop baraquée. Il préfère le genre plantureux.

«Le Conseil n'est pas au courant, d'accord? poursuivit Zeb. Savoir qu'il a viré au noir ne ferait que les inquiéter.

— J'ai déjà oublié ce que tu m'as dit.

— Son père était un ami de Pilar – elle bossait dans la Recombinaison botanique pour SentéGénic. Je les connaissais tous les deux, à l'époque. Mais il n'a pas apprécié quand il a découvert que la Corps se servait de ses fameux suppléments vitaminés pour refiler des maladies aux gens – ils les utilisaient comme cobayes afin d'élaborer le traitement de ces mêmes maladies. Un sacré racket : faire payer les consommateurs pour les guérir des maladies que tu leur as inoculées. Ça lui a remué la conscience. Alors il nous a transmis des données intéressantes. Puis il a eu un accident.

— Un accident?

— Il est tombé d'un pont sur l'autoroute en pleine heure de pointe. Il a fini en steak haché.

— Image un peu hardie. Pour un végétarien.

— Pardon. Un suicide, à en croire la rumeur.

— Je présume que ce n'en était pas un.

— On appelle ça un Corpicide. Si tu bosses pour une Corps et que tu fais un truc qui lui déplaît, tu es mort. Comme si tu t'étais tué tout seul.

— Je vois.

— Mais revenons à notre jeune agent. Sa mère bossait aux Diagnostics chez SentéGénic et il s'est procuré son code d'accès au labo, ce qui lui a permis de faire tourner le système pour notre compte. Un hacker de génie. Puis sa mère a épousé un gros ponte de SentéGénic et il l'a suivie.

— Pour aller là où se trouve Lucerne», acheva Toby.

Zeb ne releva pas.

«Il a franchi leurs pare-feu, s'est bricolé quelques identités, a repris le contact avec nous. On a eu des nouvelles pendant quelque temps, puis plus rien.

— Peut-être que ça a cessé de l'intéresser, proposa Toby. Ou alors il s'est fait pincer.

— Peut-être. Mais il joue aux échecs en 3D, il aime les défis. Il est futé. Et il n'a peur de rien.

— On a combien d'agents comme lui ? Dans les Compounds ?

— Aucun qui soit aussi bon hacker, déclara Zeb. Ce mec est unique. »

45

Une fois arrivés à la Clinique du Bien-Être, ils gagnèrent la Vinaigrerie. Toby se glissa derrière les trois gigantesques tonneaux, débloqua l'étagère et la fit pivoter afin d'ouvrir la porte du réduit. Elle entendit Zeb rentrer le ventre pour passer derrière elle ; il n'était pas vraiment obèse, mais il prenait de la place.

La quasi-totalité de l'espace était occupée par une table assemblée à partir de lattes, entourée de chaises mal assorties. Sur un mur était affichée une aquarelle exécutée de fraîche date – *Saint E. O. Wilson des Hyménoptères* –, fruit d'une des rares crises d'inspiration de Nuala. Le soleil, placé derrière la tête du saint, nimbait celle-ci d'une sorte de halo. Un sourire extatique éclairait son visage et il tenait à la main un bocal où voletaient des taches noires. Des abeilles, supposait Toby, ou alors des fourmis. Comme c'était souvent le cas des saints peints par Nuala, il avait un bras plus long que l'autre.

On toqua doucement à la porte et Adam Premier fit son entrée. Les autres le suivirent tour à tour.

Lorsqu'il n'était pas en représentation, Adam Premier était un autre homme. Pas vraiment différent – sa sincérité restait la même –, mais plus pragmatique. Et plus tacticien.

« Adressons une prière muette pour le succès de nos délibérations », dit-il.

Les réunions débutaient toujours de cette façon. Toby avait quelque peine à prier dans ce réduit clandestin si confiné : elle n'était que trop consciente des gargouillis, des odeurs suspectes, des grincements et des mouvements des autres. Mais, en règle générale, elle avait toujours du mal à prier.

Apparemment, chacun disposait de son minuteur interne. Comme les têtes se relevaient et les yeux se rouvraient, Adam Premier parcourut la pièce du regard.

«C'est une nouvelle peinture? demanda-t-il. Sur le mur?»

Nuala se fendit d'un sourire rayonnant.

«C'est saint E. O., dit-elle. Wilson. Des Hyménoptères.

— Très ressemblant, ma chère. En particulier le... Tu as beaucoup de talent.» Adam Premier toussota. «Passons aux questions pratiques. Nous venons d'accueillir une invitée exceptionnelle, qui nous arrive de SentéGénic mais qui a... disons, bien voyagé. En dépit de nombreux obstacles, elle nous a apporté une série de codes génomiques, un don d'une importance telle que nous nous devons de lui accorder non seulement l'asile temporaire, mais aussi un placement sécurisé dans le Monde exfernal.

— On la recherche activement, intervint Zeb. Elle n'aurait pas dû revenir au pays. Nous devons l'évacuer le plus vite possible. *Via* PareChocsContrePareChocs et ensuite la Rue aux Rêves, comme d'habitude?

— Si la voie est libre. Nous ne pouvons prendre de risques inutiles. Si nécessaire, elle peut rester planquée dans ce réduit.»

Les trois quarts des personnes fuyant les Corporations étaient des femmes. Parce que leur sens de l'éthique était plus développé, affirmait Nuala, alors que Zeb disait qu'elles étaient plus impressionnables; Philo estimait que cela revenait au même. Ces fugitifs étaient souvent porteurs d'informations de contrebande. Des formules chimiques. Des codes élaborés. Des tests secrets, des mensonges brevetés. Que faisaient les Jardiniers de ces informations? se demanda Toby. Ils ne les négociaient pas sur le marché de l'espionnage industriel, même si cela pouvait leur rapporter gros. Pour ce qu'elle en savait, ils se contentaient de les stocker; cela dit, il était possible qu'Adam Premier caressât le rêve de restaurer toutes les Espèces perdues grâce à leurs codes ADN préservés, une fois que ce présent si déprimant aurait fait place à un avenir plus éthique et technologiquement plus performant. On avait bien cloné le mammouth, alors pourquoi pas? Était-ce là l'aboutissement de son Arche fantasmée?

«Notre invitée souhaite transmettre un message à son fils, reprit Adam Premier. Elle regrette de l'avoir abandonné alors qu'il traverse une période sans doute cruciale de son développement personnel. Il s'appelle Jimmy. Je pense qu'il se trouve à l'école Martha-Graham.

— Une carte postale, proposa Zeb. Signée de sa tante Monica. Donne-moi l'adresse, je la ferai envoyer *via* l'Angleterre – le membre d'une de nos Truffes se rend là-bas la semaine prochaine. Le CorpSeCorps la lira, bien entendu. Ils lisent toutes les cartes postales.

— Elle tient à ce qu'il sache que son rasconse a été libéré dans le Parc du Patrimoine, où il vit dans le bonheur et dans la liberté. Il s'appelle... euh... Killer.

— Oh ! nom de Dieu de bordel de merde ! fit Zeb.

— Ton langage est déplacé, gronda Nuala.

— Pardon. Mais pourquoi faut-il qu'ils compliquent les choses ? C'est le troisième message du mois portant sur un rasconse. La prochaine fois, on aura droit aux souris et aux gerbilles.

— Moi, je trouve ça touchant, dit Nuala.

— Il faut croire que certains pratiquent ce qu'ils prêchent», conclut Rebecca.

On confia à Toby l'encadrement de la réfugiée. Son nom de code était Requin-Marteau car, avant de quitter SentéGénic, elle avait démoli l'ordinateur de son époux à coups de marteau pour dissimuler l'étendue de son vol de données. C'était une femme aux yeux bleus, mince et très agitée. Comme tous les transfuges des Corps, elle se croyait la seule à avoir accompli cet acte aussi hérétique que courageux ; et comme tous les transfuges, elle avait désespérément besoin qu'on la félicite pour ledit acte.

Toby fit de son mieux pour la satisfaire. Elle loua son courage, qui était bien réel, ainsi que l'habileté avec laquelle elle avait brouillé les pistes, et lui assura qu'on appréciait à leur juste valeur les informations qu'elle avait transmises aux Jardiniers. En fait, elle ne leur avait rien révélé qu'ils n'eussent déjà su – les données portaient sur la transplantation de néocortex de l'homme vers le cochon –, mais il aurait été vexant pour elle de l'apprendre. Nous devons jeter nos filets partout, disait Adam Premier, même si ce n'est que pour attraper du menu fretin. Et il convient aussi que nous représentions l'espoir, car si l'on dit aux gens qu'il n'y a rien à faire, ils se débrouilleront pour faire moins que rien.

Toby vêtit le Requin-Marteau d'une robe de Jardinière bleu marine lui dissimulant le visage grâce à un masque filtrant. Mais la femme demeurait nerveuse et ne cessait de demander une cigarette. Pas un seul Jardinier ne fumait, lui déclara Toby – en tout cas, pas de tabac –, aussi avec une clope au bec risquait-elle de trahir sa présence. Et puis, on n'en trouvait aucune dans le Jardin de toiture.

Le Requin-Marteau se mit à faire les cent pas en se rongeant les ongles, et Toby ne tarda pas à avoir envie de la frapper. On ne t'a pas demandé de venir ici et de nous exposer au danger, tout ça pour un paquet de données éventées depuis des lustres, avait-elle envie de lui dire. Au bout du compte, pour la faire taire, elle lui servit une camomille assaisonnée de Pavot.

46

Le lendemain était consacré à saint Aleksander Zawadzki de Galice. Un saint mineur mais l'un des préférés de Toby. Il avait vécu durant une période agitée – l'histoire de la Pologne en avait-elle jamais connu d'autres ? –, mais il s'était consacré à ses activités paisibles et un peu vaines : cataloguer les fleurs de Galice et donner des noms à ses scarabées. Rebecca l'aimait bien, elle aussi : elle avait mis son tablier décoré de papillons et confectionnait à l'intention des enfants des biscuits en forme de scarabée, décorés d'un A et d'un Z. Les enfants avaient composé une ritournelle en l'honneur du saint : *Aleksander, Aleksander, t'as un scarabée dans le nez ! Mouche-toi, attrape-le et pose-le sur le rosier !*

On était en milieu de matinée. Le Requin-Marteau cuvait toujours son Pavot de la veille : Toby avait forcé la dose, mais elle ne se sentait pas coupable et disposait enfin d'un peu de temps pour se consacrer à son travail. Elle s'était équipée de son voile et de ses gants, avait allumé un feu et attrapé son soufflet : comme elle l'avait expliqué aux abeilles, elle comptait passer la matinée à récolter leur miel. Mais Zeb se manifesta avant qu'elle eût entamé l'enfumage.

« Triste nouvelle, annonça-t-il. Ton copain est de nouveau sorti de Painball. »

Comme tous les Jardiniers, Zeb connaissait la façon dont Adam Premier et le Chœur des Fleurs et des Bourgeons avaient arraché Toby aux griffes de Blanco – cela faisait partie de leur histoire. Mais il sentait aussi sa peur. Même s'ils ne l'avaient jamais évoquée ensemble.

Toby eut l'impression d'être poignardée par un pic de glace. Elle souleva son voile.

« C'est vrai ?

— Il est encore plus méchant, paraît-il. Ça fait un bail que cet enfoiré aurait dû nourrir les vautours. Mais il doit avoir des amis haut placés, car il a repris la direction du SecretBurgers du Lagon puant.

— Tant qu'il reste où il est... »

Toby s'efforça de garder une voix ferme.

« Les abeilles peuvent attendre, dit Zeb en la prenant par le bras. Tu as besoin de t'asseoir. Je vais mener ma petite enquête. Peut-être qu'il t'a oubliée. »

Il conduisit Toby à la cuisine.

« Tu as l'air toute secouée, ma chérie, dit Rebecca. Qu'est-ce qui ne va pas ? »

Toby l'informa.

« Oh ! merde, fit Rebecca. Je te prépare un thé bien corsé, on dirait que tu en as besoin. Ne t'inquiète pas – le karma de cet homme finira par le tuer un de ces jours. »

Mais Toby aurait préféré que ce fût tout de suite.

L'après-midi. Nombre des Jardiniers étaient rassemblés sur le toit. Certains réparaient les dégâts subis par les plants de tomates et de courgettes lors d'un orage plus violent que d'ordinaire. D'autres, assis à l'ombre, tricotaient, tissaient ou ravaudaient. Les Adam et les Ève étaient nerveux, comme chaque fois qu'ils abritaient un fugitif – et si le Requin-Marteau avait été suivie ? Adam Premier avait posté des sentinelles ; lui-même se tenait près du parapet, debout sur un pied, et gardait l'œil sur la rue tout en poursuivait sa méditation.

Le Requin-Marteau s'était réveillée et Toby lui avait demandé de débarrasser les laitues de leurs limaces ; elle avait expliqué aux Jardiniers qu'il s'agissait d'une convertie de fraîche date, au tempérament timide. Ils en voyaient souvent, et toutes ne restaient pas.

« Si nous avons de la visite, lui dit Toby, une inspection, par exemple, rabaisse ton chapeau et active-toi sur les limaces. Fonds-toi dans le décor. »

Elle-même avait décidé d'enfumer les ruches, estimant que le mieux était de ne rien changer à son programme.

Soudain, Shackleton, Crozier et le jeune Oates arrivèrent en courant par l'escalier d'incendie, suivis d'Amanda et de Zeb. Ils foncèrent droit sur Adam Premier. Celui-ci adressa un signe de tête à Toby : *Viens ici.*

« Il y a eu une bagarre au Lagon puant, dit Zeb, une fois qu'ils se furent regroupés.

« — Une bagarre ? répéta Adam Premier.

— On a seulement regardé, dit Shackleton. Mais il nous a vus.

— Il nous a traités de voleurs de viande, enchaîna Crozier. Il était saoul.

— Pas saoul : ivre mort, corrigea Amanda avec autorité. Il a voulu me frapper, mais je lui ai servi un *satsuma*. »

Toby esquissa un sourire ; c'était une erreur de sous-estimer Amanda. Elle était devenue une grande Amazone tout en souplesse et suivait avec assiduité les cours de Limitation des pertes en guérilla urbaine dispensés par Zeb. Tout comme ses deux acolytes dévoués. Trois si l'on comptait Oates, qui n'en était qu'au stade du béguin sans espoir.

« De qui parlez-vous ? demanda Adam Premier. Et où est-ce arrivé ?

— À SecretBurgers, répondit Zeb. On était allés y jeter un coup d'œil – on avait entendu dire que Blanco était de retour.

— Zeb lui a décoché un *unagi*, dit Shackleton. C'était génial !

— Vous étiez vraiment obligés d'aller là-bas ? s'enquit Adam Premier d'un air pincé. Nous avons d'autres moyens pour...

— Puis les Fusiatiques lui sont tombés dessus, continua Oates, tout excité. Ils avaient des bouteilles cassées !

— Il a dégainé son poignard, ajouta Croze. Et il en a taillé deux ou trois.

— J'espère qu'il n'y a pas eu de blessés graves, dit Adam Premier. Bien que nous déplorions l'existence même de SecretBurgers, ainsi que les déprédations de ce... de ce malheureux individu, nous ne voulons pas de violence.

— Étal renversé, viande jetée par terre. Lui n'a eu que des plaies et des bosses, précisa Zeb.

— C'est regrettable, dit Adam Premier. Certes, nous sommes parfois obligés de nous défendre et nous avons déjà eu des ennuis avec ce... avec lui. Mais, cette fois-ci, j'ai l'impression que c'est nous qui avons attaqué les premiers, non ? » Il fixa Zeb en plissant le front. « Ou que nous l'avons provoqué. Je me trompe ?

— Ce connard n'avait qu'à bien se tenir, répliqua Zeb. Nous, on mériterait une médaille.

— Notre voie est celle de la paix, rappela Adam Premier en se renfrognant de plus belle.

— La paix ne nous emmènera pas très loin, dit Zeb. En l'espace d'un mois, cent espèces de plus on disparu. Les animaux se font bouffer ! On ne va pas rester assis sur notre cul pendant que les lumières s'éteignent l'une après l'autre. Il faut bien commencer par agir quelque part. Aujourd'hui, SecretBurgers, demain, cette putain de chaîne de restos pour gourmets. Le Grand Bleu. C'est ça qui doit disparaître.

— Notre rôle vis-à-vis des Créatures est de témoigner, répliqua Adam Premier. Et de conserver le souvenir et les génomes des disparus. On ne combat pas le sang par le sang. Je croyais que nous étions d'accord là-dessus. »

Le silence se fit. Shackleton, Crozier, Oates et Amanda avaient les yeux rivés sur Zeb. Zeb et Adam Premier se fixaient du regard.

« De toute façon, maintenant il est trop tard, dit Zeb. Blanco est en pétard.

— Est-ce qu'il violera les frontières de l'autre plèbegang ? demanda Toby. Est-ce qu'il entrera dans le Trou de l'évier pour nous attaquer.

— Vu son humeur, aucun doute, répondit Zeb. Les gangsters ordinaires ne lui font plus peur. C'est un Painballer. »

Zeb prévint l'ensemble des Jardiniers, posta des guetteurs sur le périmètre du toit et les gardiens les plus costauds au pied de l'escalier d'incendie. Adam Premier protesta vigoureusement, affirmant qu'agir comme l'ennemi c'était se rabaisser à son niveau. Zeb lui répondit qu'il était libre d'organiser les défenses d'une autre façon s'il en connaissait une, mais que, dans le cas contraire, il avait intérêt à ne pas se mêler de ça.

« Ça bouge, annonça Rebecca. Trois d'entre eux, ils viennent par ici, on dirait.

— Quoi que vous fassiez, dit Toby au Requin-Marteau, ne vous enfuyez pas. Et ne faites rien qui attire l'attention sur vous. »

Elle se dirigea vers le parapet. Trois colosses avançaient sur le trottoir en roulant des mécaniques. Ils étaient armés de battes de base-ball. Pas d'aérodésintégreur en vue. Ce n'étaient pas des gars du CorpSeCorps, rien que des gangsters : ils venaient leur faire payer la démolition du SecretBurgers. L'un des trois n'était autre que Blanco – elle l'aurait reconnu n'importe où. Qu'allait-il lui faire ? La bastonner à mort sur place ou l'emmener pour la torturer ailleurs ?

« Qu'y a-t-il, ma chère ? lui demanda Adam Premier.

— C'est lui, répondit Toby. S'il me voit, il me tue.

— Rassure-toi. Il ne t'arrivera rien de mal. »

Mais comme Adam Premier était d'avis que même les pires horreurs se produisaient pour de bonnes raisons, quoique celles-ci dépassent parfois l'entendement humain, Toby n'était guère rassurée.

Zeb lui conseilla de planquer leur hôte, au cas où, aussi conduisit-elle le Requin-Marteau dans sa chambre, où elle lui donna un petit calmant – beaucoup de camomille et un peu de Pavot. Le Requin-Marteau s'endormit doucement et, en la regardant, Toby espéra que toutes deux n'allaient pas se faire coincer ici. Elle chercha des armes du regard. Je pourrais toujours les frapper avec le flacon de Pavot, songea-t-elle. Mais il n'était pas très gros.

Puis elle ressortit sur le toit. Elle n'avait pas quitté sa tenue d'apicultrice. Elle ajusta ses gants, empoigna son soufflet et rabaissa son voile.

« Soutenez-moi, dit-elle aux abeilles. Soyez mes messagères. »
Comme si elles pouvaient l'entendre.

Le combat fut très bref. Toby écouta Shackleton, Crozier et Oates le relater pour le bénéfice des plus jeunes enfants, que Nuala s'était empressée de mettre à l'abri. À les entendre, c'était une véritable épopée.

« Zeb a été génial, commença Shackleton. Il avait tout prévu ! Comme on est pacifistes et tout ça, ils devaient croire qu'ils pouvaient... Enfin, bref, c'est comme si on leur avait tendu une embuscade – on a remonté l'escalier à reculons et ils nous ont suivis.

— Et ensuite..., fit Oates.

— Et ensuite, une fois en haut, Zeb a laissé le premier type lui sauter dessus, mais il a attrapé sa batte de base-ball, il l'a tirée sur le côté et le type a failli renverser Rebecca, mais elle tenait une sorte de fourche et le type est tombé du toit en hurlant.

— Comme ça ! fit Oates en battant des bras.

— Et alors Stuart a aspergé le deuxième avec le pulvérisateur pour les plantes, dit Crozier. Il dit que ça marche avec les chats.

— Amanda aussi lui a fait quelque chose. Pas vrai ? lui demanda Shackleton d'un air affectueux. Un truc qu'elle a appris en Limitation des pertes, un *hamachi* ou... enfin, je ne sais pas ce qu'elle lui a fait, mais lui aussi il est tombé du toit. Tu lui as filé un coup de pied dans les couilles ou quoi ?

— Je l'ai relocalisé, dit une Amanda pas peu fière. Comme une limace.

— Puis le troisième s'est enfui, dit Oates. C'était le plus costaud. Il était couvert d'abeilles. C'est Toby qui a fait ça – méchante idée ! Adam Premier nous a interdit de le poursuivre.

— D'après Zeb, on n'en a pas fini avec eux », conclut Amanda.

Toby avait sa propre version, où tout s'était passé à la fois très vite et très lentement. Elle s'était postée derrière les ruches, puis les trois hommes étaient apparus, surgissant de l'escalier. Un type blême au menton noir de barbe, une batte de base-ball à la main, un Poisson-Noir couturé de cicatrices et Blanco. Ce dernier l'avait aussitôt repérée.

«Je t'ai vue, salope au cul pincé! avait-il hurlé. Je vais te transformer en viande hachée!»

Son voile ne l'avait pas protégée. Il brandissait un couteau; il ricanait.

Le premier avait affronté Rebecca, qui s'était débrouillée pour l'envoyer par-dessus le parapet, hurlant tout le long de sa chute, mais le deuxième était toujours là. Puis Amanda – qui se tenait en retrait, l'air éthéré et inoffensif – avait levé le bras. Toby avait entrevu un éclair de lumière : un bout de verre? Mais Blanco était presque sur elle : hormis les ruches, plus rien ne les séparait.

Elle les renversa – toutes les trois. Elle portait un voile, Blanco, non. Les abeilles jaillirent, vrombissant de colère, et fondirent sur lui comme des flèches. Il descendit l'escalier d'incendie en hurlant, agitant les bras et se battant les flancs, suivi par une nuée d'insectes.

Il fallut du temps à Toby pour remettre les ruches en place. Les abeilles étaient furieuses et plusieurs Jardiniers furent piqués. Toby s'excusa d'abondance auprès des victimes et, aidée de Katuro, les soigna avec de la calamine et de la camomille; mais elle s'excusa avec plus de ferveur encore auprès des abeilles, une fois qu'elle les eut enfumées afin de les plonger dans la somnolence : elles avaient sacrifié nombre des leurs dans la bataille.

47

Les Adam et les Ève se retrouvèrent dans le réduit, derrière les tonneaux de vinaigre, pour une réunion tendue.

« Ce salaud n'aurait jamais attaqué sans permission, commença Zeb. C'est le CorpSeCorps qui est derrière – ils savent que nous avons aidé des fugitifs, donc ils veulent nous faire passer pour des terroristes fanatiques, comme les Isaïstes du Loup.

— Non, c'est uniquement personnel, dit Rebecca. Ce type est mauvais comme un serpent, sans vouloir offenser les Serpents, et il en avait après Toby, point. Une fois qu'il a trempé sa trique dans un trou, il pense qu'il lui appartient. »

Lorsque Rebecca était en colère, elle avait tendance à retrouver son vocabulaire d'autrefois, pour le regretter aussitôt.

« Sans vouloir t'offenser, Toby, ajouta-t-elle.

— La cause première de cette attaque se trouve parmi nous, dit Adam Premier. Les jeunes l'ont provoqué. Zeb aussi. Il ne faut pas déranger le chien qui dort.

— C'est un chien, j'en conviens, rétorqua Rebecca. Sans vouloir offenser les Chiens.

— Deux cadavres sur le trottoir, ce n'est pas bon pour notre réputation de pacifistes, fit remarquer Nuala.

— Ils sont tombés du toit par accident, répliqua Zeb.

— Et, en chemin, le premier s'est fait couper la gorge et le second crever un œil, contra Adam Premier. Comme les policiers n'auront aucun mal à le constater.

— Ces murs de brique, c'est dangereux, dit Katuro. Toutes ces aspérités. Des clous. Des éclats de verre. Des objets pointus.

— Tu aurais préféré des cadavres de Jardiniers ? lança Zeb.

— Si ton hypothèse est correcte, dit Adam Premier, et si c'est bien un coup du CorpSeCorps, tu n'as pas pensé que ces trois-là étaient précisément censés provoquer un incident de ce genre ? Nous amener à violer la loi afin de justifier d'éventuelles représailles ?

— Est-ce qu'on avait le choix ? rétorqua Zeb. Est-ce qu'on devait se laisser écraser comme des insectes ? Non que nous écrasions les Insectes, ajouta-t-il.

— Il reviendra, déclara Toby. Qu'il ait ou non été envoyé par le CorpSeCorps. Tant que je resterai ici, je serai une cible pour lui.

— Je pense, chère Toby, dit Adam Premier, qu'il est préférable de te transférer au sein d'une de nos Truffes du Monde exfernal, autant pour ta sécurité que pour la nôtre. Tu peux nous être très utile là-bas. Nous allons demander à nos agents chez les plèberats de faire courir le bruit que tu nous as quittés. Peut-être que ton ennemi perdra toute motivation et que nous serons protégés d'une nouvelle agression, du moins pour le moment et de ce côté-là. Quand pouvons-nous l'évacuer ? demanda-t-il à Zeb.

— C'est comme si c'était fait », répondit celui-ci.

Toby se rendit dans sa chambre et rassembla ses biens les plus précieux : les flacons d'essences, les herbes séchées, les champignons. Les trois derniers pots de miel laissés par Pilar. Elle réserva des échantillons de chacun d'eux à l'intention de la prochaine Ève Six.

Jadis, elle avait eu envie de quitter le Jardin, tant elle souffrait de l'ennui et de la claustrophobie, et de retrouver ce qu'elle appelait son indépendance ; mais à présent qu'elle s'en allait pour de bon, elle prenait ça comme une expulsion. Ou plutôt comme un déchirement, comme si elle muait dans la douleur. Pour encaisser le choc, elle résista au désir de boire un peu de Pavot. Elle devait conserver sa lucidité.

Autre cause de tristesse : elle avait failli à Pilar. Aurait-elle le temps de faire ses adieux aux abeilles, et, sinon, les ruches allaient-elles en mourir ? Qui s'occuperait d'elles désormais ? Qui en avait les capacités ? Elle se coiffa d'un foulard et courut les retrouver.

« Abeilles, dit-elle à voix haute. J'ai des nouvelles. »

Est-ce qu'elles marquaient une pause, est-ce qu'elles l'écoutaient ? Quelques-unes vinrent l'examiner ; elles se posèrent sur son visage pour explorer ses sentiments par l'entremise de ses excrétions. Elle espéra qu'elles lui avaient pardonné d'avoir renversé leurs ruches.

« Dites à votre Reine que je dois partir. Cela n'a rien à voir avec vous, vous avez bien accompli votre devoir. Mon ennemi m'oblige à fuir. Je suis navrée. J'espère que le jour où nous nous reverrons, les circonstances seront plus propices.»

Elle ne pouvait s'empêcher d'être un peu solennelle en s'adressant aux abeilles.

Celles-ci se mirent à bourdonner et à agiter leurs ailes ; apparemment, c'était sur elle que portait la discussion. Elle regretta de ne pouvoir les emporter, comme si elles avaient constitué un animal de compagnie collectif, gros, doré et velu.

«Vous me manquerez, abeilles», leur dit-elle.

Comme pour lui répondre, l'une d'elles s'insinua dans sa narine. Elle l'en expulsa d'un souffle. Si nous nous coiffons pour ces entretiens, songea-t-elle, c'est peut-être pour qu'elles ne nous entrent pas dans l'oreille.

Elle regagna sa chambre, où Adam Premier et Zeb la rejoignirent une heure plus tard.

«Tu devrais enfiler ceci, chère Toby», lui conseilla Adam Premier.

Il lui tendit une tenue de peluche-sandwich : un canard rose et duveteux, avec des pattes palmées rouge vif et un bec en plastique jaune et dentu.

«Un masque filtrant y est incorporé, expliqua-t-il. C'est le dernier modèle. NéoBiofourrure de ToisondOr – elle respire pour toi. C'est du moins ce que prétend l'étiquette.»

Tous deux se retirèrent derrière le rideau pendant que Toby ôtait sa robe de Jardinière pour enfiler la pelisse. NéoBiofourrure ou pas, on y étouffait. Et on n'y voyait goutte. Elle savait que les yeux du canard étaient pourvus de larges pupilles noires, mais elle avait l'impression de découvrir le monde à travers un œilleton.

«Bats des ailes», ordonna Zeb.

Toby s'exécuta et la pelisse se mit à cancaner. On aurait dit un vieillard qui se mouchait.

«Si tu veux remuer la queue, tape du pied gauche.

— Comment je fais pour parler ?» demanda Toby.

Elle dut répéter sa question un peu plus fort.

«Par l'oreille droite», répondit Adam Premier.

Génial, se dit Toby. On cancane du pied, on parle de l'oreille. Inutile de m'expliquer les autres fonctions organiques, je ne suis pas pressée.

Elle remit sa robe et Zeb fourra la pelisse dans un sac.

«Je t'emmène au camion, dit-il. Il est garé devant le bâtiment.

— Nous te contacterons très bientôt, ma chère, ajouta Adam Premier. Je regrette... quel dommage que... Cultive la Lumière...

— Je ferai de mon mieux », assura Toby.

Le pick-up à air comprimé des Jardiniers était à présent orné d'un logo annonçant FAITES LA FÊTE. Toby s'assit à côté de Zeb. Le Requin-Marteau était à l'arrière, déguisé en carton de ballons. Zeb déclara qu'il allait faire d'une pierre deux coups.

«Désolé, ajouta-t-il.

— Pourquoi?» demanda Toby.

Regrettait-il de la voir partir? Elle sentit son cœur battre plus fort.

«D'avoir parlé de coups. La violence, c'est pas bien.

— Oh! D'accord. Ce n'est pas grave.

— Le Requin-Marteau va entrer dans le circuit. On a des contacts parmi les bagagistes du train à grande vitesse scellé; elle peut passer pour une cargaison, on la marquera *Fragile*. La Truffe de l'Oregon se débrouillera pour la planquer.

— Et moi? demanda Toby.

— Adam Premier préfère que tu ne t'éloignes pas du Jardin, au cas où Blanco serait à nouveau envoyé à Painball, ce qui te permettrait de revenir parmi nous. On t'a trouvé un refuge exfernal, mais il nous faut quelques jours pour l'aménager. En attendant, balade-toi dans ta pelisse. Rue aux Rêves, là où l'on fourgue des gènes taillés sur mesure – ça grouille de peluches-sandwichs, personne ne fera attention à toi. Maintenant, fais-toi discrète – on traverse le Lagon puant.»

Zeb déposa Toby à PareChocsContrePareChocs, où les Jardiniers résidents la firent descendre du camion pour l'installer dans l'ancienne fosse de réparation, équipée d'un plancher élévateur, qu'ils avaient recouverte d'une plaque de bois. Elle y inhala d'antiques vapeurs d'essence et y prit un repas frugal à base de sojacisses mouillées et de navets hachés, le tout arrosé de sumacade. Elle dormit sur un vieux futon, avec sa pelisse pour oreiller. En guise de biolettes, elle avait droit à une tasse Cafésympa rouillée. *Utilise tout ce qui est à portée de main*, pour citer un précepte cher aux Jardiniers.

On n'avait pas réussi à relocaliser tous les rats installés à PareChocsContrePareChocs, découvrit-elle. Mais les quelques réfractaires n'étaient pas trop agressifs.

Le lendemain matin, elle commença son travail stupide : elle devait se dandiner dans la Rue aux Rêves, vêtue de son étouffante pelisse, cancaner et remuer du popotin, brandir une pancarte et distribuer des prospectus. La pancarte affichait au recto : DE VILAIN PETIT CANARD, DEVENEZ JOLI CYGNE AU BALNÉO NOUVOMOI DANS LE PARC! *Le bon coin-coin pour l'estime de soi!* Et au verso : *Renforcement épidermique! Prix réduits! Halte aux erreurs génétiques! Entièrement réversible!* NouvoMoi ne vendait pas des thérapies géniques – rien de radical, rien de permanent. Élixirs aux herbes, nettoyage systémique, tirage de peau ; injection de nanocellules végétales, resurfaçage par micromaillage pour prévenir les mycoses, crèmes faciales ultraperformantes, baumes réhydratants, altération de teint façon caméléon, extraction des taches microbiennes, peeling des verrues planes à la sangsue.

Elle distribua quantité de prospectus, mais elle fut harcelée par certains des boutiquiers génétiques : dans la Rue aux Rêves, la concurrence était rude entre les rêves. Plusieurs peluches-sandwichs y distribuaient leur camelote : un lion, un ToisondOr, deux ours et trois autres canards. Toby se demanda combien d'entre eux étaient bien ce qu'ils prétendaient être : si elle se cachait ainsi au vu de tous, peut-être que d'autres fuyards avaient opté pour la même méthode.

Une peluche-sandwich normale, comme elle l'avait été jadis, aurait dépointé en fin de journée, ôté sa pelisse et empoché le reçu de son paiement électronique. Au lieu de quoi, Zeb venait la chercher avec le pick-up. Son logo proclamait désormais : QUI PEUT LA PELUCHE PEUT LE MOINS! Elle monta à l'arrière sans quitter sa tenue, et Zeb la conduisit dans une autre enclave jardinière – une banque désaffectée du Lagon puant. Jadis, les diverses corporations financières achetaient leur protection au plèbegang local, mais les spécialistes tex-mex du vol d'identité avaient fini par entrer dans leurs agences comme dans un moulin. Les banques avaient préféré décamper, car les employés en avaient marre de passer leur journée de travail couchés par terre, bâillonnés avec du ruban adhésif, pendant qu'un voleur d'identité pénétrait dans les comptes en se servant de leurs pouces tranchés.

Il était plus agréable de passer la nuit dans un coffre à l'ancienne que dans une fosse de réparation. Température agréable, pas un rat en vue, aucune odeur d'essence ; rien qu'un léger fumet rappelant le papier-monnaie d'antan en train de s'oxyder doucement. Mais Toby se demanda ce qui lui arriverait si quelqu'un fermait la porte par accident et l'oubliait là-dedans, de sorte qu'elle connut un sommeil agité.

Le lendemain, retour Rue aux Rêves. La pelisse devenait intolérable par cette chaleur, l'une de ses pattes palmées menaçait de se détacher et le masque filtrant avait cessé de fonctionner. Et si les

Jardiniers l'abandonnaient, si elle se retrouvait à errer dans le Pays des Rêves, métamorphosée en un oiseau imaginaire et en passe de mourir de déshydratation, pour être retrouvée un jour au milieu d'un tas de fausses plumes roses bouchant les caniveaux ?

Mais Zeb revint la chercher. Il la conduisit dans une clinique sise derrière une boutique ToisondOr.

« On va s'occuper de ta peau et de tes cheveux, lui dit-il. Tu vas virer au noir. Altération des empreintes digitales et de l'empreinte vocale. Plus un peu de redéfinition des contours. »

Les biotech qui décoloraient les iris étaient encore trop dangereux – leurs effets secondaires se révélaient du genre pénible –, aussi devrait-elle se contenter de lentilles. Des vertes – Zeb avait choisi lui-même leur couleur.

« Plus aiguë ou plus grave, la voix ? lui demanda-t-il.

— Plus grave, dit Toby, espérant qu'on ne ferait pas d'elle un baryton.

— Excellent choix. »

Le docteur était un Chinois des plus habiles. Toby aurait droit à une anesthésie et à une période de convalescence dans l'unité de l'étage – le top du top, lui assura Zeb –, et elle constata par la suite que le lieu était d'une propreté immaculée. On ne la charcuta pas trop. Les extrémités de ses doigts perdirent toute sensibilité – ce n'était que provisoire, lui dit Zeb –, sa gorge lui fit un peu mal et elle ressentit des picotements dans le cuir chevelu tout le temps que le scalp ToisondOr établit ses liaisons. La pigmentation de sa peau lui parut tout sauf uniforme, mais Zeb lui demanda de patienter six semaines, à la suite de quoi il n'y paraîtrait plus : durant ce temps-là, elle devrait éviter le soleil à tout prix.

Elle passa cette période dans une Truffe de Spasolaire. Son contact, qui s'appelait Muffy, vint la chercher à la clinique dans un coupé électrique d'aspect coûteux.

« Si on vous pose des questions, lui dit-elle, répondez que vous êtes la nouvelle bonne. Et, je m'en excuse, nous devons manger de la viande à notre domicile. Cela fait partie de notre couverture. Nous en sommes navrés, mais tous les habitants de Spasolaire sont carnivores et ils adorent le barbecue – viande bio, naturellement, et même parfois cultivée sur râtelier, aucun animal ne souffre pour la produire –, si bien que nous paraîtrions suspects en pratiquant l'abstinence. Mais j'essaierai de vous préserver des odeurs de cuisson. »

Trop tard : Toby humait déjà un arôme qui lui rappelait le bouillon d'os que préparait sa mère. En dépit de sa honte, elle sentit monter la faim. Et aussi la tristesse. Mais peut-être que la tristesse est un type de faim, songea-t-elle. Peut-être que les deux vont ensemble.

Dans sa petite chambre de bonne, Toby lut des revues électroniques, s'entraîna à plaquer ses lentilles sur ses globes oculaires et écouta de la musique grâce à un Zikbonbon. Ce fut pour elle un interlude surréaliste.

« Imagine que tu es une chrysalide », lui avait dit Zeb avant que ne commence la transformation.

Et, en effet, de Toby elle était devenue Tobiatha. Moins angla, plus latina. Plus altera.

Elle contempla son reflet : sa nouvelle peau, sa nouvelle crinière, ses pommettes plus saillantes. Ses nouveaux yeux verts en amande. Chaque matin, elle devrait se rappeler de mettre ses lentilles.

Ces transformations n'avaient pas fait d'elle une beauté, mais ce n'était pas le but recherché. Le but était de la rendre moins visible. La beauté est uniquement superficielle, se dit-elle. Mais pourquoi précise-t-on toujours *uniquement* ?

Cela dit, son nouveau look n'avait rien de répugnant. Ses cheveux constituaient un changement bienvenu, même si les chats de la maison s'y intéressaient un peu trop, sans doute à cause de l'odeur de mouton qui en émanait. Lorsqu'elle se réveillait le matin, il y en avait souvent un assis sur son oreiller, occupé à lui lécher les tifs en ronronnant.

48

Dès que son scalp fut enraciné à son cuir chevelu et que sa peau eut atteint une teinte uniforme, Toby se déclara prête à endosser sa nouvelle identité. Muffy lui expliqua la nature de son affectation.

« Le Balnéo NouvoMoi dans le Parc, déclara-t-elle. La médecine par les plantes y joue un rôle primordial, ce qui vous convient parfaitement, vu vos connaissances en matière de potions et de champignons, si j'en crois Zeb – vous n'aurez aucun mal à maîtriser leur pharmacopée. Ils ont un potager bio pour leur cafétéria, ils en sont très fiers, avec un compost et tout le toutim ; et ils font même des manipulations génétiques qui risquent de vous intéresser. Quant au boulot proprement dit, il ne présente aucune difficulté : production, traitement, valeur ajoutée. Comptabilité, gestion du personnel – vous savez vous y prendre avec les gens, me dit Zeb. Les procédures de gestion sont déjà validées – il vous suffira de les suivre.

— La production, c'est la clientèle, c'est ça ? demanda Toby.

— Exactement.

— Et la valeur ajoutée ?

— Donnée intangible. Une fois le traitement effectué, elles se sentent plus belles. Et elles sont prêtes à payer cher pour cela.

— Vous pouvez me dire comment vous m'avez dégoté ce job ?

— Mon mari fait partie du conseil d'administration de NouvoMoi. Ne vous inquiétez pas, je ne lui ai pas menti. Il est des nôtres. »

Une fois installée au Balnéo NouvoMoi, Toby se coula dans la personnalité de Tobiatha, la gérante légèrement basanée mais indéniablement discrète et efficace. Les journées étaient paisibles et les nuits sans incident. Certes, l'établissement était protégé par une clôture électrifiée et quatre postes de garde, mais les contrôles d'identité n'étaient jamais poussés et on lui fichait la paix. Pas question ici de sécurité maximale. Le Balnéo n'abritait aucun secret, de sorte que les gardes se contentaient d'enregistrer les clientes, qui entraient terrifiées par les premières manifestations de l'âge, pour ressortir requinquées et remises à neuf, récurées et irradiées à fond.

Mais toujours terrifiées, car le problème – le problème *gravissime* – risquait de resurgir d'un jour à l'autre. La manifestation de leur mortalité. Personne n'aime ça, songeait Toby : s'apercevoir qu'on est un être de chair, et que la chair est faible. Personne n'apprécie ce genre de limite. Nous préférerions avoir des ailes. Le mot même de *chair* prête à de sinistres associations.

Nous ne vendons pas de la beauté, disait la propagande interne de NouvoMoi. Nous vendons de l'espoir.

Certaines clientes se montraient exigeantes. Elles ne comprenaient pas pourquoi les traitements les plus avancés échouaient à leur faire recouvrer leurs vingt ans.

«Nos laboratoires finiront par découvrir une méthode pour faire reculer la vieillesse, les rassurait Toby d'une voix apaisante, mais ce n'est pas pour tout de suite. Dans quelques années...»

Si tu tiens vraiment à conserver le même âge pour l'éternité, ajoutait-elle dans son for intérieur, monte sur un toit et saute : la mort est le meilleur moyen d'arrêter le temps.

Toby s'efforça d'être une gérante irréprochable. Elle faisait tourner le Balnéo avec efficience, toujours à l'écoute des clientes comme des employées, arbitrait les conflits lorsque c'était nécessaire, cultivait un mélange de tact et de rigueur. Son expérience d'Ève Six l'aidait grandement : elle s'y était découvert un talent pour afficher un regard solennel sans rien dire de compromettant.

«Ne l'oubliez pas, serinait-elle à ses employées : chacune de nos clientes veut qu'on la traite comme une princesse, et les princesses sont aussi autoritaires qu'égoïstes.»

Abstenez-vous de cracher dans leur soupe, voulait-elle ajouter, mais cela aurait juré avec sa personnalité de Tobiatha.

Lorsque sa tâche devenait éprouvante, elle se détendait en imaginant la vie quotidienne du Balnéo telle que la traiterait une feuille à scandales : *Le cadavre d'une millionnaire retrouvé sur la pelouse – on soupçonne un fond de teint toxique. Mort par exfoliation : des traces d'amanite dans la crème. Tragédie à la piscine.* Mais pourquoi en vouloir aux clientes ? Tout ce qu'elles désiraient, c'était être heureuses et se sentir bien, à l'instar du reste de la planète. Pourquoi leur reprocherait-elle cette obsession des varices et du ventre plat ?

« Pensez rose », disait-elle à ses employées, citant le manuel d'instruction NouvoMoi, et elle s'adressait le même conseil.

Pourquoi pas ? Le rose est une couleur plus douce que le jaune bilieux.

Après une phase d'attente, elle commença à mettre des provisions de côté – à préparer son Ararat personnel. Elle n'était plus sûre de croire au Déluge des Airs – avec le temps, les théories des Jardiniers lui paraissaient de plus en plus improbables, de plus en plus délirantes – bref, de plus en plus cinglées –, mais elle y croyait suffisamment pour prendre des précautions élémentaires. Comme elle était responsable de l'inventaire du Balnéo, il lui était facile de détourner des stocks. Elle récupérait des conteneurs vides dans les cuves de recyclage – ceux de Purgatif NouvoMoi étaient les plus pratiques, vu leur volume et leur système de fermeture – et les emplissait de sojacisses, d'algues séchées, de substitut de lait en poudre ou de boîtes de sojardines. Puis elle les refermait et les stockait tout au fond de la réserve. Le code d'accès de celle-ci était connu de deux ou trois employées, mais comme Toby était rigoureuse et impitoyable avec les faucheuses, aucune d'elles ne risquait de lui voler ses provisions.

Elle disposait d'un bureau individuel et d'un ordinateur personnel. Les dangers auxquels ce dernier l'exposait ne lui étaient pas inconnus : un cadre supérieur de NouvoMoi surveillait peut-être ses recherches et ses messages, vérifiant en outre que les employées ne regardaient pas des vidéos porno pendant les heures de travail, si bien qu'elle se contentait d'accéder aux sites d'infos en espérant avoir par ce biais des nouvelles des Jardiniers.

Elle n'en trouva guère. De temps à autre, on évoquait des actes subversifs perpétrés par des Verts fanatiques, mais on comptait désormais plusieurs mouvements regroupés sous cette étiquette. Elle crut voir des têtes connues lors de la Boston Coffee Party, où des grains de Cafésympa furent jetés dans le port, mais peut-être s'était-elle trompée. Plusieurs manifestants portaient un tee-shirt frappé du slogan DIEU EST VERT, mais cela ne prouvait rien : jamais les Jardiniers ne s'étaient affublés d'une telle tenue.

Le CorpSeCorps aurait pu mettre fin à cette manifestation. Un coup d'aérodésintégreur sur les rebelles aurait suffi, sans oublier les équipes télé qui s'étaient déplacées. Certes, cela n'aurait pas empêché les images de circuler : les gens auraient sorti leurs caméraphones. Mais pourquoi le CorpSeCorps s'était-il abstenu d'intervenir, d'éliminer les éléments subversifs et même d'imposer un régime totalitaire, étant donné qu'il représentait la seule force armée du pays ? C'était même lui qui dirigeait l'armée depuis qu'elle avait été privatisée.

Un jour, elle avait posé la question à Zeb. Officiellement, lui avait-il répondu, il s'agissait d'une force de sécurité privée au service des Corporations, des grandes marques, et celles-ci tenaient à être perçues comme des organismes honnêtes et dignes de confiance, aussi inoffensifs que des pâquerettes et aussi gentils que des lapins. Elles ne souhaitaient pas que le consommateur moyen les considère comme des bouchers tyranniques, menteurs et dénués de tout sentiment humain.

«Les Corps doivent vendre, mais elles ne peuvent pas forcer les gens à acheter, avait-il conclu. Pas encore. Donc, elles tiennent pour le moment à préserver leur image.»

On pouvait résumer les choses de cette manière : les gens ne voulaient pas que leur Cafésympa ait un goût de sang.

Muffy, son agent de liaison au sein de la Truffe, gardait le contact avec elle en suivant régulièrement un traitement NouvoMoi. Parfois, elle lui transmettait des nouvelles : Adam Premier se portait bien, Nuala lui envoyait ses amitiés, l'influence des Jardiniers allait croissant, mais la situation restait instable. De temps à autre, elle lui amenait une fugitive en quête d'un abri temporaire. Elle lui prêtait ses vêtements – lui donnant l'allure d'une ménagère de Spasolaire, bleu pastel et beige crème – et l'inscrivait au Balnéo.

«Appliquez-lui de la boue et cachez-la sous des serviettes, personne n'y verra goutte», disait-elle, et c'était bien ce qui se passait.

Le Requin-Marteau était du nombre. Toby la reconnut sans peine – ses mains tremblantes, ses yeux bleus de martyre –, mais elle ne reconnut pas Toby. Ainsi donc, elle n'avait pas trouvé la paix dans l'Oregon, se dit Toby : elle est toujours dans les parages, à courir des risques, à fuir en permanence. Sans doute s'était-elle engagée dans la guérilla verte ; auquel cas ses jours étaient comptés, car le CorpSeCorps était résolu à éliminer tous les activistes de ce type, racontait-on. Il connaissait forcément son identité, vu qu'elle venait du Compound SentéGénic, et la seule façon pour elle de sortir du système, c'était en tant que cadavre, une fois qu'on aurait contrôlé son ADN et son empreinte dentaire.

Toby lui prescrivit une Aromathérapie totale et une Relaxation des pores en profondeur. Apparemment, elle en avait bien besoin.

Le Balnéo NouvoMoi présentait un danger certain : Lucerne était une habituée. Elle venait tous les mois, pour se payer un forfait réservé aux épouses de cadre supérieur. Vernis affriolant, Peau de prune plantureuse et Immersion totale dans la Fontaine de Jouvesse. Elle paraissait plus élégante que du temps des Jardiniers – ce qui n'était pas difficile, songeait Toby, car il suffisait d'enfiler un sac en plastique pour accomplir cet exploit –, mais aussi plus âgée et plus desséchée. Sa lèvre inférieure naguère pulpeuse s'affaissait sur les bords, en dépit du collagène et des extraits de plantes qu'on avait pu y injecter, et ses paupières étaient striées de fines rides rappelant un pétale de fleur de pavot. Ces signes de déclin étaient fort gratifiants aux yeux d'une Toby, néanmoins horrifiée à l'idée d'entretenir un sentiment aussi mesquin. *Laisse tomber*, se disait-elle. *Ce n'est pas parce que Lucerne vire à la vieille poufiasse que tu vas devenir une beauté fatale.*

Si Lucerne surgissait d'une cabine de douche ou de derrière un buisson pour hurler le nom de Toby, ce serait bien entendu une catastrophe. Aussi Toby prit-elle des précautions. Elle consultait le planning à l'avance pour connaître la date de son arrivée. Puis elle lui affectait les plus vigoureuses de ses employées – Mélodie aux larges épaules, Symphonie aux mains robustes – et veillait à se faire discrète. Mais comme, en règle générale, Lucerne était couchée sur une civière, le corps couvert de boue et les yeux d'appliques protectrices, elle ne risquait pas de la voir ; et même si elle l'apercevait, elle ne lui prêterait aucune attention. Pour les clientes comme Lucerne, les employées comme Tobiatha n'avaient pas de visage.

Et si je mettais les lasers à fond pendant qu'elle est en Immersion totale dans la Fontaine de Jouvesse ? s'interrogea Toby. Et si je court-circuitais la lampe chauffante ? Elle fondrait comme un chamallow. Elle irait nourrir les nématodes. La Terre serait ravie.

Chère Ève Six, lui souffla la voix d'Adam Premier. De tels fantasmes sont indignes de toi. Que penserait Pilar ?

Un jour, dans l'après-midi, on frappa à la porte du bureau de Toby. « Entrez », dit-elle.

C'était un type costaud, vêtu de la salopette verte des agents d'entretien. Il sifflotait une mélodie qui lui était – sans doute – familière.

« Je suis venu tailler les lumiroses », dit-il.

Toby le dévisagea et retint son souffle. Mieux valait ne rien dire : son bureau était peut-être truffé de micros.

Zeb jeta un coup d'œil dans le couloir puis entra et referma la porte. Il s'assit devant l'ordinateur, sortit un marqueur Sharpie et écrivit sur son bloc-notes :

Regarde bien ce que je fais.

Les Jardiniers ? écrivit-elle à son tour. *Adam Premier ?*

Schisme, répondit Zeb. *J'ai mon propre groupe.*

« Est-ce que vous avez des problèmes avec les jeunes pousses ? » demanda-t-il à haute voix.

Shackleton et Crozier ? écrivit Toby. *Avec toi ?*

En quelque sorte, répondit Zeb. *Oates. Katuro. Rebecca. Et des nouveaux.*

Amanda ?

Partie. Grande école. Beaux-arts. Maligne.

Il venait d'accéder à un site : EXTINCTATHON. Webmestre : Madd-Addam. *Adam a donné un nom aux animaux vivants. MaddAddam donne un nom à ceux qui n'existent plus. Veux-tu jouer ?*

MaddAddam ? écrivit Toby. *Ton groupe ? Vous êtes plusieurs ?*

Elle était aux anges : Zeb était là, tout près d'elle, en chair et en os. Alors qu'elle avait fini par croire que plus jamais elle ne le reverrait.

Je contiens des multitudes, répondit Zeb. *Choisis un nom de code. Une espèce disparue.*

Dodo, écrivit Toby.

Au cours des cinquante dernières années, précisa-t-il. *Le temps presse. Mon équipe m'attend. Pose-moi une question sur les pucerons.*

« Les lumiroses sont infestées de pucerons », dit Toby.

Elle récitait mentalement la vieille liste des Jardiniers : animaux, poissons, oiseaux, fleurs, mollusques, reptiles récemment disparus.

Râle Atlantis, écrivit-elle. Cet oiseau avait disparu au cours des dix dernières années. *Est-ce qu'on peut pirater ce site ?*

« On va s'en occuper, dit Zeb. Mais je croyais que les lumiroses étaient pourvues d'un répulseur génique... Je vais prélever quelques échantillons. Pas de quoi fouetter un chat. »

Non, écrivit-il. *On a créé notre propre réseau virtuel. Quadruple cryptage. Désolé pour les chats. Voici ton mot de passe.*

Il inscrivit sur le bloc son identifiant et son mot de passe. Puis il tapa sur le clavier pour entrer les siens.

Bienvenue, Ours Esprit. Veux-tu faire une partie classique ou veux-tu affronter un autre Grand Maître ? demanda l'écran.

Zeb cliqua sur Grand Maître.

Bien. Choisis ta salle de jeux. MaddAddam te retrouvera sur place.

Observe, écrivit-il.

Il cliqua sur une fenêtre de pub pour les transplantations ToisondOr, puis sur une porte pixellisée superposée à l'œil d'un mouton à la laine magenta, puis sur l'estomac bouillonnant d'une pub pour antiacide SentéGénic, qui l'envoya dans la bouche avide d'un client de SecretBurgers figée entre deux bouchées. Finalement, un paysage verdoyant se déploya sur l'écran : des arbres dans le lointain, un lac au premier plan, trois lions et un rhinocéros qui s'y abreuvaient. Une scène du passé.

Un texte défila sur l'image : *Bienvenue dans la salle de jeux de MaddAddam, Ours Esprit. Tu as un message.*

Zeb cliqua sur *Lire le message.*

Le foie est le mal, il doit être puni.

Bien reçu, Rednecked Crake, tapa Zeb. *Tout va bien.*

Puis il quitta le site et se releva.

« Rappelez-moi si les pucerons recommencent à vous embêter, dit-il. Jetez un coup d'œil aux lumiroses de temps en temps et tenez-moi informé, ça devrait suffire. »

Sympa, les cheveux, ma belle, écrivit-il sur le bloc-notes. *Et les yeux en amande, j'adore.*

Puis il s'en fut.

Toby rassembla toutes les pages arrachées au bloc. Heureusement, elle avait des allumettes pour les brûler ; elle en avait stocké pour son Ararat, les dissimulant dans un conteneur de Crème faciale Citron Meringue.

Elle se sentit moins isolée après la visite de Zeb. À intervalles irréguliers, elle se connectait à Extinctathon et remontait la filière menant au forum de discussion de MaddAddam. Noms de code et message emplissaient l'écran : *Rhino Noir à Ours Esprit : Bizuths arrivent. Pic à Bec Ivoire à Renard Véloce : Tourne, bruche ! Laîche Blanche et Azur des Coronilles : Dix pour la manip géné sur la Souris. Rednecked Crake à MaddAddam : Sympa l'autoroute aux chamallows !* Si elle n'avait pas la moindre idée du sens de ces messages, au moins avait-elle l'impression d'appartenir à une communauté.

Parfois elle lisait des bulletins électroniques ressemblant à des informations classifiées du CorpSeCorps. Nombre d'entre eux avaient trait à de soudaines épidémies de maladies inconnues ou à d'étranges infestations – le gène chimérique dit castorépic qui s'attaquait aux courroies des ventilateurs, le bruche qui ravageait les plantations de Cafésympa, le microbe dévoreur d'asphalte qui faisait fondre les autoroutes.

Puis la chaîne de restaurants Le Grand Bleu fut anéantie par une série d'attentats meurtriers. Les infos accusaient des écoterroristes non identifiés ; mais MaddAddam publia sa propre analyse de l'événement. C'étaient les Isaïstes du Lion les responsables, affirmait-il, car Le Grand Bleu avait enrichi sa carte d'une nouvelle recette – le steak de liogneau, un animal sacré pour cette secte. En guise de postscriptum, MaddAddam précisait : *Attention, Jardiniers de Dieu ! C'est vous qu'on va accuser. Prenez le maquis.*

Peu de temps après, Muffy débarqua au Balnéo sans prévenir. Élégante comme à son habitude, elle ne laissait rien paraître de son agitation.

« Allons nous promener sur la pelouse », dit-elle.

Une fois qu'elles se furent éloignées des éventuels micros, elle murmura :

« Je ne suis pas là pour un traitement. Je voulais te dire que nous partons, je ne peux pas te dire où. Ne t'inquiète pas. Tu n'es pas concernée par cette alerte.

— Est-ce que ça ira ? demanda Toby.

— Seul le temps le dira, répondit Muffy. Bonne chance, chère Toby. Chère Tobiatha. Enveloppe-moi de Lumière. »

Une semaine plus tard, son mari et elle se retrouvèrent sur la liste des victimes d'un accident d'avion. Comme le lui avait appris Zeb, le CorpSeCorps n'avait pas son pareil pour attribuer une mort accidentelle aux suspects haut placés – des gens dont la disparition inexpliquée pouvait semer le trouble parmi les pontes des Corps.

Toby resta plusieurs mois sans se connecter au forum de MaddAddam. Elle attendait un coup à sa porte, une vitre qui se fracasse, le *zipzip* d'un aérodésintégreur. Mais il ne se passa rien. Lorsque enfin elle rassembla le courage nécessaire pour un contact en ligne, un message l'attendait.

D'Ours Esprit à Râle Atlantis : Le Jardin est détruit. Les Adam et les Ève ont viré au noir. Observe et attends.

Journée de la Pollinisation

Journée de la Pollinisation

An 21

Des Arbres et de leurs Fruits en saison.
Prononcé par Adam Premier

Chers Amis, chers Mammifères, mes Frères et mes Sœurs :
Aujourd'hui est un jour de Fête, mais hélas nous ne fêterons rien. À l'issue d'une fuite précipitée, nous avons échappé de justesse à la catastrophe. Certes, fidèles à leur nature, nos ennemis ont dévasté notre Jardin de toiture. Mais, un jour, nous retournerons à Édenfalaise pour rendre toute sa gloire à ce site bienheureux. Le CorpSeCorps a peut-être détruit notre Jardin, mais il n'a pu détruire notre Esprit. Un jour, un jour, nous replanterons.

Pourquoi les Corps nous ont-elles attaqués ? Hélas ! nous devenions trop puissants à leur goût. Quantité de jardins de toiture fleurissaient comme autant de roses ; nombre de cœurs et d'esprits penchaient vers une restauration de l'équilibre de la Terre. Mais ce succès contenait en lui les germes de l'échec, car les maîtres de ce monde ne pouvaient plus nous considérer comme de doux dingues : ils nous redoutaient et voyaient en nous des prophètes. Bref, nous menacions leurs profits.

Par ailleurs, ils nous ont attribué les bio-attaques sur leurs infrastructures causées par le groupe hérétique et schismatique qui s'est baptisé MaddAddam. Les attentats à la bombe perpétrés dans les restaurants Le Grand Bleu – bien qu'ils fussent l'œuvre des seuls Isaïstes du Lion – leur ont servi d'excuse pour déclencher une rafle dirigée contre tous ceux qui se sont rangés aux côtés de la Création de Dieu, à savoir la Terre.

Qu'ils se révèlent aussi aveugles sur le plan matériel qu'ils l'ont été jusqu'ici sur le plan spirituel ! Car même si nous ne sommes plus en mesure d'arpenter les rues pour inciter les carnivores au repentir, nous avons bien retenu les cours de Mimétisme. Déguisés pour nous fondre dans le paysage urbain, nous prospérons au nez et à la barbe de l'ennemi. Nous avons renoncé à notre simple vêture pour endosser des tenues achetées à l'hypermarché. Ici un polo à monogramme, là un top jaune citron, sans parler de l'ensemble en tricot pastel que Nuala porte avec courage... Telle est notre tenue de camouflage.

Soucieux de détourner les soupçons, certains d'entre vous n'hésitent pas à manger la chair des Créatures qui sont nos Frères et nos Sœurs ; mais ne présumez pas de vos forces, chers Amis. Mordre dans un SecretBurger pour s'étouffer dessus ne manquera pas d'attirer l'attention sur vous. Dans le doute, contentez-vous d'une crème glacée SojaMiam-Miam. Ces succédanés peuvent être ingérés sans le moindre stress.

Remercions la Truffe des Fougères, qui nous a fourni ce refuge dans la Rue aux Rêves. L'enseigne apposée sur notre porte proclame GÈNES VERTS, raison sociale d'une firme spécialisée dans les manipulations botaniques. Au-dessous d'elle, un panneau annonce FERMÉ POUR RÉNOVATION – et c'est lui qui nous protège. Si l'on vous pose des questions, répondez que nous avons des problèmes avec le maître d'œuvre. Cette explication est toujours plausible.

C'est aujourd'hui la Journée de la Pollinisation, durant laquelle nous commémorons les contributions à la préservation des forêts de sainte Suryamani Baghat de l'Inde, de saint Stephen King, sauveur de la Forêt de Pureora en Nouvelle-Zélande, et de saint Odigha Odigha du Nigeria, entre autres. Cette Fête est consacrée aux mystères de la Reproduction végétale, en particulier celle de ces Arbres merveilleux, les Angiospermes ; nous insisterons spécialement sur les Drupes et les Piridions.

Les Anciens nous ont transmis quantité de légendes sur ces Fruits : les Pommes d'or du Jardin des Hespérides, la Pomme de discorde. Selon certains, le Fruit de l'Arbre de la Connaissance du Bien et du Mal était une figue, alors que d'autres optent pour la datte, ou encore la grenade. Il aurait été plus sensé que ce mets tentateur fût fait d'une matière vraiment maléfique – de la viande, par exemple. Pourquoi alors s'agissait-il d'un Fruit? Parce que nos Ancêtres étaient frugivores et que seul un Fruit aurait pu les tenter.

Le Fruit demeure pour nous un symbole chargé de sens, qui peut signifier à la fois la moisson, la réussite et le renouveau, car en chaque Fruit il y a une graine – le potentiel d'une nouvelle vie. Le Fruit mûrit et retourne à la terre; mais la Graine prend racine, pousse et engendre de nouveau la Vie. Comme l'a dit la Parole humaine de Dieu : «C'est à leurs Fruits que vous les reconnaîtrez[1].» Prions pour que nos Fruits soient les Fruits du Bien et non les Fruits du Mal.

Prenez garde cependant : nous honorons les Insectes pollinisateurs, et tout particulièrement les Abeilles, mais nous avons appris qu'en plus de la variété virorésistante introduite à la suite d'une épidémie de morts subites, les Corps ont développé une abeille hybride. Ce n'est pas une banale manipulation génétique, mes Amis. Non, c'est une abomination ! On capture des larves pour leur injecter un système micromécanique. Les tissus croissent alors autour de cet implant et, lorsque apparaît l'imago, l'individu adulte, il s'agit d'un cyborg contrôlé par un opérateur du CorpSeCorps, susceptible de transmettre des informations et donc de nous trahir.

Cela soulève des problèmes éthiques très troublants : devons-nous avoir recours aux insecticides ? Une abeille mécanisée est-elle vivante ? Et, dans ce cas, s'agit-il d'une authentique Créature de Dieu ou de tout autre chose ? Nous devons méditer sur ce qu'implique cette révélation, mes Amis, et prier pour être conseillés.

Chantons.

---

1. Matthieu 7.16. *(N.d.T.)*

Le Pêcher et le Prunier

Le Pêcher et le Prunier aux grands rameaux
Sont splendides la floraison venue,
Oiseaux, Abeilles et Chauves-souris se réjouissent
Et sirotent leur nectar heure après heure.

Puis vient la Pollinisation :
Pour chaque Noix, chaque Graine, chaque Fruit,
Une petite particule dorée
S'est envolée pour prendre racine.

Croît alors le Fruit sur sa branche
Qui mûrit doucement, semaine après semaine,
Abritant sous sa peau la provende
Que cherchent l'Animal, l'Oiseau et l'Homme.

Et dans chaque Graine, chaque Fruit, chaque Noix,
Est tapi un Arbre enfant argenté,
Qui poussera s'il est bien planté
Et donnera des fleurs pour la joie de tous.

Quand tu mangeras une Pêche dorée
Et en jetteras le noyau sans y penser,
Regarde la Vie qui rayonne en lui –
Dieu demeurant au sein de Sa Création.

Extrait du *Livre de cantiques des Jardiniers de Dieu*

49

Ren

An 25

Adam Premier disait : Si tu ne peux arrêter les vagues, alors prends la mer. Ou encore : Ce qui ne peut être réparé peut toujours être soigné. Ou encore : Sans la lumière, pas de chance ; sans les ténèbres, pas de danse. En d'autres termes : à quelque chose malheur est bon, car un malheur peut être un défi, et on ne sait jamais quelles en seront les conséquences. Non que les Jardiniers se soient adonnés à la danse.

J'ai donc décidé d'effectuer une Méditation, ce qui me permettrait d'accepter le fait qu'il n'y avait rien à faire dans la Zone Poisse. Si ton problème ce n'est rien, alors travaille sur ce rien, disait Philo le Fog. Fais taire le babil de ton esprit. Ouvre ton œil intérieur, ton oreille intérieure. Vois ce que tu peux voir. Entends ce que tu peux entendre. À l'époque où j'étais chez les Jardiniers, tout ce que je voyais, c'étaient les nattes de la fille assise devant moi, et tout ce que j'entendais, c'étaient les ronflements de Philo, qui s'endormait chaque fois qu'il menait une Méditation.

Je n'avais guère plus de succès à présent. J'entendais le grondement de basse provenant de la Fosse aux serpents et le bourdonnement du minifrigo, je voyais les lumières de la rue sous forme de taches floues dans les briques de verre de la fenêtre, mais rien de tout cela n'était enrichissant sur le plan spirituel. J'ai donc mis un terme à ma Méditation pour me connecter aux infos.

On signalait une nouvelle épidémie mineure, mais rien de très alarmant. Virus et bactéries étaient sans cesse en train de muter, mais je savais que les Corporations inventaient en permanence de nouveaux traitements, et puis, quelle que fût la nature de cette saleté, ça faisait si longtemps que je vivais en isolement viral que je ne risquais pas de l'attraper. Impossible de trouver un refuge plus sûr que le mien.

Je suis repassée sur la Fosse aux serpents. Une bagarre venait d'éclater. Un coup des Painballers, sans doute – les trois qui étaient arrivés tout à l'heure, plus le quatrième.

Les gars du CorpSeCorps sont intervenus sous mes yeux. Ils ont plaqué au sol l'un des agités et l'ont neutralisé au taser. Les videurs s'étaient mis de la partie, eux aussi – l'un d'eux reculait en titubant, une main plaquée sur son œil ; un autre a rebondi sur le comptoir. En général, il ne leur fallait pas aussi longtemps pour reprendre le contrôle. Savone et Pétale-Écarlate assuraient toujours sur leurs trapèzes, mais les autres filles quittaient la scène en courant. Puis elles y sont revenues : on avait dû bloquer les sorties. Oh non ! ai-je songé. Enfin une bouteille s'est fracassée sur la caméra et j'ai perdu l'image.

J'ai voulu passer sur une autre caméra, mais mes mains tremblaient trop, j'avais oublié le code, et le temps que je me reprenne, la Fosse aux serpents s'était quasiment vidée de ses occupants. Les spots et les haut-parleurs fonctionnaient encore, mais la salle était en ruine. Les clients avaient dû s'enfuir. Savone gisait sur le comptoir : je l'ai reconnue à son costume à paillettes, bien qu'on le lui eût à moitié arraché. Sa tête faisait un angle étrange avec ses épaules et son visage était maculé de sang. Pétale-Écarlate était pendue au trapèze ; l'une des cordes était passée autour de son cou et j'ai vu un éclat entre ses jambes – une bouteille enfoncée dans son vagin. Sa Biopeau était en lambeaux. On aurait dit un bouquet d'orchidées fanées.

Où était Mordis ?

Une masse sombre et mouvante a traversé l'écran : spectacle d'ombres, ballet obscène. Un claquement de porte, *bang !* et un bruit qui ressemble à un hurlement. Puis des sirènes dans le lointain. Une course précipitée.

Des cris dans le couloir bordant la Zone Poisse et l'écran vidéo qui s'allume, et voilà Mordis devant la porte, en gros plan, qui me fixe d'un œil unique. L'autre est tuméfié. Son visage est couvert de plaies.

« Ton nom », murmure-t-il.

Un bras lui enserre la gorge, lui ramène la tête en arrière. Un

Painballer. Sa main brandit un tesson de bouteille : veines rouges et bleues.

«Ouvre cette putain de porte, connard! lance-t-il. Hé! la chienne en chaleur! C'est l'heure de partager!»

Mordis hurlait. Ce qu'ils voulaient, c'était le code d'ouverture.

«Les chiffres, les chiffres», chantaient-ils.

J'ai encore aperçu Mordis un instant. Puis j'ai entendu un gargouillis et il a disparu. À sa place, le Painballer – un réseau de cicatrices sur le visage.

«Ouvre et on épargnera ton petit copain, a-t-il dit. On ne te fera aucun mal.»

Mais il mentait, car Mordis était déjà mort.

J'ai entendu ensuite de nouveaux cris, et les hommes du CorpSeCorps avaient dû le taseriser, car il a hurlé à son tour, il a disparu de l'écran et j'ai perçu un bruit sourd, comme si on donnait un coup de pied dans un sac.

Je suis retournée voir ce que montrait la caméra : des hommes du CorpSeCorps en tenue anti-émeute, une véritable invasion. Ils traînaient les Painballers vers la sortie – un mort, trois survivants. Retour à Painball pour ces derniers – jamais on n'aurait dû les laisser sortir, jamais.

Enfin j'ai compris ce qui m'arrivait. La Zone Poisse était une véritable forteresse. Personne ne pouvait entrer sans le code, et seul Mordis le connaissait. C'est ce qu'il m'avait toujours dit. Et il ne l'avait pas livré à ces brutes : il m'avait sauvé la vie.

Mais j'étais désormais enfermée ici, personne n'avait le pouvoir de me faire sortir. *Oh! par pitié*, ai-je pensé. *Je ne veux pas mourir.*

50

Je me suis ordonné de ne pas paniquer. SexMart allait envoyer des nettoyeurs, ils se rendraient compte de ma présence et feraient venir quelqu'un pour s'occuper du verrou. Ils n'allaient pas me laisser crever de faim et finir en momie desséchée : quand ils rouvriraient Zécailles, ils auraient besoin de moi. Je ne serai plus tout à fait la même sans Mordis – il me manquait déjà –, mais au moins aurai-je une fonction. Je n'étais pas une fille qu'on prend et qu'on jette, j'avais du talent. C'est ce que Mordis disait toujours.

Simple question de patience, donc.

J'ai pris une douche – je me sentais sale, comme si ces Painballers étaient entrés pour de bon, ou comme si j'étais souillée du sang de Mordis.

Puis j'ai effectué une autre Méditation, une vraie cette fois-ci. *Enveloppe Mordis de Lumière*, ai-je prié. *Libère-le dans l'univers. Que son Esprit aille en paix.* Je l'imaginais s'envolant de son corps meurtri, sous la forme d'un petit oiseau marron à l'œil larmoyant.

Le lendemain, il s'est passé deux trucs graves. Premièrement, je me suis connectée aux infos. L'épidémie mineure dont ils avaient parlé l'autre jour ne se comportait pas comme les autres : elle progressait vite et on ne pouvait la contenir. Ils ont affiché une carte du monde criblée de voyants rouges : le Brésil, Taiwan, l'Arabie saoudite, Bombay, Paris, Berlin... comme si l'on avait arrosé la planète à l'aérodésintégreur. C'était une forme de lèpre extrêmement contagieuse, disaient-ils ; plutôt que de se répandre, elle se manifestait simultanément dans des villes éloignées les unes des autres, ce qui était profondément anormal. En temps ordinaire, les Corps nous auraient servi des mensonges et des démentis, la vérité ne nous apparaissant que par le biais de la rumeur, si bien que le discours tenu par les médias prouvait la gravité de la situation : les Corps ne pouvaient occulter la réalité.

Les présentateurs s'efforçaient de garder leur calme. Les experts ignoraient à quoi ressemblait ce supermicrobe, mais on avait bien affaire à une pandémie, et les morts se comptaient déjà par milliers – c'était comme s'ils fondaient sur place. Dès qu'ils ont commencé à déclarer «Inutile de paniquer», avec un calme étrange et un sourire figé, j'ai compris que c'était vraiment sérieux.

Le second truc grave, c'est que des types en biocombinaison sont entrés dans la Fosse aux serpents pour en évacuer les morts après les avoir fourrés dans des sacs à viande. Mais, en dépit de mes hurlements répétés, ils n'ont pas visité le premier étage. Sans doute qu'ils ne pouvaient pas m'entendre, vu l'épaisseur des murs de la Zone Poisse et le vacarme de la sono, que personne n'avait arrêtée. Un coup de pot pour moi, car si j'avais quitté mon refuge à ce moment-là, j'aurais attrapé la peste, moi aussi. Mais, sur le moment, j'étais quand même malheureuse.

Le lendemain, les infos étaient plus alarmantes encore. L'épidémie se propageait, ce n'était partout qu'émeutes, pillages et massacres, et le CorpSeCorps avait disparu de la circulation : on mourait aussi dans ses rangs, semblait-il.

Et quelques jours plus tard, il n'y avait plus d'infos.

J'étais complètement terrorisée à présent. Mais si je ne pouvais pas sortir, personne ne pouvait entrer, et je me suis dit que tout irait bien tant que la batterie solaire tiendrait le coup. Grâce à elle, j'aurai l'eau courante, le minifrigo, le congélateur et les filtres d'aération. Ce dernier point était important, car ça n'allait pas tarder à empester dehors. J'ai décidé de prendre les choses comme elles viendraient et de voir comment la situation évoluerait.

Je savais que je devais faire preuve de sens pratique, au risque de perdre tout espoir et de tomber en Jachère, un état dont je risquais de ne jamais émerger. Donc, j'ai ouvert le minifrigo et le congélo pour faire l'inventaire de leur contenu : Voltbars, snacks et boissons énergétiques, Nævi CoqOTops surgelés et ersatz de poisson. Si je ne mangeais que le tiers d'un repas normal et conservais les restes plutôt que de les jeter au vide-ordures, je pourrais tenir pendant au moins six semaines.

J'avais essayé d'appeler Amanda, mais elle ne répondait pas. Tout ce que je pouvais faire, c'était lui laisser des textos : VIEN ZÉCAIL. J'espérais qu'en les lisant elle comprendrait que j'avais des problèmes, débarquerait à Zécailles et trouverait un moyen d'ouvrir le verrou. J'avais laissé mon phone allumé au cas où elle m'aurait rappelée, mais lorsque je tentais de la joindre ou de lui envoyer un texto, l'écran affichait désormais SERVICE INDISPONIBLE. J'ai bien reçu un message – SUIS OK –, mais les relais devaient être saturés par tous les gens qui cherchaient à contacter leur famille, parce que je n'ai plus rien reçu après.

Puis j'ai enfin réussi à la joindre, sans doute parce qu'un grand nombre de personnes étaient mortes. Pas d'image, rien que sa voix.

«Où es-tu ? lui ai-je demandé.

— Dans l'Ohio. J'ai piqué une autosolaire.

— Ne t'approche pas des villes. Ne laisse personne te toucher.»

Je voulais lui résumer ce que j'avais appris aux infos, mais j'ai cessé de la capter. Ensuite, je n'avais même plus de signal. Les relais avaient sans doute cessé de fonctionner.

C'est vous qui créez votre réalité, disaient les horoscopes, et les Jardiniers tenaient le même langage. J'ai donc essayé de créer la réalité d'Amanda. À présent, elle était vêtue de sa tenue kaki conçue pour le désert. À présent, elle déterrait une racine pour la manger. À présent, elle s'était remise en marche. Heure par heure, elle se rapprochait de moi. Elle ne serait pas contaminée et personne ne la tuerait, tant elle était forte et rusée. Elle souriait. À présent, elle chantonnait. Mais c'était moi qui inventais tout ça, et je le savais.

51

Ça faisait longtemps que je n'avais vu Amanda ailleurs que sur mon phone ; ça datait d'avant que je bosse pour Zécailles. Auparavant, on était restées séparées un bail et j'ignorais même où elle se trouvait. C'était quand Lucerne avait jeté mon phone pourpre, à l'époque où je vivais encore dans le Compound SentéGénic. Je croyais que plus jamais je ne reverrais Amanda – qu'elle était sortie de ma vie pour de bon.

Je le croyais encore lorsque j'ai pris le train à grande vitesse pour aller à l'école Martha-Graham. Je me sentais bien seule et me lamentais sur mon sort : j'avais perdu non seulement Amanda, mais aussi tout ce qui avait un sens dans ma vie. Les Adam et les Ève, ou du moins certains d'entre eux, comme Toby et Zeb. Amanda. Et surtout Jimmy. Je m'étais en partie remise du chagrin qu'il m'avait causé, mais il restait en moi une douleur sourde. Tantôt il était trop gentil avec moi, tantôt il faisait comme si je n'existais pas. Je me sentais si misérable ! En fait, mon désespoir était tel que j'avais fini par renoncer à l'idée de le revoir à Martha-Graham : ce n'était au mieux qu'un rêve impossible.

Le jour où je suis montée dans ce train, plusieurs mois s'étaient écoulés depuis que j'étais tombée amoureuse de Jimmy. Ou plutôt : depuis que Jimmy était tombé amoureux de moi – quand ma colère me laissait le temps d'être honnête avec moi-même, j'admettais que j'étais toujours amoureuse de lui. J'avais couché avec d'autres garçons, mais c'était seulement pour la forme. Si j'allais à Martha-Graham, c'était en partie pour fuir Lucerne, mais surtout parce qu'il fallait bien que je fasse quelque chose de ma vie – alors autant poursuivre mon éducation. C'était comme ça qu'on disait, comme si l'éducation était un truc qu'on pouvait rattraper. En bien ou en mal, je me foutais de ce qui pouvait m'arriver, je me sentais toute grise.

Rien à voir avec la mentalité des Jardiniers. Selon eux, la seule éducation qui vaille est celle de l'Esprit. Mais j'avais oublié ce que ça signifiait.

Martha-Graham tenait son nom d'une célèbre danseuse d'autre-fois, si bien qu'entre autres matières artistiques, on y donnait des cours de danse. Comme il fallait bien que je suive quelques classes, j'ai choisi Danse & Gymnastique et Expression dramatique – pas besoin d'être calée en maths pour garder le niveau. Je pensais trouver du boulot dans une Corps, monitrice pour les exercices de fitness de la pause déjeuner, par exemple. Maigrissez en musique, Yoga pour cadres, ce genre de trucs.

Le campus de Martha-Graham ressemblait à la Résidence Buenavista : jadis, il avait eu de la classe, mais à présent il tombait en ruine et il y avait des fuites et de la moisissure. Je n'arrivais pas à avaler les repas de la cafétéria car j'en ignorais la composition – j'avais encore du mal à accepter les protéines animales, surtout si elles provenaient du museau ou des abats. Mais je me sentais bien plus à l'aise que dans le Compound SentéGénic, car Martha-Graham ne me semblait ni factice ni tape-à-l'œil, et on n'y reniflait pas un peu partout une odeur de nettoyant chimique. Ni de nettoyant tout court.

Tous les bizuths devaient partager une suite. Mon coloc était un dénommé Buddy III ; je ne le croisais pas très souvent. Il faisait partie de l'équipe de football de Martha-Graham, mais comme celle-ci se faisait toujours rétamer, le pauvre Buddy était fréquemment ivre ou défoncé. Je fermais à clé ma porte d'accès à notre salle de bains commune, car les joueurs de foot avaient une réputation de violeurs. Je ne pensais pas que j'avais grand-chose à craindre de Buddy, mais je l'entendais vomir là-dedans chaque matin.

Il y avait un magasin franchisé Cafésympa sur le campus et c'était là que je prenais mon petit déjeuner, car on y servait des muffins végans. Je n'étais pas obligée d'écouter Buddy dégobiller et leurs toilettes puaient nettement moins que les miennes. Un jour, alors que je me rendais là-bas, je suis tombée sur Bernice. Je l'ai reconnue tout de suite. Je n'en revenais pas. C'était choquant – comme une décharge d'électricité. Soudain, j'ai senti remonter à la surface un sentiment de culpabilité que j'avais jadis éprouvé mais réussi à refouler.

Elle portait un tee-shirt vert et brandissait un écriteau où il était écrit CAFÉSYMPA = CAFÉCACA. Deux autres étudiants l'accompagnaient, également vêtus de vert, et leurs écriteaux proclamaient ÇAFÉ DU MAL et LA MORT À BOIRE. À en juger par leur tenue et la gueule qu'ils tiraient, c'étaient des verts fanatiques et ils incitaient les gens à boycotter Cafésympa. C'était l'année où il y avait des émeutes autour de cette marque – je les avais vues sur écran.

Bernice n'avait pas grandi en beauté depuis le temps. En fait, elle était encore plus moche qu'avant, et aussi plus revêche. Elle ne m'avait pas vue, ce qui me laissait le choix : soit foncer dans le café en feignant de ne pas l'avoir vue non plus, soit faire demi-tour et filer en douce. Mais, à ma grande surprise, je me suis retrouvée en mode Jardinière et j'ai de nouveau entendu des antiennes du genre « Il faut prendre ses responsabilités » et « Quand on a tué quelque chose, on doit le manger ». Et j'avais tué Burt, en un sens. Ou du moins je le croyais.

Donc, je ne me suis pas défilée. Je me suis plantée devant elle et j'ai lancé :

« Bernice ! C'est moi – Ren ! »

Elle a fait un bond, comme si je lui avais donné un coup de pied. Puis elle m'a fixée.

« C'est ce que je vois, a-t-elle commenté d'un ton grinçant.

— Je t'offre un café », ai-je dit.

Je devais être dans mes petits souliers pour dire ça. Pourquoi en effet aurait-elle souhaité consommer les produits d'un établissement qu'elle encourageait à boycotter ?

Sans doute a-t-elle cru que je me moquais d'elle, car elle a répliqué :

« Va chier.

— Pardon, ai-je fait. Ce n'est pas ce que je voulais dire. Un peu d'eau, alors ? On pourrait la boire au pied de cette statue. »

La statue de Martha Graham était une sorte de mascotte : elle la représentait dans le rôle de Judith en train de brandir la tête de son ennemi Holopherne, et les étudiants avaient peint en rouge le cou tranché de cette tête et collé de la laine d'acier sur les aisselles de Martha. Juste au-dessous de la tête se trouvait un plateau où l'on pouvait s'asseoir.

Bernice m'a gratifiée d'un nouveau rictus.

«T'es vraiment réac', m'a-t-elle dit. L'eau en bouteille, c'est le mal. On ne t'a donc rien appris ?»

J'aurais pu la traiter de conne et la planter là. Mais c'était pour moi la seule chance de me racheter, du moins à mes yeux.

«Bernice, ai-je fait. Je tiens à te faire des excuses. Alors dis-moi ce que tu veux boire, j'irai t'en chercher et on s'installera dans un coin tranquille. »

Elle était encore grincheuse – en matière de rancune, c'était une championne olympique –, mais quand j'ai parlé d'envelopper notre haine dans la Lumière, ça a dû réveiller la Jardinière qui sommeillait en elle, car elle m'a demandé d'aller à la supérette du campus et de lui acheter un cocktail de fruits bio, vendu dans une brique recyclable fabriquée à partir de feuilles de kudzu, précisant qu'elle n'avait pas fini de manifester mais qu'elle pourrait faire une pause à mon retour.

On s'est assises sous la tête d'Holopherne, chacune avec sa brique, et le goût de cette vase liquide m'a rappelé mon arrivée chez les Jardiniers – j'avais eu du mal à m'adapter et Bernice s'était mise en quatre pour m'aider.

«Tu n'étais pas partie sur la côte Ouest ? ai-je demandé. Après toute cette...

— Si. Mais maintenant, je suis revenue. »

À l'en croire, Veena avait viré réac et adhéré à une autre secte, les Fruits reconnus, selon laquelle la richesse était un don de Dieu, *confer* la citation *C'est à leurs fruits que vous les reconnaîtrez*, les fruits en question étant des comptes bancaires. Après avoir ouvert une franchise de suppléments vitaminés SentéGénic, Veena en dirigeait aujourd'hui cinq et se portait à merveille. La côte Ouest était idéale pour ce genre de racket, a précisé Bernice, car même si le yoga et le Spirituel y étaient de mise, leurs pratiquants n'étaient que des hédonistes pervers et matérialistes, qui avaient recours à la chirurgie esthétique, aux bimplants et aux manip' génétiques, des êtres superficiels dénués du sens des valeurs.

Veena voulait que Bernice intègre une filière Commerce à la fac, mais celle-ci s'y était refusée, fidèle en cela à sa foi de Jardinière; Martha-Graham représentait un compromis acceptable pour toutes deux, car on y apprenait à tirer profit de la Guérison holistique, et c'était ce que faisait Bernice.

J'avais du mal à l'imaginer en train de guérir quoi que ce soit, car ça m'aurait étonnée qu'elle en ait jamais eu envie. Mettre du sel sur une plaie, c'était davantage dans son style. Mais je lui ai dit que ça avait l'air intéressant.

Comme je l'ai vite compris, mon propre cursus lui était indifférent. Je lui ai donc parlé de mon coloc', Buddy III, et elle m'a dit que l'école grouillait de spécimens dans son genre – des Exfernaux occupés à gâcher leur existence et qui ne pensaient à rien excepté boire et baiser. Elle avait eu un coloc' comme ça, au début, un tueur d'animaux en plus, vu qu'il portait des sandales de cuir. Enfin, de pluir, plus exactement. Mais elles présentaient l'aspect du cuir. Elle les avait donc brûlées. Et, Dieu merci, elle n'était plus obligée de partager sa salle de bains, car elle l'entendait gémir de plaisir toutes les nuits ou presque, comme un hybride transgénique de bonobo et de lapin.

« Ce Jimmy ! a-t-elle conclu. Quel pue-la-viande ! »

Ça ne peut pas être le même, ai-je songé en entendant ce nom, puis je me suis dit : Oh ! que si. Pendant que je remuais tout ça dans mon crâne, Bernice m'a proposé de partager sa suite, vu que Jimmy avait quitté l'autre chambre et qu'elle était vide.

Je voulais bien me réconcilier avec elle, mais je n'étais pas prête à aller jusque-là. Donc, je suis directement passée au discours que j'avais préparé.

« Je suis vraiment navrée pour Burt. Ton papa. La façon dont il est mort. Je me sens tellement responsable. »

Elle m'a regardée comme si j'étais cinglée.

« Qu'est-ce que tu racontes ?

— Quand je t'ai dit qu'il couchait avec Nuala, que tu l'as répété à Veena, qu'elle a pété les plombs et appelé le CorpSeCorps ? Eh bien, je ne crois pas qu'il couchait avec Nuala, en fait. Amanda et moi... on a inventé ça par pure méchanceté. Je me sens vraiment navrée. Il ne faisait rien de grave, je crois bien, à part caresser les aisselles des petites filles.

— Au moins Nuala était-elle adulte, a répondu Bernice. Avec les petites filles, il ne s'arrêtait pas aux aisselles. C'était un dégénéré, comme l'a dit ma mère. Il prétendait que j'étais sa préférée, mais ce n'était même pas vrai. Alors j'ai tout raconté à Veena. C'est pour ça qu'elle l'a dénoncé. Alors, arrête de te donner de l'importance. »

J'ai eu droit à un regard noir, cerné de rouge toutefois.

« Tu as de la chance que ce ne soit pas tombé sur toi, a-t-elle conclu.

— Oh ! Bernice, je suis vraiment désolée.

— Je ne veux plus parler de ça. Je préfère me consacrer à quelque chose de plus productif. »

Elle m'a proposé de l'aider à fabriquer des écriteaux hostiles à Cafésympa, mais j'ai prétexté que j'avais déjà sauté une classe aujourd'hui et lui ai proposé de remettre ça à une autre fois. Elle m'a coulé un regard en biais pour me faire comprendre que je me défilais et qu'elle le savait. Puis je lui ai demandé à quoi ressemblait son ancien coloc' et elle m'a rétorqué que ça ne me regardait pas.

Elle était repassée en mode pète-sec et je savais que si je m'attardais à ses côtés, j'aurais l'impression d'avoir à nouveau neuf ans et qu'elle raffermirait son emprise sur moi, d'autant plus qu'elle avait supporté bien plus de crasses dans sa vie que je n'en avais connu à l'époque et qu'elle pourrait désormais jouer les victimes. Quand je lui ai répété que je devais vraiment y aller, elle m'a fait : « Ouais, c'est ça », et elle a ajouté que je n'avais changé en rien, que j'étais resté la fille superficielle qu'elle avait connue.

Des années plus tard – alors que je bossais déjà à Queuezé-cailles –, j'ai vu à l'écran que Bernice avait été aérodésintégrée lors d'un raid sur un refuge de Jardiniers. C'était après que ceux-ci eurent été déclarés hors la loi. Ce qui n'avait sûrement pas arrêté Bernice ; elle avait le courage de ses convictions. J'étais bien obligée de l'admirer – pour son courage comme pour ses convictions –, vu que je ne possédais ni celui-ci ni celles-là.

J'ai vu son visage en gros plan, plus doux et plus paisible que je ne l'avais vu de son vivant. C'était peut-être la vraie Bernice, ai-je songé – gentille et innocente. Peut-être qu'elle était comme ça tout au fond de son cœur, et que sa méchanceté, son esprit querelleur, ce n'était qu'une façon de s'extirper de la carapace dont elle avait dû s'envelopper pour se protéger. Mais elle avait beau hurler et frapper, elle y était restée coincée. Ça m'a fait tellement de peine pour elle que j'en ai pleuré.

52

Avant d'avoir cette conversation avec Bernice, je m'attendais à moitié à croiser Jimmy – en classe, au Cafésympa ou dans une allée du campus. Mais à présent, je savais avec certitude qu'il était tout près. Au coin de l'immeuble, ou bien derrière une fenêtre ; un jour, je le trouverais à mes côtés en me réveillant, il me tiendrait par la main et me regarderait comme il me regardait au temps de nos premières amours. J'étais comme hantée.

Peut-être me suis-je imprégnée de Jimmy, ai-je songé. Comme un caneton qui, aussitôt sorti de l'œuf, aurait vu une fouine et l'aurait ensuite suivie sa vie durant. Une courte vie, fort probablement. Pourquoi avait-il fallu que Jimmy fût mon tout premier amour ? Pourquoi n'étais-je pas tombée sur quelqu'un de plus noble ? Ou, à tout le moins, de moins volage ? Quelqu'un de plus sérieux, qui ne se fût pas conduit en crétin fini.

Le pire, dans cette histoire, c'est que personne d'autre ne parvenait à m'accrocher. Mon cœur était percé d'un trou que seul Jimmy pouvait combler. Je sais que ça fait country music, ce genre de couplet – grâce à mon Zikbonbon, j'en avais entendu mon content –, mais je ne peux l'expliquer autrement. Et ça ne me faisait pas oublier les défauts de Jimmy, loin de là.

J'ai fini par voir Jimmy, évidemment. Le campus n'était pas immense et ça devait arriver tôt ou tard. Je l'ai aperçu de loin, et il m'a vue lui aussi, mais il ne s'est pas précipité vers moi. Il a gardé ses distances. Il ne m'a même pas fait un signe, il a détourné les yeux comme s'il n'avait rien remarqué. Si j'attendais encore une réponse à la question que je ne cessais de me poser – Jimmy m'aime-t-il encore ? –, eh bien, je l'avais.

Puis, en cours de Danse & Gymnastique, j'ai rencontré une fille – Shayluba quelque chose – qui était sortie un temps avec Jimmy. À l'en croire, c'était fantastique au début, puis Jimmy lui avait dit qu'il n'était pas le mec qu'il lui fallait, qu'il était incapable de s'impliquer à cause de ce qui s'était passé avec sa copine de lycée. Tous deux étaient trop jeunes, ça s'était mal terminé, et depuis lors il n'était plus que l'équivalent émotionnel d'un dépotoir et, par ailleurs, peut-être même était-il d'une nature destructrice, vu qu'il avait fait du mal à toutes les filles qu'il avait touchées.

« Cette copine, elle s'appelait pas Wakulla Price ? ai-je demandé.

— Pas du tout, a répondu Shayluba. C'est de toi qu'il parlait. Il t'a même désignée du doigt. »

Jimmy, espèce de lâche et de menteur ! ai-je pensé. Puis je me suis demandé : Et si c'était vrai ? Et si j'avais gâché la vie de Jimmy autant qu'il a gâché la mienne ?

Je me suis efforcée de l'oublier. Mais je n'y arrivais pas. Me faire souffrir à cause de lui, c'était devenu une sale habitude, comme de me ronger les ongles. De temps en temps, je le voyais se balader au loin, et c'était comme si je fumais une cigarette alors que je cherchais à arrêter : ça me faisait tout de suite replonger. Non que j'aie jamais fumé.

Ça faisait presque deux ans que j'étais à Martha-Graham lorsque j'ai reçu une très mauvaise nouvelle. Lucerne m'a appelée pour me dire que Frank, mon père biologique, avait été kidnappé par une Corps concurrente d'Europe de l'Est. Les Corps de cette région étaient toujours en train d'attaquer celles de chez nous – leurs agents infiltrés se montraient encore plus brutaux que les nôtres et ils avaient un avantage sur eux : ils étaient plus doués pour les langues et pouvaient se faire passer pour des immigrants. On ne pouvait pas en faire autant. Qui en effet aurait voulu émigrer chez eux ?

Ils avaient capturé Frank à l'intérieur du Compound – dans les toilettes de son labo, m'a dit Lucerne – puis l'avaient expédié dans un fourgon de livraison Zizifruits ; ensuite, il avait traversé l'Atlantique à bord d'un avion, enveloppé de bandages et déguisé en patient venant de subir un lifting. Pis encore, ses kidnappeurs avaient produit un DVD où on le voyait, l'air à moitié drogué, confessant que SentéGénic avait introduit dans ses suppléments vitaminés une maladie à évolution lente mais incurable afin de se faire du fric en commercialisant son traitement. C'était du chantage pur et simple, affirmait Lucerne : ils étaient prêts à échanger Frank contre les formules qui les intéressaient, notamment celles de la maladie en question ; si on n'accédait pas à leur demande, le DVD serait rendu public. Et la tête de Frank pourrait dire adieu au reste de son corps.

SentéGénic avait procédé à une analyse financière du problème, d'où il ressortait que les formules avaient une valeur supérieure à celle de Frank. Quant à la mauvaise publicité, ils pouvaient l'étouffer dans l'œuf, puisque les Corps médiatiques contrôlaient les infos. Et l'Internet était un tel mélange de factoïdes vrais et faux que plus personne ne croyait ce qui s'y disait, sauf ceux qui étaient prêts à tout avaler, et ça revenait au même. Conclusion : SentéGénic ne paierait rien. Ils regrettaient la perte qu'allait subir Lucerne, mais ils n'avaient pas pour habitude de céder au chantage, car cela ne faisait qu'encourager d'autres kidnappeurs, lesquels se comptaient par centaines.

En conséquence, Lucerne avait perdu son statut d'épouse de cadre supérieur, sans parler de la maison qui allait avec, et, étant donné les circonstances, elle avait décidé de déménager dans le Compound Cryojénial pour s'installer chez Todd, un monsieur très sympathique qu'elle avait rencontré en faisant du golf. Et elle espérait que la perte de Frank ne me plongerait pas dans le désespoir, vu que j'avais l'habitude de me laisser déborder par mes émotions.

Cryojénial. Quelle bande d'escrocs ! On s'y faisait congeler la tête après la mort, dans l'espoir que quelqu'un inventerait une façon de faire repousser le corps ; les gamins de SentéGénic racontaient en rigolant que seule la boîte crânienne était congelée, après avoir été vidée de ses neurones que l'on transplantait sur des cochons. Ils n'arrêtaient pas de faire des blagues morbides de ce genre, sauf qu'on ne savait jamais s'ils parlaient sérieusement.

L'ennui dans tout ça – poursuivait Lucerne –, c'était que l'argent allait manquer. Todd n'était pas un vice-président mais un responsable des ventes, par ailleurs père de trois enfants qui avaient priorité sur moi, et elle ne pouvait pas lui demander de financer mes études en plus de son train de vie. Je devais donc cesser de glander à Martha-Graham et me prendre en main.

Un coup de pied, et hop ! j'étais tombée du nid. Non que je me fusse jamais sentie dans un nid : avec Lucerne, j'étais plutôt posée sur le rebord de la fenêtre.

C'est ce qu'on appelle l'ironie, ai-je songé. J'avais appris ce terme en cours de Danse & Théâtre. Lucerne s'était jadis fait passer pour la victime d'un kidnapping, et voilà que ce pauvre Frank, mon père biologique, venait de se faire kidnapper et sans doute assassiner. De toute évidence, cela n'inspirait à Lucerne aucun sentiment clairement identifiable. Quant à moi, j'ignorais ce que je devais ressentir.

Avant les examens de printemps, diverses Corps ont installé des stands dans le hall pour faire passer des entretiens d'embauche. Pas les Corps les plus sérieuses, celles qui bossaient dans les sciences – les étudiants de Martha-Graham ne les intéressaient pas, elles cherchaient des crânes d'œuf –, mais les plus frivoles. Comme je n'étais pas en dernière année, je n'avais théoriquement pas le droit de passer un entretien, pourtant j'ai décidé d'y aller quand même et de tenter ma chance. Je ne risquais pas de décrocher un des emplois offerts, mais peut-être m'embaucherait-on pour récurer les sols. J'avais récuré pas mal de sols chez les Jardiniers, cependant je ne pouvais m'en vanter, naturellement, de peur d'être cataloguée comme une dingue de verte fanatique.

Mon prof de Danse & Gymnastique m'a encouragée à aller voir Queuezécailles. Je dansais plutôt bien et Queuezécailles était désormais intégrée à SexMart, une Corps légitime qui proposait une couverture maladie et une couverture dentaire, donc ce n'était plus de la vulgaire prostitution. Pas mal de filles s'engageaient dans cette voie, et certaines rencontraient des hommes sympas et se débrouillaient très bien par la suite. J'ai donc décidé d'aller voir de plus près. Sans diplôme, je ne pouvais guère trouver mieux. Et même un diplôme de Martha-Graham, c'était mieux que rien. D'autant que je ne voulais pas finir comme débiteuse de viande chez SecretBurgers.

Ce jour-là, j'ai réussi à décrocher cinq entretiens. J'avais les tripes nouées mais j'ai tenu bon, j'ai souri de toutes mes dents et je me suis imposée, alors que je n'étais même pas en dernière année. J'aurais pu en faire six, des entretiens – Cryojénial cherchait une Dispensatrice de réconfort pour prendre en charge les clients qui faisaient congeler la tête d'un être cher, voire d'un animal de compagnie –, mais je ne pouvais pas bosser pour eux à cause de Lucerne. Je ne voulais plus jamais la revoir, non seulement à cause de ce qu'elle m'avait fait mais aussi à cause de la manière dont elle me l'avait fait. Comme si elle avait congédié une bonniche.

J'ai rencontré des gens de Cafésympa, de Nævi CoqOTops, de Zizifruits, de Queuezécailles et, pour finir, de NouvoMoi. Les trois premiers ne voulaient pas de moi, mais j'ai eu une offre de

Queuezécailles. Chaque Corps avait envoyé une équipe de recruteurs et Mordis faisait partie de celle de Queuezécailles – il y avait aussi des cadres de SexMart, mais c'était lui l'homme de terrain, et il s'occupait de tout. J'ai exécuté un numéro que j'avais appris en cours et Mordis m'a dit que c'était pile-poil ce qu'il cherchait, quel talent ! et si je venais à Queuezécailles, je ne le regretterais pas, il me l'assurait.

« Vous pouvez devenir qui vous voulez, m'a-t-il dit. Une véritable actrice ! »

J'ai failli signer.

Mais le stand voisin était celui de NouvoMoi et, dans leur équipe, il y avait une femme qui me rappelait beaucoup Toby, du temps des Jardiniers, avec une peau plus sombre, des yeux verts, des cheveux un peu bizarres et une voix plus rauque. Elle m'a entraînée à l'écart et m'a demandé si j'avais des ennuis, et je me suis retrouvée en train de lui expliquer que je devais quitter l'école pour raisons familiales. J'étais prête à tout faire, lui ai-je dit ; je ne demandais qu'à apprendre. Quand elle m'a demandé de préciser ces fameuses raisons familiales, j'ai bredouillé que mon père s'était fait kidnapper et que ma mère n'avait plus d'argent. Je sentais ma voix qui trémulait : ce n'était pas de la comédie.

Elle m'a demandé comment s'appelait ma mère. Je le lui ai dit et elle a hoché la tête : elle était prête à m'embaucher chez NouvoMoi en tant qu'apprentie, je pourrais loger sur place et recevoir une formation. Je m'occuperais de femmes et non d'hommes pris de boisson, sans doute violents de surcroît, comme à Zécailles, mais je n'aurais pas de couverture dentaire ; je ne serais pas obligée de porter une Biopeau et de me laisser peloter par des inconnus. L'ambiance serait propice à la guérison et j'aiderais les gens dans le cadre de mon travail.

Non seulement cette femme ressemblait vraiment à Toby, mais, à en croire son badge, elle s'appelait Tobiatha. Pour moi, c'était comme un signe : je serais en sécurité là-bas, on m'y accueillerait avec joie et on ne m'en chasserait jamais. J'ai donc accepté.

Mordis m'a quand même donné sa carte et m'a dit que, si jamais je changeais d'avis, il m'embaucherait à Zécailles sur-le-champ, sans me poser de questions.

53

Le Balnéo NouvoMoi se trouvait au milieu du Parc du Patrimoine. J'en avais souvent entendu parler, car Adam Premier y était violemment opposé – à l'en croire, on avait tué quantité d'Arbres et autres Créatures pour ériger un pavillon à la gloire de la vanité. Parfois, lors de la Journée de la Pollinisation, il lui consacrait l'intégralité de son sermon. Mais, malgré cela, je me sentais heureuse ici. Il y avait des roses qui brillaient dans le noir, des papillons roses durant la journée et de splendides kudzillons durant la nuit, une piscine, malheureusement interdite aux membres du personnel, des fontaines et même des jardins potagers. Comme l'air était plus pur qu'en pleine ville, on n'était pas obligé de porter un masque filtrant en permanence. C'était comme un rêve apaisant. On m'a affectée à la blanchisserie, à plier les draps et les serviettes, et ça m'a bien plu tant c'était paisible : tout le linge était rose.

Trois jours après mon arrivée, Tobiatha m'a abordée alors que j'apportais un tas de serviettes propres dans une chambre et m'a dit qu'elle voulait me parler. J'ai cru que j'avais fait une bêtise. On est allées sur la pelouse et elle m'a demandé de parler à voix basse. Elle savait que je l'avais reconnue en partie, m'a-t-elle dit, et de son côté elle m'avait bien reconnue. Si elle m'avait embauchée, c'est parce que j'avais été une Jardinière, et à présent que les Jardiniers étaient hors la loi et que le Jardin était détruit, la solidarité était notre premier devoir. Elle voyait bien que j'avais des ennuis, et pas seulement d'argent. Que m'était-il arrivé ?

Je me suis mise à pleurer, car je n'étais pas au courant pour le Jardin. C'était un véritable choc : sans doute que j'espérais toujours retourner là-bas si ça devenait vraiment grave. Elle m'a fait asseoir à côté d'une fontaine – pour que l'eau courante couvre le bruit de nos voix au cas où nous serions branchées sur un micro directionnel, a-t-elle précisé – et je lui ai parlé de SentéGénic, ajoutant que j'étais restée en contact avec les Jardiniers grâce à Amanda, jusqu'à ce qu'on me confisque mon téléphone, mais que j'ignorais tout ce qui s'était passé par la suite. Je ne lui ai pas raconté que j'étais tombée amoureuse de Jimmy et qu'il m'avait brisé le cœur, mais je lui ai parlé de Martha-Graham et de la façon dont Lucerne m'avait coupé les vivres après le kidnapping de mon père.

Puis je lui ai confié que ma vie n'avait aucun sens et que je me sentais morte en dedans, comme une orpheline. Elle a dit que tout ça devait être déstabilisant ; elle avait traversé une période difficile quand elle avait mon âge et il lui était arrivé plus ou moins la même chose avec son père.

Cette nouvelle version de Toby semblait moins dure que la version Ève Six. Elle était plus sympa. Ou alors c'est moi qui avais grandi.

Elle a jeté un regard alentour et baissé la voix d'un ton. Puis elle m'a dit qu'elle avait dû fuir le Jardin de toiture d'Édenfalaise, et subir quelques altérations par-dessus le marché, parce qu'elle était en danger là-bas, si bien que je ne devais dire à personne qui elle était. Elle avait pris un risque en me parlant, elle espérait pouvoir me faire confiance, et je lui ai dit que oui. Puis elle m'a avertie que Lucerne venait parfois au Balnéo et que je devais prendre garde à rester en dehors de son radar.

S'il arrivait quoi que ce soit pendant son absence – une crise, par exemple –, il fallait que je sache une chose : elle avait préparé un Ararat à la façon des Jardiniers, dans la réserve du Balnéo NouvoMoi ; elle m'a communiqué le code d'accès en cas de besoin. Tout en espérant que ce ne serait pas nécessaire.

Je l'ai remerciée de tout cœur puis lui ai demandé si elle savait où était Amanda. J'aurais vraiment aimé la revoir. C'était ma seule amie ou presque. Toby pensait pouvoir la retrouver.

On n'a pas parlé souvent après cela – ça semblerait suspect, disait Toby, même si elle ne savait pas qui aurait pu l'espionner –, mais on échangeait parfois quelques mots. J'avais l'impression qu'elle veillait sur moi – qu'elle me protégeait au moyen d'un champ de forces extraterrestre. Mais c'était pure invention de ma part, bien sûr.

Un jour, alors que j'étais au Balnéo depuis près d'un an, Toby m'a dit qu'elle avait retrouvé Amanda grâce à des amis communs sur l'Internet. J'ai été surprise par ce qu'elle m'a appris, mais pas tellement quand j'y ai réfléchi. Amanda était devenue une bio-artiste : ses œuvres utilisaient des Créatures ou des éléments de Créatures dans le cadre de compositions monumentales. Elle demeurait près de l'entrée ouest du Parc du Patrimoine et, si je souhaitais la voir, Toby pouvait m'obtenir un passe et me faire conduire là-bas par l'un des minibus de NouvoMoi.

Je lui ai sauté au cou et l'ai serrée très fort, mais elle m'a dit de faire attention : pas de familiarités entre la gérante et une blanchisseuse. Puis elle m'a conseillé de ne pas trop m'attacher à Amanda : celle-ci avait tendance à aller trop loin, elle ne connaissait pas les limites de sa force. J'aurais voulu qu'elle m'explique ce qu'elle entendait par là, mais elle s'éloignait déjà.

Quand le grand jour est arrivé, Toby m'a dit qu'Amanda avait été informée de ma venue, mais qu'on devrait attendre que la porte soit refermée pour s'embrasser, hurler de joie et autres manifestations d'amitié. Au cas où quelqu'un arrêterait le minibus pour savoir où il allait, elle m'a donné un panier de produits NouvoMoi à livrer. Le chauffeur avait ordre de m'attendre ; je n'avais droit qu'à une heure, car ça aurait paru suspect qu'une employée de NouvoMoi passe plus de temps dans le Monde exfernal.

Je lui ai proposé de me déguiser et elle a refusé, car les gardes ne manqueraient pas de poser des questions. Donc, j'ai dû passer mon têtaupieds NouvoMoi par-dessus ma blouse et mon pantalon et prendre un panier comme le Petit Chaperon rose.

Comme prévu, le minibus NouvoMoi m'a déposée devant la résidence en ruine où demeurait Amanda. Je n'ai pas oublié les recommandations de Toby. J'ai attendu que la porte se fût refermée derrière moi pour m'écrier, en même temps qu'Amanda qui m'attendait : «Je le crois pas !», et on s'est jetées dans les bras l'une de l'autre. Mais ça n'a pas duré longtemps : Amanda n'avait jamais aimé les embrassades.

Elle avait grandi depuis la dernière fois que je l'avais vue en chair et en os. Sa peau était toute bronzée – chapeau et écran total n'y avaient rien fait – tant elle travaillait au grand air, m'a-t-elle dit. On est allées dans sa cuisine, où un grand nombre de ses projets étaient affichés sur les murs, ainsi que quelques os çà et là ; et on a bu une bière. Je n'aime pas tellement l'alcool, mais il fallait bien marquer le coup.

On a commencé à parler des Jardiniers : Adam Premier, Nuala, Mugi dit Monsieur Muscle, Philo le Fog, Katuro et Rebecca. Et Zeb.

Et Toby, mais je ne lui ai pas dit qu'ellle s'appelait désormais Tobiatha et dirigeait le Balnéo NouvoMoi. Amanda m'a expliqué pourquoi Toby avait dû quitter les Jardiniers. C'était parce que Blanco, du Lagon puant, voulait lui faire la peau. Il avait la réputation de tuer tous ceux qui le contrariaient, les femmes en particulier.

« Mais pourquoi elle ? » ai-je demandé.

D'après Amanda, c'était une vieille histoire du genre sexuel ; ce qui l'étonnait quand même, vu que le sexe et Toby, ça avait toujours fait deux – raison pour laquelle, sans doute, les enfants l'avaient surnommée la Sorcière sèche. Peut-être que Toby était plus mouillée qu'on le pensait, ai-je rectifié, et Amanda a éclaté de rire et m'a dit que je croyais encore aux miracles. Mais, à présent, je savais pourquoi Toby se cachait sous une nouvelle identité.

« Tu te rappelles comme on disait tout le temps *Toc-toc, qui est là ?* Toi, moi et Bernice ? »

La bière commençait à me monter à la tête.

« Gang, a dit Amanda. Green !

— Gangrène ! » j'ai dit.

On a été prises de fou rire et j'ai recraché de la bière par le nez. Puis je lui ai raconté que j'avais revu Bernice, qui était toujours aussi grincheuse. Ça nous a bien fait rire aussi. Mais on n'a pas parlé de feu Burt.

« Tu te rappelles le jour où t'as voulu me faire fumer de l'herbe, avec Shackie et Croze, et on s'est tous entassés dans l'holomaton et j'ai fini par vomir ? »

Et on a ri de plus belle.

Elle m'a dit que deux personnes vivaient avec elle, deux autres artistes ; et que, pour la première fois de sa vie, elle avait un petit copain à demeure. Je lui ai demandé si elle était amoureuse de lui et elle m'a répondu :

« Je suis prête à tout essayer, au moins une fois. »

Je lui ai demandé à quoi il ressemblait et elle m'a dit qu'il était vraiment gentil, mais qu'il lui arrivait de déprimer parce qu'il ne s'était jamais remis de son amour d'adolescence. Comment il s'appelle ? ai-je demandé, et elle m'a dit :

« Jimmy – peut-être que tu l'as croisé à SentéGénic, il devait s'y trouver en même temps que toi. »

Je me suis sentie glacée.

« C'est sa photo, sur le frigo, la deuxième à partir de la droite », a-t-elle ajouté.

Et c'était bien Jimmy, le bras passé autour du cou d'Amanda, avec un sourire de grenouille électrocutée. J'avais l'impression qu'elle venait de me planter un clou dans le cœur. Mais il était inutile de lui pourrir la vie en le lui disant. Elle ne l'avait pas fait exprès.

« Il a l'air vraiment mignon, ai-je dit, mais maintenant faut que j'y aille, mon chauffeur ne va pas tarder. »

Elle m'a demandé ce qui n'allait pas et je lui ai assuré que tout allait bien. Elle m'a donné son numéro de mobile et m'a promis que Jimmy serait là lors de ma prochaine visite et qu'on se goinfrerait de spaghettis.

Ça serait sympa de croire que l'amour est distribué librement pour que chacun en ait sa part. Mais, pour moi, ça n'allait pas se passer comme ça.

Quand je suis retournée au Balnéo NouvoMoi, j'avais la tête vide et le cœur gros. Et c'est juste à ce moment-là, alors que je faisais le tour des chambres avec mon chariot pour y déposer des serviettes propres, que je suis tombée sur Lucerne. C'était le moment pour elle de subir un nouveau lifting : comme d'habitude, Toby m'avait prévenue afin que je veille à l'éviter, mais avec cette histoire d'Amanda et de Jimmy, ça m'était sorti de la tête.

Je lui adressé un sourire neutre, comme on nous avait appris à le faire. Je crois bien qu'elle m'a reconnue, mais elle m'a aussitôt chassée de son esprit. Même si je n'avais aucune envie de lui parler, ni de la voir, ça m'a fait de la peine de découvrir qu'elle aussi ne voulait plus avoir affaire à moi. C'était comme si on venait de m'effacer de l'ardoise du monde : ma mère faisait comme si je n'étais jamais née.

J'ai compris alors que je ne pouvais pas rester chez NouvoMoi. Je devais prendre mon indépendance, me détacher d'Amanda, de Jimmy, de Lucerne et même de Toby. Je voulais devenir quelqu'un d'autre, ne plus rien devoir à personne, et que personne ne me doive rien. Plus d'attaches, plus de passé, plus de questions. J'en avais marre de poser des questions.

J'ai retrouvé la carte de Mordis et laissé une note à Toby, où je la remerciais de tout ce qu'elle avait fait pour moi et lui disais que, pour des raisons personnelles, je ne pouvais plus travailler au Balnéo. Comme j'avais gardé le passe qu'elle m'avait donné pour aller voir Amanda, je suis partie aussitôt. Tout était fichu pour moi, je n'avais plus d'abri sûr où me réfugier ; si je devais aller dans un endroit dangereux, autant en choisir un où je serais appréciée.

En arrivant à Zécailles, j'ai dû insister auprès des videurs, qui ne voulaient pas me croire quand je leur disais que je cherchais du bou-lot. Mais ils ont fini par appeler Mordis, qui a assuré que, bien sûr, il se souvenait de moi – Brenda, la petite danseuse, c'est ça ? Oui, ai-je répondu, mais il pouvait m'appeler Ren – je me sentais déjà à l'aise avec lui. Il m'a demandé si j'étais vraiment décidée à bosser pour lui, et je lui ai dit oui ; comme ils ne voulaient pas me payer une forma-tion à fonds perdus, je devais m'engager par écrit pour un certain temps, et il m'a fait signer un contrat.

Peut-être étais-je trop triste pour ce job, l'ai-je mis en garde : ils ne cherchaient pas des filles au tempérament optimiste ? Mais Mordis m'a souri, les yeux brillants, et m'a dit pour me réconforter :

«Ren. Ren. Tout le monde est trop triste pour faire quoi que ce soit. »

54

J'ai donc fini par bosser à Zécailles, après tout. Dans un certain sens, j'en ai été soulagée. J'aimais bien avoir Mordis comme patron, car lui au moins savait me faire comprendre ce qui lui donnait satisfaction. Je me sentais en sécurité avec lui, peut-être parce qu'il était pour moi ce qui se rapprochait le plus d'un père : Zeb avait disparu dans la nature et mon vrai père, outre qu'il avait disparu tout court, ne s'était jamais intéressé à moi.

Mordis, lui, me disait que j'étais quelqu'un de spécial : la fille de ses rêves, y compris érotiques. Faire un truc pour lequel j'étais douée, c'était vraiment encourageant. Je n'aimais pas tous les aspects du boulot, mais la partie trapéziste me plaisait bien, car personne ne pouvait me toucher quand j'étais là-haut. Je volais comme un papillon. J'imaginais sans cesse Jimmy en train de me regarder, et de se dire que c'était moi qu'il aimait depuis le début, pas Wakulla Price, ni LyndaLee ni toutes ces pétasses, ni même Amanda, et que je dansais uniquement pour lui.

C'était idiot, je le sais.

Après être entrée chez Zécailles, j'ai cessé de voir Amanda autrement que par phone. Elle s'absentait beaucoup pour mener à bien ses projets artistiques ; et puis, je ne tenais pas à la voir pour de vrai. Je me serais sentie mal à l'aise à cause de Jimmy, elle l'aurait capté et m'aurait posé des questions, et j'aurais eu le choix entre mentir ou tout lui dire ; et si je lui avais tout dit, elle se serait mise en colère, ou alors elle aurait cédé à la curiosité ; et peut-être qu'elle aurait été jusqu'à me traiter d'idiote. Amanda était dure parfois.

La jalousie est une émotion des plus destructrices, disait Adam

Premier. Elle fait partie de l'héritage que nous a légué l'Australopithèque. Elle nous dévore le cœur et nous engourdit l'Esprit, mais elle nous conduit aussi à la haine et nous pousse à blesser autrui. Et Amanda était la dernière personne que je souhaitais blesser.

Je m'efforçais de visualiser ma jalousie sous la forme d'un nuage jaune sale bouillonnant en moi, puis coulant de mes narines comme de la fumée pour se changer en pierre et tomber par terre. Ça m'aidait parfois. Mais ensuite, que je l'eusse voulu ou non, une plante aux baies empoisonnées finissait toujours par pousser à partir de cette pierre.

Puis Amanda a cassé avec Jimmy. Elle me l'a fait savoir de façon indirecte. Elle m'avait déjà parlé de sa série d'installations de *land art* baptisée La Parole vivante – elle écrivait des mots en lettres gigantesques, puis les faisait apparaître et disparaître en utilisant des bioformes, comme quand on était gamines, lorsqu'elle s'amusait avec des fourmis et du sirop.

« J'en suis aux mots de cinq lettres, m'a-t-elle annoncé un jour.

— Tu veux dire, les gros mots comme *merde* ? »

Et elle a éclaté de rire et dit :

« Encore pire.

— Ça va virer à l'obscène, alors.

— Non, a-t-elle répondu. J'ai choisi *amour*.

— Oh ! ça n'a pas marché avec Jimmy, je présume.

— Jimmy est incapable d'être sérieux », a-t-elle rétorqué.

J'ai compris qu'il l'avait trompée, ou quelque chose dans le genre.

« Je suis désolée, ai-je dit. Tu es vraiment fâchée contre lui ? »

Je me suis efforcée de cacher ma joie. Maintenant, je peux lui pardonner, ai-je songé. Mais, en vérité, il n'y avait rien à lui pardonner, car jamais elle n'avait eu l'intention de me blesser.

« Fâchée ? On ne peut pas se fâcher contre Jimmy. »

Je me suis demandé ce qu'elle entendait par là, car, moi, j'étais bel et bien fâchée contre lui. Mais toujours amoureuse.

C'est peut-être ça, l'amour, me suis-je dit : être fâché.

Au bout d'un temps, Glenn s'est mis à fréquenter Zécailles – pas tous les soirs, mais assez souvent pour avoir droit à une remise. Je ne l'avais pas revu depuis SentéGénic – il était parti avec les autres crânes d'œuf faire de la science au Centre Watson-Crick – et, à présent, c'était un cadre sup' de Rejouven. Il n'avait pas peur de frimer, sauf qu'avec lui on avait l'impression qu'il énonçait un fait, genre

«Il va pleuvoir». En l'écoutant discuter avec les gros pontes et les financiers, j'ai compris qu'il était responsable d'un projet baptisé ParadéN. Pour le mettre en œuvre, on avait construit un dôme spécial, avec sa propre atmosphère et un dispositif de haute sécurité. Il avait rassemblé une équipe de crânes d'œuf comme lui et ils bossaient vingt-quatre heures sur vingt-quatre.

Glenn se montrait très vague sur la nature de son projet. Il prononçait souvent le mot *Immortalité* – un sujet auquel Rejouven s'intéressait depuis des dizaines d'années, l'idée étant d'altérer les cellules pour qu'elles ne meurent jamais. «Les gens étaient prêts à payer un max pour ça», affirmait-il. Tous les deux ou trois mois, il annonçait une nouvelle percée, et plus il faisait de percées, plus il récoltait du fric pour financer le Projet ParadéN.

Parfois, il déclarait travailler à la résolution du plus grand des problèmes, à savoir les êtres humains : leur cruauté et leur souffrance, leurs guerres et leur misère, leur peur de la mort.

«Combien me donneriez-vous pour concevoir un être humain parfait ?» demandait-il.

Et il insinuait que c'était précisément le but du Projet ParadéN, et l'on ouvrait les robinets à finances.

Pour conclure ces réunions, il louait la salle au plafond de plumes et commandait de l'alcool, des drogues et des Zécâlines – pas pour lui, mais pour les types qu'il amenait avec lui. Parfois il recevait même des gradés du CorpSeCorps. Des types vraiment sinistres. On ne m'a jamais demandé de travailler les Painballers, mais j'ai dû me farcir ces clients-là, et c'étaient ceux que j'aimais le moins. On aurait dit qu'ils avaient des rouages derrière les yeux.

De temps à autre, Glenn louait deux ou trois Zécâlines pour ces soirées, pas pour le sexe mais pour des trucs très étranges. Une fois, il nous a demandé de ronronner pour mesurer nos cordes vocales. Une autre fois, il voulait qu'on chante comme des oiseaux afin de nous enregistrer. Starlite s'est plainte à Mordis, affirmant qu'on n'était pas payées pour ça, mais Mordis lui a dit :

«D'accord, c'est un dingue. Tu en as déjà croisé ici. Mais c'est un dingue plein aux as et il est inoffensif, alors ménage-le.»

Je faisais partie du trio la nuit où il nous a soumises à un quizz. Qu'est-ce qui nous rendrait heureuses ? voulait-il savoir. Le bonheur était-il une affaire d'excitation ou de satisfaction ? Était-il intérieur ou extérieur ? Avec des arbres ou sans arbres ? Avec un cours d'eau à proximité ? Devenait-il lassant à la longue ? Starlite et Pétale-Écarlate ont cherché à savoir ce qu'il voulait entendre afin de lui servir des mensonges satisfaisants.

« Non », leur ai-je dit. Je connaissais bien Glenn. « C'est un *geek*. Il veut que nous soyons franches avec lui. »

Ça les a pas mal déconcertées.

Mais il ne nous a jamais interrogées sur la tristesse. Peut-être pensait-il en savoir suffisamment sur le sujet.

Puis il a amené une femme avec lui – le genre Fusiatique, avec un accent étranger. Elle affirmait vouloir se familiariser avec Zécailles, car Rejouven nous avait choisies comme principal terrain d'expérience pour un nouveau produit : la pilule JouissePluss, conçue pour résoudre tous les problèmes liés au sexe. Nous aurions le privilège de la présenter à nos clients. Cette femme était un cadre sup' de Rejouven – vice-présidente en charge de la stimulation –, mais son boulot consistait surtout à réchauffer le lit de Glenn.

Je voyais bien qu'elle avait été des nôtres : une fille à louer, pour un service ou un autre. Quand on savait distinguer les signes, c'était évident. Elle jouait la comédie en permanence, sans jamais rien révéler sur elle. J'avais l'habitude de les regarder sur écran : j'étais curieuse de voir si Glenn, que je croyais frigide, était capable d'assurer, mais il pouvait faire l'amour comme n'importe qui. Cette fille ondulait comme une pieuvre et connaissait des trucs stupéfiants. Glenn la traitait comme si elle était la première, la dernière et la seule fille sur la planète. Mordis les regardait, lui aussi, et il disait que Zécailles était prêt à offrir un pont d'or à cette nana. Mais je lui ai affirmé que jamais il ne pourrait se la payer : elle n'était pas dans ses prix.

Tous deux s'appelaient par des petits noms. Elle l'appelait Crake, il l'appelait Oryx. Les autres filles trouvaient ça bizarre – les voir jouer les tourtereaux –, tant ça semblait déplacé chez Glenn. Mais je trouvais ça mignon.

« C'est du russe ou quoi ? m'a demandé Pétale-Écarlate. Oryx et Crake ?

— Sans doute », ai-je répondu.

C'étaient deux espèces disparues – tout bon Jardinier devait en mémoriser un millier –, mais, si je lui avais dit ça, elle et les autres se seraient posé des questions sur moi.

La première fois que Glenn est venu à Zécailles, je l'ai reconnu tout de suite, mais lui ne m'a pas reconnue, vu que je portais une Biopeau et des paillettes vertes plein la figure, et je ne lui ai rien dit.

Mordis nous avait ordonné de ne pas tisser des liens avec les clients, car s'ils voulaient une relation, ils pouvaient en trouver ailleurs. Les clients de Zécailles se foutaient de l'histoire de notre vie, assénait-il, ils ne désiraient que de l'épiderme et du fantasme. Ils voulaient qu'on les emporte au Pays des Merveilles pour y découvrir des péchés qui leur étaient interdits chez eux. Des dragonnes s'enroulant autour d'eux, des femmes serpents rampant sur eux. Donc, notre merde personnelle, on la gardait pour les gens qui se souciaient de nous, c'est-à-dire les autres Zécâlines.

Un jour, Glenn a organisé une soirée avec traitement extraspécial – pour un invité qui ne l'était pas moins, a-t-il précisé. Il a réservé la salle à plumes avec la courtepointe verte, et commandé les martinis les plus raides de Queuezécailles – les «kicktails», comme on les appelait –, ainsi que deux Zécâlines, Pétale-Écarlate et moi. C'est Mordis qui nous a choisies, en fait, parce que, à en croire Glenn, son invité préférait les filles ultraminces.

«Est-ce qu'il nous veut en écolières? ai-je demandé (c'est parfois ce que signifie ultramince). Est-ce que je dois prendre ma corde à sauter?»

Il faudrait que j'aille me changer en vitesse, vu que je portais ma tenue la plus flashy.

«Ce type est tellement bourré qu'il ne sait même plus ce qu'il veut, a répondu Mordis. Contente-toi de faire le maximum, bébé lapin. L'important, c'est qu'il crache son pourboire. Fais-lui sortir plein de zéros de ses oreilles.»

Quand on est arrivées dans la salle, l'invité était effondré sur la courtepointe de satin vert comme si on l'avait jeté d'un avion, mais, à en juger par son large sourire, il était aux anges.

C'était Jimmy. Ce cher connard de Jimmy. Jimmy, qui m'avait gâché la vie.

Mon cœur a fait un bond. Oh! merde, ai-je songé. Je ne pourrai jamais. Je vais perdre les pédales et me mettre à pleurer. Il ne pouvait pas me reconnaître, je le savais : j'étais couverte de paillettes et il était raide défoncé. J'ai donc entamé la manœuvre d'approche habituelle et me suis attaquée à ses boutons et Velcro. À dépiauter la crevette, comme on disait entre nous.

«Quels beaux abdos, ai-je chuchoté. Chéri, allonge-toi.»

Aimais-je ce que je faisais ou bien le détestais-je? Pourquoi fallait-il choisir entre l'un et l'autre? Comme disait Vilya en parlant de ses nibards : *Prends-en deux, ça ne coûte rien.*

Mais voilà qu'il cherchait à m'ôter les écailles du visage, et j'ai dû lui saisir les mains pour les mettre ailleurs.

«Es-tu un poisson?» demandait-il.

Il n'en était même pas sûr.

Oh! Jimmy, ai-je songé. Que reste-t-il de toi?

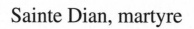

Sainte Dian, martyre

Sainte Dian, martyre

An 24

De la persécution.
Prononcé par Adam Premier

Chers Amis, chers Fidèles Compagnons :
Désormais, notre Jardin de toiture d'Édenfalaise ne fleurit plus que dans notre mémoire. Sur ce plan terrestre, ce n'est plus qu'un lieu de désolation – un désert par temps sec, un marécage par temps de pluie. Notre situation a considérablement empiré depuis cette ère de bonheur et de verdure ! Notre communauté est réduite à sa plus simple expression. Nous sommes chassés d'un refuge à l'autre, nous sommes traqués et persécutés. Certains de nos Amis ont renié notre credo, d'autres ont délivré contre nous de faux témoignages. D'autres encore ont opté pour la violence et l'extrémisme, ce qui leur a valu d'être aérodésintégrés lors de raids meurtriers. Ayons une pensée pour Bernice, qui fut l'une de nos Enfants. Enveloppons-la de Lumière.

D'aucuns ont été mutilés et abandonnés dans un terrain vague pour semer la panique dans nos rangs. D'autres ont disparu, arrachés à leur refuge pour finir dans les geôles des Puissances exfernales, sans avoir droit à un jugement et sans même connaître le nom de leurs accusateurs. Peut-être a-t-on déjà détruit leur esprit par la drogue et la torture, peut-être a-t-on déjà transformé leur corps en orduruile. Des Lois iniques nous empêchent de savoir où sont retenus ces Frères et ces Sœurs Jardiniers. Il nous reste à espérer qu'ils mourront sans que leur Foi vacille.

Aujourd'hui est la fête de sainte Dian, consacrée à l'empathie interespèces. En ce jour, nous évoquons aussi saint Jérôme des Lions, saint Robert Burns des Souris et saint Christopher Smart des Chats ; et aussi saint Farley Mowat des Loups et les Ikhwan al-Safa et leur *Traité sur les animaux*. Mais nous célébrons tout particulièrement sainte Dian Fossey, qui a donné sa vie pour défendre les Gorilles face à une exploitation sans scrupules. Elle œuvrait pour un Royaume de la Paix où toute Vie serait respectée ; mais des forces maléfiques ont ourdi un complot visant à la détruire, ainsi que ses doux compagnons Primates. Son meurtre fut une atrocité, tout autant que les rumeurs que l'on répandit sur elle, de son vivant et après sa mort. Car les Puissances exfernales usent de la parole autant que des actes.

Sainte Dian incarne un idéal qui nous est cher : l'amour de toutes les autres Créatures. Elle croyait que celles-ci méritaient de notre part la même tendresse que nous ressentons pour nos parents et amis les plus chers, et c'est pour cela qu'elle est devenue pour nous un modèle. Elle repose parmi ses Amis Gorilles, sur la montagne qu'elle a tenté de protéger.

Comme nombre de martyrs, sainte Dian n'a pas vécu assez longtemps pour voir les fruits de son labeur. Au moins aura-t-elle ignoré que l'Espèce pour laquelle elle a donné sa vie a hélas fini par s'éteindre. À l'instar de bien d'autres, elle a été effacée de la surface de la Planète de Dieu.

Qu'est-ce qui fait que notre Espèce est si vulnérable à la pulsion de violence ? Pourquoi sommes-nous si prompts à faire couler le sang ? Chaque fois que la tentation nous prend d'exagérer notre importance, de nous considérer comme supérieurs aux autres animaux, nous devrions réfléchir à notre histoire si brutale.

En guise de réconfort, sachons que cette histoire sera bientôt balayée par le Déluge des Airs. Il ne restera plus rien du Monde exfernal hormis des débris de bois pourri et de métal rouillé ; et le Kudzu et autres végétaux ne tarderont pas à les ensevelir ; et les Oiseaux et autres Animaux nicheront parmi eux, comme nous l'enseigne la Parole humaine de Dieu : « Tout est abandonné aux Rapaces des montagnes et aux Bêtes du pays ; les Rapaces s'y vautreront pendant l'été, toutes les Bêtes du pays pendant l'automne[1]. »

---

1. Isaïe 18.6. *(N.d.T.)*

Car les œuvres de l'Homme seront pareilles à des mots écrits sur l'eau.

Tandis que nous nous tapissons dans cette cave obscure, parlant à voix basse derrière des fenêtres noircies, craignant d'avoir été infiltrés, d'être espionnés par des micros ou par des insectes cyborgs, ou encore de subir incessamment un assaut du sinistre CorpSeCorps, nous devons plus que jamais nous montrer résolus. Prions pour que l'Esprit de sainte Dian nous inspire et nous aide à être fermes face à nos épreuves présentes et à venir. N'ayez crainte, nous dit cet Esprit, même si le pire vient à se produire : car nous sommes à l'abri des ailes d'un Esprit plus grand encore.

Une heure avant l'aube, nous devrons évacuer cette cachette, seuls ou par groupes de deux ou trois. Soyez silencieux, mes Frères ; soyez invisibles ; fondez-vous dans votre ombre. Et nous vaincrons, par la Grâce de Dieu.

Nous ne pouvons chanter, au risque d'être entendus, mais :

Chuchotons.

Aujourd'hui louons sainte Dian

Aujourd'hui louons sainte Dian,
Dont le sang fut versé au nom de la Vie –
Elle eut beau opposer le rempart de sa Foi,
Une nouvelle Espèce fut tuée.

Par les collines embrumées,
Elle a pisté les bandes de Gorilles
Jusqu'à ce qu'ils comprennent son Amour
Et la prennent par la main.

Les géants timides, grands et forts,
Elle les serrait dans ses bras vaillants ;
Elle les veillait avec attention
De peur que mal ne leur advienne.

Elle était leur Amie et leur parente,
Autour d'elle ils jouaient et festoyaient –
Mais de cruels Assassins sont venus dans la nuit
Et l'ont massacrée sur place.

Trop de violence dans les mains et dans les cœurs !
Dian, trop peu de gens comme toi –
Car lorsqu'une Espèce sur Terre se meurt,
C'est nous qui mourons un peu.

Parmi les vertes collines embrumées
Où jadis vivaient les timides Gorilles,
Ton doux Esprit erre encore ce jour
Et veille pour l'éternité.

Extrait du *Livre de cantiques des Jardiniers de Dieu*

55

Ren

An 25

C'est par ton attitude que tu crées ton propre monde, disaient les Jardiniers. Et je ne voulais pas créer le monde du dehors : un monde de morts et de mourants. Alors je chantais des cantiques de Jardiniers, les plus gais de préférence. Ou alors je dansais. Ou alors j'écoutais de la musique avec mon Zikbonbon, même si je ne pouvais pas m'empêcher de penser qu'il n'y en aurait bientôt plus de nouvelle.

Dites les Noms, commençait Adam Premier. Et nous récitions des listes de Créatures : Diplodocus, Ptérosaure, Pieuvre et Brontosaure ; Trilobite, Nautile, Ichtyosaure, Ornithorynque, Mastodonte, Dodo, Grand Pingouin, Dragon de Komodo. Je voyais tous ces noms comme s'ils étaient écrits sur une feuille de papier. Les réciter, affirmait Adam Premier, c'était une façon de maintenir ces animaux en vie. Alors je les récitais.

Je récitais aussi d'autres noms. Adam Premier, Nuala, Zeb. Shackie, Croze et Oates. Et Glenn – qu'un gars aussi intelligent ait pu mourir, je n'arrivais pas à le croire.

Et Jimmy, en dépit de ce qu'il avait fait.

Et Amanda.

Je récitais ces noms sans me lasser, afin de les maintenir en vie.

Puis je pensais à ce qu'avait chuchoté Mordis avant la fin. *Ton nom*, avait-il dit. Ça devait être important.

Je faisais l'inventaire de mes provisions. Quatre semaines, trois, deux. Je marquais le temps avec mon crayon de maquillage. Si je mangeais moins, mon stock durerait plus longtemps. Mais si Amanda n'arrivait pas bientôt, je mourrais. Je ne parvenais pas à l'imaginer.

D'après Glenn, si on ne réussit pas à imaginer sa propre mort, c'est parce que dès qu'on a dit : « Je suis mort », on a prononcé le mot *Je*, ce qui veut dire qu'on est encore vivant. C'est ainsi que les gens ont conçu l'immortalité de l'âme – simple question de grammaire. Idem pour Dieu, car dès qu'il existe un passé, il existe un passé antérieur, et ainsi de suite, et on continue de remonter le temps jusqu'à arriver à *Je ne sais pas*, et Dieu, c'est ça. C'est ce qu'on ne sait pas : les ténèbres, l'occulte, l'au-delà du visible, et tout ça parce qu'on a une grammaire et que la grammaire n'existerait pas sans le gène FoxP2 ; donc, Dieu est une mutation du cerveau et ce gène est celui-là même qui permet à l'oiseau de chanter. La musique est innée, disait Glenn : elle fait partie de nos fibres. Il serait extrêmement difficile de nous en amputer, car c'est l'un de nos éléments essentiels, au même titre que l'eau.

Dans ce cas, lui disais-je, est-ce que Dieu fait partie de nos fibres, Lui aussi ? Peut-être, répondait-il, mais ça ne nous avançait pas à grand-chose.

Sa définition de Dieu était fort différente de celle des Jardiniers. À l'en croire, « Dieu est un Esprit », ça ne voulait rien dire, car on ne pouvait pas mesurer un Esprit. Plutôt que de dire *Sers-toi de ton cerveau*, il disait *Sers-toi de ton ordinateur de viande*. Cette idée me paraissait répugnante : je n'appréciais pas de savoir que ma tête était pleine de viande.

J'avais tout le temps l'impression que des gens se baladaient dans l'immeuble, mais chaque fois que je jetais un coup d'œil sur l'écran, je ne voyais personne dans les salles. Au moins la batterie solaire continuait-elle de fonctionner.

J'ai évalué mes provisions. Plus que cinq jours, à condition de me rationner.

56

Amanda m'est tout d'abord apparue comme une ombre sur un écran. Elle est entrée dans la Fosse aux serpents avec un luxe de précautions, en rasant les murs : elle n'avançait pas à l'aveuglette, car les lumières étaient toujours allumées. La musique continuait de gueuler et, une fois qu'elle eut parcouru la salle du regard pour s'assurer qu'elle était seule, elle s'est penchée derrière la scène pour couper le son.

« Ren ? » a-t-elle dit.

Puis elle est sortie de l'écran. Au bout d'un moment, le micro de la caméra du couloir a capté le bruit de ses pas, et puis je l'ai vue de nouveau. Et elle pouvait me voir. Je pleurais tellement que je me suis retrouvée incapable de dire un mot.

« Salut, a-t-elle fait. Il y a un cadavre devant la porte. C'est dégueulasse. Je reviens tout de suite. »

Elle parlait sûrement de Mordis – on n'avait même pas pris la peine de l'évacuer. Par la suite, elle m'a dit qu'elle l'avait emballé dans un rideau de douche, traîné au bout du couloir et fourré dans un ascenseur – enfin, ce qu'il restait de lui. Les rats étaient à la fête, a-t-elle ajouté, à Zécailles mais aussi dans toutes les zones urbaines et périurbaines. Elle avait enfilé des gants avant de le toucher – Amanda était courageuse, mais elle n'était pas stupide.

Quelques instants plus tard, elle est revenue sur mon écran.

« Bon, a-t-elle fait. Je suis là. Arrête de chialer, Ren.

— Je croyais que tu n'arriverais jamais, ai-je bafouillé.

— C'est aussi ce que je croyais. Bien. Comment ouvre-t-on cette porte ?

— Je ne sais pas. »

Je lui ai expliqué pour Mordis – il était le seul à connaître le code d'accès à la Zone Poisse.

« Il ne te l'a jamais donné ?

— Pourquoi aurions-nous eu besoin de le connaître ? Il le changeait tous les jours – il ne voulait pas qu'un cinglé le découvre et tente de s'introduire ici. Il tenait avant tout à nous protéger. »

Je m'efforçais de ne pas paniquer : Amanda était là, devant ma porte, mais si elle ne pouvait rien faire pour moi ?

« Un indice ? a-t-elle demandé.

— Il a parlé de mon nom. Juste avant de... juste avant qu'ils... C'est peut-être ça, la solution. »

Amanda a essayé.

« Non, a-t-elle fait. Bien. Et ta date de naissance ? Jour, mois, année ? »

Je l'entendais presser les touches et jurer à mi-voix. Puis, après une éternité, j'ai entendu le verrou se débloquer. La porte s'est ouverte et Amanda était là, devant moi.

« Oh ! Amanda. »

Elle était basanée, sale et vêtue de haillons, cependant elle était réelle. Je lui ai ouvert les bras, mais elle a reculé et fait un pas de côté.

« C'était un code tout simple – *A* égale un. Et c'était bien ton nom, Brenda – mais écrit à l'envers. Ne me touche pas, j'ai peut-être des microbes. Il faut que je prenne une douche. »

Pendant qu'Amanda profitait de ma salle de bains, j'ai calé la porte avec une chaise car je ne tenais pas à ce qu'elle se referme et nous emprisonne toutes les deux. L'air empestait au-dehors, comparé à l'atmosphère stérilisée que j'avais connue : ça sentait la viande avariée et aussi les produits chimiques brûlés, car il y avait eu des incendies et personne ne s'était soucié de les éteindre. Heureusement pour moi que Zécailles n'avait pas pris feu, car j'aurais péri carbonisée à l'intérieur.

Une fois qu'Amanda eut pris une douche, j'en ai fait autant afin d'être aussi propre qu'elle. Puis on a enfilé les peignoirs verts aux armes de Zécailles que Mordis réservait à ses favorites et on a pillé le minifrigo pour manger des Voltbars et des Nævi CoqOTops réchauffés au micro-ondes. On a bu des bières qu'on avait trouvées au rez-de-chaussée et, chacune à son tour, on s'est raconté notre histoire.

57

Toby. Sainte Karen Silkwood

An 25

Toby se réveille en sursaut, le sang battant à ses tempes : *katouch, katouch, katouch*. Elle comprend tout de suite que quelque chose a changé dans son espace. Un autre partage son oxygène.

Respire, s'ordonne-t-elle. Fais comme si tu nageais. N'émets pas l'odeur de la peur.

Elle soulève lentement le drap rose qui colle à son corps poisseux, s'assied, jette un regard autour d'elle. Rien à signaler, du moins à proximité : il n'y a pas assez de place. Puis elle voit l'intrus. Ce n'est qu'une abeille. Une abeille sur le rebord de la fenêtre.

Une abeille dans la maison annonce la visite d'un inconnu, disait Pilar ; et si on tue l'abeille, cette visite se passera mal. Cette abeille ne doit pas mourir, se dit Toby. Elle l'enveloppe avec soin dans un torchon rose.

« Sois ma messagère, lui murmure-t-elle. Dis aux habitants du monde de l'Esprit : "Envoyez-moi de l'aide, vite." »

C'est de la superstition, elle le sait, mais elle se sent encouragée à agir de la sorte. Même si cette abeille est une représentante de l'espèce transgénique lâchée dans la nature après qu'un virus eut tué l'espèce naturelle ; ou encore une espionne cyborg errante qui ne serait contrôlée par personne. Auquel cas ce serait une bien piètre messagère.

Elle glisse le torchon rose dans la poche de son têtaupieds : elle va emporter l'abeille sur le toit pour l'y relâcher, et la regarder ensuite voler vers les morts pour leur porter son message. Mais sans doute l'a-t-elle écrasée en calant sur son épaule la lanière de son fusil, car, lorsqu'elle déplie le torchon, l'abeille semble plus morte que vivante. Elle secoue le torchon par-dessus le parapet, espérant que l'insecte va s'envoler. Mais sa trajectoire rappelle davantage celle de la graine que de l'abeille : la visite s'annonce mal.

Elle traverse le toit pour scruter le jardin. Évidemment, les visiteurs sont déjà là : ces satanés cochons sont revenus. Ils ont creusé un trou sous la clôture et ravagé ses plantations. De toute évidence, ils cherchaient moins à se nourrir qu'à se venger. La terre est retournée de partout : ce qu'ils n'ont pas dévoré, ils l'ont démoli.

Si elle était du genre à pleurnicher, c'est ce qu'elle ferait. Elle empoigne ses jumelles, fouille le pré du regard. Elle ne les repère pas tout de suite, mais voilà qu'elle aperçoit deux têtes gris-rose – non, trois –, non, cinq – au-dessus des hautes herbes. Et autant de petits yeux noirs : les cochons se tiennent de profil. Ils la guettaient : comme s'ils avaient voulu assister à sa déconfiture. En outre, ils sont hors de portée : leur tirer dessus ne servirait qu'à gaspiller des munitions. Si ça se trouve, ils ont prévu le coup. De leur part, ça ne l'étonnerait pas.

« Saloperies de cochons ! hurle-t-elle dans leur direction. Gros lards ! Têtes de lard ! »

Naturellement, ces insultes n'en sont pas pour eux.

Et maintenant ? Ses réserves de légumes secs sont ridicules, ses baies de goji et ses graines de chia quasi épuisées, ses protéines végétales tout à fait. Elle comptait sur le jardin pour se nourrir. Pis encore, elle est à court de lipides : elle a déjà achevé les restes de beurre de karité et d'avocat. Il y a des lipides dans les Voltbars – il lui en reste quelques-unes –, mais pas assez pour ses besoins. Privé de lipides, l'organisme dévore ses propres graisses mais aussi son tissu musculaire, et le cerveau, c'est de la graisse, et le cœur, c'est du muscle. On devient une boucle de rétroaction et ensuite on s'effondre.

Elle va devoir fourrager. Aller dans le pré, dans la forêt : trouver des protéines et des lipides. Le porc doit être putréfié, elle ne pourra pas le manger. Et si elle tirait un lapin vert ? Non, c'est un frère mammifère et elle n'a pas le cœur à ce genre de massacre. Pour commencer, manger des larves, des œufs et des insectes.

C'est peut-être cela qu'attendent les cochons : qu'elle sorte de son périmètre défensif, qu'elle s'expose, afin de lui sauter dessus, de la

terrasser puis de la dévorer vive. Un petit pique-nique à la mode por-
cine. Un barbecru. Elle n'a pas de mal à s'imaginer la scène. Les
Jardiniers ne rechignaient pas à décrire les habitudes alimentaires des
Créatures de Dieu : il aurait été hypocrite de détourner les yeux.
Comme le disait Zeb : nul ne sort du ventre de sa mère armé d'un
couteau, d'une fourchette et d'une poêle à frire. Ni d'une serviette de
table. Et si nous mangeons le cochon, pourquoi le cochon ne nous
mangerait-il pas ? À condition qu'il nous trouve.

Inutile de réparer le jardin. Les cochons attendraient qu'il y
repousse quelque chose puis s'empresseraient de le détruire. Et si
elle s'aménageait un jardin de toiture, comme les Jardiniers de
naguère ? Elle n'aurait plus besoin de sortir du bâtiment. Mais il lui
faudrait monter du terreau sur le toit, par seaux entiers. Puis arroser
pendant la saison sèche et évacuer le trop-plein après la pluie : sans
les systèmes complexes mis au point par les Jardiniers, ce serait
impossible.

Revoilà les cochons, qui l'épient derrière les pâquerettes. Ils ont
l'air bien réjoui. Sont-ils en train de se moquer d'elle ? Elle les
entend grogner, et aussi couiner, un bruit qui lui rappelle les cris des
adolescents lorsque les bars topless du Lagon puant se préparaient à
fermer leurs portes.

« Enfoirés ! » hurle-t-elle dans leur direction.

Ça lui fait du bien de crier. Au moins a-t-elle cessé de parler toute
seule.

58

Ren

An 25

Le pire, disait Amanda, c'était les orages – deux fois elle a cru mourir, tant la foudre était tombée près. Puis elle avait piqué un matelas en mousse dans un magasin de bricolage et, une fois dessus, elle s'était sentie en sécurité.

Elle évitait le plus possible de s'approcher des gens. Elle avait abandonné son autosolaire à proximité de New York car l'autoroute était encombrée d'épaves. Les collisions avaient dû être spectaculaires : les conducteurs se dissolvaient sans même avoir le temps de quitter le volant.

« Transformés en crème au sang », commenta-t-elle.

Un million de vautours planaient au-dessus de la scène. Certains auraient paniqué en les voyant, mais pas Amanda : elle avait travaillé avec des charognards dans le cadre de son activité artistique.

« Cette autoroute, c'était la plus grande Sculpture Charognarde qu'on puisse concevoir. »

Dommage qu'elle n'ait pas eu d'appareil photo.

Après avoir abandonné son auto, elle avait marché quelque temps puis réquisitionné une motosolaire – plus facile de se faufiler parmi les tas de métal. Dans le doute, elle ne quittait pas les zones péri-urbaines, voire les forêts. À deux ou trois reprises, elle s'était fait un peu peur, car d'autres fugitifs avaient eu la même idée – elle avait failli buter contre des cadavres. Heureusement, elle n'en avait pas touché un seul.

Elle avait vu quelques survivants. Deux ou trois d'entre eux l'avaient également aperçue, mais, à ce moment-là, tout le monde savait que cette saleté était contagieuse, donc ils étaient restés à l'écart. Certains, au bout du rouleau, erraient comme des zombies ; ou alors ils s'étaient déjà effondrés, pitoyables petits tas de tissu.

Elle dormait sur un toit de garage chaque fois que c'était possible, ou alors elle se rabattait sur les immeubles abandonnés, en évitant le rez-de-chaussée. Dans le pire des cas, elle optait pour un arbre aux branches solides. C'était inconfortable, mais on s'y habituait, et mieux valait prendre de la hauteur pour se protéger des animaux. Entre autres bizarreries, elle avait vu des cochons gigantesques, des hybrides de lion et d'agneau, des meutes de chiens retournés à l'état sauvage – l'une d'elles avait failli la coincer. Bref, une fois dans un arbre, on n'avait rien à craindre des zombies : ces caillots ambulants ne risquaient pas de vous tomber dessus dans le noir.

Son récit était vraiment gerbant, mais on a bien rigolé ce soir-là. Peut-être qu'on aurait dû pleurer sur le sort de toutes les victimes, mais j'avais déjà donné et, à la réflexion, qu'est-ce que ça pouvait faire ? Il faut toujours voir le bon côté des choses, disait Adam Premier, et le bon côté des choses, c'est qu'on était vivantes.

On n'a pas parlé des gens qu'on connaissait.

Je ne voulais pas dormir dans ma chambre de la Zone Poisse, j'en avais vraiment soupé, et on ne pouvait pas dormir dans mon ancienne piaule, vu que la carcasse de Starlite s'y trouvait toujours. On s'est donc installées dans une chambre pour client, celle avec le lit géant, la courtepointe en satin vert et le plafond à plumes. Si l'on ne pensait pas trop à ce qui s'y était passé dans le temps, elle était sacrément élégante.

La dernière fois que j'avais vu Jimmy, c'était dans cette chambre. Mais la présence d'Amanda effaçait ce souvenir. Grâce à elle, je me sentais en sécurité.

On a fait la grasse matinée. Puis on s'est levées, on a enfilé nos peignoirs verts et on est allées à la cuisine où, jadis, on préparait les snacks pour les clients. On a récupéré du sojapain dans le congélo pour le faire réchauffer au micro-ondes et, avec un peu de Cafésympa, ça nous a fait un petit déjeuner.

« Tu ne t'es pas dit que je devais être morte ? ai-je demandé à Amanda. Et que tu n'avais pas besoin de venir jusqu'ici ?

— Je savais que tu étais en vie. Quand quelqu'un meurt, on le sent dans ses tripes. Quelqu'un qu'on connaît bien, je veux dire. Tu n'es pas d'accord ? »

Je ne savais quoi répondre. Alors j'ai dit :

« En tout cas, merci. »

Quand on remerciait Amanda, elle faisait semblant de rien, ou alors elle disait : « À charge de revanche. » Et c'est ce qu'elle m'a dit. À ses yeux, tout n'était qu'échange, parce que seuls les faibles donnaient sans rien attendre en retour.

« Qu'est-ce qu'on fait maintenant ? ai-je demandé.

— On reste ici. Jusqu'à ce qu'il n'y ait plus rien à bouffer. Ou que le moteur solaire flanche et le congélo avec. Là, ça serait grave.

— Et ensuite ?

— Ensuite, on ira ailleurs.

— Où ça ?

— Inutile de s'en inquiéter pour le moment. »

Le temps passait. On dormait tout notre soûl, puis on se levait pour prendre une douche – la batterie solaire nous offrait toujours l'eau courante – et ensuite on mangeait. Puis on évoquait nos souvenirs du temps des Jardiniers – de l'histoire ancienne. Quand il faisait trop chaud, on retournait dormir. Ensuite, on allait dans la Zone Poisse, on lançait la climatisation et on regardait des vieux films sur DVD. On n'avait pas envie de sortir du bâtiment.

Le soir venu, on buvait un ou deux verres – le bar recelait encore quelques bouteilles intactes – et on pillait les conserves de luxe que Mordis avait planquées pour les clients les plus friqués et aussi pour ses filles préférées. La rançon de la loyauté, il appelait ça ; il les sortait quand on avait fait un extra, mais on ne savait jamais à l'avance qu'on y aurait droit. C'est comme ça que j'ai mangé du caviar pour la première fois. On aurait dit des bulles de sel.

Mais quand on a cherché, Amanda et moi, il ne restait plus de caviar à Zécailles.

59

Toby. Saint Anil Agarwal

An 25

Et voilà la famine, se dit Toby. Saint Euell, prie pour moi et pour ceux qui crèvent de faim au sein de l'abondance. Aide-moi à trouver cette abondance. Envoie-moi des protéines animales, et vite.

Dans le pré, le porc mort entre dans l'au-delà. Il en monte des gaz, il en suinte des fluides. Les vautours se sont acharnés sur lui ; les corbeaux rôdent alentour, comme des gamins observant un combat de rue, en grappillant les miettes. Quoi qu'il arrive, les asticots auront leur part.

En dernière extrémité, disait Adam Premier, cherchez le bout de la chaîne alimentaire. Une Créature dépourvue de système nerveux central ne souffre presque pas.

Toby rassemble les articles nécessaires : son têtaupieds rose, son chapeau à larges bords, ses lunettes de soleil, une bouteille d'eau, des gants de chirurgien. Ses jumelles et son fusil. Le manche à balai qui lui sert de balancier. Elle récupère une barquette en plastique, perce quelques trous dans le couvercle, y ajoute une cuillère et fourre le tout dans un sac en plastique frappé du logo en œillade du Balnéo NouvoMoi. Un sac à dos serait plus pratique, ça lui laisserait les mains libres. Il en traînait jadis quelques-uns – les clientes les utilisaient comme paniers de pique-nique –, mais elle ne sait plus où elle les a rangés.

Il reste encore des tubes d'Écran total naturel NouvoMoi. La date de péremption est passée et il s'en dégage un fumet rance, mais elle s'en badigeonne le visage, puis s'asperge les poignets et les chevilles de Désinsect pour éloigner les moustiques. Elle avale une bonne gorgée d'eau puis va faire un tour aux biolettes violettes : en cas de panique, elle ne se pissera pas dessus, c'est déjà ça. Rien de pire que de courir dans un têtaupieds souillé. Elle passe les jumelles autour de son cou puis monte sur le toit pour jeter un dernier coup d'œil dans les parages. Pas trace d'une oreille dans le pré, ni d'un groin. Ni d'une queue dorée.

« Arrête de lanterner », s'ordonne-t-elle.

Elle doit partir sans tarder si elle veut être revenue avant l'orage de l'après-midi. Il serait ridicule d'être retardée par la foudre. Toute mort est stupide du point de vue de celui qui la subit, disait Adam Premier, parce qu'on a beau avoir été prévenu, la Mort vous prend toujours par surprise. Pourquoi maintenant ? s'écrie-t-on. Pourquoi si tôt ? C'est le cri d'un enfant que sa mère appelle le soir, c'est l'universelle contestation du Temps. Rappelez-vous, mes Amis : ce pour quoi je vis, ce pour quoi je meurs, c'est la même question.

Une question – décide fermement Toby – que je ne compte pas me poser pour le moment.

Elle enfile les gants de chirurgien, passe le sac NouvoMoi en bandoulière et sort du bâtiment. Elle commence par se rendre dans le jardin dévasté, où elle récupère un oignon et deux radis, puis remplit la barquette avec du terreau. Ensuite, elle traverse le parking et passe devant les fontaines silencieuses.

Ça fait un bail qu'elle ne s'est autant éloignée du Balnéo NouvoMoi. La voilà arrivée dans le pré : un espace gigantesque. Bien qu'elle ait mis un chapeau et des lunettes noires, la lueur du soleil lui paraît éblouissante.

Pas de panique, se dit-elle. C'est ce que ressent une souris quand elle s'aventure hors de son trou, mais tu n'es pas une souris. Les hautes herbes s'accrochent à son têtaupieds et s'entortillent autour de ses mollets comme pour la retenir, la prendre au piège. Elles sont râpeuses, hérissées de petites griffes. C'est comme si elle pataugeait dans un tricot, un tricot en fil de fer barbelé.

Qu'est-ce que c'est que ça ? Un soulier.

Ne pense pas à ce soulier. Ne pense pas au sac à main pourrissant que tu viens d'entrevoir. Stylé. Avec une plume rouge. Un lambeau d'un passé pas tout à fait enfoui. Elle ne veut pas piétiner ces vestiges, mais il est difficile de voir au travers de ce fouillis végétal.

Elle avance. Ses jambes la picotent, comme si sa chair se savait sur le point d'être touchée. Pense-t-elle vraiment qu'une main va surgir à travers les trèfles et les laiterons pour lui enserrer la cheville ?

« Non », dit-elle à haute voix.

Elle fait halte le temps que son cœur batte moins fort et en profite pour reconnaître les lieux. Le bord de son chapeau lui bouche la vue : elle tourne la tête comme un hibou : à droite, à gauche, derrière, devant. L'atmosphère est imprégnée d'une odeur douceâtre : fleur de trèfle et de carotte, lavande, marjolaine et mélisse. Le pré grouille de pollinisateurs : bourdons, guêpes, scarabées. Vrombissement lénifiant. Reste ici. Assieds-toi. Dors un peu.

La Nature est trop grisante pour nous, disait Adam Premier. Pour une âme non formée, c'est un hallucinogène, un soporifique des plus puissants. Nous n'y avons plus notre place. Nous devons la diluer. Nous ne pouvons la boire pure. Et avec Dieu, c'est pareil. Trop de Dieu, et c'est l'overdose. Dieu a besoin d'être filtré.

Au loin, devant elle, la cime des arbres marquant la lisière de la forêt. Elle les sent qui l'attirent vers eux, qui l'aspirent, comme les profondeurs océanes et les sommets attirent leurs victimes vers l'abîme ou vers le ciel, jusqu'à ce qu'elles sombrent dans une extase qui n'a rien d'humain.

Regarde-toi comme le ferait un prédateur, enseignait Zeb. Elle se place par-delà les arbres, se voit au travers du filigrane de leurs frondaisons. Une vaste savane avec, en son milieu, une petite silhouette rose et douce, pareille à un embryon ou à un extraterrestre, avec de grands yeux noirs – seule, sans protection, vulnérable. Derrière elle, un bâtiment, une ridicule boîte de paille qui semble faite de briques. Un souffle, et ça tombe.

L'odeur de sa peur parvient à ses narines.

Elle lève ses jumelles. Le feuillage frémit, mais ce n'est que la brise. Avance à pas comptés, s'ordonne-t-elle. Rappelle-toi ce que tu dois faire.

Une éternité semble s'écouler avant qu'elle arrive près du cochon mort. Une horde de mouches mordorées vrombit au-dessus de lui. En l'entendant venir, les vautours lèvent leur tête rouge et glabre, leur cou festonné de caroncules. Elle agite le manche à balai dans leur direction et ils s'égaillent en poussant des sifflements outrés. Certains montent en spirale sans la quitter des yeux ; d'autres volent jusqu'aux arbres, se posent sur les branches, la guettent et attendent.

Des feuilles de fougère jonchent le sol autour de la carcasse. Ces fougères-là ne poussent pas dans les prés. Certaines sont flétries, d'autres fraîches. Et il y a aussi des fleurs. S'agit-il de pétales de rose venant des rosiers de l'allée ? Elle a entendu parler de cela ; non, elle l'a lu dans un livre étant enfant, un livre sur les éléphants. Quand l'un d'eux vient à mourir, les autres se rassemblent autour de lui, comme pour méditer. Puis ils recouvrent son corps de branches et de mottes de terre.

Mais... des cochons ? Quand l'un d'eux meurt, en général, ils le mangent, comme ils mangeraient n'importe quoi. Sauf qu'ils n'ont pas mangé celui-ci.

Se peut-il qu'ils lui aient fait des funérailles ? Se peut-il qu'ils lui apportent des bouquets de fleurs ? Cette idée lui semble terrifiante.

Mais pourquoi pas ? répond la douce voix d'Adam Premier. Nous croyons que les Animaux ont une Âme. Pourquoi n'organiseraient-ils pas des funérailles ?

« Tu es folle », dit-elle à haute voix.

L'odeur de la chair putréfiée la prend à la gorge tant elle est rance. Elle saisit un pan de son têtaupieds et le plaque sur son nez. De l'autre main, elle fouille la carcasse avec un bâton : des asticots en surgissent. On dirait de gros grains de riz grisâtres.

Imagine que ce sont des crevettes de terre, lui dit la voix de Zeb. Même physiologie.

« Tu es capable de faire ça », se dit-elle à haute voix.

Pour passer à la phase suivante, elle doit poser fusil et manche à balai. Elle ramasse un tas d'asticots grouillants avec la cuillère et les transfère dans la barquette. Elle en laisse choir quelques-uns ; ses mains tremblent. Dans son crâne elle entend comme un bourdonnement de perceuse – mais peut-être que ce ne sont que les mouches. Elle s'oblige à ralentir ses mouvements.

Dans le lointain, un coup de tonnerre.

Elle tourne le dos à la forêt, traverse le pré dans l'autre sens. Elle ne court pas.

Les arbres se sont rapprochés, on dirait.

60

Ren

An 25

Un jour, alors qu'on buvait du champagne, j'ai dit :

« Faisons-nous les ongles, ils sont dans un état lamentable. »

Je pensais que ça nous remonterait le moral. Mais Amanda a éclaté de rire et répondu :

« Rien de tel qu'une pandémie létale pour vous abîmer les ongles. »

N'empêche, on a fait comme j'avais dit. Amanda a choisi une nuance rose orangé baptisée Satsuma Parfait, alors que j'ai opté pour Framboise Luisante. On était comme deux gamines en train de déconner. J'adore le parfum du vernis à ongles. Je sais bien qu'il est toxique, mais il évoque trop la propreté. Comme un drap repassé de frais. Et ça nous a remonté le moral.

Après, on a encore bu du champagne et j'ai eu une autre idée, si bien qu'on est montées à l'étage. Une seule des chambres était occupée – la mienne, par cette pauvre Starlite. J'éprouvais beaucoup de peine pour elle, mais j'avais bouché les interstices de la porte avec des draps pour confiner les odeurs, et j'espérais que les microbes s'occuperaient d'elles pour qu'elle pût être transformée en autre chose, et vite. J'ai récupéré des costumes et des Biopeaux dans les piaules de Savone et de Pétale-Écarlate, je les ai descendus et on a commencé à les essayer.

Il a fallu les asperger d'eau et de crème nourricière et lubrifiante – elles s'étaient desséchées –, mais, cela fait, elles ont coulé sur nous sans problème et on a senti une agréable succion à mesure que leurs couches de cellules vivantes se liaient à notre épiderme, puis une chaude sensation poisseuse lorsqu'elles ont commencé à respirer. Comme disaient les étiquettes, elles n'absorbaient que de l'oxygène et n'exsudaient que nos sécrétions naturelles. L'unité faciale allait jusqu'à nous curer le nez. Nombre de clients de Zécailles préféraient le contact intime, membrane et pilosité, à condition qu'il fût sans danger, mais au moins, avec les Biopeaux, ils savaient qu'aucune contamination n'était possible.

« C'est génial, a dit Amanda. Ce truc fait même des massages.

— Recommandé pour le teint », ai-je ajouté.

Et on est parties d'un nouveau fou rire. Puis Amanda a enfilé une tenue de flamant rose et moi de paonigrette, on a envoyé la musique et les spotlights, et on est montées sur scène pour danser. Amanda était toujours aussi douée et ses plumes volaient dans tous les sens. Mais, vu mon entraînement au trapèze, je lui étais désormais supérieure, et elle le savait. Et ça me faisait plaisir.

C'était vraiment une idée idiote : on avait mis la musique à fond, laissé la porte grande ouverte, et s'il y avait quelqu'un dans les parages, il ne manquerait pas de l'entendre. Mais je n'y pensais même pas. « Tu n'es pas la seule personne sur cette planète », me disait Toby quand j'étais petite. Une façon de me faire comprendre que je devais parfois penser aux autres. Sauf qu'à ce moment-là, je me croyais vraiment toute seule sur cette planète. Avec Amanda, bien sûr. Sur la scène de Zécailles, à danser comme des malades, flamant rose et paonigrette bleue, avec notre vernis à ongles tout frais, avec la musique à fond la caisse, *boum boum badabadaboum*, *bam bam kabam*, à chanter comme si l'on ne savait faire que ça.

Puis la chanson s'est terminée et on a entendu des applaudissements. On en est restées paralysées. J'ai senti un frisson glacé me parcourir de la tête aux pieds : je revoyais Pétale-Écarlate pendue au trapèze, une bouteille enfoncée entre les jambes, et voilà que je n'arrivais plus à respirer.

Trois hommes étaient entrés – dans un silence total, à n'en pas douter – et ils se dressaient devant nous.

« Ne bouge pas d'un pouce, a chuchoté Amanda. Vous êtes vivants ou vous êtes morts ? a-t-elle lancé aux intrus en souriant. Parce que, si vous êtes vivants, vous aimeriez peut-être boire un coup ?

— Joli numéro, a fait le plus grand des trois. Comment ça se fait que vous ayez pas attrapé cette saloperie ?

— Peut-être qu'elle nous a eues, a répliqué Amanda. Peut-être qu'on est contagieuses et qu'on ne le sait pas encore. Bon, je vais éteindre les projos pour qu'on vous voie un peu mieux.

— Y a quelqu'un d'autre avec vous ? Des mecs, par exemple ?

— Pas que je sache. » Amanda a diminué l'intensité des spotlights. « Ôte ton visage », m'a-t-elle dit.

Elle voulait parler de la Biopeau et des paillettes. Je l'ai suivie du regard pendant qu'elle descendait de scène.

« Il reste un peu de scotch, ou alors on peut vous faire du café. »

Elle retirait son Biomasque et je savais ce qu'elle pensait : il fallait les regarder dans les yeux, comme Zeb nous l'avait enseigné. Ne leur tournez pas le dos, ils risquent de vous prendre par-derrière. Et plus on ressemblerait à des vraies gens plutôt qu'à des oiseaux fantasmatiques, moins on aurait de risques de se faire maltraiter.

À présent, je les distinguais un peu mieux, tous les trois. Deux grands et un petit. Vêtus de tenues de camouflage très crades, la peau tannée par le soleil. Le soleil, la pluie et le vent.

Et soudain, je les ai reconnus.

« Shackie ? ai-je fait. Shackie ! Amanda, c'est Shackie et Croze ! »

Le plus grand s'est tourné vers moi.

« Qui t'es, bordel ? »

Il n'était pas furieux, seulement stupéfait.

« C'est moi, Ren. Et lui, c'est le petit Oates ? »

Je me suis mise à pleurer.

On s'est tous précipités les uns vers les autres, comme dans une mêlée filmée au ralenti, et puis on s'est embrassés. Sans rien dire, en se serrant très fort.

On a trouvé un jus de fruits couleur orange dans le congélo, alors Amanda a préparé du mimosa avec le reste de champagne. Puis on a ouvert des sojanoix et passé de l'ersatz de poisson au micro-ondes, et puis on s'est installés au bar pour déguster le tout. Les trois garçons – c'étaient toujours des garçons à mes yeux – ont englouti la bouffe. Amanda les a obligés à boire un peu d'eau, mais pas trop vite. Ils n'étaient pas vraiment morts de faim – ils avaient fourragé à leur façon, pillant les supérettes et même les maisons individuelles, allant jusqu'à se faire rôtir quelques lapins, comme on avait appris à le faire chez les Jardiniers durant la Semaine de Saint-Euell. Mais ils avaient besoin de se remplumer.

Ensuite, on a échangé nos impressions du Déluge des Airs. Je leur ai parlé de la Zone Poisse, Amanda leur a raconté le Wisconsin et les squelettes de vaches. Un coup de pot, pour elle comme pour moi, ai-je précisé : personne à proximité quand l'épidémie avait frappé. Mais, comme le disait Adam Premier, ce n'était jamais une question de chance : mieux valait parler de miracle.

Shackie, Croze et Oates avaient failli y passer. On les avait envoyés à Painball. Ils étaient les Rouges, a dit Oates en m'exhibant son tatouage sur le pouce ; apparemment, il en était fier.

« Ils nous ont envoyés là-bas à la suite de notre action, a ajouté Shackie. À l'action de MaddAddam.

— MaddAddam ? ai-je répété. Tu veux dire Zeb, des Jardiniers ?

— Il n'y avait pas que lui. On était tout un groupe – lui, nous et quelques autres, a répliqué Shackie. Des scientifiques de pointe – des généticiens qui avaient renié les Corps pour prendre le maquis, parce qu'ils étaient contre leurs manigances. Rebecca et Katuro en étaient, eux aussi – ils contribuaient à la distribution du produit.

— On avait un site Web, a enchaîné Croze. Ça nous permettait de partager les infos sur le forum clandestin.

— Le produit ? a répété Amanda en riant. Vous dealiez de la super-herbe ? Cool !

— Non, non. On faisait de la résistance avec des bioformes, a dit Croze en se rengorgeant. Les généticiens les fabriquaient, et nous on les distribuait – Shackie, Rebecca, Katuro et moi, on avait des identités bidon, agents immobiliers, agents d'assurances, ça nous permettait de voyager. On disséminait les bioformes un peu partout.

— On les planquait, a ajouté Oates. Comme des bombes à retardement.

— Y en avait des vraiment cool dans le lot, a repris Shackie. Les microbes qui bouffaient l'asphalte, les souris qui rongeaient les bagnoles...

— D'après Zeb, si on arrivait à détruire les infrastructures, a enchaîné Croze, alors la planète pourrait se réparer elle-même. Avant qu'il ne soit trop tard et que toutes les espèces n'aient disparu.

— Donc, cette épidémie, c'était un coup de MaddAddam ? a demandé Amanda.

— Surtout pas ! a dit Shackie. Zeb ne voulait pas la mort du pécheur. Il voulait simplement qu'il arrête de déconner et de gaspiller les ressources de la planète.

— Il voulait amener les gens à réfléchir, a ajouté Oates. Mais certaines de ces souris en ont fait un peu trop. Elles sont devenues incontrôlables. En plus des pneus, elles s'en sont prises aux chaussures. Il y a eu des pertes.

— Où est-il maintenant ? » ai-je demandé.

La présence de Zeb m'aurait grandement réconfortée : il aurait su ce qu'il fallait faire.

«On ne se contactait qu'en ligne, a dit Shackie. Il travaillait en solo.

— Mais le CorpSeCorps a capturé nos généticiens, a enchaîné Croze. Et il a fini par nous coincer, nous aussi. Je suis sûr qu'il y avait un espion parmi les inscrits au forum.

— Ils les ont exécutés ? a demandé Amanda. Les scientifiques ?

— Tout ce que je sais, c'est qu'ils n'ont pas fini à Painball, contrairement à nous, a répondu Shackie.

— On n'y est restés que deux ou trois jours, a dit Oates. À Painball.

— On était trois et les autres aussi, a ajouté Croze. Rouges contre Dorés – des types sacrément vicieux. Tu te souviens de Blanco, la terreur du Lagon puant ? Le type qui t'aurait arraché la tête pour la bouffer ? Il avait perdu du poids, mais c'était bien lui, pas de doute.

— Tu déconnes», a dit Amanda.

Elle avait l'air... non, pas terrifiée. Soucieuse.

«Il avait foutu le bordel ici, à Zécailles – il avait même tué des gens, et il en était fier. Painball, c'était chez lui – ça faisait plusieurs fois qu'on l'y envoyait.

— Il vous a reconnus ?

— Je veux, a fait Shackie. Il n'arrêtait pas de nous gueuler dessus. Il n'avait pas oublié son assaut raté d'Édenfalaise – il allait nous vider comme des poissons, qu'il disait.

— Quel assaut raté ? ai-je demandé.

— C'était après ton départ, a répondu Amanda. Comment vous avez fait pour sortir de là ?

— On s'est taillés, tout simplement, a dit Shackie. On cherchait un moyen de tuer l'équipe adverse avant qu'elle nous tue – on disposait de trois jours pour tirer des plans avant qu'ils ne donnent le coup d'envoi –, mais on a vu que les gardes avaient disparu. Comme ça, sans prévenir.

— Je suis crevé, a soudain dit Oates. Il faut que je dorme.»

Et il a posé la tête sur le comptoir.

«En fait, les gardes étaient toujours là, a repris Shackie. Dans leur guérite. Sauf qu'ils avaient fondu.

— Alors on s'est connectés, a enchaîné Croze. Les sites d'infos étaient encore en ligne. C'était l'apocalypse et on s'est dit qu'on n'avait pas intérêt à se mêler à la foule. On s'est barricadés dans une guérite – y avait des réserves de nourriture.

— Le problème, c'est que les Dorés ont fait pareil, à l'autre bout du camp. On avait peur qu'ils nous descendent pendant notre sommeil.

— On s'est relayés pour monter la garde, mais c'était trop stressant, a dit Croze. Alors on leur a forcé la main. Shackie a fait une sortie pendant la nuit pour saboter leur arrivée d'eau potable.

— Merde ! a dit Amanda. Ça, c'était gonflé !

— Du coup, ils ont été obligés de se casser, a ajouté Oates.

— Puis on a épuisé nos réserves et on a dû partir, nous aussi, a repris Shackie. On pensait qu'ils nous auraient tendu une embuscade, mais on ne les a vus nulle part. » Un haussement d'épaules. « Et voilà !

— Pourquoi êtes-vous venus ici ? ai-je demandé. À Zécailles ? »

Shackie a souri de toutes ses dents.

« Cet endroit avait une sacrée réputation, a-t-il dit.

— C'était carrément une légende, a renchéri Croze. Mais on ne croyait pas qu'il y resterait des filles. Enfin, on avait quand même envie de visiter.

— Un truc à faire avant de crever, a conclu Oates en étouffant un bâillement.

— Allez, Oatie, a dit Amanda. On va te mettre au lit. »

On les a conduits à l'étage, chacun d'eux a eu droit à une douche dans la Zone Poisse, et ils en sont ressortis bien plus propres qu'ils n'y étaient entrés. On leur a donné des serviettes pour qu'ils se sèchent et ensuite on les a mis au lit, chacun dans sa chambre.

C'est moi qui me suis occupée d'Oates – je lui ai filé sa serviette et son savon, je lui ai désigné son lit. Ça faisait vraiment longtemps que je ne l'avais vu. Quand j'avais quitté les Jardiniers, ce n'était qu'un gamin. Un petit morpion – toujours à faire des bêtises. C'est le souvenir que je gardais de lui. Mais il était adorable.

« Tu as bien grandi », lui ai-je dit.

Il avait presque rattrapé Shackie. Ses cheveux blonds étaient tout mouillés, comme les poils d'un chien qui vient de nager.

« Je t'ai toujours trouvée géniale, m'a-t-il confié. J'en pinçais pour toi quand j'avais huit ans.

— Je l'ignorais.

— Je peux te faire la bise ? Sans que ce soit sexuel, hein ?

— Si tu veux. »

Et il m'a déposé un mignon petit baiser sur la joue, juste à côté du nez.

« Tu es trop belle. S'il te plaît, garde ton costume d'oiseau. »

Il a caressé les plumes plantées sur mes fesses. Puis il a eu un petit sourire timide. Ça m'a rappelé Jimmy, au tout début de notre histoire, et j'ai senti mon cœur faire un bond. Mais je suis sortie de la chambre sur la pointe des pieds.

« On pourrait les enfermer là-dedans, ai-je chuchoté à Amanda une fois dans le couloir.

— Pourquoi on ferait ça ?

— Ils viennent de Painball.

— Et alors ?

— Alors, tous les Painballers sont cinglés. Tu ne sais pas de quoi ils sont capables quand ils pètent les plombs. En plus, ils ont peut-être attrapé ce truc. L'épidémie, tu sais.

— On les a embrassés. Ils nous ont déjà filé tous leurs microbes. Et puis, ce sont d'anciens Jardiniers.

— Ce qui veut dire ?

— Ce qui veut dire que ce sont nos amis.

— Ce n'étaient pas vraiment nos amis à l'époque. Enfin, pas tout le temps.

— Détends-toi, a dit Amanda. Ces mecs et moi, on a fait plein de trucs ensemble. Pourquoi souhaiteraient-ils nous faire du mal ?

— Je ne veux pas être un trou à bites qu'on se partage.

— Mollo sur la vulgarité. Ce n'est pas d'eux que tu devrais avoir peur, c'est des trois autres qui étaient là-bas. Blanco n'est pas un plaisantin. Ils doivent rôder dans le coin. Je vais remettre mes fringues. »

Amanda ôtait déjà sa Biopeau de flamant rose pour enfiler sa tenue kaki.

« On devrait fermer la porte d'entrée, ai-je dit.

— Le verrou est cassé. »

Puis on a entendu des voix dans la rue. Des hommes qui chantaient et criaient, comme les clients de Zécailles quand ils avaient trop picolé. Qu'ils étaient d'humeur à tout casser. Ensuite on a perçu un bruit de verre brisé.

On a foncé dans les chambres pour réveiller les garçons. Ils se sont rhabillés vite fait et on les a conduits devant la fenêtre du premier, qui donnait sur la rue. Shackie a tendu l'oreille, jeté un coup d'œil en douce.

« Oh ! merde, a-t-il fait.

— Y a une autre sortie dans cette boîte ? a murmuré Croze, livide sous son hâle. Il faut qu'on se casse. Et vite. »

On a dévalé l'escalier de service pour gagner le local à poubelles, là où se trouvaient les conteneurs à verre et à orduruile. On entendait les Dorés foutre le bordel dans Zécailles, démolir tout ce qui était encore intact. Soudain, un fracas assourdissant : ils avaient dû renverser les étagères du bar.

On s'est glissés à travers la brèche de la palissade et on a traversé le terrain vague en courant pour gagner la ruelle à l'autre bout. Ils ne pouvaient pas nous voir, mais je sentais une brûlure sur ma nuque – comme si leurs yeux avaient transpercé la brique, à l'instar des mutants dans les séries télé.

Arrivés à quelques rues de distance, on a ralenti l'allure.

«Peut-être qu'ils ne s'en rendront pas compte, ai-je dit. Qu'on était là-bas.

— Oh! que si, a répondu Amanda. Les assiettes sales. Les serviettes mouillées. Les lits défaits. Quand quelqu'un a dormi dans un lit, ça se voit tout de suite.

— Ils vont nous traquer, a dit Croze. Vous pouvez y compter.»

61

On a emprunté des ruelles et des rues latérales pour brouiller les pistes. Nos traces de pas posaient problème – il y avait une couche de boue cendrée sur la chaussée –, mais Shackie pensait que la pluie les effacerait, et comme les Dorés n'étaient pas des chiens, ils ne pourraient pas nous repérer à l'odorat.

C'étaient forcément eux : les trois Painballers qui avaient démoli Zécailles le soir du Déluge. Ceux qui avaient tué Mordis. Ils m'avaient vue sur l'écran de l'interphone. C'est pour ça qu'ils étaient revenus : pour ouvrir la Zone Poisse comme on ouvre une huître afin de s'emparer de sa perle. Ils auraient trouvé des outils. Ça leur aurait pris du temps, mais ils seraient arrivés à leurs fins.

Cette idée me glaçait les sangs, cependant je n'ai rien dit aux autres. Ils avaient assez de soucis comme ça.

Les rues étaient jonchées de débris – provoqués par la casse ou les incendies. Il n'y avait pas que des voitures et des camions. Les éclats de verre étaient présents en abondance. D'après Shackie, il fallait faire attention quand on entrait quelque part : un immeuble avait failli s'effondrer sur eux alors qu'ils s'en approchaient. Mieux valait éviter les plus hauts, dont l'intérieur avait peut-être été détruit par le feu, parce qu'on risquait de se faire décapiter par un morceau de vitre en chute libre. La forêt était devenue un endroit plus sûr que la ville. Exactement le contraire de ce que pensaient les gens.

C'étaient les petits détails banals qui me troublaient le plus. Un vieux journal intime, avec les mots qui coulaient sur les pages. Des casquettes. Des chaussures – c'était pire que les casquettes, surtout quand elles allaient par deux. Les jouets d'enfant. Les poussettes sans bébé.

On aurait dit une maison de poupée mise sens dessus-dessous et piétinée par une fillette enragée. D'une boutique dégorgeait une traînée de tee-shirts bariolés, comme des empreintes de tissu s'éloignant sur le trottoir. Quelqu'un avait dû fracasser la vitrine pour voler la marchandise, mais à quoi pouvait donc lui servir un tas de tee-shirts ? Plus loin, un magasin de meubles recrachait pieds de table, accoudoirs et coussins de cuir, alors qu'une boutique d'opticien recelait encore des montures d'or et d'argent – elles n'avaient intéressé personne. J'ai vu une pharmacie totalement détruite – et sûrement vidée de ses drogues récréatives. Le trottoir était jonché d'emballages de JouissePluss. Je croyais que ce produit était en phase de test, mais on devait déjà en vendre au marché noir.

Il y avait aussi des petits tas d'ossements.

« Des ex-gens », a dit Croze.

Ils étaient tout secs et tout propres, mais les orbites me faisaient peur. Sans parler des dents – une bouche sans lèvres, ça fait flipper. Ni des cheveux friables et cassants. Le système pileux met des années à se dégrader ; on l'avait appris en cours de Compostage, chez les Jardiniers.

Comme on n'avait pas eu le temps de prendre de la nourriture à Zécailles, on est entrés dans une supérette. Il y avait un peu de tout par terre, mais on a récupéré deux ou trois Zizifruits et quelques Voltbars, et on est même tombés sur un congélo solaire qui fonctionnait encore. On y a trouvé des baies, des haricots de soja – on les a mangés sur place – et des boîtes de SecretBurgers surgelés.

« Comment on va les faire cuire ? a demandé Oates.

— Avec des briquets, a répondu Shackie. Regarde. »

Sur un comptoir il y avait un présentoir de briquets en forme de grenouille. Shackie en a essayé un : la flamme a jailli de la gueule de l'animal, qui a fait « Coâ ! ».

« Prends-en une bonne poignée », a dit Amanda.

À ce moment-là, on était arrivés près du Trou de l'évier, alors on s'est dirigés vers l'ancienne Clinique du Bien-Être, vu qu'on connaissait l'endroit. J'espérais qu'il y resterait quelques Jardiniers, mais le bâtiment était désert. On a pique-niqué dans notre ancienne salle de classe : une fois cassés, les vieux bureaux nous ont fourni du bois de chauffe, et si on a veillé à ne pas faire trop de fumée pour ne pas attirer les Dorés, on a quand même été obligés d'ouvrir les fenêtres pour ne pas nous étouffer. On a fait cuire les SecretBurgers et on les a mangés, ainsi que la moitié des haricots de soja – ceux-là, qu'ils fussent crus ne nous gênait pas –, en arrosant le tout de Zizifruits. Oates n'arrêtait pas de jouer avec son briquet grenouille, mais Amanda lui a dit de ne pas gaspiller l'essence.

Mon adrénaline était retombée, je le sentais. Me retrouver dans ce lieu où j'avais passé mon enfance me rendait un peu triste ; on avait beau s'y être emmerdés ferme, j'avais quand même le mal du pays.

C'est à ça que ma vie allait ressembler désormais, ai-je songé. Je passerais mon temps à fuir, à chercher des restes à manger, à m'asseoir par terre, à devenir de plus en plus crade. Je portais encore mon costume de paonigrette et regrettais de ne pas m'être changée. Je serais bien retournée au magasin de tee-shirts, pour voir s'il restait sur ses étagères des fringues pas trop moisies mais, à en croire Shackie, c'était trop dangereux.

Je me suis demandé si on n'allait pas faire l'amour : ça aurait été sympa et généreux de notre part. Mais tout le monde était crevé et on était tout intimidés. C'était cette salle de classe : si les Jardiniers l'avaient abandonnée, ils y étaient encore présents en Esprit et on aurait eu de la peine à faire un truc qu'ils auraient désapprouvé s'ils nous avaient surpris quand on avait dix ans.

On a dormi en tas, les uns sur les autres, comme des chiots.

Le lendemain matin, quand on s'est réveillés, un gigantesque cochon se tenait sur le seuil et nous fixait en reniflant l'air de son groin rose et humide. Il avait dû entrer par la porte et remonter le couloir. Quand il s'est vu repéré, il est parti en courant. Peut-être qu'il avait senti les SecretBurgers rôtis, a dit Shackie. Selon lui, c'était une espèce transgénique – MaddAddam s'était informé –, avec du tissu humain dans la cervelle.

« C'est ça, et il donne des cours de physique nucléaire, a ajouté Amanda. Tu te fiches de nous, là.

— Je te jure que c'est vrai, a répondu Shackie d'un air boudeur.

— Dommage qu'on n'ait pas d'aérodésintégreur, a dit Croze. Ça fait un bail que j'ai pas mangé de bacon.

— Surveillez vos propos », ai-je dit en imitant Toby, et ça nous a tous fait rire.

Avant de quitter la Clinique, on est allés faire un tour à la Vinaigrerie pour y jeter un dernier coup d'œil. Les tonneaux étaient toujours là, mais on les avait ouverts à coups de hache. L'odeur de vinaigre ne parvenait pas à dissimuler une puanteur familière :

quelqu'un avait utilisé les lieux comme toilettes, et ce n'était pas vieux. La porte du placard où l'on rangeait les bouteilles était entrouverte. Les étagères étaient toujours là. Elles faisaient un angle bizarre avec les cloisons et, lorsque Amanda les a touchées, elles ont pivoté sur leur axe.

« Regardez ! a-t-elle lancé. Il y a une salle secrète ! »

On est tous entrés. Une table entourée de chaises prenait presque tout l'espace. Mais il y avait aussi un futon, comme ceux sur lesquels on dormait jadis, et quelques boîtes vides – sojardines, petitpoilets, noix de goji séchées. Dans un coin, un ordinateur portable hors d'usage.

« Quelqu'un d'autre s'en est sorti, a dit Shackie.

— Ce n'était pas un Jardinier, ai-je dit. Les Jardiniers n'avaient pas d'ordinateurs.

— Zeb en avait un, a corrigé Croze. Mais ce n'était plus un Jardinier. »

On a quitté la Clinique sans trop savoir ce qu'on allait faire. C'est moi qui ai proposé d'aller au Balnéo NouvoMoi : peut-être trouverions-nous des provisions dans l'Ararat que Toby avait planqué dans la réserve ; elle m'en avait donné le code d'accès. Sans compter qu'il poussait peut-être des trucs dans le jardin. Je me suis même demandé si Toby ne s'était pas installée là-bas, mais, comme je ne voulais pas leur donner de faux espoirs, j'ai gardé ça pour moi.

On tâchait de faire vraiment attention. On n'a vu personne nulle part. Une fois dans le Parc du Patrimoine, on a pris la direction de l'entrée ouest du Balnéo, sans quitter l'allée qui sinuait entre les arbres – ça nous paraissait plus discret.

On avançait en file indienne. Shackie ouvrait la marche, suivi par Croze, Amanda et moi ; Oates était derrière. Soudain, j'ai eu un frisson, je me suis retournée et Oates n'était plus là.

« Shackie ! » ai-je crié.

Et puis Amanda est tombée sur le côté, disparaissant de l'allée.

Enfin j'ai eu un trou noir, comme si on me jetait dans les fourrés – ça faisait mal, j'étais prise dans les branchages. Il y avait des corps allongés par terre et l'un d'eux était le mien, et c'est à ce moment-là qu'on a dû me frapper.

Quand je me suis réveillée, Shackie, Croze et Oates avaient disparu. Mais Amanda était là.

Je ne veux plus penser à ce qui est arrivé après.

Ce fut pire pour Amanda que pour moi.

Journée du Prédateur

Journée du Prédateur

An 25

De Dieu considéré comme le Superprédateur.
Prononcé par Adam Premier

Chers Amis, chères Créatures, chers Mortels, mes Frères et mes Sœurs :

Il y a bien longtemps, nous célébrions la Journée du Prédateur dans notre sublime Jardin de toiture d'Édenfalaise. Nos Enfants mettaient leurs oreilles et leur queue de Prédateur en fourrure synthétique, et, le soir venu, nous allumions des chandelles à l'intérieur des Lions, des Tigres et des Ours confectionnés avec des boîtes de conserve percées de trous, et les yeux brûlants de ces images de Prédateurs illuminaient notre festin de la Journée du Prédateur.

Mais, aujourd'hui, notre Festival se déroule par force dans le Jardin intérieur de notre Esprit. Estimons-nous heureux d'en disposer encore, car le Déluge des Airs a englouti notre ville, voire la totalité de la planète. La plupart de ses victimes ont été prises par surprise, mais nous avons bénéficié d'un guide Spirituel. Ou, pour le dire de façon plus matérialiste : nous avons su reconnaître la pandémie globale qui frappait.

Réjouissons-nous d'avoir pu, durant ces derniers mois, nous réfugier dans cet Ararat. Ce n'est peut-être pas celui que nous aurions choisi, vu qu'il se trouve au sous-sol de la Résidence Buenavista, un lieu déjà bien humide du temps où Pilar y avait aménagé sa champignonnière et qui l'est devenu plus encore. Mais c'est grâce aux protéines que nous ont offertes nos cousins les Rats que nous avons pu rester sur ce plan terrestre. Rendons également grâce à Pilar, qui avait aménagé un Ararat dans cette cave, le dissimulant derrière un parpaing portant le symbole de l'abeille. C'est la Providence qui a voulu que nombre de ses provisions soient restées fraîches. Pas toutes, malheureusement.

Mais ces ressources sont désormais épuisées et nous devons partir avant de mourir de faim. Prions pour que le monde extérieur ne soit plus exfernal – pour que le Déluge des Airs l'ait purifié en même temps qu'il le détruisait, le transformant en nouvel Éden. Ou, à tout le moins, en embryon d'Éden. Tel est notre espoir.

En cette Journée du Prédateur, ce n'est pas le Dieu de bonté, Dieu le Père et la Mère, que nous célébrons, mais Dieu le Tigre. Ou Dieu le Lion. Ou Dieu l'Ours. Ou Dieu le Sanglier. Ou Dieu le Loup. Voire Dieu le Requin. Quel que soit le symbole choisi, la Journée du Prédateur est consacrée à son aspect terrifiant et à sa force supérieure, des qualités que nous désirons parfois pour nous-mêmes et qui sont par conséquent celles de Dieu, puisque tout ce qui est bon Lui appartient.

Dieu le Créateur a mis un peu de Lui-même dans chacune de Ses Créatures – comment pourrait-il en être autrement ? – et, par conséquent, le Tigre, le Lion, le Loup, l'Ours, le Sanglier et le Requin – ainsi que, à une échelle plus petite, la Musaraigne d'eau et la Mante religieuse – sont à leur façon des reflets du Divin. Au cours de l'Histoire, toutes les sociétés humaines ont su cela. Sur leurs drapeaux, sur leurs écus, elles ne faisaient pas figurer des Proies comme le Lapin et la Souris, mais des Animaux capables de tuer, et, lorsqu'elles invoquaient le Dieu défenseur, n'était-ce pas à ces qualités qu'elles faisaient appel ?

Ainsi, en cette Journée du Prédateur, nous méditons sur ce qui rapproche Dieu d'un Superprédateur. La soudaineté, la férocité, avec laquelle il nous arrive parfois d'appréhender le Divin ; nos peurs et notre petitesse – notre Souricité, si je puis dire – devant Sa Puissance ; le sentiment d'annihilation qui nous saisit en présence de Sa splendide Lumière. Dieu s'avance dans les doux Jardins de l'esprit, mais Il rôde aussi dans les Forêts de sa nuit. Ce n'est pas un Être domestiqué, mes Amis : c'est un Être sauvage, que l'on ne peut siffler et contrôler comme un Chien.

Les Humains ont peut-être tué le dernier Tigre, le dernier Lion, mais nous chérissons encore leurs Noms ; et lorsque nous prononçons ces Noms, nous entendons la tonitruante Voix de Dieu à l'instant de leur Création. Dieu a dû leur dire : Mes Carnivores, Je vous ordonne d'accomplir la tâche que Je vous ai confiée et de limiter la croissance de vos Proies afin qu'elles ne se multiplient pas à l'excès, car elles épuiseraient leurs réserves de nourriture, s'étioleraient et mourraient. Allez ! Bondissez ! Courez ! Rugissez ! Rôdez ! Sautez ! Car Je me réjouis des cœurs cruels, des joyaux vert et or de vos yeux, des muscles bien dessinés, des crocs acérés et des griffes affûtées dont Je vous ai fait don. Et Je vous accorde Ma bénédiction et déclare que vous êtes Bons.

Car c'est à Dieu qu'ils réclament leur manger, comme le proclame joyeusement le psaume 104.

Alors que nous nous préparons à quitter l'abri de notre Ararat, posons-nous cette question : que vaut-il mieux, manger ou être mangé ? Fuir ou pourchasser ? Donner ou recevoir ? Car il s'agit au fond de la même question. Une question qui pourrait bientôt ne plus être théorique : nous ignorons quels Superprédateurs rôdent à l'extérieur.

Prions pour que, si nous devons sacrifier nos propres protéines afin qu'elles circulent dans nos Espèces sœurs, nous reconnaissions la nature sacrée de cette transaction. Nous ne serions pas Humains si nous ne préférions pas dévorer plutôt que d'être dévorés, mais l'un comme l'autre est une bénédiction. Si l'on vous demande de donner votre vie, sachez que c'est la Vie qui vous le demande.

Chantons.

La Musaraigne d'eau qui déchire sa Proie

La Musaraigne d'eau qui déchire sa Proie
Agit suivant la seule loi de la Nature ;
Elle ne planifie pas son acte
Mais l'accomplit en toute simplicité.

Le Léopard bondissant dans la nuit
Est le cousin de notre gentil Chat :
Ils aiment chasser, chassent pour aimer,
C'est ainsi que Dieu les a faits.

Qui saurait dire si la joie et la peur
Ne sont pas débiteurs l'un de l'autre ?
La Proie ne jouit-elle pas de chaque souffle
Parce qu'elle se sait sans répit menacée ?

Mais nous ne sommes pas comme les Animaux :
Nous chérissons la vie des autres Créatures ;
Et nous nous abstenons de manger leur chair
Sauf quand la famine nous y pousse.

Et si la famine nous y pousse,
Si nous cédons à la tentation de la Viande,
Que Dieu nous pardonne ce parjure
Et bénisse la Vie que nous mangeons.

Extrait du *Livre de cantiques des Jardiniers de Dieu*

62

Toby. Sainte Nganeko Minhinnick de Manukau City

An 25

Une aube rouge qui annonce la pluie. Mais il pleut tous les jours désormais.

La brume qui se lève.

Oodle-oodle-ooo. Oodle-oodle-ooo. Chirrup, twareep. Aw a waw. Ey ey ey. Hoom hoom baroom.

Tourterelle triste, rouge-gorge, corbeau, geai bleu, crapaud-buffle. Toby prononce leurs noms, mais ces noms ne signifient rien pour eux. Tôt ou tard, sa propre langue aura fui sa tête et c'est tout ce qu'il en restera. *Oodle-oodle-ooo, hoom hoom.* Incessante répétition, chanson sans queue ni tête. Ni questions, ni réponses, à tout le moins en paroles. Plus de paroles, plus une seule. Mais n'y a-t-il pas qu'une seule et très grande Parole ?

D'où sort cette idée, qui vient de nulle part et lui entre dans la tête ?

Tobeee !

On dirait que quelqu'un l'appelle. Mais ce n'est qu'un chant d'oiseau.

Elle est montée sur le toit pour cuire à la fraîche sa première portion quotidienne de crevettes de terre. Ne méprise pas l'humble table de saint Euell, dit la voix d'Adam Premier. Le Seigneur donne et, parfois, Il donne des crevettes de terre, ajoute Zeb. Une excellente source de protéines, riche en lipides qui plus est. À ton avis, qu'est-ce qui fait grossir les ours ?

Mieux vaut faire sa tambouille dehors, vu la chaleur et la fumée. Elle s'est bricolé un réchaud de fortune inspiré par saint Euell : un gros bidon de beurre corporel où elle a percé deux trous, un dans le fond pour l'aération, un sur le côté pour l'évacuation de la fumée. Le maximum de chaleur pour le minimum de carburant. Le strict nécessaire. Les crevettes de terre commencent à grésiller.

Soudain, les corbeaux se mettent à crier : quelque chose les a excités. Ce ne sont pas des cris d'alarme, donc ce n'est pas un hibou qui attaque. Ils semblent plutôt surpris : *Aw aw! Regardez! Regardez! Mais regardez-moi ça!*

Toby s'empresse de verser dans son assiette les crevettes de terre croustillantes – gâcher la nourriture, c'est gâcher la Vie, dit Adam Premier – puis elle éteint le feu avec son verre d'eau de pluie et se plaque sur le toit. Saisit ses jumelles. Les corbeaux tournoient au-dessus des frondaisons, il y en a toute une volée. Six ou sept. *Aw! Aw! Regardez! Regardez! Regardez!*

Deux hommes émergent des arbres. Ils ne chantent pas, ils ne sont ni bleus ni tout nus : ils portent des vêtements.

Ce sont de vrais gens, se dit Toby. Vivants. Peut-être que l'un d'eux n'est autre que Zeb, venu à ma recherche : il a dû deviner que je serais ici, barricadée, à monter la garde. Elle bat des cils : sont-ce des larmes qui coulent ? Elle a envie de se précipiter au rez-de-chaussée, de sortir en courant, les bras ouverts en signe de bienvenue, riante de bonheur. Mais la prudence la retient et, accroupie derrière la cheminée de la climatisation, elle scrute les nouveaux venus à travers les grilles de fer.

C'est peut-être une illusion d'optique. Et si elle avait de nouveau des visions ?

Les hommes sont en tenue de camouflage. Le premier porte une arme – un aérodésintégreur, on dirait. Ce n'est sûrement pas Zeb : question de carrure. L'autre non plus. Il y a une troisième personne – homme ou femme ? Grande, vêtue de kaki. La tête basse ; difficile de déterminer son sexe. Les mains jointes, comme en prière. L'un des deux hommes la tient par le coude. La tire ou la pousse.

Puis un troisième homme émerge de l'ombre. Il tient un gigantesque oiseau au bout d'une laisse – non, c'est une corde –, un oiseau aux plumes d'un bleu-vert iridescent, comme une paonigrette. Sauf que cet oiseau a une tête de femme.

C'est sûr, j'hallucine, se dit Toby. Les généticiens étaient capables

354

de bien des prouesses, mais pas de créer une telle chimère. Les hommes et la femme-oiseau ont l'air bien réel, mais c'est toujours comme ça avec les hallucinations.

L'un des hommes porte quelque chose sur l'épaule. Elle croit d'abord que c'est un sac puis comprend qu'il s'agit d'un cuissot. Elle distingue un pelage. Doré. Serait-ce un liogneau ? Un frisson d'horreur la traverse : sacrilège ! Ils ont tué un Animal sacré pour le Royaume de la Paix !

Ressaisis-toi, s'ordonne-t-elle. Primo, depuis quand es-tu une Isaïste fanatique pour te soucier du Royaume de la Paix ? Secundo, si ces hommes sont réels et non le produit de ton cerveau malade, ils ont tué des Créatures. Ils les ont tuées et dépecées, ce qui signifie qu'ils possèdent des armes létales et qu'ils ont frappé au sommet de la chaîne alimentaire. Ils représentent une menace redoutable et je devrais les abattre avant qu'ils ne s'approchent davantage. Ensuite, je libérerai ce gros oiseau avant qu'ils ne l'aient tué à son tour.

Et, s'ils ne sont pas réels, quelle importance si je leur tire dessus ? Ils ne feront que se dissiper, comme de la fumée.

Puis l'homme tirant la femme-oiseau lève les yeux. Il a dû repérer Toby, car voici qu'il se met à crier et à agiter le bras. Le soleil fait luire son couteau. Les deux autres suivent son regard puis foncent vers le Balnéo. La femme-oiseau est obligée de suivre le mouvement, et Toby comprend qu'elle porte un costume. C'est une femme. Elle n'a pas d'ailes. La corde est passée autour de son cou.

Ce n'est donc pas une hallucination. C'est le mal. Le mal pur.

Elle cale sa mire sur l'homme au couteau et tire. Il titube, hurle, trébuche. Mais elle n'est pas assez rapide et ses deux balles suivantes ratent leurs cibles.

Le blessé se relève en boitant et tous battent en retraite vers les arbres. La femme-oiseau court avec eux. Avec cette corde, elle n'a pas vraiment le choix. Puis elle trébuche et disparaît dans les hautes herbes.

Le feuillage des arbres semble s'ouvrir pour engloutir les fuyards. Disparus. Tous. Elle ne peut même pas localiser l'endroit où la femme est tombée : les herbes sont trop hautes. Doit-elle aller à sa recherche ? Non. C'est peut-être un leurre. Ils seraient à trois contre un.

Elle reste un long moment à observer. Les corbeaux doivent les suivre – les hommes et leur captif en kaki. *Aw aw aw aw.* Un sillage de son, dans le lointain.

Vont-ils revenir ? Oui, ils vont revenir, décide Toby. Ils savent que je suis là, ils se doutent que j'ai des réserves, vu que j'ai survécu tout ce temps. Et puis j'ai tiré sur l'un d'eux : ils voudront se venger, c'est humain après tout. Ils seront aussi vindicatifs que les cochons. Mais ils ne reviendront pas tout de suite, parce qu'ils me savent armée. Ils vont devoir dresser un plan.

63

Toby. Saint Wen Bo

An 25

Pas d'hommes en vue. Pas de cochons non plus. Ni de liogneaux. Et pas davantage de femme-oiseau.

Peut-être que j'ai perdu l'esprit, se dit Toby. Temporairement, du moins.

C'est l'heure de la toilette ; elle est montée sur le toit. Elle verse dans une bassine l'eau de pluie collectée dans les bols, se savonne les mains et le visage sans aller plus loin : prendre un bain serait trop risqué, peut-être est-elle épiée. Occupée à se rincer, elle entend les corbeaux se mettre à croasser. *Aw aw aw !* Ce coup-ci, on dirait des éclats de rire.

Toby ! Toby ! Au secours !

C'était mon nom, ça ? se dit Toby. Elle regarde par-dessus la rambarde et ne voit rien. Mais la voix résonne de nouveau, tout près du bâtiment.

Est-ce un piège ? Une femme qui l'appelle à l'aide pendant qu'un homme la ceinture et lui tient un couteau sous la gorge ?

Toby ! C'est moi ! Pitié !

Elle s'essuie avec une serviette, enfile son têtaupieds, saisit son fusil, descend l'escalier. Ouvre la porte : personne. Mais la voix reprend, toute proche : *Oh ! par pitié !*

Un coup d'œil à gauche : personne. Un autre à droite : toujours personne. Elle vient de franchir le portail lorsqu'une femme débouche au coin du bâtiment. Elle avance en claudiquant, elle est maigre et couverte de sang séché. Elle porte un costume à paillettes, où sont fixées des plumes bleues abîmées.

La femme-oiseau. Une danseuse dans un cirque du sexe. Elle est forcément infectée, une peste ambulante. Si elle me touche, je suis morte, se dit Toby.

«Ne t'approche pas de moi!» Elle s'adosse à la clôture du jardin. «Fous le camp d'ici!»

La femme titube. Elle présente une plaie profonde à la jambe, ses bras nus sont en sang, striés d'estafilades – elle a dû passer à travers les ronces. Toby imagine les microbes et les virus qui grouillent dans son sang.

«Fous le camp, j'ai dit! Et vite!

— Je ne suis pas contaminée», dit la femme.

Ses joues sont noyées de larmes. Mais ils disaient tous la même chose. Ils tendaient les mains vers elle pour la supplier puis se liqué-fiaient avant de se transformer en une sorte de porridge rose. Toby avait tout vu depuis son perchoir.

Les gens se noieront, disait Adam Premier. Ils s'accrocheront au moindre brin de paille. Veillez à ne pas être ce brin, mes Amis.

Le fusil. Elle veut l'empoigner, mais la lanière s'est coincée dans son têtaupieds. Comment chasser ce nid à virus? Hurler ne sert à rien quand on est désarmé. Et si je la frappais à la tête avec une pierre? songe Toby. Mais elle n'a pas de pierre. Un bon coup de pied dans le plexus solaire, et ensuite une friction au savon.

Tu es bien peu charitable, dit la voix de Nuala. Tu as repoussé les Créatures de Dieu, car l'Humain n'est-il pas une Créature de Dieu, lui aussi?

Sous son abondante chevelure, la femme implore:

«Toby! C'est moi!»

Puis elle chancelle et tombe à genoux. Et Toby reconnaît Ren. Sous ces couches de crasse et de paillettes, c'est la petite Ren.

64

Toby traîne Ren à l'intérieur du Balnéo, la laisse choir sur le sol et s'empresse de refermer la porte. Prise d'hystérie, Ren pleure à gros bouillons.

« Bon, au boulot », dit Toby.

Soulevant Ren par les aisselles, elle la remet debout et toutes deux traversent le hall pour gagner l'une des cabines de soins. Ren pèse comme un poids mort mais elle n'est pas trop lourde, et Toby réussit à l'allonger sur une table de massage. Elle sent la sueur et la terre, et aussi le sang, et aussi autre chose : une odeur de décomposition.

« Reste ici », lui dit-elle.

Précaution inutile : Ren n'est pas en état de bouger. Sa tête repose sur l'oreiller rose, elle a les yeux fermés. L'un d'eux est salement tuméfié. Compresse apaisante à l'aloès NouvoMoi, décide Toby. Avec double dose d'arnica. Elle ouvre un paquet et lui applique une compresse, puis la recouvre d'un drap rose et la borde afin qu'elle ne tombe pas. Elle a une coupure sur le front, une autre sur la joue : rien de trop grave, on s'en occupera plus tard.

Toby se rend à la cuisine, met de l'eau dans la bouilloire. Ren est sûrement déshydratée. Elle verse l'eau chaude dans une tasse, y ajoute une cuillerée de miel, une pincée de sel. Plus un peu d'oignon vert prélevé dans ses maigres réserves. Elle apporte la tasse dans la cabine, ôte les compresses, aide Ren à s'asseoir.

Elle a des yeux immenses au milieu d'un visage meurtri.

« Je ne suis pas malade », dit-elle.

C'est faux : elle est brûlante de fièvre. Il y a cependant plus d'une maladie en ce monde. Toby vérifie l'absence de symptômes : pas de sang suintant des pores, pas d'écume aux lèvres. Mais Ren est peut-être un porteur sain, auquel cas Toby est déjà infectée.

« Essaie de boire, l'encourage-t-elle.

— Je ne peux pas. » Mais Ren réussit à avaler un peu d'eau. « Où est Amanda ? Il faut que je m'habille.

— Tout va bien. Amanda n'est pas loin. Essaie de dormir un peu. »

Toby l'oblige doucement à se rallonger. Ainsi, songe-t-elle, Amanda est mêlée à cette histoire. Cette fille a toujours attiré les emmerdes.

« Je ne vois plus rien », gémit Ren.

Elle tremble de tous ses membres.

De retour à la cuisine, Toby verse dans un bol le reste de l'eau chaude : elle doit à tout prix nettoyer ce plumage à paillettes. Armée de son bol, d'une paire de ciseaux, d'une savonnette et d'une pile de serviettes roses, elle regagne la cabine de soins, retire le drap et commence à découper la tenue crasseuse. Sous les plumes, elle ne trouve pas du tissu mais une substance qui lui est inconnue. Élastique. On dirait presque de la peau. Elle l'humecte pour la décoller plus facilement de l'épiderme. Le bas-ventre n'est plus qu'une déchirure. Bon sang, se dit Toby, c'est pas beau à voir. Plus tard, elle préparera un cataplasme.

La gorge de Ren est marquée de stries – la corde, sans doute. C'est sa plaie à la jambe qui est infectée. Toby est aussi douce que possible, mais Ren grimace et pousse un petit cri.

« Merde ! ça fait mal ! » s'écrie-t-elle.

Puis elle recrache l'eau qu'elle vient de boire.

Après lui avoir lavé le visage, Toby s'occupe de sa jambe.

« Comment tu t'es fait ça ? demande-t-elle.

— Je ne sais pas. J'ai dû tomber. »

Toby nettoie la plaie puis y applique un peu de miel. Il y a des antibiotiques là-dedans, disait Pilar. Quelque part dans le Balnéo se trouve une trousse de premiers secours.

« Ne bouge pas, dit-elle à Ren. Il faut éviter la gangrène.

— Toc-toc, fait-elle en gloussant. Gang ! Green ! »

Toby a fini de lui ôter son costume et de l'éponger.

« Je vais te donner une tisane au Saule et à la Camomille », lui dit-elle. Et au Pavot. « Tu as besoin de dormir. »

Ren sera plus en sécurité par terre que sur la table de massage : elle lui confectionne un nid de serviette roses, l'y fait doucement descendre, lui met des couches de fortune vu que sa faiblesse l'empêche d'aller aux toilettes. Elle est toujours aussi brûlante.

Toby lui apporte sa tisane dans un verre. Quand Ren l'avale, sa gorge tremble comme celle d'un oiseau. Pas de haut-le-cœur cette fois-ci.

Inutile de sortir les asticots pour le moment. Avant d'entamer ce traitement, il faut que Ren soit cohérente et puisse obéir aux instructions – ne pas se gratter, par exemple. La première chose à faire, c'est d'éliminer la fièvre.

Pendant que Ren dort, Toby passe en revue son stock de champignons séchés. Elle sélectionne les stimulants immunitaires : ganoderme luisant, polypore en touffes, lentin des chênes, polypore du bouleau, polypore en ombelle, pom-pom blanc, cordyceps, amadouvier. Elle les fait tremper dans de l'eau bouillante. Puis, l'après-midi venu, elle prépare un élixir – une fois qu'ils ont mijoté, elle les passe avant de laisser refroidir le liquide – et en administre trente gouttes à Ren.

La cabine empeste. Toby soulève Ren, l'allonge sur le flanc, attrape les serviettes souillées et essuie la malade. Elle a pris soin d'enfiler des gants de ménage : pas question qu'elle chope la dysenterie. Elle étale des serviettes propres sur le sol, remet Ren en position. Elle a les bras ballants, la tête dolente ; on l'entend murmurer.

C'est pas gagné, songe Toby. Quand Ren sera guérie – si elle guérit –, il y aura deux bouches à nourrir au lieu d'une seule. Les réserves s'épuiseront donc deux fois plus vite. Ce qui reste des réserves. C'est-à-dire pas grand-chose.

Peut-être que Ren succombera à la fièvre. Peut-être qu'elle mourra dans son sommeil.

Toby réfléchit aux Anges de la Mort en poudre. Il n'en faudrait pas beaucoup. Vu l'état de Ren, une pincée suffirait pour abréger ses souffrances. Ça l'aiderait à s'envoler sur des ailes blanches, blanches. Peut-être que cela vaudrait mieux pour elle. Une bénédiction.

Je suis une personne abjecte, songe Toby. Du seul fait d'entretenir de telles idées. Tu connais cette fille depuis qu'elle est toute petite, elle est venue implorer ton aide, elle est en droit de te faire confiance. Adam Premier dirait que Ren est un don précieux que Toby a reçu afin de démontrer son altruisme, son sens du partage et autres qualités que les Jardiniers étaient désireux de lui inculquer. Toby ne peut

voir les choses sous cet angle, pas en ce moment. Mais elle conti-
nuera d'essayer.

Ren soupire, grogne et agite les mains. Elle fait un mauvais rêve.

La nuit venue, Toby allume une bougie et s'assied auprès de Ren
pour l'écouter respirer. Inspire, expire. Pause. Inspire. Expire. Souffle
rauque. À intervalles réguliers, elle lui palpe le front. A-t-il refroidi ?
Il y a forcément un thermomètre quelque part ; elle se mettra à sa
recherche demain matin. Elle lui prend le pouls : rapide, irrégulier.

Puis elle s'assoupit sur sa chaise et, quelque temps plus tard, c'est
une odeur de brûlé qui la réveille. Elle allume sa lampe torche : la
bougie est tombée, et du drap rose de Ren monte un panache de
fumée. Heureusement qu'il est humide.

Cette idée était totalement stupide, se morigène Toby. Plus de bougies, sauf si je suis bien réveillée.

65

Toby. Saint Mahatma Gandhi

An 25

Le lendemain matin, Ren est moins fiévreuse. Son pouls bat plus fort et elle arrive à tenir la tasse d'eau chaude dans ses deux mains tremblantes. Outre du miel et du sel, Toby y a mis de la menthe.

Une fois que Ren s'est rendormie, Toby monte les draps et les serviettes sales sur le toit afin de les laver. Elle a apporté ses jumelles et scrute les environs pendant que le linge trempe.

Des cochons au loin, dans le coin sud-ouest du pré. Deux ToisondOr, un bleu et un argenté, qui broutent paisiblement. Pas de liogneaux. Des chiens qui aboient quelque part. Des vautours autour de la carcasse du cochon.

«Foutez le camp, bande d'archéologues», dit Toby.

Elle se sent d'humeur légère, presque folâtre – elle a envie de se raconter des blagues. Trois grands papillons roses volent autour de sa tête, se posent sur les draps mouillés. Peut-être pensent-ils avoir trouvé le plus gros représentant de leur espèce. Peut-être sont-ils amoureux. Puis ils déroulent leur longue trompe. Non, ce n'est pas de l'amour qu'ils cherchent : c'est du sel.

Certains vous affirmeront que l'Amour n'est qu'une question de chimie, mes Amis, disait Adam Premier. Évidemment que oui : où serions-nous sans la chimie ? Mais la Science n'est qu'une façon de décrire le monde. Une autre façon serait de dire : où serions-nous sans l'Amour ?

Cher Adam Premier, songe Toby. Il doit être mort. Et Zeb – mort lui aussi, même si elle aimerait croire le contraire. Quoique, ce n'est pas sûr, car si je suis vivante – ou, plus exactement, si Ren est vivante –, alors cela peut être vrai de n'importe qui.

Ça fait des mois qu'elle a cessé d'écouter sa radio à dynamo, tant le silence était déprimant. Mais ce n'est pas parce qu'elle n'a entendu personne que plus personne n'est vivant. D'ailleurs, c'était ainsi qu'Adam Premier démontrait l'existence de Dieu.

Toby nettoie la jambe infectée de Ren, la badigeonne à nouveau de miel. Ren mange et boit en petite quantité. Une gorgée d'élixir de champignons, une autre de tisane de Saule. Après bien des efforts, Toby trouve enfin une trousse de premiers secours; elle contient un tube de crème antibiotique, mais il est périmé depuis un moment. Pas de thermomètre. Qui donc a commandé ce truc à la con? se dit-elle. Oh! mais c'est moi.

De toute façon, les asticots sont plus efficaces.

L'après-midi venu, elle les sort de la barquette en plastique et les rince à l'eau tiède. Puis elle les pose sur un carré de gaze trouvé dans la trousse, recouvre celui-ci d'un second carré et applique l'ensemble sur la blessure. Il ne faudra pas longtemps aux asticots pour dévorer la gaze : leur appétit les y encouragera.

« Ça va chatouiller, dit-elle à Ren. Mais ça te fera du bien. Essaie de ne pas bouger ta jambe.

— Qu'est-ce que c'est?

— Ce sont tes amis. Mais tu n'es pas obligée de les regarder. »

Ses pulsions homicides de l'autre nuit se sont évaporées : pas question qu'elle laisse le cadavre de Ren en pâture aux cochons et aux vautours. Désormais, elle a envie de la guérir, de la chérir, car son arrivée ici tient du miracle. Dire qu'elle s'est tirée indemne du Déluge des Airs! Enfin, presque indemne. À présent qu'elle a de la compagnie – même si c'est celle d'une malade qui passe le plus clair de son temps à dormir –, le Balnéo lui apparaît plus comme un foyer douillet plutôt que comme une maison hantée.

Le fantôme, c'était moi, se dit Toby.

66

Toby. Saint Henri Fabre, sainte Anna Atkins, saint Tim Flannery, saint Ichida-San, saint David Suzuki, saint Peter Matthiesen

An 25

Les asticots mettent trois jours à nettoyer la blessure. Toby suit leurs progrès avec attention : s'ils arrivent à court de chairs mortes, ils s'attaqueront aux chairs vivantes.

Le matin du deuxième jour, la fièvre de Ren est tombée mais, par acquit de conscience, Toby continue de lui administrer l'élixir de champignons. Ren mange un peu plus. Dès le matin, Toby l'aide à monter sur le toit et la fait asseoir sur le banc en simili-bois. Les asticots sont photophobes : la lumière les chasse dans les recoins de la plaie, exactement là où ils doivent aller.

Pas un mouvement dans les herbes. Pas un bruit dans la forêt.

Toby tente d'interroger Ren : où s'est-elle réfugiée après le Déluge, comment y a-t-elle échappé, comment est-elle arrivée ici, qu'est-ce que c'était que ce costume à plumes ; mais à peine a-t-elle commencé que Ren éclate en sanglots.

« J'ai perdu Amanda ! s'écrie-t-elle.

— Peu importe, réplique Toby. On la retrouvera. »

Le matin du quatrième jour, Toby enlève le cataplasme : la plaie est propre et en voie de guérison.

« Maintenant, il faut te remettre en forme », dit-elle à Ren.

Celle-ci commence à marcher dans les couloirs, à monter et à descendre les escaliers. Elle a pris un peu de poids, car Toby l'a nourrie avec de la Crème faciale Citron Meringue NouvoMoi, une substance parfaitement comestible et riche en sucre. Elle lui fait exécuter une série d'exercices tirés des cours de Limitation des pertes en guérilla urbaine de Zeb : *satsuma, unagi, et cætera.* Recentre-toi comme un Fruit, sois sinueuse comme une Anguille. Elle-même, qui a négligé son entraînement, a besoin d'une remise à niveau.

Au bout de quelques jours, Ren lui raconte son histoire, ou du moins un fragment de celle-ci. Chaque fois qu'elle réussit à finir une phrase, elle s'arrête ensuite durant un long moment pour contempler le vide. Elle était enfermée dans une section de Zécailles et Amanda est venue depuis le Wisconsin pour en deviner le code d'accès. Puis Shackie, Croze et Oates sont sortis de nulle part, comme par magie, et elle était trop heureuse : on les avait envoyés à Painball, mais l'épidémie les avait sauvés de la mort. Puis trois horribles Painballers de l'équipe adverse ont débarqué à Zécailles et ils ont tous pris la fuite – Amanda, elle et les garçons. Elle leur a dit d'aller au Balnéo NouvoMoi parce que Toby s'y trouvait sans doute et ils ont failli y arriver – ils avançaient parmi les arbres, et boum ! le noir total. Elle n'a pas la force de raconter la suite.

« À quoi ressemblaient ces trois hommes ? demande Toby. Est-ce qu'ils avaient des... »

Elle n'a pas le temps de prononcer les mots « signes distinctifs » car, en voyant les dénégations de Ren, elle comprend que la discussion est close.

« Il faut que je retrouve Amanda, insiste Ren en essuyant ses larmes. Il faut vraiment que je la retrouve. Ils vont la tuer.

— Tiens, mouche-toi, dit Toby en lui tendant un torchon rose. Amanda est très futée. » Mieux vaut faire comme si elle était encore en vie. « Pleine de ressource. Elle s'en tirera. »

Elle est sur le point de dire que les femmes sont rares et qu'Amanda sera sûrement épargnée, voire ménagée, mais elle se ravise.

« Tu ne comprends pas, insiste Ren en sanglotant de plus belle. Ces trois hommes, ce sont des Painballers – ils ne sont plus humains. Il faut que je la retrouve.

— On ira à sa recherche, dit Toby pour la calmer. Mais on ne sait pas où ils... où elle est allée.

— Où irais-tu ? Si tu étais à leur place ?

— Peut-être vers l'est. Vers la mer. Pour y trouver des poissons.

— On n'a qu'à aller par là. »

— Quand tu auras repris des forces », dit Toby.

De toute façon, elles ne peuvent plus rester ici : les réserves seront bientôt épuisées.

« Je suis assez forte pour partir », déclare Ren.

En pillant le jardin, Toby réussit à localiser un nouvel oignon. Elle déterre trois bardanes dans le pré, ainsi que quelques carottes blanches et grêles.

« Tu serais capable de manger un lapin ? demande-t-elle à Ren. Si je le coupe en tout petits morceaux et si j'en fais de la soupe, par exemple ?

— Sans doute. J'essaierai. »

Toby est quasiment prête à redevenir une carnivore. Certes, un coup de feu, ça n'est pas très discret, mais si les Painballers rôdent encore dans la forêt, ils savent déjà qu'elle est armée. Autant leur rafraîchir la mémoire, ça ne peut pas faire de mal.

On trouve souvent des lapins verts à proximité de la piscine. Toby tente d'en abattre un depuis le toit, mais elle semble incapable d'atteindre sa cible. Est-ce que sa conscience lui joue des tours ? Peut-être doit-elle choisir un animal plus gros, un cerf ou un chien. Ça fait un moment qu'elle ne voit plus ni cochons ni moutons. Alors qu'elle venait de se résigner à les manger, ils ont disparu.

Elle trouve les sacs à dos sur une étagère de la blanchisserie. Elle n'y avait plus mis les pieds depuis que les pompes avaient cessé de fonctionner et ça empeste le moisi. Heureusement, ces sacs à dos ne sont pas en coton mais en fibre synthétique. Elle les emporte sur le toit, les lave et les laisse sécher au soleil.

Elle étale ses provisions sur le plan de travail de la cuisine. Ne te charge pas trop, tu dépenseras plus de calories que tu ne pourras en consommer, lui souffle la voix de Zeb. Les outils sont plus importants que les vivres. Ton meilleur outil, c'est ton cerveau.

Le fusil, cela va sans dire. Des munitions. Une pelle pour déterrer les racines. Des allumettes. Un briquet, même s'il ne tiendra pas le coup très longtemps, inutile de s'en priver. Un couteau de randonneur, avec ciseaux et pince à épiler. De la corde. Deux feuilles de plastique, pour se protéger de la pluie. Une lampe torche à dynamo. Des bandages. Du ruban adhésif extrafort. Des barquettes en plastique. Des sacs de toile pour fourrager. Une marmite. La bouilloire Kelly Kettle. Du papier hygiénique – c'est du luxe, d'accord, mais elle ne peut pas s'en passer. Deux Zizifruits à la framboise de taille moyenne, prélevés dans un minibar du Balnéo : c'est de la merde, mais il y a des calories dedans. Et, par la suite, on pourra mettre de l'eau dans les bouteilles.

Deux cuillères en métal ; deux tasses en plastique. Ce qui reste d'écran total. Le dernier vaporisateur de Désinsect. Les jumelles : lourdes mais nécessaires. Le manche à balai. Du sucre. Du sel. Les derniers pots de miel. Les dernières Voltbars. Les dernières soja-cisses.

Le sirop de Pavot. Les champignons lyophilisés. Les Anges de la Mort.

La veille du départ, elle se coupe les cheveux. Une coupe radicale – ça lui évoque Jeanne d'Arc dans ses mauvais jours –, mais elle ne veut pas qu'on puisse l'empoigner par les cheveux pour mieux lui trancher la gorge. Elle inflige le même traitement à Ren. Ça leur donnera l'air plus cool, lui dit-elle.

« On devrait enterrer ces cheveux », avance Ren.

Pour une raison inconnue, elle ne veut pas qu'ils restent visibles.

« Et si on les mettait sur le toit ? propose Toby. Comme ça, les oiseaux pourront s'en faire des nids. »

Elle n'a pas l'intention de gaspiller des calories pour organiser des funérailles à leurs cheveux.

« Oh ! d'accord », fait Ren.

Cette idée semble la ravir.

67

Toby. Saint Chico Mendes, martyr

An 25

Elles quittent le Balnéo juste avant l'aurore. Elles sont vêtues de sur-vêtements rose clair, frappés de l'œillade et de la bouche en cœur rose foncé. Et chaussées de baskets roses, celles que portaient les clientes pour sauter à la corde et perdre du poids. Et coiffées de larges cha-peaux roses. Elles embaument le Désinsect. Et l'écran total ranci. Dans leurs sacs à dos, elles ont fourré leurs têtaupieds roses, au cas où le soleil chaufferait trop. Si seulement tous ces trucs n'étaient pas roses, se dit Toby – on dirait des fringues de bébé ou de petite fille en fleur. La honte quand on part à l'aventure. Question camouflage, zéro.

Elle sait que la situation est grave, comme on disait jadis aux infos – pas de doute là-dessus. Et pourtant, elle se sent d'attaque, voire carrément allègre. Comme si elle avait bu. Comme si elles partaient pique-niquer. Une poussée d'adrénaline, sans doute.

L'horizon s'éclaircit à l'est ; la brume monte des arbres. La rosée scintille sur les buissons de lumiroses, reflétant l'éclat diffus des fleurs. La douceur des prés humides exhale tout autour. Les oiseaux s'agitent et pépient ; sur les branches effeuillées, les vautours déploient leurs ailes pour les faire sécher. Venue du sud, une paoni-grette arrive à tire-d'aile, survole le pré puis entame une manœuvre d'atterrissage qui la conduit au bord de la piscine aux eaux verdies par les algues.

Peut-être est-ce la dernière fois que je vois ce paysage, songe Toby. Étonnant comme le cœur se serre devant tout ce qui lui est familier. *Ceci est à moi ! À moi !* Était-elle si ravie de séjourner dans cette prison ? Non. Mais le Balnéo NouvoMoi a fini par devenir son territoire : elle y a laissé ses sécrétions les plus intimes. Une souris comprendrait sa réaction : c'est son nid. *Adieu*, telle est la chanson que chante le Temps, disait Adam Premier.

Quelque part, des chiens aboient. Elle les a entendus au fil des derniers mois, mais, aujourd'hui, ils semblent plus proches. Cela ne lui plaît guère. Sans personne pour les nourrir, ils sont sûrement retournés à l'état sauvage.

Avant de partir, elle est remontée sur le toit pour scruter les prés environnants. Pas un cochon, pas un ToisondOr, pas un liogneau. Ou alors ils se planquent. Elle n'a jamais vu grand-chose, admet-elle. Le pré, l'allée, la piscine, le jardin. La lisière de la forêt. Elle préférerait ne pas s'aventurer entre les arbres. La Nature est peut-être stupide, disait Zeb, mais elle l'est moins que vous.

Écoutez, lance-t-elle mentalement à la forêt, et aux cochons et aux liogneaux qui s'y planquent. Oui, et aux Painballers aussi, pour ce qu'elle en sait. Ne m'emmerdez pas. Je suis de rose vêtue, c'est vrai, mais j'ai un fusil. Et des balles aussi. D'une portée supérieure à celle d'un aérodésintégreur. Alors cassez-vous, trouducs.

Les jardins du Balnéo et leur périmètre boisé sont séparés du Parc du Patrimoine par une clôture barbelée et électrifiée, mais le courant n'y circule plus depuis belle lurette. Quatre portails y sont ouverts, à chacun des points cardinaux, reliés par des allées rayonnant depuis le bâtiment central. Toby a prévu de passer la nuit près du portail est. Il n'est pas trop loin et Ren pourra marcher jusque-là : elle n'est pas encore en état de randonner de façon intensive. Le lendemain matin, elles entameront leur marche vers la mer – à pas comptés.

Ren demeure persuadée qu'elles retrouveront Amanda. Et que Toby descendra les Painballers de l'équipe dorée à coups de fusil, et que Shackleton, Crozier et Oates sortiront comme par miracle de la cachette qu'ils se sont trouvée. Les séquelles de sa maladie se font encore sentir. Elle compte sur Toby pour redresser tous les torts, comme si elle était retombée en enfance ; comme si Toby était redevenue Ève Six, les pouvoirs magiques en plus.

Elles passent près du minibus rose du Balnéo et, au détour de l'allée, découvrent deux autres véhicules : une autosolaire et une Jeep alimentée au carborduruile. À en juger par l'état de leurs carcasses, on les a incendiées lors d'une émeute. À l'odeur de brûlé se mêle un fumet douceâtre et écœurant.

« Ne regarde pas dedans, avertit Toby au passage.

— Ce n'est pas grave, répond Ren. J'ai vu pire dans les plèbezones quand on est partis de Zécailles. »

Un peu plus loin, elles tombent sur un chien – un épagneul mort depuis peu. Quelque chose l'a éventré : ses entrailles offrent leur énigme au ciel et aux mouches, mais les vautours ne les ont pas encore repérées. L'assassin reviendra sûrement sur les lieux de son crime : un bon prédateur ne gâche jamais rien. Toby scrute les buissons au bord de la route : ils prolifèrent quasiment à vue d'œil, occultant le reste du paysage. Que de kudzu !

« Pressons le pas », dit-elle.

Mais Ren en est incapable. Elle est épuisée, son barda est trop lourd.

« J'ai l'impression que j'ai une ampoule », gémit-elle.

Elles font une pause sous un arbre pour boire du Zizifruit. Toby est persuadée qu'un animal tapi sur une branche se prépare à leur sauter dessus. Les liogneaux sont-ils arboricoles ? Elle s'ordonne de se détendre, de souffler, de prendre son temps.

« Fais voir cette ampoule », dit-elle à Ren.

Ce n'est qu'une banale inflammation. Elle arrache un pan de son têtaupieds et l'enroule autour du pied de Ren. Au soleil, il est dix heures du matin. Chacune d'elles enfile son têtaupieds et Toby leur applique une couche d'écran total, puis les asperge de Désinsect.

Ren se met à traîner la patte avant qu'elles aient atteint le prochain virage.

« On va couper à travers champs, lui dit Toby. Ça nous fera un raccourci. »

Sainte Rachel et Tous les Oiseaux

Sainte Rachel et Tous les Oiseaux
An 25

Des dons de sainte Rachel ; et de la liberté de l'Esprit.
Prononcé par Adam Premier

Chers Amis, chères Créatures, chers Mortels, mes Frères et mes Sœurs :

Réjouissons-nous à juste titre de ce monde réarrangé dans lequel nous nous retrouvons ! Certes, il recèle son content de... n'allons pas jusqu'à parler de *déception*. À l'instar de tous les déluges, le Déluge des Airs en se retirant a laissé des débris qui ne sont guère ragoûtants. L'Éden que nous appelons de nos vœux n'apparaîtra pas de sitôt, mes Amis.

Mais c'est un privilège pour nous que de pouvoir observer les précieux premiers instants de cette Renaissance ! Comme l'air est pur à présent que toute pollution humaine a disparu ! Cet air purifié est à nos poumons ce que l'air des nuages là-haut est à ceux des Oiseaux. Comme ils doivent se sentir légers, éthérés, en volant au-dessus des arbres ! Des âges durant, les Oiseaux ont été associés à la liberté de l'Esprit, par opposition au lourd fardeau de la Matière. La Colombe ne symbolise-t-elle pas la Grâce, l'universelle capacité à accepter, à pardonner ?

C'est dans l'esprit de cet Esprit de grâce que nous souhaitons la bienvenue à nos trois nouveaux compagnons : Melinda, Darren et Quill. Ils ont miraculeusement échappé au Déluge des Airs du seul fait de leur séquestration : Melinda se trouvait dans un centre d'amaigrissement par le yoga, Darren dans l'unité de quarantaine d'un hôpital et Quill dans le quartier d'isolation d'une prison. Réjouissons-nous que tous trois n'aient pas été exposés à la contamination virale. Bien qu'ils ne partagent pas notre Foi – quoique Quill et Melinda semblent désireux de l'embrasser –, ce sont nos Frère et Sœurs, et nous sommes ravis de les aider en cette période d'épreuves qui nous est commune.

Félicitons-nous aussi d'avoir trouvé ce refuge provisoire, cette franchise Cafésympa qui, naguère, nous inspirait de la haine et nous protège aujourd'hui du soleil brûlant et des orages cataclysmiques. Grâce aux talents de Stuart – je pense en particulier à sa maîtrise du pied-de-biche –, nous avons gagné l'accès à la réserve, ce qui nous a permis de consommer moult produits Cafésympa : le substitut de lait en poudre, le sirop parfumé à la vanille, le mélange cappumocca et les distributeurs de sucre, roux et blanc. Vous savez tous ce que je pense du sucre raffiné, mais il convient parfois de contourner ses règles de vie. Et merci à Nuala, notre indomptable Ève Neuf, pour l'habileté avec laquelle elle a concocté le breuvage qui nous nourrit et nous désaltère.

Rappelons-nous en ce jour que Cafésympa était contraire à l'Esprit de sainte Rachel. Cette Corps, dont la culture intensive détruisait la forêt tropicale humide à coups de pesticides, constituait naguère la plus grave des menaces frappant les Créatures à plume de Dieu, à l'instar du DDT à l'époque de sainte Rachel Carson. C'est dans l'Esprit de sainte Rachel que certains des nôtres, parmi les plus extrémistes, ont quitté nos rangs pour s'engager dans la campagne menée contre Cafésympa. Si d'autres groupes militaient contre l'exploitation outrancière des ouvriers indigènes, ces ex-Jardiniers étaient avant tout soucieux du sort des Oiseaux. Tout en désapprouvant leurs méthodes violentes, nous ne pouvions que louer leurs intentions.

Sainte Rachel a consacré sa vie aux Créatures à plume et, par voie de conséquence, à la protection de la Planète tout entière – car si les Oiseaux succombaient à la maladie et à la mort, cela ne signifiait-il pas que la Vie elle-même était frappée ? Imaginez le chagrin de Dieu lorsqu'Il a vu la détresse qui affligeait la plus exquise et la plus mélodieuse de Ses Créations !

Sainte Rachel fut persécutée par les puissantes Corps chimiques de son époque, et on l'a tournée en ridicule parce qu'elle disait la vérité, mais la raison a fini par l'emporter. Malheureusement, la campagne anti-Cafésympa n'a pas rencontré un succès similaire, pourtant ce problème est désormais résolu à la suite de l'intervention d'une puissance supérieure : Cafésympa n'a pas survécu au Déluge des Airs.

Pour citer la Parole humaine de Dieu, plus précisément Isaïe 34 : «D'âge en âge le pays sera desséché... Ce sera le domaine du Pélican et du Hérisson... Là nichera le Serpent, il pondra, fera éclore ses œufs, groupera ses petits à l'ombre. Là encore se rassembleront les Vautours, les uns vers les autres.»

Et ainsi est-il advenu. En ce moment même, mes Amis, la forêt tropicale humide doit se régénérer !

Chantons.

Quand Dieu déploiera Ses ailes étincelantes

Quand Dieu déploiera Ses ailes étincelantes
Et s'envolera dans le Ciel d'azur,
Il apparaîtra comme une Colombe
Au plumage pur et éblouissant.

Puis c'est du Corbeau qu'Il prendra la forme
Pour montrer que la beauté est partout,
Dans tous les Oiseaux qu'Il a créés,
Ceux de jadis comme ceux d'aujourd'hui.

Il voguera avec le Cygne, planera avec le Faucon,
Et avec le Hibou, et aussi le Perroquet,
Il chantera le grand chœur de l'aurore,
Et il plongera avec les Palmipèdes.

En Vautour ensuite Il apparaîtra,
L'Oiseau sacré des temps jadis,
Qui dévore la Mort et la corruption
Et ainsi restaure la Vie.

Sous Ses ailes nous serons abrités :
Des filets et des flèches Il nous sauvera ;
Son œil verra la chute du Moineau
Et repérera la tombe de l'Aigle.

Car ceux qui font couler le sang aviaire,
Par sport et même par jeu,
Profanent la Paix sacrée de Dieu
Qui a béni le Septième Jour.

Extrait du *Livre de cantiques des Jardiniers de Dieu*

68

Ren. Saint Chico Mendes, martyr

An 25

Nous traversons le pré inondé de lumière. On y entend un bourdonnement évoquant celui d'un millier de vibros miniatures ; de gigantesques papillons roses volettent tout autour. Le parfum du trèfle est étourdissant. Toby sonde le sol de son manche à balai. J'essaie de faire attention où je mets les pieds, mais le terrain est inégal et me fait trébucher, et en baissant les yeux je découvre une chaussure. Des scarabées en sortent à vive allure.

J'aperçois des animaux devant nous. Ils n'étaient pas là il y a une minute. Est-ce qu'ils étaient tapis dans les herbes ? Est-ce qu'ils viennent de se redresser ? Je vais pour reculer, mais Toby me rassure :

« Rien à craindre, ce ne sont que des ToisondOr. »

C'est la première fois que j'en vois ailleurs que sur un écran. Ils nous regardent d'un air placide, sans cesser de mâcher.

« Seraient-ils d'accord si je voulais me coiffer de leur laine ? » dis-je.

Il y a un bleu, un rose, un argenté et un pourpre ; on dirait des bonbons, ou encore des nuages par grand soleil. Si joyeux, si paisibles.

« J'en doute, répond Toby. Nous devons presser le pas.

— Ils n'ont pas peur de nous.

— Ils devraient. Allez ! Viens. »

Les ToisondOr nous regardent. Comme nous nous rapprochons, ils se retournent et s'éloignent, tous en même temps.

Toby a choisi de sortir par le portail est. Puis, alors qu'on marche depuis un bout de temps sur l'allée pavée, elle dit que c'est plus loin qu'elle ne l'aurait cru. La chaleur commence à me donner le vertige, d'autant plus que je porte un têtaupieds, et Toby décide d'obliquer vers la forêt qui borde le pré, pour y trouver un peu de fraîcheur. Je n'aime pas ces arbres, il fait trop sombre sous leur feuillage, mais je sais qu'on ne peut pas rester dans ce pré.

Il y a de l'ombre dans la forêt, mais pour la fraîcheur on repassera. Pas un souffle de vent, l'air semble étrangement épais, comme s'il était plus dense qu'ailleurs. Mais au moins sommes-nous protégées du soleil, alors nous ôtons nos têtaupieds et nous engageons sur le sentier. Je sens une riche odeur de bois en train de pourrir, une odeur de champignon que j'ai bien connue du temps des Jardiniers, quand on allait dans le Parc pour la Semaine de Saint-Euell. Le lierre recouvre désormais les gravillons, mais le sentier est jonché de branches cassées et piétinées, et Toby déclare que quelqu'un est déjà passé par ici ; mais pas aujourd'hui, parce que les feuilles ont eu le temps de se flétrir.

Loin devant nous, des corbeaux font un sacré boucan.

Nous débouchons sur un ruisseau qu'enjambe un petit pont. L'eau coule sur les rochers et j'aperçois des poissons. Quelqu'un a creusé un trou sur l'autre berge. Toby se fige, tourne la tête et tend l'oreille. Puis elle traverse le pont et examine le trou.

« L'œuvre d'un Jardinier, décrète-t-elle, ou de quelqu'un de futé. »

Les Jardiniers enseignent qu'on ne doit jamais boire l'eau à même un ruisseau, surtout à proximité d'une ville : mieux vaut creuser un trou sur la berge afin d'accéder à une eau en partie filtrée par la terre. L'une de nos bouteilles est désormais vide. Toby la remplit à ce trou en veillant à ne prendre que de l'eau en surface : elle n'a pas envie de récupérer un lombric noyé.

Un peu plus loin, dans une petite clairière, on trouve des champignons. Toby reconnaît des pieds-de-mouton – *hydnum repandum* –, une espèce qui poussait en automne, quand il y avait encore un automne. On les ramasse et Toby les met dans l'un des sacs de toile qu'elle a emportés, puis accroche celui-ci à son sac à dos afin de ne pas en écraser le contenu. Et on reprend la route.

Nous sentons l'odeur avant de voir la chose.

« Évite de hurler », m'avertit Toby.

C'était ça qui affolait les corbeaux.

« Oh ! non », murmuré-je.

Je reconnais Oates. Il est pendu à un arbre et tourne doucement. On lui a passé une corde sous les bras pour la nouer dans son dos. On l'a presque entièrement dévêtu, ne lui laissant que ses bottes et ses chaussettes. C'est encore plus horrible, car je ne peux même pas me dire qu'il ressemble à une statue. Sa tête est rejetée loin en arrière, beaucoup trop loin, car on lui a tranché la gorge ; les corbeaux volettent autour d'elle, en quête d'une prise pour leurs pattes. Ses cheveux blonds sont tout poisseux. Une plaie béante s'ouvre dans son dos, et je repense aux cadavres qu'on abandonnait jadis dans les terrains vagues après y avoir prélevé les reins. Sauf que ce n'est pas pour une transplantation qu'on lui a volé les siens.

« Quelqu'un possède un couteau bien tranchant », commente Toby.

Je me mets à pleurer.

« Ils ont tué le petit Oatie. Je crois que je vais vomir. »

Et je m'effondre sur le sol. Je vais peut-être mourir, mais je m'en fous : plus question de vivre dans un monde où on a pu faire ça à Oates. C'est si injuste. J'avale l'air à grosses goulées et les larmes me brouillent la vue.

Toby m'empoigne l'épaule, m'oblige à me relever et me secoue comme un prunier.

« Arrête ! ordonne-t-elle. On n'a pas de temps à perdre. Allez, viens. »

Elle me pousse sur le sentier. Je réussis à articuler :

« On ne peut pas le dépendre, au moins ? Et aussi l'enterrer ?

— On s'en occupera plus tard. De toute façon, il n'habite plus ce corps. Il a rejoint l'Esprit à présent. Chut, ce n'est rien. »

Elle fait halte, m'étreint et me berce doucement, puis me pousse de nouveau devant elle. Nous devons arriver au portail avant l'orage quotidien, explique-t-elle, et les nuages courent déjà dans le ciel, en provenance du sud-ouest.

69

Toby. Saint Chico Mendes, martyr

An 25

Toby est bouleversée – c'est si brutal, si horrible –, mais elle ne peut se permettre de le montrer à Ren. Les Jardiniers auraient entamé un travail de deuil – limité mais bien réel – dans le cadre d'un processus de guérison, cependant le temps presse. Les nuages sont d'un jaune verdâtre, les éclairs du genre féroce : il y a de la tornade dans l'air.

« Dépêche-toi, dit-elle à Ren. Si tu ne veux pas à être emportée par une bourrasque. »

Durant les cinquante derniers mètres, elles se tiennent par la main et courent tête baissée, face au vent.

Le portail est dans le style tex-mex rétro, tout en voûtes, et recouvert d'une couche de dermosolaire rose dont la texture imite l'adobe. Les murs sont déjà envahis de kudzu. La porte en fer forgé est grande ouverte. Des animaux – les cochons, probablement – ont dévasté le massif ceint de pierres blanches dont les pétunias, qui épelaient naguère BIENVENUE À NOUVOMOI, ont succombé aux assauts des pourpiers et des laiterons.

« Je vois des jambes, dit Ren. Là, près du portail. »

Elle claque des dents : encore en état de choc.

« Des jambes ? » répète Toby.

Elle se sent offensée : combien de cadavres va-t-elle croiser aujourd'hui ? Elle s'approche du portail. Ce ne sont pas des jambes, mais des pattes de ToisondOr – quatre en tout, mais uniquement les parties inférieures, c'est-à-dire les moins charnues. Il y subsiste encore un peu de laine couleur lavande. Elle aperçoit aussi une tête, mais celle-ci n'appartient pas à une ToisondOr : c'est la tête d'un liogneau, au pelage sale et aux orbites vides et encroûtées. La langue a également disparu. Dans les restaurants Le Grand Bleu, c'était un régal pour les gourmets.

Toby retourne auprès de Ren qui, une main plaquée sur la bouche, tremble de tous ses membres.

« Ça vient des ToisondOr, lui dit-elle. Je vais en faire de la soupe. Avec nos succulents champignons.

— Oh ! je ne pourrai rien avaler, se lamente Ren. Ce n'était qu'un... qu'un enfant. Je le prenais dans mes bras, autrefois. » Les larmes coulent sur ses joues. « Pourquoi ont-ils fait ça ?

— Il faut que tu manges, insiste Toby. C'est ton devoir. »

Envers qui ? se demande-t-elle. Ton corps est un don de Dieu et tu dois faire honneur à ce don, disait Adam Premier. Mais elle ne sent plus en elle la moindre conviction.

La porte du poste de garde est ouverte. Elle s'approche de la fenêtre, jette un coup d'œil à la zone d'accueil – personne – et pousse Ren à l'intérieur : la tempête est toute proche. Elle actionne un interrupteur : plus de lumière. Un guichet à l'épreuve des balles, un scanner aux lignes fonctionnelles pour les pièces d'identité, un écran pour les empreintes digitales et une caméra pour les rétiniennes. Le candidat à l'admission sait que cinq aérodésintégreurs sont pointés sur lui, commandés à distance par les gardes qui glandent dans le bureau.

Elle braque sa lampe torche sur les ténèbres derrière le guichet. Des tables, des armoires, des corbeilles. Dans un coin, une forme : assez volumineuse pour être celle d'un homme. Un type mort, ou alors endormi, ou encore – hypothèse du pire – un type qui les a entendues et tente de se faire passer pour un sac poubelle. Lorsqu'elles auront relâché leur vigilance, il rampera jusqu'à elles puis les attaquera à coups de couteau, de griffes ou de dents.

La porte du bureau est entrouverte : elle hume l'air. Odeur de moisissure, évidemment. Quoi d'autre ? Excréments. Viande pourrie. Plus d'autres fumets suspects. Dommage qu'elle n'ait pas la truffe d'un chien pour dissocier ces puanteurs les unes des autres.

Elle tire la porte pour la fermer. Puis elle ressort, en dépit de la pluie et du vent, et ramasse la plus grosse des pierres bordant le massif. Ça ne suffira pas pour arrêter un colosse, mais si l'agresseur est malade ou affaibli... Elle ne tient pas à subir les assauts d'un clochard carnivore.

« Pourquoi t'es allée chercher ça ? demande Ren.

— Simple précaution. »

Toby n'en dit pas davantage. Ren est déjà assez secouée comme ça : une nouvelle horreur, et elle s'effondrera.

La tempête se déchaîne. Une chape de ténèbres tombe sur le paysage ; le tonnerre agite l'atmosphère. Le visage de Ren lui apparaît au gré des éclairs, les yeux clos, la bouche dessinant un *O*. Elle agrippe le bras de Toby, comme si elle craignait de choir dans le vide.

Après une interminable attente, le tonnerre s'éloigne enfin. Toby sort une nouvelle fois pour examiner les pattes de ToisondOr. Elle sent la chair de poule l'envahir : ces pattes ne sont pas venues ici toutes seules et elles ont l'air toutes fraîches. Aucun signe de feu : celui qui a tué l'animal ne l'a pas rôti dans les parages. Elle inspecte les os avec attention : l'homme au couteau est passé par ici. Si ça se trouve, il est tout près.

Elle tourne la tête à droite puis à gauche pour parcourir du regard une route jonchée de feuilles arrachées par le vent. Pas un seul mouvement. Le soleil est revenu. La vapeur monte de la chaussée. Des corbeaux dans le lointain.

Avec son couteau, elle s'efforce de débarrasser de sa laine l'une des pattes de ToisondOr. Si elle disposait d'un couperet, elle pourrait la débiter en morceaux assez petits pour entrer dans sa marmite. Faute de mieux, elle la cale sur une marche et la casse en deux à l'aide d'une pierre. Reste à régler le problème du feu. Même en passant des heures à glaner dans la forêt, elle n'est pas sûre d'y trouver suffisamment de bois sec.

« Il faut que j'entre dans le bureau, dit-elle à Ren.

— Pourquoi ? » répond celle-ci d'une petite voix.

Elle s'est réfugiée dans un coin, repliée sur elle-même.

« Il s'y trouve du combustible. Pour le feu. Écoute-moi bien. Peut-être qu'il y a aussi un homme.

— Un homme mort ?

— Je ne sais pas.

— Je ne veux plus voir de morts », s'énerve Ren.

Je ne pense pas que tu aies le choix, lui rétorque mentalement Toby.

« Prends le fusil, enchaîne-t-elle. Ça, c'est la détente. Lève-toi et viens ici. Si quelqu'un d'autre que moi franchit cette porte, tire. Mais ne va pas me blesser par erreur. D'accord ? »

Au cas où elle se ferait assommer dans le bureau, au moins Ren sera-t-elle armée.

« D'accord, répond Ren en prenant le fusil avec maladresse. Mais je n'aime pas ça. »

C'est du délire, songe Toby. Elle est tellement à cran qu'elle risque de me descendre si jamais j'éternue. Mais si je ne fouille pas cette pièce, je ne pourrai pas dormir cette nuit et, le matin venu, je me ferai peut-être trancher la gorge. Sans compter qu'on n'aura pas de feu.

Elle entre, la lampe torche dans une main et le manche à balai dans l'autre. Le sol est couvert de papiers et de lampes brisées. Des éclats de verre crissent sous ses pieds. L'odeur devient plus forte. Elle entend des mouches qui bourdonnent. Sa peau se hérisse, le sang lui monte à la tête.

Le tas qu'elle a repéré par terre est bien un homme, dissimulé sous une répugnante couverture. Elle distingue un crâne dégarni, quelques cheveux épars. Tout en braquant sa torche sur lui, elle le tapote avec le manche à balai. Il gémit. Elle insiste : la couverture a bougé. Puis elle distingue trois fentes : deux yeux et une bouche cernée de cloques.

« Bordel de merde, fait la bouche. Qui t'es, toi, putain ?

— Vous êtes malade ?

— Cet enfoiré m'a tiré dessus. » L'homme cligne des yeux, ébloui. « Éteins cette saleté de lampe. »

Il ne semble pas avoir saigné, ni des yeux, ni des narines, ni de la bouche : avec un peu de pot, il n'a pas été contaminé.

« Où êtes-vous touché ? » demande Toby.

C'est elle qui lui a tiré dessus, quand il se dirigeait vers le Balnéo. Une main émerge en tremblant, veinée de rouge et de bleu. Il est amaigri, crasseux, il a les yeux fiévreux, mais c'est bien Blanco, aucun doute là-dessus. Elle est bien placée pour le savoir, étant donné le nombre de fois où elle l'a vu en gros plan.

« À la jambe, dit-il. Ça s'est infecté. Et ces salauds m'ont abandonné ici.

— Ils étaient deux, c'est ça ? demande-t-elle d'une voix qu'elle espère neutre. Est-ce qu'il y avait une femme avec eux ?

— Donne-moi de l'eau », ordonne Blanco.

Elle aperçoit une bouteille vide dans un coin. Deux bouteilles, non, trois. Et des côtes bien rognées : le ToisondOr lavande ?

« Qui est avec toi ? reprend-il, le souffle court. D'autres nanas, je les ai entendues.

— Montrez-moi cette jambe. Je peux sans doute la soigner. »

Il ne serait pas le premier à feindre d'être blessé.

« Je vais crever, dit Blanco. Éteins cette putain de torche ! »

Vu la façon dont il plisse le front, il doit passer ses options en revue. L'a-t-il reconnue ? Va-t-il essayer de lui sauter dessus ?

« Rabattez cette couverture, lui dit-elle, et je vous apporterai un peu d'eau.

— Rabats-la toi-même, coasse-t-il.

— Non. Si vous ne voulez pas de mon aide, je vous enfermerai ici.

— La serrure est pétée. Espèce de sac d'os ! Donne-moi de l'eau ! »

Toby identifie l'une des odeurs qu'elle a captées : l'infection a semble-t-il viré à la gangrène.

« J'ai une bouteille de Zizifruits, dit-elle. Ça va vous désaltérer. »

Elle sort, attend que Ren l'ait reconnue, puis referme la porte, mais Ren a eu le temps de jeter un coup d'œil dans la pièce.

« C'est lui, chuchote-t-elle. Le troisième, le pire de tous !

— Respire à fond, lui dit Toby. Tu n'as rien à craindre. Tu es armée et lui non. Continue de pointer le fusil sur la porte. »

Elle fouille dans son sac à dos, trouve la bouteille de Zizifruits et boit un quart de son contenu tiède et pétillant : *Ne jamais gaspiller*. Puis elle verse du Pavot dans la bouteille et complète le cocktail avec de l'amanite en poudre. L'Ange blanc de la Mort, qui exauce les souhaits les plus noirs. De deux maux, il faut toujours choisir le moindre, disait Zeb.

Elle pousse la porte à l'aide de son manche à balai et parcourt la pièce du rayon de sa lampe. Comme elle s'y attendait, Blanco a entrepris de ramper sur le sol, le visage crispé par l'effort. Il empoigne son couteau : de toute évidence, il espérait la saisir par les chevilles dès son entrée. L'emporter avec lui dans la mort, ou alors la prendre en otage pour s'emparer ensuite de Ren.

Un chien enragé, ça mord. Pas besoin d'en savoir davantage.

« Voilà », dit-elle.

Elle fait rouler la bouteille jusqu'à lui. Il laisse choir son couteau, la saisit, en dévisse la capsule de ses mains tremblantes et boit à grandes gorgées. Toby s'assure qu'il a tout avalé.

« Vous allez vous sentir mieux maintenant », souffle-t-elle d'une voix douce.

Et elle referme la porte.

« Il va s'échapper ! s'écrie Ren, livide.

— S'il franchit cette porte, on le descend. Je lui ai donné un analgésique pour qu'il se calme. »

Elle récite mentalement l'excuse que, naguère, elle adressait aux scarabées qu'elle était obligée d'écraser.

Elle attend que le Pavot ait eu le temps d'agir puis retourne dans le bureau. Blanco ronfle bruyamment : si le Pavot ne l'achève pas, l'Ange de la Mort s'en chargera. Elle soulève la couverture : sa jambe gauche n'est pas belle à voir – les chairs putréfiées se mêlent au tissu moisi de son pantalon. C'est au prix d'un violent effort qu'elle se retient de vomir.

Puis elle cherche du matériau inflammable, rassemblant ce qu'elle peut : de la paperasse, les débris d'une chaise, une pile de CD. Il y a un étage, mais le corps de Blanco bloque la porte de ce qui est sans doute l'escalier, et elle ne se sent pas d'attaque à l'approcher d'aussi près. Elle sort et part en quête de branches mortes : grâce au briquet, aux papiers et aux boîtiers de CD, le feu finit par prendre. Elle prépare du bouillon avec la patte de ToisondOr, y ajoutant des champignons et des pourpiers cueillis dans le massif ; elles mangent sans s'éloigner du feu, dont la fumée chasse les moustiques.

Elles montent dans un arbre pour accéder au toit, et c'est là qu'elles passent la nuit. Toby a emporté les sacs à dos ainsi que les trois autres pattes, afin qu'on ne les vole pas durant la nuit. Le toit est recouvert de gravillons qui conservent l'humidité : elles étalent les deux feuilles de plastique en guise de tapis de sol. Les étoiles sont étincelantes, la lune invisible. Juste avant qu'elles ne s'endorment, Ren demande dans un murmure :

« Et s'il se réveille ?

— Il ne se réveillera plus jamais, réplique Toby.

— Oh ! » fait Ren d'une petite voix.

Est-ce de l'admiration pour Toby, ou la prise de conscience de la mort d'un homme ? Il n'aurait pas survécu, se dit Toby, pas avec une jambe dans cet état. En tentant de le soigner, elle n'aurait fait que gâcher ses asticots. Cependant, elle vient de commettre un meurtre. Ou un acte de miséricorde : au moins n'est-il pas mort de soif.

Regarde les choses en face, ma belle, chuchota la voix de Zeb dans sa tête. Tu voulais te venger et c'est ce que tu as fait.

« Que son Esprit aille en paix », dit-elle à voix haute.

Si tant est que cette ordure en ait eu un.

70

Toby. Sainte Rachel et Tous les Oiseaux

An 25

Toby se réveille juste avant l'aube. Dans le lointain résonne le rugissement plaintif d'un liogneau. On entend aboyer des chiens. Elle fait bouger ses bras, puis ses jambes : elle est aussi raide qu'une statue. L'humidité de la brume la pénètre jusqu'à la moelle.

Voici le soleil, rose incandescente émergeant des nuages couleur pêche. Le feuillage des arbres est perlé d'une rosée qui luit à la lumière aurorale. Tout a l'air si frais, comme nouvellement créé : les cailloux sur le toit, les arbres, les toiles d'araignées courant de branche en branche. Ren endormie semble illuminée, comme parée d'argent sur tout son corps. Avec le têtaupieds rose nimbant son visage ovale, et la brume ornant ses cils de perles de lumière, elle a l'air d'une frêle créature d'outre-monde, d'une sylphide de neige.

Les rayons du soleil la frappent de plein fouet et elle s'éveille.

« Oh ! merde. Oh ! merde, fait-elle. Je suis en retard. Quelle heure est-il ?

— Tu n'es en retard pour rien », lui dit Toby, et, pour une raison inconnue, toutes deux éclatent de rire.

Toby parcourt les lieux alentour avec ses jumelles. À l'est, la direction qu'elles doivent prendre, pas un signe de mouvement, mais à l'ouest, elle repère des porcs, plus de porcs qu'elle n'en a vu jusqu'ici – six adultes et deux porcelets. Ils avancent sur la route ainsi qu'un chapelet de perles couleur chair; leur groin rase le bitume, comme s'ils reniflaient une piste.

C'est nous qu'ils suivent, se dit-elle. Peut-être que ce sont les mêmes qui rôdaient autour du Balnéo, le troupeau dont elle a tué le mâle dominant. Elle se redresse, agite le fusil dans leur direction, se met à crier :

« Disparaissez ! Foutez le camp ! »

Au début, ils se contentent de la fixer des yeux, mais, lorsqu'elle braque son arme sur eux, ils s'égaillent et disparaissent à l'abri des arbres.

« On dirait qu'ils savent de quoi est capable un fusil », commente Ren.

Elle a repris ses esprits ce matin. Elle semble plus forte.

« Oh ! ils le savent, ne t'inquiète pas », dit Toby.

Elles descendent de leur perchoir et Toby active la bouilloire Kelly Kettle. Apparemment, il n'y a personne dans les environs, mais elle ne veut pas courir le risque de faire un feu de camp. La fumée, ça l'inquiète – et si quelqu'un la sentait ? Règle d'or de Zeb : le feu fait fuir les animaux, mais il attire les humains.

Dès que l'eau a bouilli, elle prépare du thé. Puis elle fait bouillir du pourpier. Ça les réchauffera assez pour qu'elles reprennent la route. Plus tard, elles se referont un bouillon de ToisondOr avec les trois pattes restantes.

Avant de partir, Toby fait un tour dans le bureau du poste de garde. Blanco est raide mort; cependant, incroyable mais vrai, il pue encore plus qu'avant. Elle l'enveloppe dans sa couverture pourrie et le traîne jusqu'au massif. Puis elle retourne dans le bureau pour récupérer son couteau. Il est aussi tranchant qu'un rasoir; grâce à lui, elle réduit en lambeaux sa chemise crasseuse. Son ventre gonflé est couvert de poils. Si elle en avait le courage, elle l'étriperait – les vautours lui en seraient reconnaissants –, mais elle se rappelle la puanteur montant des entrailles du cochon mort. Les congénères de celui-ci s'occuperont de Blanco. Peut-être qu'ils le considéreront comme une offrande expiatoire et lui pardonneront la mort de leur mâle dominant. Elle jette le couteau parmi les fleurs. Bon outil mais mauvais karma.

Elle veut refermer le portail en fer forgé avant de repartir; mais la serrure électronique est hors service, aussi sacrifie-t-elle un bout de corde. Si les cochons décident de les suivre, ça ne les retiendra pas très longtemps – ils creuseront un tunnel en un rien de temps –, mais ça les fera peut-être hésiter.

À présent, toutes deux sont sorties de l'emprise du Balnéo NouvoMoi et s'avancent sur le sentier envahi par les herbes qui traverse le Parc du Patrimoine. Elles débouchent sur une clairière meublée de tables de pique-nique ; les poubelles, les barbecues et le reste disparaissent sous le kudzu. Les papillons dansent de toutes parts sous un soleil de plus en plus chaud.

Toby se repère : à l'est, en contrebas, la côte et l'océan ; au sud-ouest, l'Arborétum, avec le ruisseau où les enfants des Jardiniers faisaient voguer leurs Arches miniatures. La route conduisant à l'entrée de Spasolaire ne doit pas être très loin. C'est par là qu'ils ont enterré Pilar : tiens, voilà son Sureau, il a sacrément poussé et il est en fleur. Les abeilles s'y massent tout autour.

Chère Pilar, se dit Toby. Si tu étais avec nous aujourd'hui, tu nous ferais profiter de ta sagesse. Mais que nous dirais-tu ?

Une série de bêlements monte devant elles et cinq... non : neuf... non : quatorze ToisondOr déboulent soudain sur la chaussée. Ils sont argentés, bleus, pourpres, noirs, rouges, leur laine est peignée... et menés par un berger. Un homme avec un drap de lit en guise de péplum, noué à la taille. Une tenue authentiquement biblique : il est même équipé d'un bâton, sans doute pour faire avancer ses moutons. Quand il les aperçoit, il se fige et se retourne pour les observer d'un air impassible. Il porte des lunettes de soleil ; et aussi un aérodésintégreur. Il le tient d'un air décontracté, tout en prenant soin de le montrer. Il a le soleil dans le dos.

Toby s'immobilise, des picotements sur les bras et le cuir chevelu. Est-ce l'un des Painballers ? Le temps qu'elle le mette en joue, il l'aura transformée en passoire : le soleil joue pour lui.

« C'est Croze ! » s'écrie Ren.

Elle se précipite vers lui, les bras grands ouverts, et Toby espère de tout cœur qu'elle est dans le vrai. Mais ce doit être le cas, car l'homme se laisse étreindre sans broncher. Il lâche son aérodésintégreur, et son bâton aussi, et il serre Ren contre lui tandis que les ToisondOr broutent les fleurs comme si de rien n'était.

71

Ren. Sainte Rachel et Tous les Oiseaux

An 25

« Croze ! m'écrié-je. C'est pas vrai ! Je te croyais mort ! »

J'ai la bouche collée au drap qui lui sert de tunique tellement il me serre fort. Comme il ne dit rien – peut-être qu'il pleure –, je reprends :

« Je suis sûre que tu me croyais morte, toi aussi. »

Et je le sens qui hoche la tête.

Je le lâche et on se regarde longuement. Il tente de sourire.

« Où t'as trouvé ce drap ? lui demandé-je.

— Il y a plein de lits dans le coin. Ce truc-là, c'est mieux qu'un pantalon, on a beaucoup moins chaud, tu sais. Tu as vu Oates ? » m'interroge-t-il d'un air soucieux.

Je ne sais quoi dire. Je ne veux pas gâcher son plaisir en lui racontant un truc trop flippant. Pauvre Oates ! Pendu à un arbre, la gorge tranchée et les reins arrachés. Puis je regarde mieux et je vois que je l'ai mal compris : c'est pour moi qu'il s'inquiète, car il est déjà au courant pour Oates. Shackie et lui nous ont précédées sur cette route. Ils m'ont sûrement entendue crier, ils se sont sûrement planqués. Puis ils ont entendu les hurlements, tous les hurlements. Et ensuite – car ils ont forcément fait demi-tour pour voir ce qu'il s'était passé – ils ont entendu les corbeaux.

Si je lui dis non, il fera comme si Oates était encore vivant, afin de me ménager.

« Oui, confirmai-je. On l'a vu. Je suis navrée. »

Il baisse les yeux. Je me demande comment je pourrais changer de sujet. Les ToisondOr broutent tout autour de nous – ils ne veulent pas s'éloigner de Croze –, alors je l'interroge :

« Ils sont à toi, ces moutons ?

— On a décidé de les garder. Ils sont plus ou moins domestiqués. Mais ils n'arrêtent pas de divaguer. »

Qui c'est, « on » ? ai-je envie de m'enquérir, mais comme Toby rapplique, je me contente de dire :

« Voilà Toby, tu te rappelles ?

— Sans déconner ! réplique Croze. Toby, du temps des Jardiniers ? »

Toby le salue d'un hochement de tête et déclare :

« Crozier. Tu as bien grandi. »

À l'entendre, on se croirait dans une réunion d'anciens élèves. Difficile de la déstabiliser, celle-là. Elle tend la main à Croze et celui-ci la serre. Comme c'est étrange : Croze drapé dans cette tenue qui lui donne des allures de Jésus, la barbe en moins, et Toby et moi en têtaupieds rose, avec le logo en œillade et en lèvres pulpeuses ; sans compter les trois pattes de ToisondOr couleur lavande qui dépassent du sac à dos de Toby.

« Où est Amanda ? questionne Croze.

— Elle est toujours en vie, m'empressé-je de répondre. J'en suis sûre. »

Toby et lui échangent un regard, genre « faut pas lui dire que son petit chat s'est fait écraser ».

« Et Shackleton ? demandé-je.

— Ça va, répond Croze. Allons au refuge.

— Quel refuge ? s'enquiert Toby.

— La maison en bauge. Là où se déroulait le Troc de l'Arbre de vie, tu te rappelles ? me lance-t-il. C'est tout près. »

Les moutons se mettent déjà en route. Ils semblent savoir où ils vont. Nous les suivons.

Il fait si chaud que Toby et moi suons à grosses gouttes dans nos têtaupieds. Croze a ramené un pan de son drap sur sa tête : il a l'air plus au frais que moi.

Il est midi quand on arrive sur la placette de l'Arbre de vie. Les balançoires en plastique ont disparu, mais la maison en bauge n'a pas changé – sauf qu'on y a ajouté des annexes. Elle est entourée d'une clôture grillagée, avec pas mal de ruban adhésif pour la faire tenir.

Croze ouvre le portail et fait entrer les moutons, qui gagnent un enclos aménagé dans la cour.

«J'ai ramené le troupeau!» s'écrie-t-il, et un homme armé d'un aérodésintégreur sort de la maison.

Deux autres hommes le suivent. Puis viennent quatre femmes : deux jeunes, une plus âgée et une quatrième carrément vieille, peut-être autant que Toby. Ils ne sont pas vêtus comme des Jardiniers, mais leurs fringues ne sont ni neuves ni jolies. Deux des hommes portent un drap, comme Croze, le troisième un short et un tee-shirt. Les femmes sont vêtues d'une sorte de têtaupieds.

Ils nous regardent fixement. D'un œil inquiet plutôt qu'amical. Croze nous présente.

«T'es sûr qu'elles sont pas infectées? dit l'homme à l'aérodésinté-greur.

— Sûr et certain, répond Croze. Elles étaient isolées pendant la crise.» Il se tourne vers nous en quête d'une confirmation, et Toby opine du chef. «C'est des amies à Zeb, ajoute-t-il. Toby et Ren.» Puis il nous déclare : «Voici MaddAddam.

— Ou plutôt ce qu'il en reste», enchaîne le plus petit des trois hommes.

Il s'appelle Béluga, nous dit-il, et les autres Pic à Bec Ivoire, Lamantin et Colibri. Les femmes ont pour nom Azur des Coronilles, Renard Véloce, Laîche Blanche et Tamarau. On ne s'est pas serré la main : ils redoutent que nous soyons contaminées.

«MaddAddam, dit Toby. Enchantée de faire votre connaissance. J'ai suivi vos activités en ligne.

— Qui vous a fait entrer? demande Pic à Bec Ivoire. Dans la salle de jeux, je veux dire.»

Il reluque son fusil comme si c'était un trésor.

«Mon pseudo était Râle Atlantis», dit Toby.

Ils ouvrent de grands yeux.

«C'était toi! s'exclame Azur des Coronilles. La Femme Mystère! Zeb refusait mordicus de nous livrer ton identité!» Rire. «On croyait que t'étais une de ses maîtresses.»

Toby la gratifie d'un sourire pincé.

«Mais, à l'en croire, t'étais digne de confiance, ajoute Tamarau. C'est ce qu'il a toujours dit.

— Zeb?» fait Toby, comme si elle parlait toute seule.

Elle brûle d'envie de demander de ses nouvelles, je le sais, mais elle a peur de le faire.

«MaddAddam, c'était une sacrée aventure, dit Béluga. Jusqu'à ce qu'on se fasse pincer.

— Ou plutôt récupérer par ces salauds de Rejouven, enchaîne Laîche Blanche, la plus jeune des femmes. Quel enfoiré, ce Crake!»

Elle a la peau basanée et un accent anglais qui la rend difficilement compréhensible. À présent que Toby leur a fait des confidences, ils sont tous bien détendus.

Moi, je suis larguée. Je me tourne vers Croze, qui me dit :

«C'est le truc où on s'est engagés, la biorésistance. C'est pour ça qu'ils nous ont envoyés à Painball. Eux, c'étaient les scientifiques du réseau. Rappelle-toi, je t'en ai parlé à Zécailles.

— Oh!» fais-je.

Mais j'ai toujours du mal à piger. Pourquoi Rejouven les a-t-il récupérés ? Était-ce pour leur vider le cerveau, comme on l'a fait à mon père ?

«On a eu de la visite, dit Pic à Bec Ivoire en se tournant vers Croze. Après que tu es parti chercher les moutons. Deux mecs, avec une nana, un aérodésintégreur et un cadavre de rasconse.

— Putain, fait Croze. C'est grave.

— Ils disaient sortir de Painball, comme si ça pouvait nous impressionner, ajoute Béluga. Ils voulaient nous échanger leur nana contre des batteries pour aérodésintégreur et de la viande de ToisondOr – et ils étaient prêts à rajouter le rasconse.

— C'est eux qui ont tué notre ToisondOr lavande, je le parierais, dit Croze. Toby a retrouvé ses pattes.

— Un rasconse! Qu'est-ce qu'on en a à foutre ? s'exclame Laîche Blanche, indignée. On n'est pas des crève-la-faim!

— On aurait dû les abattre, dit Lamantin. Mais la femme leur servait de bouclier humain.

— Comment était-elle habillée ? demandé-je, mais ils ne m'écoutent pas.

— On les a rembarrés, ajouta Pic à Bec Ivoire. Dur pour la nana. Mais ils ont vraiment besoin de ces batteries. Ce qui veut dire qu'ils reviendront à la charge.

— C'est Amanda», dis-je.

Ils auraient pu la sauver. Mais je n'ai rien à leur reprocher : s'ils avaient donné des batteries à ces salauds, ils s'en seraient servis pour les tuer.

«Et Amanda? insisté-je. Nous devons essayer de la sauver.

— Ouais, il faut rassembler tout le monde maintenant que le

Déluge est passé, dit Croze. Comme on l'avait décidé depuis le début.»

Il est de mon côté.

«Ensuite, on pourra reconstruire l'espèce humaine», déclaré-je. Je sais que ça a l'air con, mais je ne vois rien d'autre à dire. «Amanda nous serait très utile : elle sait se débrouiller.»

Mais ils me sourient d'un air triste, comme s'il n'y avait plus d'espoir.

Croze me prend par la main et m'entraîne à l'écart.

«Tu parles sérieusement ? demande-t-il. Pour l'espèce humaine et tout ça ?» Il sourit. «Ça veut dire qu'il faudra faire des bébés.

— Oui, mais pas tout de suite.

— Viens. Je vais te montrer le jardin.»

Ils ont une cuisine, et aussi des biolettes violettes portables, et une batterie solaire en cours de réparation. On trouve un grand nombre de pièces détachées dans les plèbezones, mais il faut faire gaffe aux immeubles qui risquent de s'effondrer.

Leur jardin potager est derrière : pour l'instant, ils n'ont pas planté grand-chose.

«On est attaqués par les cochons, explique Croze. Ils creusent des trous sous la clôture. Comme on en a descendu un, peut-être que les autres ont compris. D'après Zeb, ce sont des superporcs ; on a injecté de la cervelle humaine dans leur crâne.

— Zeb ? fais-je. Zeb est vivant ?»

Soudain, je suis prise de vertige. Tous ces morts qui ressuscitent – c'est bouleversant.

«Mais oui, dit Croze. Tu te sens bien ?»

Il me passe le bras autour des épaules pour m'empêcher de tomber.

72

Toby. Sainte Rachel et Tous les Oiseaux

An 25

Ren et Crozier ont disparu derrière la maison en bauge. Pas grave, se dit Toby. L'amour a encore frappé. Elle explique à Pic à Bec Ivoire dans quel état se trouvait le troisième homme – le mort. Blanco. Il l'écoute avec attention.

« La peste ? » demande-t-il.

Une blessure par balle qui s'est infectée, lui répond-elle. Elle passe sous silence le Pavot et l'Ange de la Mort.

Tandis qu'ils discutent ainsi, une nouvelle venue apparaît au coin de la maison.

« Hé ! Toby », fait-elle.

C'est Rebecca. Vieillie, amaigrie, mais égale à elle-même. Solide. Elle empoigne les épaules de Toby.

« Tu es trop maigre, ma chérie, déclare-t-elle. Peu importe. On a du bacon. Ça va te remplumer. »

Pour le moment, Toby a du mal à maîtriser le concept de bacon.

« Rebecca », dit-elle.

Elle a envie d'ajouter « Pourquoi es-tu en vie ? » mais c'est une question qui a de moins en moins de sens. Pourquoi sont-ils en vie, tous autant qu'ils sont ? Alors elle se contente de dire :

« C'est merveilleux.

— Zeb a toujours dit que tu t'en sortirais. Hé ! Fais-moi un petit sourire ! »

Toby s'inquiète de l'entendre employer le passé. Comme s'il était mort.

« Quand a-t-il dit cela ?

— Oh ! il le dit tous les jours, ou presque. Allez, viens à la cuisine et mange quelque chose. Raconte-moi où tu étais passée. »

Zeb est donc vivant, pense Toby. À présent qu'on le lui a dit, c'est comme si elle l'avait toujours su. Mais, en même temps, elle continue d'en douter – ce ne sera vrai que lorsqu'elle pourra le voir. Le toucher.

Elles boivent un ersatz de café – obtenu à partir de racines de pissenlit rôties, explique fièrement Rebecca – et mangent des racines de bardane aux herbes et une tranche de... est-ce bien du rôti de porc froid ?

« Ces cochons sont une plaie, dit Rebecca. Bien plus malins que leurs ancêtres. » Elle lance à Toby un regard de défi. « Nécessité fait loi. Au moins, on sait ce qu'il y a dans nos assiettes – ce n'est pas comme chez SecretBurgers.

— C'est délicieux », assure Toby, et elle est sincère.

Le repas fini, Toby donne à Rebecca les trois pattes de ToisondOr, qui sont jugées dignes d'être stockées dans la réserve. Puis elles se racontent leurs histoires respectives. Toby évoque le Balnéo NouvoMoi et l'arrivée de Ren ; Rebecca lui apprend qu'elle s'était fait passer pour une représentante en assurances afin de pénétrer dans les quartiers sécurisés de l'Ouest et d'y disséminer les étonnantes bioformes de MaddAddam, après quoi elle a pris le dernier train à grande vitesse pour l'Est – c'était risqué, vu le nombre de passagers contaminés, mais elle portait un masque filtrant et des gants protecteurs – pour aller se planquer dans la Clinique du Bien-Être, aux côtés de Zeb et de Katuro.

« Notre ancienne salle de réunion, tu te rappelles ? dit-elle. Notre Ararat n'avait pas bougé.

— Comment va Katuro ?

— Bien. Il a attrapé une saleté, mais ce n'était pas la peste ; il est guéri maintenant. Il est parti en expédition avec Zeb, Shackleton et Rhino Noir. Ils sont à la recherche d'Adam Premier et des autres. Si quelqu'un pouvait s'en tirer, c'est sûrement eux, à en croire Zeb.

— Vraiment ? Il y a une chance de les retrouver ? »

Et moi, est-ce qu'il m'a recherchée ? se demande Toby. Probablement pas. Il me jugeait capable de me débrouiller toute seule. Et c'est ce qu'elle avait fait, pas vrai ?

« La radio à dynamo tourne vingt-quatre heures sur vingt-quatre, sept jours sur sept, en émission comme en réception, reprend Rebecca. Il y a deux jours, on a enfin capté quelque chose.

— C'était lui ? » Désormais, Toby est prête à croire à tout. « Adam Premier ?

— On a entendu une voix, rien de plus. Et tout ce qu'elle disait, c'est : "Je suis là, je suis là."

— Gardons espoir », dit Toby.

Et c'est ce qu'elle fait ; ou du moins, elle essaie.

On entend soudain des aboiements et des cris d'alarme.

« Merde ! fait Rebecca. Une attaque de chiens. Prends ton fusil. »

Les MaddAddam, armés d'aérodésintégreurs, sont déjà en poste près de la clôture. Des chiens de toutes les tailles, une quinzaine ou un peu plus, foncent sur eux en remuant la queue. Les hommes ouvrent le feu. Avant que Toby ait le temps de réagir, sept animaux sont morts et les autres ont pris la fuite.

« Des saloperies transgéniques de Watson-Crick, explique Pic à Bec Ivoire. Ça ressemble à des chiens, mais ce ne sont pas des chiens. Ils sont capables de te déchiqueter la gorge. Ils patrouillaient dans les douves des prisons – impossible de les contourner, contrairement à un système d'alarme –, mais ils se sont échappés durant le Déluge.

— Est-ce qu'ils peuvent se reproduire ? » demande Toby.

Vont-ils devoir repousser ces non-chiens pendant une durée indéterminée ou bien leur population est-elle limitée ?

« Dieu seul le sait », répond Pic à Bec Ivoire.

Azur des Coronilles et Laîche Blanche vérifient que les chiens sont bien morts. Puis Tamarau, Renard Véloce, Rebecca et Toby les rejoignent, et toutes s'emploient à dépecer les cadavres, pendant que les hommes montent la garde au cas où les survivants lanceraient un nouvel assaut. Les mains de Toby n'ont pas oublié les gestes qu'elles effectuaient jadis. Et l'odeur est aussi la même. Une odeur d'enfance.

Les peaux sont mises de côté, la viande débitée et jetée dans une marmite. Toby se sent un peu écœurée. Mais elle a sacrément faim.

73

Ren. Sainte Rachel et Tous les Oiseaux

An 25

Je demande à Croze si on a besoin de moi pour dépecer les chiens, mais il dit qu'il y a déjà assez de monde et que j'ai l'air crevé, alors pourquoi je ne m'allonge pas sur son lit, dans la maison en bauge ? La pièce est fraîche et imprégnée d'une odeur que je n'ai pas oubliée, si bien que je m'y sens en sécurité. Le lit de Croze se réduit à une planche, mais il est pourvu d'un drap et d'une peau de ToisondOr et, après m'avoir souhaité une bonne nuit, il prend congé, ce qui me permet d'enlever mon top et mon pantalon NouvoMoi, car la chaleur commence à monter, et je m'endors doucement sur la toison soyeuse.

Quand l'orage quotidien me réveille, je découvre que Croze est allongé contre moi et je mesure la tristesse et le souci qui émanent de lui ; je me retourne, il me prend dans ses bras et je sens qu'il veut faire l'amour. Mais, soudain, je n'ai plus envie de baiser avec quelqu'un que je n'aime pas, et je n'ai jamais vraiment aimé personne depuis Jimmy ; et sûrement pas à Zécailles, où je ne faisais que jouer les scénarios pervers des clients.

Et puis il y a une zone de ténèbres en moi, comme si l'on avait renversé de l'encre dans mon cerveau – quand je suis dans cette zone, impossible de penser au sexe. Elle est envahie de ronces, il y a un rapport avec Amanda, et je ne veux pas m'y attarder.

« Pas encore », dis-je à Croze.

Et il semblerait qu'il comprenne, lui qui était si insensible et si insistant, alors on reste enlacés et on parle.

Il déborde de projets. Ils vont construire ceci, ils vont construire cela ; ils vont se débarrasser des cochons, ou alors les domestiquer. Une fois les deux Painballers éliminés – il compte s'en occuper personnellement –, il m'emmènera à la plage, avec Amanda et Shackie, et on ira pêcher. Quant au groupe MaddAddam – Pic à Bec, Laîche, Tamarau, Rhino Noir et les autres –, ils sont vraiment malins, alors ils ne tarderont pas à rétablir les communications.

« Mais avec qui on va communiquer ? » lui demandé-je.

Il y a forcément d'autres survivants, affirme-t-il. Puis il revient aux MaddAddam : ils travaillaient avec Zeb, mais le CorpSeCorps les a retrouvés par l'intermédiaire d'un dénommé Crake, et ils ont été réduits en esclavage dans un dôme servant de repaire au projet ParadéN. C'était ça ou l'aérodésintégreur, alors ils se sont résignés. Puis, lorsque est survenu le Déluge et que les gardes ont disparu, ils ont désactivé les systèmes de sécurité pour pouvoir s'évader, ce qui n'était pas difficile pour eux vu que ce sont tous des cerveaux.

Il m'avait déjà raconté ça en partie, mais il ne m'avait parlé ni de Crake ni du projet ParadéN.

« Un instant, lui fais-je. Sur quoi ils bossaient dans ce dôme ? Sur l'immortalité ? »

Oui, répond Croze : ils aidaient Crake à mener à bien sa grande expérience – une variété d'humain transgénique capable de vivre éternellement. C'étaient eux qui avaient mis au point le JouissePluss, au fait, mais ils n'avaient pas le droit d'en consommer. Ils n'en avaient pas non plus envie : avec ce truc, on avait des orgasmes extra-ordinaires, mais les effets secondaires étaient graves – la mort, par exemple.

« C'est comme ça que la pandémie a commencé, explique Croze. Crake leur a ordonné d'intégrer le virus aux pilules. »

Heureusement que j'étais coincée dans la Zone Poisse, car j'aurais sûrement été tentée de goûter au JouissePluss, même si Mordis nous interdisait les drogues à Zécailles. Celle-ci était si tentante, comme une autre réalité.

« Comment peut-on faire une chose pareille ? dis-je. Empoisonner une pilule de plaisir ? »

C'était Glenn, c'était forcément lui. C'était le genre de truc qu'il racontait aux pontes de Rejouven à Zécailles. Sauf qu'il ne leur parlait jamais de poison, évidemment. Je me rappelais leurs surnoms, Oryx et Crake. À l'époque, je croyais que c'étaient des petits noms d'amoureux – les noms d'animaux servent souvent à ça. Tigre, Panthère, Carcajou, mon petit Chat, mon Chien-chien d'amour. Rien à voir avec le sexe : c'étaient des noms de code. Ou alors les deux à la fois.

L'espace d'une seconde, j'envisage de tout dire à Croze : j'en ai beaucoup appris sur le dénommé Crake dans ma vie antérieure. Mais ça m'obligerait à lui raconter tout ce que je faisais à Zécailles – non seulement le trapèze, les ronronnements et les chants d'oiseaux, mais aussi tout le reste, y compris la salle au plafond de plumes. Ça ne lui plairait pas : les mecs n'aiment pas savoir qu'un autre vous a fait les trucs qu'ils ont envie de vous faire.

Au lieu de quoi, je lui demande :

«Et les humains transgéniques ? Les êtres parfaits ? Est-ce qu'ils ont réussi à en créer ?»

Glenn voulait toujours que tout fût parfait.

«Ouais, ils ont réussi», répond Croze, comme si c'était un truc qu'on voyait tous les jours.

«Ils sont morts comme tout le monde, je parie.

— Eh non, dit-il. Ils vivent ici, sur la plage. Ils n'ont pas besoin de fringues, ils bouffent des feuilles et ils ronronnent comme des chats. C'est pas ce que j'appelle parfait.» Rire. «Toi, tu es parfaite !»

Je ne relève pas.

«Tu me racontes des craques, lui dis-je.

— Non, sans déconner. Ils ont un truc... Leur bite vire au bleu. Puis ils baisent leurs femmes au cul bleu. Je te raconte pas !

— C'est une blague, hein ?

— Je les ai vus de mes yeux. On est pas censés s'en approcher, au cas où on leur ferait du mal. Mais Zeb nous a autorisés à les regarder de loin, comme des animaux dans un zoo. Ils ne sont pas dangereux, qu'il dit – c'est plutôt nous qui sommes dangereux pour eux.

— Je pourrai les voir, moi aussi ?

— Attends qu'on ait réglé leur compte à ces Painballers. Et il faudra que je t'accompagne. Il y a un autre type dans le coin – il dort dans un arbre, il parle tout seul, aussi cinglé qu'un nid de serpents, cela dit sans vouloir offenser les serpents. On le laisse tranquille – si ça se trouve, il est contaminé. Je voudrais pas qu'il t'embête.

— Merci. Le dénommé Crake, dans le dôme du projet ParadéN, à quoi il ressemblait ?

— Je l'ai jamais vu. Et personne m'en a parlé.

— Est-ce qu'il avait un copain ? À l'intérieur du dôme ?»

Le jour où Glenn a amené Jimmy à Zécailles, on voyait bien qu'ils mijotaient quelque chose ensemble.

«D'après Rhino Noir, il semblait pas du genre à copiner, répond Croze. Mais il avait un pote, en plus de sa nana – c'étaient eux qui s'occupaient du marketing, en théorie. À en croire Rhino, ce mec était un gros nul. Toujours à picoler et à raconter des blagues vaseuses.»

Ça ressemble à Jimmy, me dis-je.

«Est-ce qu'il a pu sortir? Du dôme, je veux dire. Avec les hommes bleus?

— Comment le saurais-je? répond Croze. Et puis, qui c'est que ça intéresse?»

Moi – je ne veux pas que Jimmy soit mort.

«C'est méchant, ce que tu dis là, lancé-je.

— Hé! reste cool.»

Croze me passe le bras autour des épaules, me frôle le sein comme par accident. J'ôte sa main de là.

«D'accord», fait-il d'un air déçu.

Il m'embrasse sur l'oreille.

Je me rendors, et c'est lui qui me réveille un peu plus tard.

«Ils sont revenus», dit-il.

Il sort en courant et je me rhabille, et, lorsque je sors à mon tour, Zeb est là, dans la cour, et Toby le serre dans ses bras. Je reconnais Katuro et ce mec noir, eh bien, ça doit être Rhino Noir. Shackie est là, lui aussi, et il me fait un grand sourire. Il n'est pas encore au courant pour Amanda et les deux Painballers. Faudra que Croze lui explique. Si c'est moi qui m'y colle, il me posera plein de questions et mes réponses risquent de ne pas de lui plaire.

Je me dirige lentement vers Zeb – soudain, je suis toute timide – et Toby consent à le lâcher. Elle sourit – pas d'un sourire pincé, mais d'un vrai sourire – et je me dis : *Elle est encore belle.*

«La petite Ren, me dit Zeb. Comme tu as grandi.»

Il a grisonné depuis la dernière fois que je l'ai vu. Il sourit et me serre l'épaule un bref instant. Je me rappelle quand il chantait sous la douche, du temps des Jardiniers; je me rappelle comme il était gentil avec moi, parfois. J'aimerais qu'il soit fier de moi parce que je m'en suis sortie, même si c'est surtout grâce à la chance. J'aimerais qu'il soit surpris et heureux de me découvrir en vie. Mais il doit avoir une masse de soucis en tête.

Zeb, Shackie et Rhino Noir sont équipés d'un aérodésintégreur et d'un sac à dos, et chacun ouvre le sien pour le vider de son contenu. Des boîtes de sojacisses, deux bouteilles – on dirait de l'alcool –, une poignée de Voltbars. Trois batteries pour aérodésintégreur.

«Ça vient des Compounds, précise Katuro. Pas mal d'entre eux sont ouverts aux quatre vents. Les pillards sont déjà passés par là.

— Celui de Cryojénial était bien bouclé, dit Zeb. Sans doute qu'ils pensaient survivre en se calfeutrant.

— Eux et leurs têtes congelées, ricane Shackie.

— Personne n'en est sorti, je crois bien», conclut Rhino Noir.

Ça me fait de la peine de l'apprendre, car Lucerne devait se trouver dans ce Compound et, en dépit de sa conduite, c'était quand même ma mère, et je l'aimais quand j'étais petite. Je jette un coup d'œil à Zeb, qui a dû l'aimer, lui aussi.

«Vous avez trouvé Adam Premier?» s'enquiert Pic à Bec Ivoire.

Zeb fait non de la tête.

«On est allés à Buenavista, dit-il. Ils ont dû s'y réfugier quelque temps – eux ou un autre groupe. Les signes ne trompent pas. Puis on a jeté un coup d'œil à d'autres Ararats, mais sans succès. Ils ont dû filer ailleurs.

— Tu lui as dit qu'il y avait quelqu'un à la Clinique du Bien-Être? demandé-je à Croze. Dans ce réduit dissimulé derrière les tonneaux de vinaigre? Là où il y avait un ordinateur portable?

— Ouais, je lui ai dit. Et ce quelqu'un, c'était lui. Avec Rebecca et Katuro.

— On a croisé le cinglé qui boite et qui parle tout seul, enchaîne Shackie. Le type qui dort dans un arbre sur la plage. Mais il ne nous a pas vus.

— Pourquoi vous l'avez pas abattu? demande Pic à Bec Ivoire. Il est peut-être contaminé.

— Inutile de gaspiller des munitions, tranche Rhino Noir. Il n'en a plus pour très longtemps.»

Quand le soleil descend vers l'horizon, on fait un feu de camp dans la cour et on mange de la soupe d'ortie avec des morceaux de viande dedans – je n'arrive pas à l'identifier –, plus des racines de bardane et du fromage au lait de ToisondOr. Je m'attends à ce que quelqu'un dise «Mes chers Amis, nous sommes les derniers êtres vivants sur cette Terre, remercions le Seigneur», ou une prière de Jardinier dans le genre, mais je me trompe; on mange et puis c'est tout.

Quand on a fini, ils décident de ce qu'on va faire ensuite. Selon Zeb, le plus urgent est de retrouver Adam Premier et les Jardiniers avant qu'ils ne se fassent massacrer. Dès demain, il va se rendre au Trou de l'évier pour fouiller le Jardin de toiture d'Édenfalaise, les planques des Truffes et tous les refuges où ils auraient pu se rendre. Shackie se porte volontaire pour l'accompagner, et Rhino Noir et Katuro en font autant. Les autres doivent défendre la maison en bauge contre les chiens, les cochons et les deux Painballers, au cas où ils décideraient de revenir.

Puis Pic à Bec Ivoire répète à Zeb le récit de Toby et l'informe que Blanco est mort. Zeb se tourne vers Toby et lui dit :

« Bien joué, ma poule. »

Je suis choquée de voir Toby comparée à une poule : c'est comme si on comparait Dieu à un beau mec.

Je rassemble mon courage et déclare qu'il faut à tout prix retrouver Amanda et l'arracher des mains des Painballers. Shackie dit qu'il est d'accord et je le crois sincère. Zeb regrette, mais affirme que nous devons définir nos priorités. Amanda, ce n'est qu'une personne, alors qu'Adam Premier et les Jardiniers, ça en fait plusieurs, et Amanda ferait le même calcul que lui.

« D'accord, dis-je, j'irai la chercher toute seule.

— Ne sois pas ridicule », réplique Zeb, comme si j'étais encore une gamine.

Puis Croze dit qu'il m'accompagnera et je lui étreins la main pour le remercier. Mais Zeb assure qu'on a besoin de lui à la maison en bauge, qu'on ne peut pas se passer de ses services. Si j'attends qu'ils soient revenus, Shackie, Rhino Noir, Katuro et lui, affirme-t-il, je pourrai partir avec trois hommes armés d'aérodésintégreurs, ce qui augmentera nos chances de survie.

Mais je dis que le temps presse, parce que si ces Painballers sont prêts à troquer Amanda, ça signifie qu'ils se sont lassés d'elle et qu'ils risquent de la tuer d'un moment à l'autre. Je sais comment ça se passe, insisté-je. C'était pareil avec les temporaires chez Zécailles – on les prenait et on les jetait –, alors il faut vraiment que je la retrouve sans tarder, et, oui, je sais que c'est dangereux, mais rien à foutre. Et je me mets à pleurer.

Silence total. Puis Toby déclare qu'elle m'accompagnera. Elle emportera son fusil – elle sait s'en servir, leur rappelle-t-elle. Peut-être que les Painballers ont épuisé les batteries de leur aérodésinté-greur, ce qui rétablit l'équilibre des forces.

« Ce n'est pas ce que j'appelle une bonne idée », lance Zeb.

Au bout d'un temps, Toby ajoute à son adresse qu'elle n'en voit pas de meilleure et qu'elle n'a pas l'intention de me laisser partir toute seule : ce serait carrément criminel. Zeb hoche la tête et dit :

« Sois très prudente, alors. »

Et voilà, la question est réglée.

Dans la salle de séjour, les MaddAddam ont accroché des hamacs avec de l'adhésif extrafort pour Toby et pour moi. Toby n'a pas fini de discuter avec Zeb et les autres, mais moi je vais me coucher. Une fois qu'on y a étalé une peau de ToisondOr, le hamac est très confortable ; je n'arrête pas de m'inquiéter à propos d'Amanda et de me demander comment on va la retrouver, mais je finis quand même par m'endormir.

Quand on se lève le lendemain matin, Zeb, Shackie, Katuro et Rhino Noir sont déjà partis, mais Rebecca dit à Toby que Zeb lui a dessiné une carte dans le bac à sable, afin qu'elle puisse se repérer par rapport à la plage et à la maison en bauge. Toby examine cette carte un long moment en faisant une drôle de tête – un sourire plutôt triste, j'ai l'impression. Mais peut-être qu'elle la mémorise, tout simplement. Puis elle l'efface.

Après le petit déjeuner, Rebecca nous donne de la viande séchée, Pic à Bec Ivoire nous procure deux hamacs légers, car il est dangereux de dormir à même le sol, et nous remplissons nos bouteilles avec l'eau de leur puits. Toby laisse plein d'affaires sur place : ses flacons de Pavot, ses champignons, sa barquette à asticots, bref toute sa trousse médicale, mais elle emporte sa marmite, son couteau, ses allumettes et une corde, car on ne sait pas quand on reviendra. Rebecca l'embrasse et lui dit :

« Surveille tes arrières, ma chérie. »

Puis on s'en va.

On marche un long moment ; vers midi, on s'arrête pour manger. Toby est toujours à tendre l'oreille : si l'on entend trop de croassements – ou alors pas de cris d'oiseau du tout –, ça veut dire qu'il faut faire gaffe, m'explique-t-elle. Mais tout ce qu'on entend, c'est des gazouillis divers et variés.

« Un fond sonore à plumes », plaisante-t-elle.

On continue de marcher, on s'arrête encore pour manger, on recommence à marcher. Il y a tellement de feuilles aux arbres que j'ai l'impression d'étouffer. Puis je me rappelle que la dernière fois qu'on s'est aventurées dans une forêt, c'est là qu'on a trouvé Oates pendu à une branche.

Quand le soir tombe, on sélectionne des arbres assez grands, on y accroche les hamacs et on s'installe pour la nuit. Mais j'ai du mal à m'endormir. Et j'entends chanter. C'est très beau, mais ça ne ressemble pas à un chant normal – des voix claires comme le cristal, mais avec plusieurs couches. Comme des carillons.

Le bruit s'estompe et je me demande si je ne l'ai pas imaginé. Puis je me dis que ce devaient être les hommes bleus : c'est sûrement comme ça qu'ils chantent. Je visualise Amanda parmi eux : ils la nourrissent, ils la soignent, ils ronronnent pour la réconforter.

Je prends mes désirs pour des réalités, c'est sûr. Je sais que je ne devrais pas faire ça : je devrais admettre les choses telles qu'elles sont. Mais il y a trop de zones de ténèbres dans la réalité. Et trop de corbeaux.

Nous sommes ce que nous mangeons, disaient les Adam et les Ève, mais moi je préfère dire : Nous sommes ce que nous souhaitons. Parce que si l'on ne peut rien souhaiter, à quoi bon ?

Saint Terry et Tous les Voyageurs

Saint Terry et Tous les Voyageurs

An 25

De l'état d'exode.
Prononcé par Adam Premier

Chers Amis, chères Créatures, mes Frères et mes Sœurs, Voyageurs sur cette route périlleuse que désormais nous avons prise dans la vie :

Que de temps a passé depuis que nous avons fêté saint Terry pour la dernière fois dans notre bien-aimé Jardin de toiture d'Édenfalaise ! Nous ne savions pas alors à quel point cette époque était bénie comparée aux jours sombres que nous vivons à présent. Nous jouissions alors des fruits de notre paisible Jardin et, bien que vivant au cœur d'un taudis ravagé par le crime, nous le considérions de haut, isolés dans un espace de renouveau et de restauration, que sustentaient des Plantes innocentes et des Abeilles industrieuses. Nous n'hésitions pas à chanter à pleins poumons, persuadés de notre ultime victoire, car notre but n'était-il pas noble et nos méthodes sans malice ? Ainsi, nous croyions en notre propre innocence. Nombre de malheurs nous ont affligés depuis, mais l'Esprit qui nous animait est toujours en nous.

La fête de saint Terry est dédiée à tous les Voyageurs – le premier d'entre eux étant saint Terry Fox, qui courait sans se lasser sur sa jambe de chair et sa jambe de métal ; qui donnait à tous un exemple de courage surhumain face à l'adversité ; qui a démontré de quoi était capable le corps humain quand il s'agissait de se déplacer sans l'aide de carburant fossile ; qui affrontait la Mortalité à la course et qui, en fin de compte, a distancé sa propre Mort et vit toujours dans notre Mémoire.

En ce jour, souvenons-nous aussi de sainte Sojourner Truth, qui a guidé les esclaves en fuite il y a deux siècles, et qui a tant marché avec les seules étoiles pour boussole ; et aussi de saint Shackleton et saint Crozier, voyageurs en Arctique et en Antarctique ; et de saint Lawrence Oates, dit « Titus », membre de l'expédition Scott, qui voyagea là où nul avant lui n'avait voyagé et se sacrifia durant un blizzard afin de sauver la vie de ses compagnons. Que ses dernières paroles, conservées par la postérité, nous inspirent pendant notre périple : « Je vais juste sortir et cela risque de prendre un moment. »

Les saints de ce jour sont tous des Voyageurs. Ils savaient tous que le but vaut moins que le chemin, à condition de cheminer dans la foi, loin de tout but égoïste. Chérissons cette pensée dans notre cœur, mes Amis et Compagnons de voyage.

Il est bon que nous nous souvenions de ceux que nous avons perdus au cours de ce voyage. Darren et Quill ont succombé à une maladie dont les premiers symptômes nous inspirent la plus vive inquiétude. Conformément à leur propre demande, nous les avons abandonnés. Nous les remercions de s'être souciés du sort de ceux d'entre nous qui restent en bonne santé.

Philo est entré en Jachère et a trouvé la paix sur le toit d'un parking, un lieu qui lui rappelait peut-être notre cher Jardin de toiture.

Nous n'aurions pas dû laisser Melissa à la traîne derrière nous. Du fait d'une meute de chiens sauvages, elle a fait le Don ultime à ses Frères et ses Sœurs et elle est entrée dans la grande danse des protéines de Dieu.

Enveloppez-la de Lumière dans votre cœur.

Chantons.

Le chemin le plus long

Le chemin le plus long, c'est le bout du chemin,
C'est là que nous faiblissons ;
Nous perdons la force d'avancer,
Nous doutons de voir les feux de l'Espoir.

Nous écarterons-nous de cette sombre Route,
Épuisés et affamés,
Lorsque le Désespoir aura rongé notre Foi
Et que tout nous semblera perdu ?

Allons-nous renoncer aux chemins de traverse,
Aux sentiers cahoteux ?
Et leur préférer la voie rapide si trompeuse
Qui ne mène qu'à la Destruction ?

Nos ennemis vont-ils effacer notre Vie
Et enterrer notre Message ?
Vont-ils étouffer dans la haine et la guerre
La Torche que nous brandissons ?

Courage ! ô Voyageurs crasseux :
Même si votre pas se fait hésitant,
Même si vous tombez en chemin,
Vous arriverez devant l'Autel.

Marchez, marchez, même si vos yeux se ferment,
Même si le Chœur de vos voix se brise ;
Dieu nous offre les vivats verts de la Nature :
Ils ne peuvent que nous restaurer.

Car le But est dans l'effort,
C'est lui que nous chérissons :
C'est à notre Âme de Pèlerin qu'Il nous reconnaît,
C'est à nos pas qu'Il nous aura mesurés.

Extrait du *Livre de cantiques des Jardiniers de Dieu*

74

Ren. Saint Terry et Tous les Voyageurs

An 25

Lorsque je me réveille, Toby s'est déjà mise en position assise pour faire des étirements. Elle me sourit : ces derniers temps, ça lui arrive de plus en plus souvent. Peut-être qu'elle cherche à m'encourager.

« Quel jour sommes-nous ? » demande-t-elle.

Je réfléchis quelques instants.

« Fête de saint Terry et de sainte Sojourner, dis-je au bout d'un temps. Et de Tous les Voyageurs.

— Nous devrions faire une brève Méditation, opine Toby. La route que nous allons suivre ce jour sera fort dangereuse ; nous aurons besoin de connaître la paix intérieure. »

Quand un Adam ou une Ève vous invite à la Méditation, il n'est pas question de refuser. Toby descend de son hamac et j'ouvre l'œil en cas de danger pendant qu'elle adopte la position du Lotus : elle est vraiment souple pour son âge. Mais lorsque vient mon tour, si je n'ai aucun mal à me contorsionner, il m'est impossible de Méditer correctement. Je ne m'en sors pas avec les trois premières parties – Excuses, Gratitude et Pardon –, en particulier le Pardon, vu que j'ignore à qui je dois l'adresser. Adam Premier dirait que je suis égarée par la peur et la colère.

Alors je pense à Amanda et à tout ce qu'elle a fait pour moi, moi qui n'ai jamais rien fait pour elle. Au lieu de l'aider, je l'ai jalousée à cause de Jimmy, alors que ce n'était pas sa faute si elle l'avait connu.

C'était injuste de ma part. Je dois la retrouver et l'arracher au sort qui est le sien, quel qu'il soit. Mais peut-être est-elle déjà pendue à un arbre, avec des organes en moins, comme Oates.

Sauf que je ne veux pas penser à ça, alors je m'imagine marchant vers elle parce que c'est exactement ce que je dois faire.

Il n'y a pas que le corps qui voyage, affirmait Adam Premier, il y a aussi l'Âme. Et la fin d'un voyage n'est que le commencement d'un autre.

«Je suis prête maintenant», dis-je à Toby.

On mange un peu de viande de ToisondOr séchée, on boit un peu d'eau et on planque les hamacs sous un buisson pour ne pas trop se charger. Mais on emporte les sacs à dos, décide Toby, car ils contiennent nos provisions. Pour finir, on inspecte les lieux afin de s'assurer qu'on n'a laissé aucune trace trop visible. Toby inspecte aussi son fusil.

«Je n'aurai besoin que de deux balles, dit-elle.

— Si tu ne rates pas ta cible», répliqué-je.

Une balle pour chaque Painballer : j'imagine chacune d'elles filant dans l'air et se logeant... dans quoi ? Un œil ? Le cœur ? Ça me donne la nausée.

«Je ne peux pas me le permettre, dit-elle. Ils ont un aérodésinté-greur.»

Puis on regagne le sentier et on continue à marcher vers la mer, vers l'endroit où résonnaient les voix que j'ai entendues durant la nuit.

Au bout d'un moment, voilà que je les entends encore, sauf qu'elles parlent plutôt qu'elles ne chantent. Je sens une odeur de fumée – un feu de bois – et j'entends des rires d'enfants. C'est les hommes nouveaux fabriqués par Glenn. C'est forcément eux.

«Avance doucement, dit Toby à voix basse. Comme si on approchait des animaux. Reste très calme. Si on doit repartir, progresse à reculons. Surtout, ne cours pas.»

Je ne sais pas à quoi je m'étais attendue, mais sûrement pas à cela. Il y a une clairière, avec un feu de camp en son centre et, tout autour, des gens, une trentaine à peu près. Ils sont de toutes les couleurs – noirs, bronzés, jaunes et blancs –, mais pas un seul n'est vieux. Et ils sont nus, tous sans exception.

Un camp de nudistes, me dis-je. Mais ce n'est qu'une blague pour me détendre. Ils sont trop beaux – quasiment parfaits. On dirait une pub pour le Balnéo NouvoMoi. Bimplants et épilation intégrale – pas un poil en vue. Peau lisse. Comme passée à l'aérographe.

Parfois, il faut voir un truc pour le croire, et, avec eux, c'est comme ça. Je n'arrivais pas vraiment à imaginer que Glenn avait réussi; j'étais sûre que Croze m'avait raconté des bobards, alors même qu'il avait vu ces gens. Mais voilà qu'ils sont là, devant moi. C'est comme si j'avais découvert des licornes. Je veux les entendre ronronner.

Lorsqu'ils nous aperçoivent – d'abord un enfant, puis une femme, puis tous les autres –, ils arrêtent de faire ce qu'ils faisaient et se tournent vers nous tous ensemble. Ils ne semblent ni effrayés ni menaçants : intéressés, mais placides. J'ai l'impression d'être observée par des ToisondOr et, d'ailleurs, ils mâchent comme des ToisondOr. Je ne sais pas ce qu'ils mangent, mais c'est vert : deux des gamins sont tellement étonnés de nous voir qu'ils en restent bouche bée.

« Bonjour, dit Toby. Reste ici », ajoute-t-elle à mon intention.

Elle s'avance vers eux. L'un des hommes se lève – il était accroupi près du feu – et vient se placer devant les autres.

« Bienvenue, dit-il. Es-tu une amie de Snowman ? »

C'est comme si j'entendais Toby en train de réfléchir. Qui est ce Snowman ? Si elle répond par oui, vont-ils conclure qu'elle est leur ennemie ? Et si elle répond par non ?

« Est-ce que Snowman est bon ? demande-t-elle.

— Oui », répond l'homme. Plus grand que les autres, il semble être leur porte-parole. « Snowman est très bon. C'est notre ami. »

Les autres opinent sans cesser de mâcher.

« Alors, nous sommes ses amies, dit Toby. Et aussi vos amis.

— Tu es comme lui, reprend l'homme. Tu as une peau en plus, comme lui. Mais tu n'as pas de plumes. Est-ce que tu vis dans un arbre ?

— Des plumes ? Sur sa peau supplémentaire ?

— Non, sur son visage. Un autre homme est venu, qui était comme Snowman. Avec des plumes. Et un autre homme aussi, avec des petites plumes. Et une femme, qui sentait le bleu mais qui n'avait pas l'air d'être dans le bleu. Peut-être que la femme avec toi est comme elle ? »

Toby acquiesce, comme si elle comprenait ce charabia. Et c'est peut-être le cas. Je n'arrive jamais à savoir ce qu'elle comprend ou pas.

414

« Elle sent le bleu, déclare un homme. La femme avec toi. »

Tous les hommes se tournent vers moi en reniflant, comme si j'étais une fleur ou un bout de fromage. Nombre d'entre eux ont une grosse trique bleue. Croze m'avait pourtant prévenue, mais je n'ai jamais rien vu de semblable, même à Zécailles où certains clients étaient tatoués et munis d'implants. Quelques-uns de ces hommes émettent une étrange vibration, comme lorsqu'on frotte un doigt mouillé sur le rebord d'un verre en cristal.

« Mais l'autre femme qui est venue a eu peur quand on a chanté, qu'on lui a offert des fleurs et qu'on lui a fait des signes avec nos pénis, dit le porte-parole.

— Oui. Les deux hommes aussi ont eu peur. Ils se sont enfuis.

— Elle était très grande ? Cette femme. Plus grande que celle-ci ? précise Toby en me désignant.

— Oui. Plus grande. Elle n'était pas bien. Et elle était triste. On aurait pu ronronner autour d'elle pour qu'elle soit bien. Ensuite, on aurait copulé avec elle. »

C'est sûrement Amanda, me dis-je. Donc, elle est toujours en vie, ils ne l'ont pas encore tuée. J'ai envie de crier : *Dépêche-toi !* Mais Toby ne semble pas pressée de partir.

« On voulait qu'elle choisisse quatre d'entre nous pour copuler avec eux, dit le porte-parole. Peut-être que la femme avec toi en choisira. Comme elle sent le bleu ! »

À ces mots, tous les hommes se mettent à sourire – ils ont des dents d'une blancheur éclatante – et leurs pénis se pointent sur moi et oscillent doucement, tels des chiens remuant la queue.

Quatre ? À la chaîne ? Je n'ai pas envie que Toby leur tire dessus – ils sont vraiment beaux et semblent très gentils –, mais je ne tiens pas non plus à ce que ces pénis bleus s'approchent de moi.

« Mon amie n'est pas vraiment bleue, dit Toby. Ce n'est que sa peau supplémentaire. C'est une personne bleue qui la lui a donnée. C'est pour cela qu'elle sent le bleu. Où sont-ils allés ? Les deux hommes et la femme ?

— Ils sont allés sur la plage, répond le porte-parole. Et puis, ce matin, Snowman est parti les chercher.

— On pourrait regarder sous son autre peau pour voir si elle est bleue.

— Snowman est blessé au pied. On a ronronné dessus, mais ça n'a pas suffi.

— Si Snowman était ici, il saurait si elle est bleue ou non. Il nous dirait ce qu'il faut faire.

— Il ne faut pas gâcher le bleu. C'est un don de Crake.

— On voulait aller avec lui. Mais il nous a dit de rester ici.

— Snowman sait », dit l'une des femmes.

Jusqu'ici, ces dernières n'ont pas pris part à la conversation, mais voilà que toutes hochent la tête en souriant.

« Nous devons aller aider Snowman, déclare Toby. C'est notre ami.

— On va venir avec vous, renchérit un homme – plus petit que le porte-parole, avec la peau jaune et les yeux verts. On va aider Snowman, nous aussi. »

Maintenant que je le remarque, ils ont tous les yeux verts. Et ils sentent le citron.

« Snowman a souvent besoin de notre aide, reprend le porte-parole. Son odeur est faible. Elle n'a pas de puissance. Et cette fois-ci, il est malade. Il est malade au pied. Il boite.

— Si Snowman vous a dit de rester ici, vous devez rester », affirme Toby.

Ils échangent un regard ; quelque chose les inquiète.

« On restera ici, dit le porte-parole. Mais vous devez revenir bientôt.

— Et ramener Snowman, ajoute une femme. Pour qu'on puisse l'aider. Ensuite, il pourra vivre dans son arbre comme avant.

— On lui donnera un poisson. Ça le rend heureux, un poisson.

— Il le mange, enchaîne l'un des enfants en faisant la grimace. Il le mâche. Il l'avale. Crake dit qu'il est obligé.

— Crake vit dans le ciel. Il nous aime », dit une femme de petite taille.

À les entendre, ce Crake, c'est carrément Dieu. Glenn en Dieu le Père, avec son tee-shirt noir – c'est vraiment drôle, quand on pense à ce qu'il était en réalité. Mais je n'ai pas envie de rire.

« On pourrait vous donner des poissons, à vous aussi, dit la femme. Voulez-vous des poissons ?

— Oui, répond le porte-parole. Ramène Snowman. Ensuite, on attrapera deux poissons. Trois. Un pour toi, un pour Snowman, un pour la femme qui sent le bleu.

— Nous allons faire au mieux », dit Toby.

Voilà qui les intrigue, apparemment.

« C'est quoi, "au mieux" ? » demande le porte-parole.

On émerge de l'abri de la forêt pour marcher au soleil sur un sable doux et sec, le bruit des vagues plein les oreilles, et on gagne la

416

bande de sable plus dur que lèche l'océan. En se jetant sur la plage, puis en refluant, les vagues émettent un doux sifflement, comme le souffle d'un serpent endormi. Le rivage est jonché de détritus : bouts de plastique, canettes vides, éclats de verre.

« J'ai cru qu'ils allaient me sauter dessus, dis-je.

— Ils ont senti ton odeur, explique Toby. Une odeur d'œstrogènes. Ils croyaient que tu étais en rut. Ils ne copulent que lorsqu'ils virent au bleu. Comme les babouins.

— Comment tu sais tout ça ? »

Croze m'a parlé des pénis bleus, mais il n'a pas touché mot des œstrogènes.

« Grâce à Pic à Bec Ivoire, répond Toby. Ce sont les MaddAddam qui ont conçu ce trait, du moins en partie. Il était censé leur simplifier la vie. Faciliter la sélection des partenaires. Éliminer la souffrance romantique. Maintenant, soyons discrètes. »

La souffrance romantique, répété-je mentalement. Qu'est-ce que Toby peut en connaître ? me demandé-je.

Une rangée d'immeubles se dresse dans l'eau, non loin du rivage : je me rappelle les avoir aperçus quand les Jardiniers nous emmenaient sur la plage du Parc du Patrimoine. Jadis, ils se trouvaient sur la terre ferme, avant la montée des eaux et la généralisation des ouragans : on l'avait appris en classe. Des nuées de goélands peuplent leurs toits plats.

On trouvera des œufs par ici, songé-je. Et aussi des poissons. Zeb nous a enseigné la pêche au lamparo, au cas où ça nous serait utile. Les poissons nagent toujours vers la lumière. Je vois des petits trous de crabe dans le sable. Des orties qui poussent un peu plus loin. Et les algues aussi, ça se mange. On fera comme pour la Saint-Euell.

Voilà que je recommence à délirer : à préparer mentalement le déjeuner alors que je suis morte de trouille. On n'y arrivera jamais. Jamais on ne pourra sauver Amanda. On va se faire tuer.

Toby a trouvé des empreintes dans le sable mouillé – plusieurs personnes, qui se sont déchaussées à un moment donné, peut-être pour se laver les pieds, puis ont remis leurs bottes pour se diriger vers les arbres.

Peut-être qu'elles sont planquées derrière ces arbres et qu'elles nous observent en ce moment même. Qu'elles nous placent en ligne de mire.

D'autres empreintes se superposent aux premières. Des pieds nus.
« Un boiteux », murmure Toby.

Ça doit être Snowman. Le cinglé qui vit dans un arbre.

On ôte nos sacs à dos et on les laisse sous les premiers arbres, là où le sable cède la place aux mauvaises herbes. Ils nous gêneraient dans nos mouvements, affirme Toby.

75

Toby. Saint Terry et Tous les Voyageurs

An 25

Alors, Dieu, songe Toby. Qu'en penses-Tu ? En supposant que Tu existes. Dis-le-moi, s'il te plaît, car c'est peut-être la fin : de la façon dont je vois les choses, une fois qu'on sera face aux Painballers, on n'aura aucune chance de s'en tirer.

Ces êtres nouveaux correspondent-ils à l'idée que Tu te fais d'un modèle de qualité supérieure ? À ce qu'était censé être le premier Adam ? Vont-ils nous remplacer ? Ou bien comptes-Tu les remiser dans un coin et conserver l'espèce humaine telle qu'elle est ? Si c'est le cas, Tu as sélectionné un échantillon des plus bizarre : une bande de scientifiques dévoyés, une poignée de Jardiniers renégats et deux psychopathes en liberté détenant une femme à l'agonie ou presque. Zeb mis à part, on ne peut pas dire que ce soient là les plus aptes à survivre ; et Zeb lui-même accuse une certaine fatigue.

Et puis il y a Ren. Tu n'aurais pas pu choisir quelqu'un de moins fragile ? de moins innocent ? d'un peu plus résistant ? Si elle était un animal, quel animal serait-elle ? Une souris ? Une grive ? Une biche paralysée par les phares d'une voiture ? Elle ne peut que craquer en cas de crise grave : j'aurais dû la laisser là-bas, sur la plage. Mais cela n'aurait fait que retarder l'inévitable, car si j'y passe elle y passera aussi. Même si elle parvient à s'enfuir, la maison en bauge est trop loin : jamais elle n'y arrivera, et même si elle sème ces deux brutes, elle se perdra dans la forêt. Et qui la protégera des porcs et des chiens sauvages ? Pas ces débiles qui ne pensent qu'au bleu. Pas si les Painballers ont un aérodésintégreur en état de marche. Et si elle ne meurt pas vite, son sort sera pire encore.

La gamme morale de l'Homme est limitée, disait Adam Premier : on ne peut plus y jouer de nouvelle mélodie. Et j'ai le regret de le dire, mes chers Amis, on y trouve des notes bien trop basses.

Elle fait halte, inspecte le fusil. Cran de sûreté débloqué.

Gauche, droite, en douceur. Le moindre murmure de ses pieds sur les feuilles mortes sonne à ses oreilles comme un cri. Je suis trop visible, trop audible, se dit-elle. Tous les habitants de la forêt m'observent. Ils attendent que coule mon sang, ils en sentent le fumet, ils l'entendent couler dans mes veines, *katouch*. Au-dessus d'elle, amassés dans les frondaisons, ces traîtres de corbeaux. *Haw-haw-haw!* Ce sont ses yeux qu'ils convoitent.

Et pourtant chaque fleur, chaque brindille, chaque caillou brille comme illuminé de l'intérieur, comme jadis, le jour de son arrivée au Jardin. C'est le stress, l'adrénaline, un phénomène chimique : elle le sait parfaitement. Mais pourquoi est-il inné ? se demande-t-elle. Pourquoi sommes-nous conçus pour voir le monde sous son jour le plus sublime juste avant d'être descendus ? Le lapin éprouve-t-il le même sentiment tandis que les crocs du renard se referment sur sa gorge ? Est-ce ce qu'on appelle la miséricorde ?

Elle marque une pause, se retourne, sourit à Ren. Ai-je l'air rassurante ? s'interroge-t-elle. Calme et maîtrisant la situation ? Est-ce que je donne l'impression de savoir ce que je fais ? Je ne suis pas à la hauteur. Je suis trop lente, trop vieille, trop rouillée. Je n'ai pas assez de réflexes et trop de scrupules. Pardonne-moi, Ren. C'est à la mort que je te conduis. Je prie pour que cette mort soit rapide, pour toi comme pour moi. Ce coup-ci, les abeilles ne sont pas là pour nous sauver.

Quel saint devrais-je invoquer ? Lequel est doué d'habileté et de courage ? De brutalité ? D'esprit de décision ? De précision dans l'exécution ?

Cher Léopard, cher Loup, cher Liogneau : envoyez-moi votre Esprit à présent.

76

Ren. Saint Terry et Tous les Voyageurs

An 25

Dès qu'on entend les voix, on avance en faisant moins de bruit encore. Pose le talon sur le sol, me dit Toby, puis déroule le pied, et ensuite pose le talon de l'autre pied. Comme ça, tu ne feras rien craquer.

Ce sont des voix d'hommes. L'odeur de leur feu de camp parvient jusqu'à nous, ainsi qu'un fumet de viande grillée. Je m'aperçois que j'ai très faim : je me sens saliver. J'essaie de me concentrer sur ma faim afin d'oublier ma peur.

On jette un coup d'œil à travers le feuillage. C'est bien eux : le type à la longue barbe noire et l'autre, avec des joues râpeuses et un crâne rasé où les cheveux commencent à repousser. Je n'ai rien oublié de ces deux monstres et j'ai soudain envie de vomir. C'est la haine et la peur qui me tordent les tripes et qui projettent leurs vrilles dans le reste de mon corps.

Mais j'aperçois Amanda et, soudain, je me sens légère. Comme si j'allais m'envoler.

Elle a les mains libres mais une corde passée autour du cou, dont l'autre bout est attaché à la jambe du barbu. Elle est toujours vêtue de son costume kaki de fille du désert, mais il semble plus sale que jamais. Elle a les joues maculées de terre, les cheveux ternes et emmêlés. Je vois un gros hématome sous son œil, et d'autres, plus petits, sur ses bras. À ses ongles subsiste un peu du vernis rose orangé qu'elle s'est appliqué à Zécailles. Quand je vois ça, j'ai envie de pleurer.

Elle n'a guère que la peau sur les os. Mais les deux types n'ont pas l'air bien gros, eux non plus.

Voilà que je respire plus vite. Toby m'agrippe par le bras et serre fort. Ça veut dire : *Garde ton calme*. Elle tourne vers moi son visage bronzé et le sourire qu'elle m'adresse lui donne l'aspect d'une tête de mort ; je vois luire ses dents entre ses lèvres, je vois se crisper ses maxillaires, et, soudain, je plains sincèrement ces deux hommes. Puis elle me lâche le bras et, lentement, lève son fusil.

Les deux hommes sont assis en tailleur et font cuire des brochettes de viande sur leur feu. De la viande de rasconse. La queue noir et blanc de l'animal est par terre, près des braises. Juste à côté d'un aérodésintégreur. Toby l'a sûrement vu. C'est comme si je l'entendais réfléchir : si j'abats l'un d'entre eux, aurai-je le temps d'abattre l'autre avant qu'il ne m'abatte ?

« Peut-être que c'est une coutume de sauvages, dit le barbu. Cette peinture bleue.

— C'est pas de la peinture, c'est un tatouage, dit l'autre.

— Qui serait assez con pour se tatouer la bite ? Non, c'est un truc de cannibales, je te dis.

— T'as regardé trop de nanars.

— Ils la sacrifieraient en moins de deux, je te le parie, insiste le barbu. Après l'avoir bien baisée, évidemment. »

Ils se tournent vers Amanda, mais elle garde les yeux fixés au sol. Le barbu tire sur sa corde.

« Hé ! on te cause, salope », lance-t-il.

Amande relève lentement la tête.

« Un sex toy comestible », dit l'homme au crâne rasé, et tous deux éclatent de rire. « Mais t'as vu les bimplants sur ces pétasses ?

— C'étaient pas des bimplants, c'était de l'authentique. Pour en être sûr, faudrait les dépecer. Dans les prothèses, y a une sorte de gel, paraît-il. Peut-être qu'on devrait retourner les voir pour leur proposer un échange. Les sauvages, je veux dire. Puisqu'ils ont tellement envie de cette conne, on la leur offre pour qu'ils y trempent leurs bites bleues, mais nous on a droit à quelques-unes de leurs nanas. Une occasion en or ! »

Je vois Amanda comme ils doivent la voir : usée, épuisée. Sans valeur.

«Pourquoi un échange? dit l'homme au crâne rasé. Pourquoi on va pas dézinguer tous ces connards?

— Ils sont trop nombreux, y aura pas assez de jus dans la batterie, décrète le barbu. On est presque à zéro. Dès qu'ils l'auront compris, ils se jetteront sur nous. Pour nous réduire en pièces et nous dévorer.

— Faut qu'on se remue, s'affole l'autre. Ils sont trente et on n'est que deux. Et s'ils nous attaquaient en douce pendant la nuit?»

Ils marquent une pause pour réfléchir à ce danger. J'ai tellement la haine pour eux que ça me donne la chair de poule. Et Toby? Qu'est-ce qu'elle attend? Qu'elle les tue et qu'on en finisse. Puis je me rappelle que c'est une Jardinière : elle n'y arrivera pas, pas de sang-froid. C'est contre sa religion.

«Pas mal, dit soudain le barbu en levant sa brochette au-dessus du feu. Demain, on tâchera de piéger une autre de ces délicieuses bestioles.

— Et elle, il faut la nourrir? demande l'autre en se léchant les doigts.

— Donne-lui un ou deux bouts de viande. Morte, elle ne nous servira à rien.

— En ce qui me concerne, je suis d'accord. Toi, t'es tellement pervers que tu baiserais même un cadavre.

— À propos, ce soir, c'est toi qui passes en premier. Pour préparer le terrain. Je déteste baiser à sec.

— C'est déjà moi qui m'y suis collé hier.

— On décide ça au bras de fer?»

Soudain, voici qu'une quatrième personne débarque dans la clairière : un homme nu, mais qui ne ressemble en rien aux beaux mecs aux yeux verts. Il est émacié et couvert de croûtes. Avec une longue barbe sale et de la folie dans les yeux. Pourtant je le reconnais. Ou crois le reconnaître. Est-ce bien Jimmy?

Il est armé d'un aérodésintégreur qu'il braque sur les deux hommes. Il va leur tirer dessus. Vu son expression, il est bien décidé.

Mais il descendra aussi Amanda, car, en le voyant, le barbu se redresse sur ses genoux, tire sur la corde de toutes ses forces, passe un bras autour de la gorge d'Amanda et s'en fait un bouclier. L'autre homme se planque derrière lui. Jimmy hésite mais ne tire pas.

«Jimmy! m'écrié-je depuis ma cachette. Ne fais pas ça! C'est Amanda!»

Il doit croire que c'est le buisson qui lui parle. Son visage se tourne vers moi. Je me lève et je sors.

« Génial ! fait le barbu. Revoilà l'autre pétasse. Maintenant, on aura chacun la sienne ! »

Il sourit de toutes ses dents. Toujours planqué derrière lui, l'autre tend la main vers l'aérodésintégreur.

Toby se montre à son tour. Elle braque son fusil sur eux.

« Ne touche pas ça », dit-elle à l'homme au crâne rasé.

Sa voix porte haut et clair, mais elle a adopté un ton neutre, menaçant. Elle ne peut manquer de leur ficher les jetons : une femme maigre, aux vêtements élimés, aux lèvres retroussées. Comme une banshee dans une série télé, ou alors un squelette ambulant ; quelqu'un qui n'a rien à perdre.

L'homme au crâne rasé se fige. Le barbu ne sait plus dans quel sens se tourner : Jimmy est droit devant lui, Toby sur le côté.

« N'approchez pas ou je lui brise la nuque », menace-t-il.

Il parle très fort ; ça veut dire qu'il a peur.

« Ça pourrait me faire fléchir, mais pas lui, dit Toby en désignant Jimmy du menton. Ramasse cet aérodésintégreur, ajoute-t-elle à mon intention. Fais gaffe s'il essaie de te toucher. » Se tournant vers l'homme au crâne rasé : « Allonge-toi par terre. » Puis vers moi : « Surveille tes chevilles. » Au barbu : « Lâche-la. »

Tout se passe trop vite, mais c'est comme si le temps avait ralenti. Les voix semblent venir de très loin ; le soleil m'éblouit à m'en faire mal aux yeux ; des étincelles crépitent autour de nous, comme si l'électricité courait sur notre peau. J'arrive presque à distinguer nos entrailles – à nous tous. Je vois les veines, les tendons, le sang qui coule. J'entends battre les cœurs, comme un tonnerre qui s'approche.

J'ai peur de tomber dans les pommes. Mais je n'ai pas le droit, je dois aider Toby. Sans m'en rendre compte, je cours vers les deux hommes. Leur odeur m'agresse les narines. Sueur rance, cheveux gras. Je m'empare de leur arme.

« Passe derrière lui », me dit Toby. Au Painballer : « Les mains sur la nuque. » À moi : « S'il n'obéit pas, tire-lui dans le dos. »

Si je savais comment marche ce truc ! Elle se tourne vers Jimmy.

« Tout doux », lui dit-elle, comme si elle parlait à un animal effarouché.

Pendant tout ce temps-là, Amanda n'a pas bougé, mais, dès que le barbu la relâche, elle réagit avec la vivacité d'un serpent. Elle se débarrasse de la corde passée autour de son cou et en cingle son tortionnaire au visage. Puis elle lui décoche un coup de pied dans les couilles. Il ne lui reste pas beaucoup de force, ça se voit, mais elle y met tout son cœur et, quand il s'écroule par terre, plié en deux, l'autre a droit au même traitement. Puis elle ramasse une grosse pierre, en frappe chacun sur le crâne, et je vois le sang couler. Enfin elle lâche sa pierre et se dirige vers moi en titubant. Elle pleure à gros bouillons et je sais que ça a dû être horrible, tous ces jours où je n'étais pas à ses côtés, parce qu'il en faut beaucoup pour faire pleurer Amanda.

«Oh! Amanda, lui dis-je. Je suis tellement navrée.»

Jimmy vacille sur ses jambes.

«Tu es réelle?» demande-t-il à Toby.

Il a l'air totalement perdu. Il se frotte les yeux.

«Aussi réelle que toi, lui répond Toby. Tu ferais mieux de les attacher, me dit-elle. Et serre bien fort. Quand ils reviendront à eux, ils risquent d'être en pétard.»

Amanda s'essuie la joue d'un revers de manche. Puis on entreprend de ligoter les deux hommes, les mains derrière le dos, une boucle autour du cou. On n'a pas beaucoup de corde, mais on fait avec.

«C'est toi? dit Jimmy. J'ai l'impression que je t'ai déjà vue.»

Je vais jusqu'à lui, lentement et prudemment, vu qu'il tient toujours son arme.

«Jimmy. C'est moi, Ren. Tu te souviens? Allons, pose ça maintenant. Tout va bien.»

C'est comme ça qu'on s'adresse à un enfant.

Il baisse son aérodésintégreur et je le serre entre mes bras pour l'étreindre un long moment. Il frissonne, mais il brûle de fièvre.

«Ren? dit-il. Tu es morte?

— Non, Jimmy. Je suis vivante, et toi aussi.»

Je repousse ses cheveux de son front.

«Je suis dans un triste état, dit-il. Parfois j'ai l'impression que tout le monde est mort.»

Sainte Julienne et Toutes les Âmes

Sainte Julienne et Toutes les Âmes

An 25

De la fragilité de l'Univers.
Prononcé par Adam Premier

Chers Amis, les rares qui êtes encore là :

Il ne nous reste que peu de temps. Nous en avons employé une partie pour revenir ici, sur le site de notre Jardin de toiture d'Éden-falaise jadis si florissant, où nous avons passé ensemble tant de jours heureux sous le signe de l'espérance.

Profitons de cette occasion pour méditer une dernière fois sur la Lumière.

Car la nouvelle lune se lève, annonçant la fête de sainte Julienne et de Toutes les Âmes. Toutes les Âmes, et pas seulement les Âmes humaines, mais aussi les Âmes de toutes les Créatures ayant pris le chemin de la Vie puis subi la Grande Transformation pour entrer dans cet état que l'on appelle parfois la Mort, mais que nous savons être celui de la Vie renouvelée. Car en ce Monde qui est le nôtre, et à l'œil de Dieu, nul atome ayant existé n'est jamais vraiment perdu.

Cher Diplodocus, cher Ptérosaure, cher Trilobite ; cher Masto-donte, cher Dodo, cher Grand Pingouin, chère Tourte voyageuse, cher Panda, chère Grue blanche et vous tous, innombrables en votre temps, qui avez joué dans ce Jardin commun : soyez avec nous en ces temps d'épreuves et raffermissez notre volonté. Comme vous, nous avons joui de l'air, du soleil et du clair de lune sur l'eau ; comme vous, nous avons entendu l'appel des saisons et lui avons répondu. Comme vous, nous avons rempli la Terre. Et comme vous, nous devons maintenant assister à la fin de notre Espèce et disparaître de la Terre.

Ainsi qu'il en va toujours en ce jour, la parole de sainte Julienne de Norwich, cette sainte du XIVᵉ siècle pleine de compassion, nous rappelle la fragilité de notre Cosmos – une fragilité confirmée par les physiciens du XXᵉ siècle, époque où la Science a découvert les vastes espaces vides qui séparaient non seulement les particules mais aussi les étoiles. Qu'est notre Cosmos sinon un flocon de neige ? Un carré de dentelle ? Comme l'a si bellement dit notre chère sainte Julienne, avec des paroles de tendresse dont l'écho a résonné à travers les siècles :

Alors il me montra, gisant dans la paume de sa main, une petite chose, de la grosseur d'une noisette et [...] ronde comme une bille. Je l'observai et pensai : Qu'est-ce donc ? Il me fut répondu, de façon générale : C'est tout ce qui est créé. Je m'étonnai que cette chose-là pût subsister, car, me sembla-t-il, un si petit rien pouvait être anéanti en un instant. Il me fut répondu dans mon entendement : Il subsiste et subsistera à jamais, parce que Dieu l'aime. Ainsi toute chose tient son être de l'amour de Dieu[1].

Méritons-nous cet Amour par lequel Dieu préserve l'unité de notre Cosmos ? Le méritons-nous en tant qu'Espèce ? Nous avons pris le Verbe qui nous fut donné et en avons détruit la matière et les Créatures. D'autres religions nous ont enseigné que ce Verbe disparaîtrait comme un livre qu'on roule pour être ensuite réduit à néant et qu'ensuite apparaîtraient un nouveau Ciel et une nouvelle Terre. Mais pourquoi Dieu nous donnerait-Il une nouvelle Terre alors que nous avons tant maltraité celle-ci ?

Non, mes Amis, ce n'est pas cette Terre qui doit être détruite : c'est l'Espèce humaine. Peut-être Dieu créera-t-Il une autre Espèce, plus compatissante que la nôtre, pour prendre sa place.

Car le Déluge des Airs nous a balayés – mais pas comme l'aurait fait un gigantesque ouragan, ni une pluie de comètes, ni un nuage de gaz empoisonné. Non : ainsi que nous le soupçonnions depuis si longtemps, c'est une peste qui nous a anéantis – une peste qui ne frappe que notre Espèce et épargne toutes les autres. Nos cités sont plongées dans l'ombre, nos réseaux de communication sont inopé-

---

1. Julienne de Norwich, *Écrits mystiques*, traduction de R. Maisonneuve, Éditions du Carmel, 2007.

rants. La ruine et la dévastation qui ont frappé notre Jardin se sont étendues à toutes les rues alentour. Nous n'avons plus besoin de craindre que l'on nous découvre : nos vieux ennemis ne peuvent plus nous nuire, occupés qu'ils sont par le tourment hideux de leur propre décomposition, s'ils ne sont pas déjà morts.

Nous ne devons pas, nous ne pouvons pas nous en réjouir. Car hier la peste a emporté trois d'entre nous. Déjà je sens en moi les altérations dont je vois le reflet dans vos yeux. Nous ne savons que trop bien ce qui nous attend.

Mais quittons ce monde dans la joie et le courage ! Achevons notre séjour par une prière adressée à Toutes les Âmes. Parmi elles se trouvent les Âmes de ceux qui nous ont persécutés ; de ceux qui ont tué les Créatures de Dieu et causé l'extinction de nombre de Ses Espèces ; de ceux qui ont torturé au nom de la Loi ; qui n'avaient d'autre religion que celle de l'argent ; et qui, pour accroître leur richesse et leur pouvoir, ont infligé la souffrance et la mort.

Pardonnons aux tueurs de l'Éléphant et aux exterminateurs du Tigre ; et aussi à ceux qui ont massacré l'Ours pour sa vésicule biliaire, le Requin pour son cartilage et le Rhinocéros pour sa corne. Puissions-nous leur pardonner en toute liberté et espérer que Dieu nous pardonnera, Lui qui tient au creux de Sa main notre Cosmos si fragile et le protège de Son Amour éternel.

Ce Pardon est la plus dure des tâches que nous ayons jamais choisi d'accomplir. Seigneur, donne-nous la force dont nous avons besoin.

Tenons-nous tous par la main à présent.

Chantons.

La Terre pardonne

La Terre pardonne l'explosif du Mineur
Qui déchire sa croûte et lui brûle la peau ;
Avec les siècles y reviennent les Arbres,
Et l'eau, et les Poissons qui y nagent.

Le Cerf finit un jour par pardonner le Loup
Qui déchiquette sa gorge et boit son sang ;
Ses os en retournant à la terre
Nourrissent l'Arbre, ses fleurs et ses fruits.

Et c'est à l'ombre de cet Arbre
Que le Loup se repose quand il ne chasse pas ;
Et son heure venue, le Loup meurt lui aussi,
Et fait pousser l'herbe que broutera le Cerf.

Toutes les Créatures savent qu'elles doivent mourir
Pour que les autres Créatures puissent se nourrir ;
Tôt ou tard, toutes se transforment,
Leur sang en vin, leur chair en viande.

Mais l'Homme seul tue par Vengeance
Et grave dans la pierre ses Lois abstraites ;
C'est au nom de sa fausse Justice
Qu'il brise les membres et broie les os.

Est-ce là l'image d'un dieu ?
Œil pour œil, dent pour dent ?
Oh ! si elles vivaient de Vengeance et non d'Amour,
Jamais les étoiles n'auraient pu briller.

Nous sommes suspendus à un fil fragile,
Nos petites vies tels des grains de sable :
Le Cosmos est une sphère minuscule
Reposant au creux de la main de Dieu.

Renoncez à la colère et à la rage
Et imitez l'Arbre et le Cerf ;
Dans le Pardon trouvez joie et douceur
Car lui seul peut vous libérer.

Extrait du *Livre de cantiques des Jardiniers de Dieu*

77

Ren. Sainte Julienne et Toutes les Âmes

An 25

La nouvelle lune se lève au-dessus de la mer : la fête de sainte Julienne et de Toutes les Âmes a commencé.

J'adorais sainte Julienne quand j'étais petite. Chacun des enfants fabriquait son propre Cosmos à partir des trucs qu'il avait glanés. Puis on y collait des paillettes et on l'accrochait à une ficelle. Ce soir-là, il y avait un Festin où l'on ne servait que des mets ronds, comme le radis et la citrouille, et tout le Jardin était décoré de nos mondes étincelants. Une fois, on a fabriqué des boules avec du fil métallique et on a mis des bougies à l'intérieur : nos Cosmos étaient superjolis. L'année suivante, on a essayé de façonner des Mains de Dieu pour les tenir, mais on n'a trouvé que des gants ménagers en plastique jaune, et ça faisait un effet bizarre, comme des mains de zombie. Et puis, on n'imagine pas Dieu mettant des gants.

On a pris place autour du feu – Toby, Amanda et moi. Et Jimmy. Et les deux Dorés, les deux Painballers. Je suis obligée de les compter. La lueur des flammes nous fait paraître plus beaux et plus gentils qu'on ne l'est en réalité. Mais, parfois on a l'air plus méchant, avec les jeux d'ombre, quand on ne voit plus les yeux des autres, seulement leurs orbites noires. Des puits de ténèbres creusés dans nos têtes.

J'ai mal partout, mais je me sens si heureuse. On a de la chance, je crois bien. D'être encore ici. Oui, nous tous, même les Painballers.

Passé la chaleur de midi et l'orage de l'après-midi, je suis retournée sur la plage pour récupérer nos sacs à dos et les transporter dans la clairière, ainsi que des pousses de moutarde brune que j'ai cueillies en chemin. Toby a sorti sa marmite, ses tasses, son couteau et sa grande cuillère. Elle a préparé de la soupe avec les restes de rasconse et la viande séchée de Rebecca, l'assaisonnant avec ses fines herbes. Quand elle a jeté les os de rasconse dans l'eau, elle a prononcé la prière d'excuse et demandé pardon à l'animal.

« Mais ce n'est pas toi qui l'as tué, lui ai-je dit.

— Je sais. Mais je n'aurais pas été à l'aise si personne n'avait fait ça. »

Les Painballers sont attachés à un arbre, avec la corde mais aussi des bandes de tissu rose provenant du têtaupieds de Toby. C'est moi qui les ai tressées ; s'il y a une chose que les Jardiniers savent vous apprendre, c'est à recycler les matériaux bruts pour un usage artisanal.

Les Painballers ne disent pas grand-chose. Ils ne doivent pas être en forme, vu le traitement que leur a infligé Amanda. Et ils doivent se sentir vraiment stupides. Je réagirais pareil à leur place. Cons comme des balais – ainsi que le dirait Zeb : dire qu'ils se sont laissé surprendre par deux filles !

Amanda est toujours en état de choc, je crois bien. De temps en temps, elle pleure doucement et se tortille les cheveux. Dès que les Painballers ont été ligotés, Toby s'est empressée de lui donner une tasse d'eau chaude additionnée de miel, afin de combattre la déshydratation, avec une pincée de chénopode en poudre pour faire bonne mesure.

« Ne la bois pas en une seule fois, lui a-t-elle dit. Procède par petites gorgées. »

Une fois que son taux d'électrolytes serait redevenu normal, a-t-elle expliqué, elle s'occuperait de ses autres problèmes. Ses plaies et ses hématomes, pour commencer.

Jimmy est dans un sale état. Il souffre d'une forte fièvre et présente une plaie suppurante au pied. Si on arrive à le conduire à la maison en bauge, dit Toby, elle pourra le soigner avec ses asticots – ça peut le guérir au bout d'un certain temps. Sauf que Jimmy n'a peut-être plus de temps devant lui.

Tout à l'heure, elle lui a badigeonné le pied de miel et lui en a fait manger une cuillerée. Elle ne peut lui donner ni du Pavot ni du Saule, car elle a laissé ses flacons à la maison en bauge. On a voulu l'envelopper dans le têtaupieds de Toby, mais il n'arrêtait pas de l'enlever.

« Il faut lui trouver un drap ou un duvet, a dit Toby. Pour demain. Et veiller à ce qu'il le garde sur lui, sinon il va crever de chaleur sous le soleil. »

Jimmy ne me reconnaît pas, pas plus qu'il ne reconnaît Amanda. Il n'arrête pas de parler à une autre femme, qui semble debout près du feu.

« Chant du hibou. Ne t'envole pas », lui dit-il.

Quelle nostalgie dans sa voix ! Je me sens jalouse, mais comment puis-je être jalouse d'une femme qui n'est pas là ?

« À qui tu parles ? lui demandé-je.

— Il y a un hibou, répond-il. Qui ulule. Là-haut. »

Mais je n'entends rien.

« Regarde-moi, Jimmy, lui dis-je.

— La musique est innée, déclare-t-il. Quoi qu'il arrive. »

Il lève les yeux vers les arbres.

Oh ! Jimmy, pensé-je. Où es-tu passé ?

La lune s'est déplacée vers l'ouest. Toby déclare que la soupe est assez chaude. Elle ajoute la moutarde brune que j'ai cueillie, attend une minute puis nous sert. On n'a que deux tasses – il va falloir qu'on se les partage, dit-elle.

« Eux aussi ? » demande Amanda.

Elle refuse de regarder les Painballers en face.

« Oui, eux aussi. C'est la fête de sainte Julienne et de Toutes les Âmes.

— Et demain, qu'est-ce qu'on en fait ? »

Au moins s'intéresse-t-elle à quelque chose.

« On ne peut pas les libérer, dis-je. Ils nous tueront. Ils ont assassiné Oates. Et regarde ce qu'ils ont fait à Amanda !

— Je réfléchirai au problème un peu plus tard, réplique Toby. Ce soir, nous avons un Festin. »

Elle verse de la soupe dans les tasses puis parcourt l'assistance du regard.

« Tu parles d'un Festin ! ricane-t-elle de sa voix de sorcière sèche. Mais on n'est pas encore finies, pas vrai ? »

C'est à Amanda qu'elle s'adresse.

« *Kaputt*, rétorque celle-ci d'une petite voix.

— N'y pense même pas », lui dis-je.

Mais voilà qu'elle recommence à pleurer tout doucement : elle est en Jachère. Je la prends dans mes bras.

« Je suis là, tu es là, tout va bien, chuchoté-je.

— À quoi bon ? dit Amanda à Toby.

— Le moment est mal choisi pour ce genre de réflexion, répond celle-ci avec sa voix d'Ève. J'aimerais que nous oubliions le passé, du moins ses épisodes les plus noirs. Réjouissons-nous de cette nourriture que nous avons reçue en don. Amanda. Ren. Jimmy. Et vous aussi, si vous en êtes capables », conclut-elle en se tournant vers les deux Painballers.

L'un d'eux marmonne une réponse qui ressemble à *Va te faire foutre*, mais il se garde de parler trop fort.

Toby fait celle qui n'a rien entendu.

« De plus j'aimerais que nous nous souvenions de tous ceux qui ont disparu, et en particulier de nos amis qui sont absents. Chers Adam, chères Ève, mes Frères et mes Sœurs, Créatures et Mammifères, vous tous qui avez rejoint l'Esprit – continuez de veiller sur nous et donnez-nous votre force, car nous en aurons sûrement besoin. »

Puis elle boit une gorgée de soupe et passe sa tasse à Amanda. Elle tend l'autre à Jimmy, mais il n'a pas la force de la tenir et renverse la moitié de son contenu. Je m'accroupis près de lui pour l'aider à boire. Peut-être qu'il est mourant, pensé-je. Peut-être que, demain matin, il sera mort.

« Je savais que tu reviendrais, dit-il en s'adressant à moi. Je le savais. Ne te change pas en hibou.

— Je ne suis pas un hibou. Tu as perdu la tête. Je suis Ren – tu te rappelles ? Tu m'as brisé le cœur, je tiens à ce que tu le saches ; mais je suis quand même heureuse que tu sois en vie. »

À présent que j'ai dit ça, je sens mes épaules se libérer d'un fardeau lourd et étouffant, et je suis vraiment heureuse.

Il me sourit, à moi où à celle qu'il voit à ma place. Un petit sourire bordé de cloques.

« C'est reparti, fait-il à son pied. Écoute la musique. » Il incline la tête sur le côté, le visage extatique. « On ne peut pas tuer la musique. On ne peut pas !

— Quelle musique ? dis-je, car je n'entends rien.

— Silence », ordonne Toby.

Nous tendons l'oreille. Jimmy a raison, on entend de la musique. Une musique ténue et lointaine, mais qui se rapproche. C'est le bruit de plusieurs personnes en train de chanter. Et nous apercevons maintenant l'éclat de leurs torches, qui sinuent vers nous au sein des ténèbres sous les arbres.

Remerciements

Ce livre est une œuvre de fiction, mais les événements qu'il décrit sont hélas proches de la réalité, dans les généralités comme dans les détails. La secte des Jardiniers de Dieu est apparue dans mon roman *Le Dernier Homme*, ainsi qu'Amanda Payne, Brenda (dite Ren), Bernice, Jimmy (alias Snowman), Glenn (alias Crake) et le groupe MaddAddam. Les Jardiniers ne s'inspirent d'aucun culte religieux existant, mais leur théologie et leur liturgie ne sont pas sans précédent. Les saints qu'ils célèbrent ont été choisis pour leurs contributions aux activités qui sont chères à leur cœur ; il en existe bien d'autres, qui ne sont pas mentionnés dans ce livre. Leurs cantiques ont été influencés de façon déterminante par William Blake, mais aussi par John Bunyan et le *Livre de cantiques* de l'Église anglicane du Canada et celui de l'Église unie du Canada. À l'instar des œuvres de ce genre, le *Livre de cantiques des Jardiniers de Dieu* contient un certain nombre de passages inintelligibles aux incroyants.

C'est à la suite d'une heureuse coïncidence que l'ensemble de ces cantiques a été mis en musique. Orville Stoeber, un musicien et chanteur établi à Venice (Californie), s'est amusé à produire quelques compositions puis, emporté par l'enthousiasme, en a écrit pour la totalité des cantiques. On trouvera l'extraordinaire fruit de sa création sur le CD *Hymns of the God's Gardeners*. Toute personne souhaitant les interpréter dans le cadre d'une cérémonie religieuse ou d'une manifestation pour la défense de l'environnement sera la bienvenue. Veuillez consulter la rubrique «Music» sur les sites www.yearoftheflood.com, www.yearoftheflood.co.uk ou www.yearoftheflood.ca.

C'est à l'issue d'une vente aux enchères au bénéfice de la Medical Foundation for the Care of Victims of Torture (Royaume-Uni) qu'Amanda Payne a vu son nom attribué à l'un des personnages du *Dernier Homme*. Saint Allan Sparrow de l'Air pur apparaît dans ces pages après des enchères organisées par CAIR (CommunityAIR, Toronto). Rebecca Eckler a remporté des enchères semblables organisées par le magazine canadien *The Walrus*. Tous mes remerciements aux donneurs de noms.

Comme de coutume, je témoigne toute ma gratitude à mes éditeurs enthousiastes, loyaux mais surmenés : Ellen Seligman de McClelland & Stewart (Canada), Nan Talese de Doubleday (États-Unis) et Alexandra Pringle et Liz Calder de Bloomsbury (Royaume-Uni), ainsi qu'à Louise Dennys de Vintage/Knopf Canada, LuAnn Walter d'Anchor (États-Unis), Lennie Goodings de Virago (Royaume-Uni) et Maya Mavjee de Doubleday Canada. Et aussi à mes agents, Phoebe Larmore (Amérique du Nord) et Vivienne Schuster ainsi que Betsy Robbins de l'agence Curtis Brown (Royaume-Uni); et également à Ron Bernstein; et à tous mes agents et éditeurs du monde entier. Merci aussi à Heather Sangster, pour ses prouesses de relectrice et de correctrice; et à mes assistantes au courage exceptionnel, Sarah Webster, Anne Joldersma, Laura Sternberg et Penny Kavanaugh; et aussi à Shannon Shields, dont l'aide fut appréciée. Et à Joel Rubinovitch et Sheldon Shoib; et à Michael Bradley et Sarah Cooper. Un grand merci à Coleen Quinn et Xiaolan Zhang, qui m'ont sauvée de la crampe de l'écrivain.

J'adresse des remerciements très spéciaux aux intrépides premiers lecteurs de ce livre : Jess Atwood Gibson, Eleanor et Ramsay Cook, Rosalie Abella, Valerie Martin, John Cullen et Xandra Bingley. Vous êtes des gens précieux.

Et, finalement, mes plus vifs remerciements à Graeme Gibson, avec qui j'ai célébré tant de Poissons d'Avril, de Jours de la Sagesse du Serpent et de Fêtes de Tous les Voyageurs. Le périple a été aussi long qu'enthousiasmant.

Table

La photocomposition de cet ouvrage
a été réalisée par
GRAPHIC HAINAUT
59163 Condé-sur-l'Escaut

IMPRIMERIES
TRANSCONTINENTAL

Imprimé au Canada